「十三五」国家重点出版物出版规划项目

国家出版基金项目
NATIONAL PUBLICATION FOUNDATION

中国中药资源大典

中国中药资源大典

资源大典

吉林卷

⑤

黄璐琦 / 总主编

曲晓波　姜大成　于俊林 / 主　编

北京科学技术出版社

图书在版编目（CIP）数据

中国中药资源大典．吉林卷．5 / 曲晓波，姜大成，
于俊林主编．— 北京 ：北京科学技术出版社，2022.1
ISBN 978-7-5714-1449-8

Ⅰ．①中… Ⅱ．①曲… ②姜… ③于… Ⅲ．①中药资
源－资源调查－吉林 Ⅳ．①R281.4

中国版本图书馆 CIP 数据核字（2021）第 218194 号

策划编辑：李兆弟　侍　伟
责任编辑：侍　伟　王治华　李兆弟　陈媞颖
责任校对：贾　荣
图文制作：樊润琴
责任印制：李　茗
出 版 人：曾庆宇
出版发行：北京科学技术出版社
社　　址：北京西直门南大街16号
邮政编码：100035
电　　话：0086-10-66135495（总编室）　　0086-10-66113227（发行部）
网　　址：www.bkydw.cn
印　　刷：北京捷迅佳彩印刷有限公司
开　　本：889 mm × 1194 mm　　1/16
字　　数：1056千字
印　　张：47.75
版　　次：2022年1月第1版
印　　次：2022年1月第1次印刷
审 图 号：GS（2021）8727号
ISBN 978-7-5714-1449-8

定　　价：490.00元

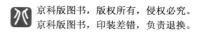

《中国中药资源大典·吉林卷5》

编写人员

主　　编	曲晓波　姜大成　于俊林
副 主 编	孙云龙　肖井雷　翁丽丽　蔡广知　张　强　王　哲
编　　委	（按姓氏笔画排序）

于　澎　于俊林　马　全　王　哲　王兆武　王英平　王英哲　牛志多

尹春梅　白　洋　包海鹰　朴明杰　毕　博　曲晓波　吕惠子　朱键勋

刘　霞　齐伟辰　安海成　孙云龙　孙仁爽　李　波　李　剑　李天生

李成华　李宜平　李剑男　李福子　杨世海　杨利民　肖井雷　肖春萍

吴　媛　吴望蕊　汪　娟　宋利捷　张　涛　张　辉　张　强　张天柱

张凤瑞　张立秋　张景龙　林　喆　国　坤　周　繇　庞　博　郑永春

郑春哲　孟芳芳　赵　磊　胡权德　胡彦武　侯晓琳　姜大成　祝洪艳

秦汝兰　秦佳梅　贾纪元　翁丽丽　高　雅　高晨光　容路生　董方言

雷钧涛　路　静　褚　颖　蔡广知

目录

被子植物

唇形科 Labiatae 藿香属 Agastache

藿香 *Agastache rugosa* (Fisch. et Mey.) O. Ktze.

| **植物别名** | 猫巴蒿、把蒿。

| **药材名** | 藿香（药用部位：全草。别名：北藿香、猫把、青茎薄荷）。

| **形态特征** | 多年生草本。茎直立，四棱形，上部被极短的细毛，下部无毛，上部具能育的分枝。叶心状卵形至长圆状披针形，向上渐小，先端尾状长渐尖，基部心形，稀截形，边缘具粗齿，纸质，上面榄绿色，近无毛，下面色略淡，被微柔毛及点状腺体。轮伞花序多花；花萼管状倒圆锥形，被具腺微柔毛及黄色小腺体，多少染成浅紫色或紫红色，喉部微斜，萼齿三角状披针形，后 3 齿长约 2.2mm，前 2 齿稍短；花冠淡紫蓝色，外被微柔毛，花冠筒基部微超出萼，向上渐宽，至喉部宽约 3mm，冠檐二唇形，上唇直伸，先端微缺，下唇 3 裂，中裂片较宽大，平展，边缘波状，基部宽，侧裂片半圆形；雄

藿香

蕊伸出花冠，花丝细，扁平，无毛；花柱与雄蕊近等长，丝状，先端相等 2 裂；花盘厚环状；子房裂片顶部具绒毛。成熟小坚果卵状长圆形，腹面具棱，先端具短硬毛，褐色。花期 6 ~ 9 月，果期 9 ~ 11 月。

| 生境分布 |　生于山坡、林缘、林下、草地、路边。以长白山区为主要分布区域，分布于吉林延边、白山、通化、吉林、辽源（东丰）、白城（大安）等。吉林中部半山区有栽培。

| 资源情况 |　野生资源丰富。吉林有栽培。药材主要来源于栽培。

| 采收加工 |　夏、秋季枝叶茂盛或花初开时采割，阴干，或趁鲜切段、阴干。

| 药材性状 |　本品茎呈方柱形，多分枝，直径 0.2 ~ 1cm，四角有棱脊，四面平坦或凹成宽沟状；表面暗绿色，有纵皱纹，稀有毛茸；节明显，常有叶柄脱落的疤痕，节间长 3 ~ 10cm；老茎坚硬，质脆，易折断，断面白色，髓部中空。叶对生；叶片深绿色，多皱缩或破碎，完整者展平后呈卵形，长 2 ~ 8cm，宽 1 ~ 6cm，先端尖或短渐尖，基部圆形或心形，边缘有钝锯齿，上表面深绿色，下表面浅绿色，两面微具毛茸。茎先端有时有穗状轮伞花序，呈土棕色。气芳香，味淡而微凉。

| 功能主治 |　辛，微温。归肺、脾、胃经。祛暑解表，化湿和中，理气开胃。用于暑湿感冒，胸闷，腹痛吐泻，不思饮食，疟疾；外用于手癣、足癣。

| 用法用量 |　内服煎汤，6 ~ 10g；或入丸、散。外用适量，煎汤洗；或研末搽。

| 附　　注 |　藿香的用量较大。吉林所产藿香大多自产自销，除少量作为药材外，大多数作调味品使用，其大部分嫩茎叶可用作炖鱼调味品。誉满吉林的"庆岭活鱼"，就是用藿香调味炖制而成，深受消费者的喜爱。此外，作为东北地区深受百姓喜爱的山野菜，藿香也可作炸酱的调料使用。

唇形科 Labiatae 筋骨草属 Ajuga

多花筋骨草

Ajuga multiflora Bunge

| 植物别名 | 筋骨草、花夏枯草。

| 药 材 名 | 多花筋骨草（药用部位：全草）。

| 形态特征 | 多年生草本。茎直立，不分枝，四棱形，密被灰白色绵毛状长柔毛，幼嫩部分尤密。基生叶具柄，茎上部叶无柄；叶片均纸质，椭圆状长圆形或椭圆状卵圆形，先端钝或微急尖，基部楔状下延，抱茎。轮伞花序自茎中部向上渐靠近，至先端呈一密集的穗状聚伞花序；苞叶大，下部者与茎生叶同形，向上渐小，呈披针形或卵形；花梗极短，被柔毛；花萼宽钟形，萼齿 5，整齐，钻状三角形；花冠蓝紫色或蓝色，筒状，冠檐二唇形，上唇短，直立，先端 2 裂，裂片圆形，下唇伸长，宽大，3 裂，中裂片扇形，侧裂片长圆形；雄蕊 4，二强，花丝粗壮；花柱细长；花盘环状，裂片不明显，前面呈指

多花筋骨草

状膨大。小坚果倒卵状三棱形，背部具网状皱纹，腹部中间隆起，具 1 大果脐，其长度占腹面的 2/3，边缘被微柔毛。花期 5 ~ 6 月，果期 7 ~ 8 月。

| 生境分布 | 生于向阳草地、山坡、林缘、阔叶林林下、溪流旁沙地或路旁等。吉林各地均有分布。

| 资源情况 | 野生资源丰富。药材主要来源于野生。

| 采收加工 | 5 ~ 6 月花开时采收，洗净，晒干。

| 药材性状 | 本品茎呈方柱形，不分枝，密被灰白色绵毛状长柔毛。叶片椭圆状长圆形或椭圆状卵圆形，抱茎。轮伞花序，花冠蓝紫色或蓝色。气芳香，味淡而微凉。

| 功能主治 | 清热，凉血，消肿。用于跌打损伤，血热出血。

| 用法用量 | 内服煎汤，6 ~ 9g。外用适量，捣敷。

唇形科 Labiatae 水棘针属 Amethystea

水棘针
Amethystea caerulea Linn.

| **植物别名** | 细叶山紫苏、土荆芥。

| **药 材 名** | 水棘针（药用部位：全草。别名：山油子、土荆芥、细叶山紫苏）。

| **形态特征** | 一年生草本，呈金字塔形分枝。茎四棱形。叶柄长 0.7 ~ 2cm；叶片纸质或近膜质，三角形或近卵形，3 深裂，稀不裂或 5 裂，裂片披针形，边缘具粗锯齿或重锯齿，中间的裂片长 2.5 ~ 4.7cm，两侧的裂片长 2 ~ 3.5cm。花序为由松散而具长梗的聚伞花序所组成的圆锥花序；苞叶与茎生叶同形，变小；小苞片微小，线形；花梗短；花萼钟形，具 10 脉，萼齿 5，近整齐，三角形；花冠蓝色或紫蓝色，花冠筒内藏或略长于花萼，冠檐二唇形，上唇 2 裂，长圆状卵形或卵形，下唇略大，3 裂，中裂片近圆形，侧裂片与上唇裂片近同形；雄蕊 4，前对能育，花丝细弱，伸出雄蕊约 1/2，花药 2 室，药室叉

水棘针

开，纵裂；花盘环状，具相等浅裂片。小坚果倒卵状三棱形，背面具网状皱纹，腹面具棱，两侧平滑，合生面大，高达果实长的 1/2 或更高。花期 8 ~ 9 月，果期 9 ~ 10 月。

| **生境分布** | 生于杂草丛、荒地、耕地、山坡、湿地、林下等。吉林各地均有分布。

| **资源情况** | 野生资源丰富。药材主要来源于野生。

| **采收加工** | 夏、秋季采收，切段，晒干。

| **功能主治** | 辛，温。发表散寒，祛风透疹，消食止泻，健脾，止痢。用于麻疹不透，不思饮食，脾虚泄泻，痢疾。

唇形科 Labiatae 风轮菜属 *Clinopodium*

风车草

Clinopodium urticifolium (Hance) C. Y. Wu et Hsuan ex H. W. Li

| 植物别名 | 风轮菜、断血流。

| 药 材 名 | 风车草（药用部位：全草。别名：野薄荷、风轮菜）。

| 形态特征 | 多年生草本，高 35 ~ 80cm。根茎木质。茎直立，四棱形，近基部有时圆形，基部半木质，常带紫红色，被向下的疏柔毛，常于上部分枝，棱及节上毛较密。叶对生，卵形、卵圆形或卵状披针形，基部近圆形或稍呈截形，先端尖或钝，边缘锯齿状，表面深绿色，被极疏的短柔毛，背面色淡，沿脉上被疏柔毛，侧脉 6 ~ 7 对；叶柄向上渐短，被具节疏柔毛。轮伞花序多花，密集，彼此远离；苞叶叶状，下部者长超过花序，上部者与花序近等长，且呈苞片状；苞片线形，带紫红色，具明显的中肋，边缘具长缘毛；总花梗多分枝，被具腺微柔毛；花萼管状，长约 8mm，上部带紫红色，外面沿脉上

风车草

被白色纤毛，余被具腺微柔毛，里面萼齿上被疏柔毛；花冠里面喉部具 2 列毛茸，冠檐二唇形，上唇倒卵形，先端微凹，下唇 3 裂，中裂片大；雄蕊 4，前对稍长，不超出花冠；花柱先端不相等 2 浅裂。小坚果倒卵形，褐色，无毛。花期 6 ~ 8 月，果期 8 ~ 9 月。

| 生境分布 | 生于草地、林缘、灌丛、路旁或田边等。分布于吉林白山（抚松、靖宇、长白）等。

| 资源情况 | 野生资源较丰富。药材主要来源于野生。

| 采收加工 | 夏季开花前采收，除去杂质，晒干。

| 药材性状 | 本品根茎木质。茎长 25 ~ 80cm。叶卵圆形、卵状长圆形至卵状披针形，边缘锯齿状；上面橄绿色，下面色略淡。轮伞花序半球形；苞叶叶状，苞片线形，常染紫红色；花萼狭管状；花冠紫红色；花柱微露出，裂片扁平；花盘平顶。气芳香，味淡而微凉。

| 功能主治 | 苦、辛，凉。清热解毒，疏风解表，止痢，止血。用于感冒，中暑，急性胆囊炎，肠炎，腮腺炎，乳腺炎，痢疾，肝炎，急性结膜炎，疔疮肿毒，过敏性皮炎，皮肤瘙痒，血尿、外伤出血等各种出血证。

| 附　注 | 在 FOC 中，本种的拉丁学名被修订为 *Cyperus involucratus* Rottboll。

唇形科 Labiatae 青兰属 *Dracocephalum*

光萼青兰

Dracocephalum argunense Fisch. ex Link

| 植物别名 | 北青兰。

| 药 材 名 | 光萼青兰（药用部位：全草。别名：北青兰）。

| 形态特征 | 多年生草本。茎多数自根茎生出，直立，不分枝，在叶腋有具小形叶的不发育短枝，上部四棱形，疏被倒向的小毛，中部以下钝四棱形或近圆柱形，几无毛。茎下部叶具短柄，柄长为叶片的1/4 ~ 1/3，叶片长圆状披针形，先端钝，基部楔形，在下面中脉上疏被短毛或几无毛；茎中部以上的叶无柄，披针状线形；在花序上的叶变短，披针形或卵状披针形。轮伞花序生于茎顶2 ~ 4节上，长2 ~ 4.5cm，多少密集，苞片长为萼的1/2或2/3，绿色，椭圆形或匙状倒卵形，先端锐尖，边缘被睫毛；花萼长1.4 ~ 1.8cm，下部密被倒向的小毛，中部变稀疏，上部几无毛，2裂至近中部，齿锐尖，

光萼青兰

常带紫色，上唇 3 裂约至 2/3 处，中齿披针状卵形，较侧齿稍宽，侧齿披针形，下唇 2 裂几至基部，齿披针形；花冠蓝紫色，外面被短柔毛；花药密被柔毛，花丝疏被毛。花期 6 ~ 8 月。

| **生境分布** | 生于山坡草地、草原、江岸砂质草甸或灌丛。以长白山区为主要分布区域，分布于吉林延边、白山、通化、吉林、辽源（东丰）等。

| **资源情况** | 野生资源较少。药材主要来源于野生。

| **采收加工** | 夏季采收，除去杂质，切段，晒干。

| **药材性状** | 本品茎呈方柱形，少分枝，长 5 ~ 10cm，直径 2 ~ 3mm，表面黄棕色或红棕色。叶多皱缩、破碎，完整叶片展平后呈狭披针形，表面绿色或淡绿色，叶腋具短缩的小枝。花苞片长卵形，较小，表面紫红色或黄绿色，具刺齿。气微香，味苦。

| **功能主治** | 清热燥湿，凉血止血。用于头痛，咽喉痛，血热出血。

唇形科 Labiatae 青兰属 *Dracocephalum*

香青兰

Dracocephalum moldavica Linn.

| **植物别名** | 山薄荷。

| **药 材 名** | 香青兰（药用部位：地上部分。别名：山香、毕日阳古）。

| **形态特征** | 一年生草本。直根圆柱形。茎数条，直立或渐升，常在中部以下具
分枝，不明显四棱形，被倒向的小毛，常带紫色。基生叶卵圆状三
角形，先端圆钝，基部心形，具疏圆齿，具长柄，很快枯萎；下部
茎生叶与基生叶相似，具与叶片等长的柄，中部以上的茎生叶具短
柄，柄长为叶片的 1/4 ~ 1/2 或更短，叶片披针形至线状披针形，
先端钝，基部圆形或宽楔形，两面只在脉上疏被小毛及黄色小腺点，
边缘通常具不规则至规则的三角形牙齿或疏锯齿，有时基部的牙齿
呈小裂片状，分裂较深，常具长刺。轮伞花序通常具 4 花；苞片长
圆形，稍长或短于萼，疏被贴伏的小毛，每侧具 2 ~ 3 小齿，齿具

香青兰

长刺；花萼被金黄色腺点及短毛，下部较密，脉常带紫色，2 裂至近中部，上唇 3 浅裂至 1/4 ~ 1/3 处，3 齿近等大，三角状卵形，先端锐尖，下唇 2 裂至近基部，裂片披针形；花冠淡蓝紫色，喉部以上宽展，外面被白色短柔毛，冠檐二唇形，上唇短舟形，长约为花冠筒的 1/4，先端微凹，下唇 3 裂，中裂片扁，2 裂，具深紫色斑点，有短柄，柄上有 2 突起，侧裂片平截；雄蕊微伸出，花丝无毛，先端尖细，花药叉开；花柱无毛，先端 2 等裂。小坚果长圆形，先端平截，光滑。

| 生境分布 | 生于干燥坡地、山谷、河滩多石地。分布于吉林白城（洮南、大安、通榆）、松原（乾安、前郭尔罗斯、长岭）、长春（农安）、四平（双辽、梨树）等。

| 资源情况 | 野生资源较丰富。药材主要来源于野生。

| 采收加工 | 夏、秋季采收，除去杂质，晒干。

| 药材性状 | 本品茎呈方柱形，长 5 ~ 10cm，直径 0.3 ~ 0.5cm；表面紫红色或黄绿色，密被倒向短毛；体轻，质脆，易折断，断面中心有髓。叶对生，有柄；叶片多破碎或脱落，完整者展平后呈披针形或条状披针形，长 1.5 ~ 4cm，黄绿色，边缘具三角形齿或锯齿，基部齿尖具长刺毛，下表面有黑色腺点。轮伞花序顶生，苞片矩圆形，萼筒具纵纹，密被黄色腺点，先端 5 齿裂，花冠二唇形，淡蓝紫色。气香，味辛。

| 功能主治 | 辛、苦，凉。辛凉解表，凉肝止血，清热泻火，止痛。用于咳嗽痰喘，发热，感冒，流黄涕，头痛，咽喉干痛，舌燥，黄疸，吐血，衄血。

| 用法用量 | 内服煎汤，3 ~ 9g。

| 附　注 | 目前，有药厂利用香青兰提制挥发油以作香料进行出口，导致本种的用量增加。吉林暂无药材商品产出。

唇形科 Labiatae 青兰属 *Dracocephalum*

毛建草

Dracocephalum rupestre Hance

| 植物别名 |　岩青兰。

| 药 材 名 |　岩青兰（药用部位：全草。别名：毛尖）。

| 形态特征 |　多年生草本。根茎直，生出多数茎。茎不分枝，渐升，四棱形，常带紫色。基生叶多数，花后仍多数存在，常具柄，叶片三角状卵形，先端钝，基部常为深心形，或为浅心形，边缘具圆锯齿；茎中部叶具明显的叶柄；花序处之叶变小。轮伞花序密集，通常呈头状，稀呈穗状；花具短梗；苞片大者倒卵形，小者倒披针形；花萼长2～2.4cm，常带紫色，被短柔毛及睫毛，2裂至2/5处，上唇3裂至基部，中齿倒卵状椭圆形，先端锐短渐尖，宽为侧齿的2倍，侧齿披针形，先端锐渐尖，下唇2裂稍超过基部，齿狭披针形；花冠紫蓝色，外面被短毛，下唇中裂片较小，无深色斑点及白色长柔毛；

毛建草

花丝疏被柔毛，先端具尖的突起。花期 6 ~ 7 月，果期 8 ~ 9 月。

| 生境分布 |　生于干燥山坡、疏林下或岩石缝隙等。分布于吉林延边、白山、通化、长春、吉林、辽源等。

| 资源情况 |　野生资源较少。药材主要来源于野生。

| 采收加工 |　7 ~ 8 月采收，切段，晒干。

| 功能主治 |　辛，凉。疏风清热，清热解毒，凉血止血。用于外感风热，头痛发热，咽喉痛，咳嗽，胸胁胀满，黄疸性肝炎，痢疾，吐血，衄血。

| 用法用量 |　内服煎汤，9 ~ 15g；或代茶饮。

唇形科 Labiatae 香薷属 Elsholtzia

香薷
Elsholtzia ciliata (Thunb.) Hyland.

香薷

| 植物别名 |

山苏子、臭荆芥、小叶巴蒿。

| 药材名 |

北香薷（药用部位：地上部分。别名：香茹、香草、蜜蜂草）。

| 形态特征 |

一年生直立草本。茎通常自中部以上分枝，钝四棱形。叶卵形或椭圆状披针形，先端渐尖，基部楔状下延成狭翅，边缘具锯齿，侧脉 6～7 对。穗状花序长 2～7cm，宽达 1.3cm，偏向一侧，由多花的轮伞花序组成；苞片宽卵圆形或扁圆形，先端具芒状突尖；花梗纤细；花萼钟形，长约 1.5mm，萼齿 5，三角形，前 2 齿较长，先端具针状尖头，边缘具缘毛；花冠淡紫色，长约为花萼长的 3 倍，外面被柔毛，上部夹生有稀疏腺点，喉部被疏柔毛，花冠筒自基部向上渐宽，至喉部宽约 1.2mm，冠檐二唇形，上唇直立，先端微缺，下唇开展，3 裂，中裂片半圆形，侧裂片弧形，较中裂片短；雄蕊 4，前对较长，外伸，花丝无毛，花药紫黑色；花柱内藏，先端 2 浅裂。小坚果长圆形，棕黄色，光滑。花期 8～9 月，果期 9～10 月。

| **生境分布** | 生于田间路旁、农舍附近、荒地、山坡、林缘河岸草地。吉林各地均有分布。吉林中部半山区有栽培。

| **资源情况** | 野生资源丰富。吉林有栽培。药材主要来源于栽培。

| **采收加工** | 夏、秋季花盛时采割，除去杂质，晒干或阴干。

| **药材性状** | 本品全长 30 ~ 90cm。茎四棱形，多分枝，有毛，表面浅黄棕色或紫褐色；质硬脆，易折断，断面中央有较大的髓。叶对生，多深绿色，常碎落，完整者呈狭卵形至卵状长圆形，边缘有锯齿。穗状花序腋生或顶生，花偏向一侧，苞片近圆形，花萼钟状，5 裂。气特异而浓烈，味辛。

| **功能主治** | 辛，微温。归肺、胃经。发汗解表，化湿和中，利水消肿。用于夏月感寒饮冷，恶寒发热，头痛无汗，胸痞腹痛，呕吐泄泻，水肿，小便不利。

| **用法用量** | 内服煎汤，5 ~ 15g，鲜品加倍。外用适量，捣敷；或煎汤含漱；或熏洗。

| **附　　注** | （1）北香薷已被列入 2019 年版《吉林省中药材标准》第一册。

（2）北香薷的用量较小。本种的资源在吉林分布较广，但无药材商品产出。本种的嫩幼苗可食，是朝鲜族常用的食品调料，常被民间用来制作狗酱和咸菜，味道鲜美。

唇形科 Labiatae 香薷属 Elsholtzia

岩生香薷

Elsholtzia saxatilis (Komarov) Nakai

岩生香薷

| 药 材 名 |

岩生香薷（药用部位：全草）。

| 形态特征 |

一年生直立草本。茎淡紫色，钝四棱形，具槽，多分枝。叶披针形至线状披针形，先端渐尖或略钝，基部楔形下延至叶柄，边缘具疏而钝或不明显的锯齿；叶柄长 2 ~ 5mm，被微柔毛。穗状花序长 1 ~ 2.5cm，生于茎及小枝先端；不明显偏向一侧；苞片阔卵形，长 4mm，宽约 6mm，先端骤成芒尖，尖头长约 1mm，两面无毛，外面疏布腺点，脉纹带紫色，边缘具缘毛；花梗短，花序轴被微柔毛；花萼管状，外面被柔毛，萼齿 5，披针形，近等长，先端刺芒状；花冠玫瑰紫色，长约为花萼的 2.5 倍，自基部向上渐扩大，外面被柔毛，冠檐二唇形，上唇先端微缺，下唇开展，3 裂，中裂片较大，近圆形，侧裂片半圆形，均全缘；雄蕊 4，前对较长，伸出，花丝无毛；花柱几与前对雄蕊等长，先端近相等 2 裂。小坚果长圆形，栗色，无毛。花期 8 ~ 9 月，果期 9 ~ 10 月。

| 生境分布 |

生于石缝中。分布于吉林延边、白山、通化、长春、吉林、辽源等。

| **资源情况** | 野生资源较少。药材主要来源于野生。

| **采收加工** | 夏、秋季茎叶茂盛、果实成熟时采收，除去杂质，晒干。

| **功能主治** | 清热解毒，祛风解表。用于感冒，风湿痹痛，皮肤瘙痒。

唇形科 Labiatae 香薷属 Elsholtzia

海州香薷 *Elsholtzia splendens* Nakai

海州香薷

| 植物别名 |

铜草、把蒿。

| 药 材 名 |

海州香薷（药用部位：地上部分。别名：香茸、紫花香菜、蜜蜂草）。

| 形态特征 |

一年生草本。茎直立。叶卵状三角形、卵状长圆形至长圆状披针形或披针形，先端渐尖，基部阔楔形或狭楔形，下延至叶柄，边缘疏生锯齿，锯齿整齐；茎中部叶的叶柄较长，向上变短。穗状花序顶生，偏向一侧，由多数轮伞花序组成；苞片近圆形或宽卵圆形；花梗长不及 1mm；花萼钟形，具腺点，萼齿 5，三角形，近相等，先端具刺芒尖头；花冠玫瑰红紫色，微内弯，近漏斗形，花冠筒基部宽约 0.5mm，向上渐宽，至喉部宽不及 2mm，冠檐二唇形，上唇直立，先端微缺，下唇开展，3 裂，中裂片圆形，全缘，侧裂片截形或近圆形；雄蕊 4，前对较长，均伸出；花柱超出雄蕊，先端近相等 2 浅裂，裂片钻形。小坚果长圆形，黑棕色，具小疣。花期 8 ~ 9 月，果期 9 ~ 10 月。

| 生境分布 | 生于山坡的林缘、灌丛、草地、多石地、路边或田边等。分布于吉林通化（通化、集安）、白山（临江）、吉林（舒兰、蛟河）等。

| 资源情况 | 野生资源较少。药材主要来源于野生。

| 采收加工 | 夏、秋季茎叶茂盛、花初开时采割，阴干或晒干。

| 药材性状 | 本品全体被有白色茸毛。茎平直或稍波状弯曲，长 30 ~ 50cm，直径 1 ~ 3mm；近根部为圆柱形，上部方形，节明显，淡紫色或黄绿色；质脆，易折断。叶对生，皱缩、破碎或已脱落；完整的叶片呈披针形或长卵形，长 2.5 ~ 3.5cm，宽 3 ~ 5mm，边缘有疏锯齿，暗绿色或灰绿色。穗状花序淡黄色或淡紫色，宿存花萼钟状，苞片脱落或残存。香气浓烈，味辛，微麻舌。

| 功能主治 | 辛，微温。发汗解表，和中利湿。用于暑热感冒，恶寒发热，头痛无汗，腹痛吐泻，小便不利。

| 用法用量 | 内服煎汤，3 ~ 9g；或研末冲服。

唇形科 Labiatae 鼬瓣花属 Galeopsis

鼬瓣花 *Galeopsis bifida* Boenn.

鼬瓣花

| 植物别名 |

野苏子、黑苏子。

| 药 材 名 |

鼬瓣花（药用部位：全草。别名：壶瓶花、引子香、十二槐花）、鼬瓣花根（药用部位：根。别名：壶瓶花根）。

| 形态特征 |

一年生草本。茎直立，通常高 0.2 ~ 1m，粗壮，钝四棱形，具槽。茎生叶卵圆状披针形或披针形，先端锐尖或渐尖，基部渐狭至宽楔形，边缘有规则的圆齿状锯齿，侧脉 6 ~ 8对。轮伞花序腋生，多花密集；小苞片线形至披针形，长 3 ~ 6mm；花萼管状钟形，连齿长约 1cm，齿 5，近等大，与萼筒近等长，长三角形；花冠白色、黄色或粉紫红色，花冠筒漏斗状，喉部增大，冠檐二唇形，上唇卵圆形，先端钝，下唇 3 裂，中裂片长圆形，宽度与侧裂片近相等，宽约 2mm，先端明显微凹，侧裂片长圆形，全缘；雄蕊 4，均延伸至上唇片之下，花丝丝状，花药卵圆形，2 室，2 瓣横裂，内瓣较小，具纤毛；花柱先端近相等 2 裂。花盘前方呈指状增大；子房无毛，褐色。小坚果倒卵状三棱形，褐色，有秕鳞。花期 7 ~ 9 月，果期 9 月。

| **生境分布** | 生于林缘、灌丛、林下湿地、水边。以长白山区为主要分布区域，分布于吉林延边、白山、通化、吉林、辽源（东丰）等。

| **资源情况** | 野生资源较少。药材主要来源于野生。

| **采收加工** | 鼬瓣花：8 ~ 9 月采收，洗净，切段，晒干。
鼬瓣花根：秋季采挖，晒干。

| **功能主治** | 鼬瓣花：辛，温。发汗解表，祛暑化湿，化痰止咳，利尿，解毒。用于外感表证，咳嗽咳痰，中暑，小便不利，梅毒，痈疮，肉食中毒。
鼬瓣花根：甘、微辛，温。补虚，止咳，调经。用于体虚羸弱，肺虚久咳，月经不调。

| **用法用量** | 鼬瓣花：内服煎汤，3 ~ 9g。外用适量，捣敷；或研末敷。
鼬瓣花根：内服煎汤，15 ~ 30g。

唇形科 Labiatae 活血丹属 Glechoma

活血丹

Glechoma longituba (Nakai) Kupr.

活血丹

| 植物别名 |

连钱草。

| 药 材 名 |

连钱草（药用部位：地上部分。别名：遍地香、地钱儿、铜钱草）。

| 形态特征 |

多年生草本，具匍匐茎，上升，逐节生根。茎四棱形，基部通常呈淡紫红色。叶草质，下部者较小，叶片心形或近肾形，叶柄长为叶片的 1 ~ 2 倍；上部者较大，叶片心形，先端急尖或钝三角形，基部心形，边缘具圆齿或粗锯齿状圆齿，叶柄长为叶片的 1.5 倍。轮伞花序通常 2 花，稀具 4 ~ 6 花；苞片及小苞片线形，长达 4mm；花萼管状，齿 5，上唇 3 齿，较长，下唇 2 齿，略短；花冠淡蓝色、蓝色至紫色，下唇具深色斑点，花冠筒直立，冠檐二唇形，上唇直立，2 裂，裂片近肾形，下唇伸长，斜展，3 裂，中裂片最大，肾形，较上唇片大 1 ~ 2 倍；雄蕊 4，内藏，后对着生于上唇下，花药 2 室，略叉开；子房 4 裂，花柱细长，略伸出，先端近相等 2 裂；花盘杯状。成熟小坚果深褐色，长圆状卵形，长约 1.5mm，宽约 1mm。花期 5 ~ 6 月，果期 7 ~ 8 月。

| **生境分布** | 生于林下、山坡、林缘草地、山区路边、田边、湿草地或河边等，常成片生长。吉林各地均有分布。

| **资源情况** | 野生资源丰富。药材主要来源于野生。

| **采收加工** | 春季至秋季采收，除去杂质，晒干。

| **药材性状** | 本品长 10 ~ 20cm，疏被短柔毛。茎呈方柱形，细而扭曲；表面黄绿色或紫红色，节上有不定根；质脆，易折断，断面常中空。叶对生，叶片多皱缩，展平后呈肾形或近心形，长 1 ~ 3cm，宽 1.5 ~ 3cm，灰绿色或绿褐色，边缘具圆齿；叶柄纤细，长 4 ~ 7cm。轮伞花序腋生，花冠二唇形，长达 2cm。搓之气芳香，味微苦。以叶多、色绿、气香浓者为佳。

| **功能主治** | 辛、微苦，微寒。归肝、胆、膀胱经。利湿通淋，清热解毒，散瘀消肿，利尿排石。用于热淋，石淋，湿热黄疸，疮痈肿痛，跌打损伤。

| **用法用量** | 内服煎汤，15 ~ 30g；或浸酒；或捣汁。外用适量，捣敷；或绞汁涂敷。

唇形科 Labiatae 夏至草属 Lagopsis

夏至草
Lagopsis supina (Steph.) Ik.-Gal. ex Knorr.

| 植物别名 | 夏枯草。

| 药 材 名 | 夏至草（药用部位：地上部分。别名：风轮草、假茺蔚、假益母草）。

| 形态特征 | 多年生草本。茎四棱形，具沟槽，带紫红色，密被微柔毛，常在基部分枝。叶一般呈圆形，先端圆形，基部心形，3 深裂，裂片有圆齿或长圆形犬齿，有时叶片为卵圆形，3 浅裂或深裂，裂片无齿或有稀疏圆齿，通常基部越冬叶远较宽大；叶柄长，基生叶的叶柄长 2 ~ 3cm，上部叶的叶柄较短。轮伞花序疏花，在枝条上部者较密集，在下部者较疏松；花萼管状钟形，外面密被微柔毛，脉 5，凸出，齿 5，不等大；花冠白色，稀粉红色，稍伸出萼筒，长约 7mm，冠檐二唇形，上唇直伸，比下唇长，长圆形，全缘，下唇斜展，3 浅裂，中裂片扁圆形，2 侧裂片椭圆形；雄蕊 4，着生于花冠筒中部稍下，不

夏至草

伸出，后对较短，花药卵圆形，2 室；花柱先端 2 浅裂。小坚果长卵形，褐色。花期 5 ~ 6 月，果期 7 ~ 8 月。

| 生境分布 | 生于林下、林缘、草地、荒地、灌丛、湿草地或河边等。分布于吉林延边、白山、通化、吉林、辽源等。吉林中部半山区有栽培。

| 资源情况 | 野生资源较丰富。吉林有栽培。药材主要来源于栽培。

| 采收加工 | 夏至前盛花期采收，晒干或鲜用。

| 药材性状 | 本品茎呈类方形，有分枝，长 12 ~ 30cm，被倒生细毛。叶对生，黄绿色至暗绿色，多皱缩，完整叶片展平后呈掌状 3 全裂，裂片具钝齿或小裂，两面密被细毛；叶柄长。轮伞花序腋生；花萼钟形，萼齿 5，齿端有尖刺；花冠钟状，类白色。质脆。气微，味微苦。

| 功能主治 | 微苦，平；有小毒。归肝经。养血，活血，调经。用于月经不调，肾炎，水肿，贫血，头晕，半身不遂。

| 用法用量 | 内服煎汤，9 ~ 12g；或熬膏。

唇形科 Labiatae 野芝麻属 Lamium

短柄野芝麻 *Lamium album* Linn.

| 植物别名 |　野芝麻。

| 药 材 名 |　短柄野芝麻（药用部位：地上部分。别名：野芝麻）。

| 形态特征 |　多年生草本。茎四棱形，被刚毛状毛或几无毛，中空。茎下部叶较小，
茎上部叶卵圆形或卵圆状长圆形至卵圆状披针形，先端急尖至长尾
状渐尖，基部心形，边缘具牙齿状锯齿，草质，上面榄绿色，被稀
疏的贴生短硬毛，在叶缘上较密集，下面色淡，被稀疏的短硬毛，
基部边缘具睫毛，苞叶叶状，近无柄。轮伞花序 8 ～ 9 花；苞片线形，
约为花萼长的 1/6；花萼钟形，基部有时紫红色，具疏刚毛及短硬
毛，萼齿披针形，长约为花萼的 1/2，先端具芒状尖，边缘具睫毛；
花冠浅黄色或污白色，外面被短柔毛，上部尤为密集，内面近基部
有斜向的毛环，花冠筒与花萼等长或较长，喉部扩展，冠檐二唇形，

短柄野芝麻

上唇倒卵圆形，先端钝，下唇中裂片倒肾形，
先端深凹，基部收缩，边缘具长睫毛，侧裂片
圆形，长约 2mm，具长约 1mm 的钻形小齿；
雄蕊花丝扁平，上部被长柔毛，花药黑紫色，
被长柔毛。小坚果长卵圆形，几三棱状，深灰色，
无毛，有小突起。花期 7 ~ 9 月，果期 8 ~ 10 月。

| 生境分布 |

生于落叶松林林缘、云杉林破坏后的湿润地或
谷底半阴坡草丛中。分布于吉林延边、白山、
通化及中部半山区部分地区等。

| 资源情况 |

野生资源较少。药材主要来源于野生。

| 采收加工 |

夏、秋季采割，除去杂质，晒干。

| 功能主治 |

活血散瘀，消肿止痛。用于跌打损伤，痛经，带下，
小便淋痛，子宫内膜炎。

唇形科 Labiatae 野芝麻属 Lamium

野芝麻 *Lamium barbatum* Sieb. et Zucc.

| **植物别名** | 山苏子、白花菜、山芝麻。

| **药 材 名** | 野芝麻（药用部位：全草。别名：白花益母草、续断、白花菜）、野芝麻根（药用部位：根）、野芝麻花（药用部位：花）。

| **形态特征** | 多年生草本。茎单生，直立，四棱形。茎下部的叶卵圆形或心形，先端尾状渐尖，基部心形，茎上部的叶卵圆状披针形，较茎下部的叶长而狭，先端长尾状渐尖，茎上部的叶柄渐变短。轮伞花序 4 ~ 14 花，着生于茎先端；苞片狭线形或丝状，锐尖；花萼钟形，萼齿披针状钻形；花冠白色或浅黄色，长约 2cm，花冠筒基部直径 2mm，冠檐二唇形，上唇直立，倒卵圆形或长圆形，长约 1.2cm，下唇长约 6mm，3 裂，中裂片倒肾形，先端深凹，基部急收缩，侧裂片宽；雄蕊的花丝扁平，被微柔毛，彼此粘连，花药深紫色，被柔毛；子

野芝麻

房裂片长圆形，无毛，花柱丝状，先端近相等 2 浅裂；花盘杯状。小坚果倒卵圆形，先端截形，基部渐狭，淡褐色。花期 5 ~ 6 月，果期 7 ~ 8 月。

| **生境分布** | 生于山坡、草地、林缘、灌丛、林下、河边或采伐迹地等土质较肥沃的湿润地上，常成片生长。以长白山区为主要分布区域，分布于吉林延边、白山、通化、吉林、辽源（东丰）等。

| **资源情况** | 野生资源较丰富。药材主要来源于野生。

| **采收加工** | 野芝麻：夏、秋季采收，洗净，晒干或鲜用。

野芝麻根：夏、秋季采挖，洗净，晒干或鲜用。

野芝麻花：5 ~ 6 月采摘，除去杂质，干燥。

| **药材性状** | 野芝麻：本品茎呈类方形，长 25 ~ 50cm。叶对生，多皱缩或破碎，完整者展平后呈卵心形，先端长尾状，基部心形或近截形，边缘具粗齿，两面具伏毛；叶柄长 1 ~ 5cm。轮伞花序生于上部叶叶腋内；苞片线形，具睫毛；花萼钟形，5 裂；花冠多皱缩，灰白色至灰黄色。质脆。气微香，味淡、微辛。

| **功能主治** | 野芝麻：甘、辛，平。散瘀，消积，调经，利湿。用于跌打损伤，小儿疳积，带下，痛经，月经不调，水肿，小便涩痛。

野芝麻根：微甘，平。清肝利湿，活血消肿。用于眩晕，肝炎，肺痨，水肿，带下，疳积，痔疮，肿毒。

野芝麻花：甘、辛，平。调经，利湿。用于月经不调。

| **用法用量** | 野芝麻：内服煎汤，9 ~ 15g；或研末。外用适量，鲜品捣敷；或研末调敷。

野芝麻根：内服煎汤，9 ~ 15g；或研末，3 ~ 9g。外用适量，鲜品捣敷。

野芝麻花：内服煎汤，10 ~ 25g。

唇形科 Labiatae 益母草属 Leonurus

益母草 *Leonurus artemisia* (Lour.) S. Y. Hu

益母草

| 植物别名 |

异叶益母草、益母蒿、坤草。

| 药 材 名 |

益母草（药用部位：新鲜或干燥地上部分。别名：辣母藤、郁臭苗、益母艾）、茺蔚子（药用部位：果实。别名：益母草子、苦草子、小胡麻）、益母草花（药用部位：花。别名：茺蔚花）。

| 形态特征 |

一年生或二年生草本。茎直立，钝四棱形。叶形变化很大，茎下部叶卵形，基部宽楔形，掌状 3 裂，裂片呈长圆状菱形至卵圆形，通常长 2.5 ~ 6cm，宽 1.5 ~ 4cm，裂片上再分裂，叶脉凸出，叶柄纤细，长 2 ~ 3cm；茎中部叶菱形，较小，通常分裂成 3 长圆状线形的裂片，偶多个，基部狭楔形；花序最上部的苞叶线形或线状披针形。轮伞花序腋生，具 8 ~ 15 花，圆球形，多数远离而组成长穗状花序；小苞片刺状；花无梗；花萼管状钟形，齿 5，前 2 齿靠合，后 3 齿较短；花冠粉红色至淡紫红色，花冠筒长约 6mm，等大，冠檐二唇形，上唇直伸，内凹，下唇略短于上唇，3 裂，中裂片倒心形，侧裂片卵圆形；雄蕊 4，花丝丝状；花盘平顶；子房

褐色。小坚果长圆状三棱形，淡褐色，光滑。花期 8 ~ 9 月，果期 9 ~ 10 月。

| **生境分布** | 生于田野、沙地、山坡、草地、林缘、灌丛、林下、路边、沟谷等。吉林各地均有分布。吉林中部半山区有栽培。

| **资源情况** | 野生资源丰富。吉林有栽培。药材主要来源于野生。

| **采收加工** | 益母草：鲜品于春季幼苗期至初夏花前期采割，干品于夏季茎叶茂盛、花未开或初开时采割，晒干，或切段后晒干。

茺蔚子：秋季果实成熟时采割地上部分，晒干，打下果实，除去杂质。

益母草花：夏季花初开时采收，除去杂质，晒干。

| **药材性状** | 益母草：本品茎表面灰绿色或黄绿色；体轻，质韧，断面中部有髓。叶片灰绿色，多皱缩、破碎，易脱落。轮伞花序腋生，小花淡紫色，花萼筒状，花冠二唇形。切段者长约 2cm。气微，味微苦

茺蔚子：本品呈三棱形，长 2 ~ 3mm，宽约 1.5mm。表面灰棕色至灰褐色，有深色斑点，一端稍宽，平截状，另一端渐窄而钝尖。果皮薄，子叶类白色，富油性。气微，味苦。

益母草花：本品花萼及雌蕊大多已脱落，长约 1.3cm，淡紫色至淡棕色。花冠自

先端向下渐次变细，基部联合成管，上部二唇形，上唇长圆形，全缘，背部密具细长白毛，也有缘毛；下唇 3 裂，中央裂片倒心形，背部具短绒毛，冠管口处有毛环生。雄蕊 4，二强，着生在花冠筒内，与残存的花柱，常伸出于花冠筒之外。气弱，味微甜。

| 功能主治 |　益母草：苦、辛，微寒。归肝、心包经。活血调经，祛瘀生新，利尿消肿，清热解毒。用于月经不调，痛经经闭，恶露不尽，水肿尿少，疮疡肿毒。

益母草子：辛、苦，微寒。归心包、肝经。活血调经，清肝明目。用于月经不调，经闭痛经，目赤翳障，头晕胀痛。

益母草花：甘、微苦，凉。养血，活血，利水。用于贫血，疮疡肿毒，血滞经闭，痛经，产后瘀血腹痛，恶露不下。

| 用法用量 |　益母草：内服煎汤，9 ~ 30g，鲜品 12 ~ 40g；或熬膏；或入丸、散。外用适量，煎汤洗；或鲜品捣敷。

益母草子：内服煎汤，4.5 ~ 9g；或入丸、散；或捣汁。

益母草花：内服煎汤，6 ~ 9g。

| 附　　注 |　（1）在 FOC 中，本种的拉丁学名被修订为 *Leonurus japonicus* Houttuyn。
（2）本种在吉林的产出量大，药用历史较久。在《吉林外记》（1827）、《吉林新志》（1934）、《榆树县志》（1943）等地方志中均有关于"益母草"的记载。

唇形科 Labiatae 益母草属 Leonurus

大花益母草
Leonurus macranthus Maxim.

大花益母草

| 植物别名 |

錾菜、白花益母草。

| 药 材 名 |

大花益母草（药用部位：全草或茎、叶。别名：山玉米、錾菜）。

| 形态特征 |

多年生草本。茎直立，单一，不分枝或间有在上部分枝，茎、枝均呈钝四棱形。叶形变化很大，最下部茎生叶心状圆形，3裂，裂片上常有深缺刻，先端锐尖，基部心形，叶柄长约2cm；中部茎生叶通常卵圆形，先端锐尖；花序上的苞叶变小。轮伞花序腋生，具8~12花，多数远离而组成长穗状；小苞片刺芒状，长约1cm；花萼管状钟形，长7~9mm，齿5，前2齿靠合，钻状三角形，后3齿较短，基部三角形，先端刺尖；花冠淡红色或淡红紫色，花冠筒逐渐向上增大，长约达花冠之半，冠檐二唇形，上唇直伸，长圆形，下唇长0.8cm，3裂，中裂片比侧裂片大1倍；雄蕊4，均延伸至上唇片之下，平行，前对较长，花丝丝状，花药卵圆形，2室；子房褐色，花柱丝状；花盘平顶。小坚果长圆状三棱形，长2.5mm，黑褐色。花

期 7 ~ 9 月，果期 9 月。

| 生境分布 | 生于林下、林缘、山坡灌丛、草丛或林间草地等。以长白山区为主要分布区域，分布于吉林延边、白山、通化、吉林、辽源（东丰）等。

| 资源情况 | 野生资源较少。药材主要来源于野生。

| 采收加工 | 7 ~ 9 月花开时择晴天采收全草，晒干；或单取茎、叶分别晒干。

| 药材性状 | 本品茎有分枝，茎、枝均呈钝四棱形。叶心状圆形、卵圆形，花序上的苞叶变小。轮伞花序腋生，多数远离而组成长穗状；小苞片刺芒状；花萼管状钟形，前 2 齿钻状三角形，后 3 齿基部三角形，先端刺尖；花冠淡红色或淡红紫色，小坚果长圆状二棱形，表面黑色。气微，味苦。

| 功能主治 | 全草，破血，调经，利尿。用于产后腹痛，痛经，月经不调，肾炎水肿。茎、叶，辛，平。接骨止痛，固表止血。用于筋骨疼痛，虚弱，痿软，自汗，盗汗，血崩，跌打损伤。

| 用法用量 | 内服煎汤，6 ~ 15g；或研末。外用适量，捣敷；或研末敷。

唇形科 Labiatae 益母草属 Leonurus

錾菜
Leonurus pseudomacranthus Kitagawa

錾菜

| 植物别名 |

大花益母草、白花益母草。

| 药 材 名 |

錾菜（药用部位：全草。别名：楼台草、玉
蓉草、白花益母草）。

| 形态特征 |

多年生草本。有密生须根的圆锥形主根。茎
直立，单一，通常在茎的上部成对地分枝，
分枝或短或长，均能育，茎及分枝钝四棱形，
明显具槽，密被贴生倒向的微柔毛，在节间
尤为密集，上部具花序。叶片变异很大，最
下部的叶通常脱落，近茎基部的叶卵圆形，
3 裂，分裂达中部，裂片几相等，边缘疏生
粗锯齿状牙齿，先端锐尖，基部宽楔形，近
革质，上面暗绿色，稍密被糙伏小硬毛，粗
糙，叶脉下陷，具皱纹，下面淡绿色，沿主
脉有贴生的小硬毛，其间散布淡黄色腺点，
叶脉明显凸起，叶柄多少具狭翅，腹面具槽，
背面圆形，密被小硬毛；茎中部的叶通常不
裂，长圆形，边缘疏生 4 ~ 5 对齿，最下方
的 1 对齿多少呈半裂片状，其余均为锯齿状
牙齿，叶柄较短，长不及 1cm；花序上的苞
叶最小，近线状长圆形，全缘，或于先端疏

生 1 ~ 2 齿，无柄。轮伞花序腋生，多花，远离而向先端密集组成长穗状；小苞片少数，刺状，直伸，基部相连接，具糙硬毛，绿色；花梗无；花萼管状；花冠白色，常带紫纹；雄蕊 4，均延伸至上唇片之下，前对较长，花丝丝状，扁平，具紫斑，中部以下或近基部有微柔毛，花药卵圆形，2 室；子房褐色，无毛，花柱丝状，先端相等 2 浅裂；花盘平顶。小坚果长圆状三棱形，黑褐色。花期 8 ~ 9 月，果期 9 ~ 10 月。

| **生境分布** | 生于山坡或丘陵地上。以长白山区为主要分布区域，分布于吉林延边、白山、通化、吉林、辽源（东丰）等。

| **资源情况** | 野生资源较丰富。药材主要来源于野生。

| **采收加工** | 8 ~ 9 月采收，除去杂质，晒干。

| **药材性状** | 本品茎呈方柱形，长 40 ~ 95cm，表面有纵槽，密被贴生的微柔毛，节间处尤密。叶对生，茎基部的叶近革质，暗绿色，多已脱落或破碎，完整者展平后呈卵圆形，长 6 ~ 7cm，宽 4 ~ 5cm，3 裂，边缘有疏粗锯齿，两面有小硬毛，下面散有黄色腺点，叶脉在上面下陷，在下面隆起，叶面具皱纹，叶柄长 1 ~ 2cm；中部以上的叶长圆形，边缘疏生锯齿，叶柄长不及 1cm。轮伞花序腋生，花萼筒状，长 7 ~ 8mm，萼齿长 3 ~ 5mm，花冠唇形，灰白色，长约 1.8cm。小坚果长圆状三棱形，黑色，表面光滑。气微，味淡。

| **功能主治** | 甘、辛，平。破瘀破血，调经利尿。用于产后腹痛，月经不调，痛经，肾炎，水肿。

| **用法用量** | 内服煎汤，6 ~ 15g；或研末。外用适量，捣敷；或研末敷。

唇形科 Labiatae 益母草属 *Leonurus*

细叶益母草 *Leonurus sibiricus* Linn.

| 植物别名 | 狭叶益母草、益母蒿、益母草。

| 药 材 名 | 细叶益母草（药用部位：全草或花、果实。别名：茺蔚、坤草）。

| 形态特征 | 一年生或二年生草本。茎直立，高 20 ～ 80cm，钝四棱形，单一，或多数从植株基部发出。茎最下部叶早落，中部叶卵形，基部的宽楔形，掌状 3 全裂，裂片呈狭长圆状菱形，其上再羽状分裂成 3 裂的线状小裂片，小裂片宽 1 ～ 3mm，叶柄纤细；花序最上部苞叶近菱形，3 全裂成狭裂片，中裂片通常再 3 裂，小裂片均为线形。轮伞花序腋生，多花，花时圆球形，多数，向先端渐次密集组成长穗状；小苞片刺状，长 4 ～ 6mm；花萼管状钟形，齿 5，前 2 齿靠合，稍开张，后 3 齿较短，三角形，具刺尖；花冠粉红色至紫红色，冠檐

细叶益母草

二唇形，上唇长圆形，直伸，内凹，长约 1cm，下唇长约 0.7cm；雄蕊 4，均延伸至上唇片之下，花丝丝状，花药卵圆形，2 室。小坚果长圆状三棱形，长 2.5mm。花期 7 ~ 9 月，果期 9 月。

| **生境分布** | 生于石质山坡、砂质草地、沙丘。以长白山区为主要分布区域，分布于吉林延边、白山、通化、吉林、辽源（东丰）、四平（双辽）、松原（前郭尔罗斯）、白城（镇赉）等。吉林中部半山区有栽培。

| **资源情况** | 野生资源较少。吉林有栽培。药材主要来源于野生。

| **采收加工** | 夏季茎叶茂盛、花未开或初开时采割全草，晒干；或单取初开的花晒干。秋季果实成熟时采割地上部分，晒干，打下果实，除去杂质。

| **药材性状** | 本品茎呈方柱形，四面凹成纵沟，长 30 ~ 60cm，直径约 5mm。表面灰绿色或黄绿色，密被糙伏毛。质脆，断面中部有髓。叶交互对生，多脱落或列存，皱缩、破碎，完整者下部叶掌状 3 裂，中部叶呈卵形，基部宽楔形，掌状 3 全裂，裂片又羽状分裂成线状小裂片，上部叶羽状 3 深裂或浅裂。轮伞花序腋生，花紫色，多脱落；花序上的苞叶明显 3 深裂，小裂片线状，花萼突存，筒状，黄绿色，萼内有小坚果 4。气微，味淡。果实呈三棱形，长 2 ~ 3mm，宽约 1.5mm；表面灰棕色至灰褐色，有深色斑点，一端稍宽，平截状，另一端渐窄而钝尖；果皮薄，子叶类白色，富油性。气微，味苦。

| **功能主治** | 全草，活血调经，利尿，消肿。用于月经不调，痛经，恶露不尽，急性肾小球肾炎水肿尿少。花，养血，活血，利水。用于疮疡肿毒，利水行血，胎产诸病。果实，清肝明目。用于痛经，月经不调，产后瘀血腹痛，目赤翳障，头昏胀痛。

| **用法用量** | 全草，内服煎汤，10 ~ 15g；或熬膏；或入丸、散。外用适量，煎汤洗；或鲜品捣敷。花，内服煎汤，6 ~ 9g。果实，内服煎汤，6 ~ 9g。

唇形科 Labiatae 益母草属 *Leonurus*

兴安益母草

Leonurus tataricus Linn.

| **药 材 名** | 兴安益母草（药用部位：全草）。

| **形态特征** | 二年生或多年生草本。茎直立，高约60cm，钝四棱形，略具槽，全体被贴生短柔毛，但茎下部、节及花序轴上均混生白色近开展的长柔毛，下部常带紫红色，通常在中、上部具短分枝。开花时茎下部的叶脱落，茎上部的叶近圆形，直径约4.5cm，基部宽楔形，5裂，分裂几达基部，裂片菱形，其上又分裂成线形的小裂片，上面绿色，下面淡绿色，上面全部及下面沿主脉上被极短平伏毛，叶脉在上面凹陷、下面凸出，叶柄长1.7～2cm，腹凹背凸；花序上的叶片菱形，长2.5～3cm，基部楔形，深裂成3全缘或略有缺刻的线形裂片，叶柄长约2cm。轮伞花序腋生，小，圆球形，花时直径约1.2cm，多数于茎上部排列成间断的穗状花序；小苞片刺状，略向下弯曲，

兴安益母草

有贴生短柔毛及长柔毛，长 3 ~ 4mm；花萼倒圆锥形，萼筒长约 3 mm，外面被贴生短柔毛，但沿肋上被长柔毛，内面无毛，肋 5，显著，齿 5，长 2 ~ 3mm，均为三角状钻形，基部宽三角形，先端长刺尖，前 2 齿稍靠合而开展；花冠淡紫色，长约 8mm，花冠筒长约 4mm，外面在中部以上被长柔毛，内面在中部稍下方被疏柔毛环，冠檐二唇形，上唇直伸，外面被长柔毛，内面无毛，长圆形，下唇水平展开，3 裂，中裂片稍大；雄蕊 4，前对较长，花丝扁平，花药卵圆形，2 室；花柱伸出雄蕊之上，先端相等 2 浅裂；花盘环状。小坚果淡褐色，长圆状三棱形，长约 1.5mm，宽 1mm，腹面具棱，先端平截且被微柔毛。花期 7 月，果期 8 月。

| **生境分布** | 生于海拔 750 ~ 850m 的山坡林下。分布于吉林白城、松原等。

| **资源情况** | 野生资源较少。药材主要来源于野生。

| **采收加工** | 夏季茎叶茂盛、花未开或初开时采收，晒干。

| **功能主治** | 活血调经，利水消肿。用于月经不调，小便不利，水肿。

唇形科 Labiatae 地笋属 Lycopus

小叶地笋 *Lycopus coreanus* Lévl.

小叶地笋

| 植物别名 |

朝鲜地瓜苗。

| 药 材 名 |

小叶地笋（药用部位：全草）。

| 形态特征 |

多年生草本。根茎横走，有先端逐渐肥大的地下长匍枝。茎直立，四棱形，具槽。叶小，无柄，长圆状卵圆形至卵圆形，先端锐尖，基部楔形，侧脉 3 ~ 8 对。轮伞花序无梗，多花密集，圆球形；小苞片线状钻形，通常均较萼短，先端刺尖；无花梗；花萼钟形，连萼齿在内长 2.5 ~ 3mm，具 10 ~ 15 脉，萼齿 4 ~ 5，长约 1mm，三角状披针形；花冠白色，钟状，略超出花萼，冠檐不明显二唇形，唇片长 1mm，上唇圆形，先端微凹，下唇 3 裂，裂片近相等；前对雄蕊能育，与花冠等长，几不超出，花丝丝状，花药卵圆形，2 室，室略叉开，后对雄蕊不存在或退化成丝状；花柱略超出雄蕊，先端相等 2 浅裂，裂片钻形；花盘平顶。小坚果背腹扁平，倒卵状四边形，褐色，边缘加厚，腹面略隆起而具腺点。花期 7 ~ 8 月，果期 8 ~ 9 月。

| **生境分布** | 生于林缘、灌丛、路旁、湿地、河岸边或山坡上。分布于吉林延边、白山、通化、长春、吉林、辽源等。

| **资源情况** | 野生资源较丰富。药材主要来源于野生。

| **采收加工** | 夏季茎叶生长茂盛时采收，切段，晒干。

| **功能主治** | 活血通经，利尿。用于月经不调，小便不利。

| **附　　注** | 在 FOC 中，本种的拉丁学名被修订为 *Lycopus cavaleriei* H. Léveillé。

唇形科 Labiatae 地笋属 Lycopus

地笋
Lycopus lucidus Turcz.

地笋

| 植物别名 |

地瓜苗、螺丝钻、矮地瓜苗。

| 药 材 名 |

地笋（药用部位：根茎。别名：地瓜儿苗、泽兰根、地瓜）。

| 形态特征 |

多年生草本。根茎横走，具节，节上密生须根，先端肥大，呈圆柱形。茎直立，通常不分枝，四棱形，具槽。叶具极短的柄或近无柄，长圆状披针形，多少弧弯，先端渐尖，基部渐狭，边缘具锐尖粗牙齿状锯齿，侧脉6～7对。轮伞花序无梗，圆球形，花时直径1.2～1.5cm，多花密集，其下承以小苞片；小苞片卵圆形至披针形，先端刺尖，长达5mm；花萼钟形，萼齿5，披针状三角形，具刺尖头；花冠白色，长5mm，花冠筒长约3mm，冠檐不明显二唇形，上唇近圆形，下唇3裂，中裂片较大；雄蕊仅前对能育，超出花冠，先端略下弯，花丝丝状，花药卵圆形，2室；花柱伸出花冠，先端相等2浅裂，裂片线形；花盘平顶。小坚果倒卵圆状四边形，基部略狭，褐色，边缘加厚，背面平，腹面具棱，有腺点。花期7～8月，果期8～9月。

| 生境分布 |

生于草地、林缘、灌丛、湿地、河岸边，常成片生长。吉林各地均有分布。

| 资源情况 |

野生资源较丰富。药材主要来源于野生。

| 采收加工 |

秋季采挖，除去地上部分，洗净，晒干。

| 药材性状 |

本品形似地蚕，长 4 ~ 8cm，直径约 1cm。表面黄棕色，有 7 ~ 12 个环节。质脆，断面白色。气香，味甘。

| 功能主治 |

甘、辛，平。化瘀止血，益气利水。用于衄血，吐血，产后腹痛，黄疸，带下，气虚乏力。

| 用法用量 |

内服煎汤，4 ~ 9g；或浸酒。外用适量，捣敷；或浸酒涂。

唇形科 Labiatae 地笋属 *Lycopus*

小花地笋
Lycopus parviflorus Maxim.

| **植物别名** | 小花地瓜苗。

| **药 材 名** | 小花地笋（药用部位：地上部分、根茎）。

| **形态特征** | 多年生草本。根茎横卧，呈纺锤形肥大，其上密生纤维状须根，近地表处生有线状、具鳞叶的匍匐枝。茎直立，通常不分枝，钝四棱形。叶具短柄，长圆状椭圆形，茎中部者最大，余向茎两端变小，先端锐尖，基部楔状渐狭，边缘有近整齐的 4 ~ 6 锐锯齿，但茎基部叶有时全缘，草质，侧脉 4 ~ 6 对，与中脉两面均隆起。轮伞花序无梗，少花，具 7 ~ 10 花，不呈明显的圆球状，下承以长约 1mm、边缘具缘毛的 2 ~ 3 线状披针形小苞片；花萼阔钟形，外被短柔毛，萼齿 5，卵圆形，先端锐尖，具小缘毛，除 1 齿略小外，其余均等大；

小花地笋

花冠白色，长约 2mm，外被短柔毛，花冠筒长约 1mm，冠檐不明显二唇形，上唇直立，下唇 3 裂；雄蕊略超出花冠；花柱略超出雄蕊，先端相等 2 浅裂；花盘平顶。成熟小坚果未见。花期 7 月。

| **生境分布** | 生于林缘、湿地、河岸边或湿草甸子上。分布于吉林延边、白山、通化、长春、吉林、辽源等。

| **资源情况** | 野生资源较丰富。药材主要来源于野生。

| **采收加工** | 夏季茎叶生长茂盛时采割地上部分，切段，晒干。秋季采挖根茎，洗净，晒干。

| **功能主治** | 地上部分，苦、辛，温。活血化瘀，行水消肿，利尿通经。用于闭经，痛经，月经不调，产后瘀血腹痛，水肿，跌打损伤，金疮痈肿；外用于外伤肿痛，乳腺炎。根茎，活血益气，利水消肿。用于吐血，衄血，产后腹痛，带下，风湿关节痛，金疮肿毒。

唇形科 Labiatae 龙头草属 *Meehania*

荨麻叶龙头草 *Meehania urticifolia* (Miq.) Makino

荨麻叶龙头草

| 植物别名 |

美汉花、美汉草、芝麻花。

| 药 材 名 |

荨麻叶龙头草（药用部位：全草）。

| 形态特征 |

多年生草本，丛生，直立。茎细弱，不分枝，常伸出细长柔软的匍匐茎，逐节生根。叶具柄，柄长 0.5 ～ 4cm；叶片纸质，心形或卵状心形，通常着生于茎中部的叶片较大，先端渐尖或急尖，基部心形，边缘具略疏或密的锯齿或圆锯齿。花组成轮伞花序，稀成对组成顶生假总状花序；苞片向上渐变小，卵形至披针形；花梗常在中部具 1 对小苞片；小苞片钻形；花萼花时呈钟形，具 15 脉，齿 5，略呈二唇形，上唇具 3 齿，略高，下唇具 2 齿，卵形或卵状三角形；花冠淡蓝紫色至紫红色，长 2.2 ～ 4cm，冠檐二唇形，上唇直立，椭圆形，先端 2 浅裂或深裂，下唇伸长，增大，3 裂，中裂片扇形；雄蕊 4，略二强，不伸出花冠外，花丝略扁，花药 2 室；花柱细长；花盘杯状。小坚果卵状长圆形，近基部腹面微呈三棱形。花期 5 ～ 6 月，果期 6 月。

| **生境分布** | 生于林下、林缘、湿地、草甸、山坡或山沟小溪旁等，常形成单优势种的大面积群落。以长白山区为主要分布区域，分布于吉林延边、白山、通化、吉林、辽源（东丰）、松原（扶余）等。 |

| **资源情况** | 野生资源较丰富。药材主要来源于野生。 |

| **采收加工** | 夏季茎叶茂盛时采收，除去杂质，切段，鲜用或晒干。 |

| **药材性状** | 本品茎细弱，不分枝。叶具柄，叶片纸质，心形或卵状心形，边缘具略疏或密的锯齿或圆锯齿。花冠淡蓝紫色至紫红色，上唇椭圆形。小坚果卵状长圆形，近基部腹面微呈三棱形。气微，味淡。 |

| **功能主治** | 清热解毒，消肿止痛，补血。用于咽喉肿痛，瘀血肿痛，血虚；外用于蛇咬伤。 |

唇形科 Labiatae 薄荷属 Mentha

薄荷 *Mentha haplocalyx* Briq.

| 植物别名 | 野薄荷。

| 药 材 名 | 薄荷（药用部位：地上部分。别名：土薄荷、鱼香草、香薷草）。

| 形态特征 | 多年生草本。茎直立，锐四棱形。叶片长圆状披针形、披针形、椭圆形或卵状披针形，稀长圆形，先端锐尖，基部楔形至近圆形，侧脉 5 ～ 6 对；叶柄长 2 ～ 10mm。轮伞花序腋生，球形，花时直径约 18mm，具梗时梗长可达 3mm，被微柔毛；花梗纤细，被微柔毛或近无毛；花萼管状钟形，长约 2.5mm，外被微柔毛及腺点，内面无毛，具 10 脉，不明显，萼齿 5，狭三角状钻形，先端长锐尖，长 1mm；花冠淡紫色，长 4mm，外面略被微柔毛，内面在喉部以下被微柔毛，冠檐 4 裂，上裂片先端 2 裂，较大，其余 3 裂片近等大，长圆形，先端钝；雄蕊 4，前对较长，长约 5mm，均伸出花冠之外，

薄荷

花丝丝状，无毛，花药卵圆形，2室，药室平行；花柱略超出雄蕊，先端近相等
2浅裂，裂片钻形；花盘平顶。小坚果卵珠形，黄褐色，具小腺窝。花期7～8月，
果期8～9月。

| **生境分布** | 生于山野、河岸湿地、山沟溪流旁、林缘或湿草地等。吉林各地均有分布。吉
林中部半山区有栽培。

| **资源情况** | 野生资源较丰富。吉林有栽培。药材主要来源于栽培。

| **采收加工** | 夏、秋季茎叶茂盛时，选晴天，分次采割，晒干或阴干。

| **药材性状** | 本品茎呈方柱形，有对生分枝，长15～40cm，直径0.2～0.4cm。表面紫棕色
或淡绿色，棱角处具茸毛，节间长2～5cm。质脆，断面白色，髓部中空。叶对

生，有短柄，叶片皱缩卷曲，完整者展平后呈宽披针形、长椭圆形或卵形，长 2～7cm，宽1～3cm，上表面深绿色，下表面灰绿色，稀被茸毛，有凹点状腺鳞。轮伞花序腋生，花萼钟状，先端5齿裂，花冠淡紫色。揉搓后有特殊的清凉香气，味辛。以身干、无根、叶多、色绿、气味浓者为佳。

| 功能主治 | 辛，凉。归肺、肝经。疏散风热，清利头目，利咽透疹，疏肝行气。用于风热感冒，风温初起，头痛，目赤，喉痹，口疮，风疹，麻疹，胸胁胀闷。

| 用法用量 | 内服煎汤，3～6g，不可久煎，宜后下；或入丸、散。外用适量，煎汤洗；或捣汁涂敷。

| 附　注 | （1）薄荷在吉林的药用历史较久。在《吉林分巡道造送会典馆、国史馆清册》（1902）、《大中华吉林省地理志》（1921）、《吉林新志》（1934）等地方

志中均有关于"薄荷"的记载。

（2）在 FOC 中，本种的拉丁学名被修订为 *Mentha canadensis* Linnaeus。

（3）我国是世界公认的薄荷主产国。我国的薄荷产品以香气纯正、异味少、质量好而享誉世界，被誉为"亚洲之香"，在国际市场上有举足轻重的地位，其交易量曾一度占世界薄荷产品总贸易量的 80% 以上。目前我国年产薄荷油约10000t，仍居世界薄荷油、薄荷脑总贸易量的第一位，生产的薄荷产品主要用于出口，销往美、英、德、日等 50 多个国家与地区。目前，全国各地流通的薄荷药材皆为南方的人工种植品种。吉林的薄荷资源分布虽广，却无药材商品产出。

唇形科 Labiatae 薄荷属 Mentha

东北薄荷
Mentha sachalinensis (Briq.) Kudo

| 植物别名 | 野薄荷、土薄荷。

| 药材名 | 野薄荷（药用部位：地上部分）。

| 形态特征 | 多年生草本。茎直立，下部数节具纤细的须根及水平匍匐根茎，钝四棱形，微具槽，具条纹。叶片椭圆状披针形，先端变锐尖，基部渐狭，边缘有规则的具胼胝尖的浅锯齿，侧脉 5 ~ 6 对，与中肋在上面略凹陷、下面稍凸出，叶柄长 0.5 ~ 1.5cm，上面具槽，下面圆形；苞叶近无柄，近披针形。轮伞花序腋生，多花密集，球形，花时直径达 1.5cm，具极短的梗；小苞片线形至线状披针形；花梗长2mm；花萼钟形，花时长 1.5mm，外面密被长疏柔毛及黄色腺点，萼齿长三角形，先端锐尖；花冠淡紫色或浅紫红色，冠檐具 4 裂片，裂片卵状长圆形，上裂片微凹；雄蕊 4，前对略长，伸出花冠很多，

东北薄荷

花丝丝状，花药近圆形，2室，室略叉开；花柱略超出雄蕊；花盘平顶。小坚果长圆形，黄褐色，无肋。花期7～8月，果期9月。

| 生境分布 | 生于河旁、湖旁、潮湿草地、山坡林缘湿地、沟边。以长白山区为主要分布区域，分布于吉林延边、白山、通化、吉林、辽源（东丰）等。

| 资源情况 | 野生资源较丰富。药材主要来源于野生。

| 采收加工 | 夏、秋季茎叶茂盛或开花时采割，晒干或阴干。

| 药材性状 | 本品茎呈方柱形，长25～100cm，直径0.2～0.5cm，不分枝或上部有对生分枝；表面淡绿色、浅棕色至棕色，棱角处具茸毛，节间长2～7cm；质脆，断面白色，髓部中空。叶对生，有短柄；叶片皱缩卷曲，完整者展平后呈披针形、长椭圆状披针形或卵形，长2～6cm，宽1～3cm，边缘具不规则的浅锯齿；上表面深绿色，下表面灰绿色，有凹点状腺鳞。轮伞花序腋生，花萼钟状，先端5齿裂，花冠淡紫色。揉搓后有特殊清凉香气，味辛凉。

| 功能主治 | 辛，凉。归肺、肝经。疏散风热，清利头目，利咽，透疹，疏肝行气。用于风热感冒，风温初起，头痛，目赤，喉痹，口疮，风疹，麻疹，胸胁胀闷。

| 用法用量 | 内服煎汤，5～10g。

| 附 注 | 野薄荷已被列入2019年版《吉林省中药材标准》第二册。

唇形科 Labiatae 石荠苎属 *Mosla*

荠苎
Mosla grosseserrata Maxim.

| **植物别名** | 野荆芥、土荆芥、野苏子。

| **药材名** | 荠苎（药用部位：全草。别名：臭苏、青白苏）。

| **形态特征** | 一年生草本。茎直立，被倒生短微柔毛，最后无毛，亮绿色，分枝平展。叶卵形，基部全缘，渐狭成柄，先端全缘、锐尖，两边均有3～5大齿（有时附加1～2小齿）。总状花序较短，全部顶生于枝上；苞片披针形，比花梗长；花萼被短柔毛，果时近无毛，被光亮腺点，比花梗长，上唇具锐齿，中齿较短；花冠长为花萼长的1.5倍，长为宽的2倍，无毛环；不育雄蕊的药室明显。小坚果比萼筒短，近球形，基部略锐尖，具疏网纹，基部小窝明显，同色。

| **生境分布** | 生于山坡、路旁、草地。分布于吉林延边、白山、通化、长春、吉林、

荠苎

辽源等。

| **资源情况** |　野生资源较少。药材主要来源于野生。

| **采收加工** |　夏、秋季采收，除去杂质，晒干。

| **药材性状** |　本品茎呈方柱形，长 20 ～ 50cm，近无毛，质脆。叶卷曲皱缩，展平后呈卵形、阔卵形或菱状卵形，长 1 ～ 3cm，宽 1 ～ 2.5cm，先端尖，基部楔形，边缘具粗锯齿。常有穗状花序，花多皱缩成团，花冠黄白色。小坚果卵圆形。气特异、清香，味辛、凉。

| **功能主治** |　辛、苦，凉。清热解毒，芳香化湿，截疟杀虫，止血。用于湿阻中焦，疟疾，出血。

| **用法用量** |　内服煎汤，9 ～ 25g。

唇形科 Labiatae 石荠苧属 Mosla

石荠苧

Mosla scabra (Thunb.) C. Y. Wu et H. W. Li

石荠苧

| 植物别名 |

毛荠苧、斑点荠苧、野荆芥。

| 药 材 名 |

石荠苧（药用部位：全草）。

| 形态特征 |

一年生草本。茎高 20 ~ 60cm，多分枝，分枝纤细，茎、枝均呈四棱形。叶卵形或卵状披针形，先端急尖或钝，基部圆形或宽楔形，近基部全缘。总状花序生于主茎及侧枝上；苞片卵形，先端尾状渐尖；花萼钟形，外面被疏柔毛，二唇形，上唇 3 齿呈卵状披针形，先端渐尖，中齿略小，下唇 2 齿线形，先端锐尖，果时花萼长至 4mm，宽至 3mm，脉纹显著；花冠粉红色，长 4 ~ 5mm，外面被微柔毛，内面基部具毛环，花冠筒向上渐扩大，冠檐二唇形，上唇直立，扁平，先端微凹，下唇 3 裂，中裂片较大，边缘具齿；雄蕊 4，后对能育，药室 2，叉开，前对退化，药室不明显；花柱先端相等 2 浅裂；花盘前方呈指状膨大。小坚果黄褐色，球形，直径约 1mm，具深雕纹。花期 7 ~ 8 月，果期9 ~ 10 月。

| 生境分布 | 生于山坡、路旁、灌丛或沟边潮湿地等，常成片生长。以长白山区为主要分布区域，分布于吉林延边、白山、通化、吉林、辽源（东丰）等。

| 资源情况 | 野生资源较少。药材主要来源于野生。

| 采收加工 | 7 ~ 8 月采收，晒干。

| 药材性状 | 本品茎呈方柱形，多分枝，长 20 ~ 60cm，表面有下曲的柔毛。叶多皱缩，展开后呈卵形或长椭圆形，长 1 ~ 4cm，宽 0.8 ~ 2cm，边缘有浅锯齿，叶下面近无毛，具黄褐色腺点。可见轮伞花序组成的顶生总状花序，花多脱落，花萼宿存。小坚果类球形，表皮黄褐色，有网状凸起的皱纹。气清香浓郁，味辛、凉。

| 功能主治 | 辛、苦，凉。疏风解表，清暑除湿，行气理血，利湿止痒。用于感冒头痛，咽喉肿痛，中暑吐泻，痢疾，小便不利，水肿，带下；此外，炒炭用于便血，血崩。外用于跌打损伤，外伤出血，痱子，湿疹，足癣，多发性疖肿，毒蛇咬伤。

| 用法用量 | 内服煎汤，3 ~ 9g。外用适量，鲜品捣敷；或煎汤洗。

唇形科 Labiatae 荆芥属 Nepeta

荆芥
Nepeta cataria Linn.

荆芥

| 植物别名 |

樟脑草、凉薄荷、巴毛。

| 药 材 名 |

心叶荆芥（药用部位：地上部分。别名：假荆芥、山藿香、假苏）。

| 形态特征 |

多年生草本。茎坚实，基部木质化，多分枝，高 0.4 ~ 1.5m，基部近四棱形，上部钝四棱形，具浅槽。叶卵状至三角状心形，长 2.5 ~ 7cm，宽 2.1 ~ 4.7cm，先端钝至锐尖，基部心形至截形，边缘具粗圆齿或牙齿，草质，侧脉 3 ~ 4 对，斜上升，在上面微凹陷、下面隆起。花序为聚伞状，下部的腋生，上部的组成连续或间断的、较疏松或极密集的顶生分枝圆锥花序，聚伞花序呈二歧状分枝；苞叶叶状，苞片、小苞片钻形；花冠白色，下唇有紫点，花冠筒极细，自萼筒内骤然扩展成宽喉，冠檐二唇形，上唇短，先端具浅凹，下唇 3 裂，中裂片近圆形，长约 3mm，宽约 4mm，基部心形，边缘具粗牙齿，侧裂片圆裂片状；雄蕊内藏，花丝扁平；花柱线形，先端 2 等裂；花盘杯状，裂片明显。小坚果卵形，长约 1.7mm。花期 7 ~ 9 月，

果期 9 ~ 10 月。

| 生境分布 |

生于林缘、路旁、灌丛或住宅附近。分布于吉林延边、白山、通化、长春、吉林、辽源等。

| 资源情况 |

野生资源较丰富。药材主要来源于野生。

| 采收加工 |

7 ~ 9 月采收，阴干或鲜用。

| 功能主治 |

辛，凉。散瘀散肿，止血止痛。用于跌打损伤，吐血，衄血，外伤出血，毒蛇咬伤，疔疮疖肿。

| 用法用量 |

内服煎汤，9 ~ 15g。外用适量，鲜品捣敷。

唇形科 Labiatae 荆芥属 Nepeta

黑龙江荆芥
Nepeta manchuriensis S. Moore

黑龙江荆芥

| 药 材 名 |

黑龙江荆芥（药用部位：全草）。

| 形态特征 |

多年生高大草本。根长，匍匐状，木质，具粗糙的须根；根茎不显著。茎坚硬，直立，全部或仅下部深紫色，下部几无毛，仅被稀疏短单毛，上部密被小腺毛，混生平展稀疏长单毛，通常不分枝，稀具 1 ~ 2 对常具花序的腋生侧枝。叶质薄，干时坚纸质，上面深绿色，无毛或具稀疏的单毛，下面色浅，灰色，密布黄色腺点及疏生但沿脉较密的具节单毛，脉纹细，在下面凸起，下部的茎生叶卵形，锐尖，其余的披针形或狭披针形，基部圆截形或楔形，稀钝形，先端通常锐尖或渐尖，常细而渐狭，边缘具锐齿，上部的叶常全缘。轮伞花序生于茎或侧枝顶部 4 ~ 7 节上；萼齿披针形，渐尖；花冠外被略密的短腺毛。小坚果椭圆状倒卵形，在腹面有不明显的棱，褐色。花期 6 ~ 7 月，果期 8 月。

| 生境分布 |

生于河岸砾石地的混交林、林缘、林间草甸。分布于吉林延边（汪清、敦化、珲春、延吉、龙井、和龙、安图）、通化（通化）等。

| **资源情况** | 野生资源稀少。药材主要来源于野生。

| **采收加工** | 夏、秋季花开穗绿时采收，晒干。

| **功能主治** | 清热解毒，芳香化湿，截疟杀虫。用于湿浊中阻，疟疾，虫积证。

唇形科 Labiatae 罗勒属 Ocimum

罗勒
Ocimum basilicum Linn.

| 植物别名 | 蒿黑、省头草、兰香。

| 药材名 | 罗勒（药用部位：全草。别名：薄荷树、省头草、香佩兰）、罗勒子（药用部位：种子）。

| 形态特征 | 一年生草本。具圆锥形主根及自其上生出的密集须根。茎直立，钝四棱形，上部微具槽，基部无毛，上部被倒向微柔毛，绿色，常染有红色，多分枝。叶卵圆形至卵圆状长圆形，先端微钝或急尖，基部渐狭，边缘具不规则牙齿，或近全缘，两面近无毛，下面具腺点，侧脉 3 ~ 4 对，与中脉在上面平坦、下面多少明显；叶柄伸长，近扁平，向叶基多少具狭翅，被微柔毛。总状花序顶生于茎、枝，各部均被微柔毛；花萼钟形，外面被短柔毛，内面在喉部被疏柔毛；花冠淡紫色，或上唇白色、下唇紫红色，伸出花萼，外面在唇片上

罗勒

被微柔毛，内面无毛，花冠筒内藏，喉部多少增大，冠檐二唇形，上唇宽大，4裂，裂片近相等，近圆形，常波状皱曲，下唇长圆形，下倾，全缘，近扁平；雄蕊4，分离，略超出花冠，插生于花冠筒中部，花丝丝状，后对花丝基部具齿状附属物，其上有微柔毛，花药卵圆形，汇合成1室。小坚果卵珠形，黑褐色，有具腺的穴陷，基部有1白色果脐。花期通常7～9月，果期9～12月。

| **生境分布** | 生于农田。吉林无野生分布。吉林中部地区有栽培。

| **资源情况** | 吉林有栽培。药材主要来源于栽培。

| **采收加工** | 罗勒：夏、秋季采收，除去杂质，晒干。
罗勒子：9～10月种子成熟时采收地上部分，晒干，打下种子，筛去泥沙、杂质，晒干。

| **药材性状** | 罗勒：本品干燥全草为带有果穗的茎枝，叶片多已脱落。茎方形，表面紫色或黄紫色，有柔毛；折断面纤维状，中央有白色的髓。花已凋谢，宿萼黄棕色，膜质，5裂，内藏棕褐色小坚果。气芳香，有清凉感。
罗勒子：本品呈卵形，长约2mm，基部有果柄痕；表面灰棕色至黑色，微带光泽，于放大镜下可见细密小点。质坚硬，横切面呈三角形，子叶肥厚，乳白色，富油质。气微，味淡，含口中有滑润感；浸水中膨胀后，外表有一层白色黏液质。

| **功能主治** | 罗勒：辛、甘，温。归肺、脾、胃、大肠经。疏风解表，化湿和中，行气活血，解毒消肿。用于感冒头痛，发热咳嗽，中暑，食积不化，不思饮食，脘腹胀满疼痛，呕吐泻痢，风湿痹痛，遗精，月经不调，牙痛口臭，胬肉攀睛，皮肤湿疮，瘾疹瘙痒，跌打损伤，蛇虫咬伤。
罗勒子：甘、辛，凉。清热，明目，祛翳。用于目赤肿痛，目翳。

| **用法用量** | 罗勒：内服煎汤，一般用5～15g，大剂量可用至30g；或捣汁；或入丸、散。外用适量，捣敷；或烧存性研末调敷；或煎汤洗；或含漱。
罗勒子：内服煎汤，3～5g。外用适量，研末点目。

唇形科 Labiatae 紫苏属 Perilla

紫苏 *Perilla frutescens* (Linn.) Britt.

| 植物别名 | 苏子。

| 药材名 | 紫苏叶（药用部位：叶。别名：苏叶、紫菜）、紫苏梗（药用部位：茎。别名：苏梗、紫苏茎、苏茎）、紫苏子（药用部位：果实。别名：苏子、黑苏子、铁苏子）。

| 形态特征 | 一年生直立草本。茎绿色或紫色，钝四棱形，具4槽，密被长柔毛。叶阔卵形或圆形，先端短尖或突尖，基部圆形或阔楔形，边缘在基部以上有粗锯齿，膜质或草质，两面绿色或紫色，或仅下面紫色，上面被疏柔毛，下面被贴生柔毛，侧脉7～8对，位于下部者稍靠近，斜上升，与中脉在上面微凸起、下面明显凸起，色稍淡；叶柄背腹扁平，密被长柔毛。轮伞花序具2花；苞片宽卵圆形或近圆形，先端具短尖，外面被红褐色腺点，无毛，边缘膜质；花梗长1.5mm，密

紫苏

被柔毛；花萼钟形，直伸，下部被长柔毛，夹有黄色腺点，内面喉部有疏柔毛环，结果时增大，平伸或下垂，基部一边肿胀，萼檐二唇形，上唇 3 齿，宽大，中齿较小，下唇 2 齿，比上唇稍长，齿披针形；花冠白色至紫红色，外面略被微柔毛，内面在下唇片基部略被微柔毛，而花冠筒短，喉部斜钟形，冠檐近二唇形，上唇微缺，下唇 3 裂，中裂片较大，侧裂片与上唇近似；雄蕊 4，几不伸出，前对稍长，离生，插生于喉部，花丝扁平，花药 2 室，室平行，其后略叉开或极叉开；花柱先端相等 2 浅裂；花盘前方呈指状膨大。小坚果近球形，灰褐色，具网纹。花期 8 ~ 11 月，果期 8 ~ 12 月。

| **生境分布** | 生于村落周围、路边、林缘。吉林延边（珲春、安图、龙井、图们、汪清）、通化（通化）、白山（临江、抚松、靖宇、长白）、辽源（东丰）、长春（德惠、九台、榆树）、松原（前郭尔罗斯、扶余）、白城（大安）有分布。吉林各地均有栽培。

| **资源情况** | 野生资源丰富。吉林有栽培。药材主要来源于栽培。

| **采收加工** | 紫苏叶：夏季枝叶茂盛时采收，除去杂质，晒干。
紫苏梗：秋季果实成熟后采割，除去杂质，晒干，或趁鲜切片，晒干。

紫苏子：秋季果实成熟时采收，除去杂质，晒干。

| **药材性状** | 紫苏叶：本品多皱缩卷曲、破碎，完整者展平后呈卵圆形，长 4 ～ 11cm，宽 2.5 ～ 9cm，先端长尖或急尖，基部圆形或宽楔形，边缘具圆锯齿，两面紫色，或上表面绿色、下表面紫色，疏生灰白色毛，下表面有多数凹点状的腺鳞，叶柄长 2 ～ 7cm，紫色或紫绿色。质脆。带嫩枝者，枝的直径为 2 ～ 5mm，紫绿色，断面中部有髓。气清香，味微辛。以叶大、色紫、不碎、香气浓、无枝梗者为佳。

紫苏梗：本品呈方柱形，四棱钝圆，长短不一，直径 0.5 ～ 1.5cm。表面紫棕色或暗紫色，四面有纵沟及细纵纹，节部稍膨大，有对生的枝痕和叶痕。体轻，质硬，断面裂片状。切片厚 2 ～ 5mm，常呈斜长方形，木部黄白色，射线细密，呈放射状。髓部白色，疏松或脱落。气微香，味淡。以老而粗壮、外皮紫棕色、分枝少、香气浓者为佳。

紫苏子：本品呈卵圆形或类球形，直径约 1.5mm。表面灰棕色或灰褐色，有微隆起的暗紫色网纹，基部稍尖，有灰白色点状果柄痕。果皮薄而脆，易压碎。种子黄白色，种皮膜质，子叶 2，类白色，有油性。压碎有香气，味微辛。以颗粒饱满、均匀、灰棕色、无杂质者为佳。

| **功能主治** | 紫苏叶：辛，温。归肺、脾经。解表散寒，行气和胃。用于风寒感冒，咳嗽呕恶，妊娠呕吐，鱼蟹中毒。

紫苏梗：辛，温。归肺、脾经。理气宽中，止痛，安胎。用于胸膈痞闷，胃脘疼痛，

嗳气呕吐，胎动不安。

紫苏子：辛，温。归肺经。降气化痰，止咳平喘，润肠通便。用于痰壅气逆，咳嗽气喘，肠燥便秘。

| **用法用量** | 紫苏叶：内服煎汤，5～9g。外用适量，捣敷；或研末掺；或煎汤洗。

紫苏梗：内服煎汤，5～9g；或入散剂。

紫苏子：内服煎汤，3～9g；或入丸、散。

| **附　　注** | （1）紫苏在吉林的产出量大，药用历史较久。在《大中华吉林省地理志》（1921）、《梨树县志》（1934）、《榆树县志》（1943）等地方志中均有关于"紫苏"的记载。

（2）紫苏子可作为新型油料和中药材使用，亦可用于保健，出口量较大。紫苏主产于吉林东北和北部各地，年产量近万吨，在吉林广为种植。紫苏的种植采收已形成一项稳定的富民产业，发展前景比较乐观。

（3）本种的叶可食用，种子可炒熟食用或榨油食用。

唇形科 Labiatae 糙苏属 *Phlomis*

长白糙苏 *Phlomis koraiensis* Nakai

| **植物别名** | 高山糙苏。

| **药 材 名** | 长白糙苏（药用部位：全草）。

| **形态特征** | 多年生草本。茎近圆柱形，被向下的小疏柔毛，节上较密。基生叶阔心形，先端钝圆或急尖，基部深心形，边缘具圆齿；茎生叶心形，长 5.5 ~ 8cm，宽约 5cm，边缘具圆齿；苞叶卵形至披针形，长 2.5 ~ 4.5cm，宽 0.7 ~ 2.7cm，先端钝或渐尖；基生叶叶柄长 8 ~ 11.5cm，茎生叶叶柄长约 2.5cm，苞叶叶柄短或近无柄。轮伞花序约 8 花；苞片刺毛状；花萼钟形，齿基部宽，先端近截形或微缺；花冠红紫色，上唇长约 9mm，边缘缺刻极细而深，自内面具髯毛，下唇长约 8mm，3 圆裂，中裂片倒心形，长约 5mm，宽约 6mm，先端微缺，侧裂片卵形，长约 2.5mm；雄蕊内藏，花丝被柔毛，后

长白糙苏

对花丝基部在毛环以上具细长而向下的附属器；花柱先端几不等 2 裂。小坚果无毛。花期 7 ~ 8 月，果期 8 ~ 9 月。

| **生境分布** | 生于高山冻原、湿地林缘、灌丛。分布于吉林白山（抚松、长白）、延边（安图）等。

| **资源情况** | 野生资源稀少。药材主要来源于野生。

| **采收加工** | 夏、秋季花未开或初开时采收，除去杂质，晒干。

| **功能主治** | 祛风活络，强筋壮骨，消肿。用于痹证，筋骨痿弱，水肿。

唇形科 Labiatae 糙苏属 *Phlomis*

大叶糙苏 *Phlomis maximowiczii* Regel

| **植物别名** | 山苏子、野苏子。

| **药 材 名** | 山苏子根（药用部位：根。别名：丁黄草、大丁草）。

| **形态特征** | 多年生草本。茎直立，上部具分枝，四棱形，疏被向下的短硬毛。基生叶阔卵形，先端渐尖，基部浅心形，边缘锯齿状或牙齿状，下部的茎生叶与基生叶同形，变小，上部的茎生叶更小，下部的苞叶卵状披针形，边缘锐锯齿状、向上的牙齿状或为全缘，均超过轮伞花序，仅最上部的与之相等，叶片均薄纸质，上面榄绿色，被极疏的短硬毛，下面色较淡，疏被中枝较长的星状柔毛，苞叶近无柄。轮伞花序多花，具长 1 ~ 2mm 的总梗，彼此分离；苞片披针形或狭披针形，与花萼等长或较长，边缘被具节缘毛；花萼管状，上部略扩展，外面脉上被平展的具节刚毛，齿截状，先端具极短的小刺尖，

大叶糙苏

内面被微柔毛及毛束；花冠粉红色，花冠筒外面在上部背面被白色疏柔毛，余无毛，内面具斜向、间断的毛环，冠檐二唇形，上唇长约9mm，外面密被具节长绵毛及中枝特长的星状短绒毛，边缘为不整齐的小齿状，自内面密被髯毛，下唇外面被疏柔毛，3圆裂，中裂片较大，阔卵形，侧裂片较小，卵形；雄蕊内藏，花丝上部具长毛，后对花丝基部在毛环上具斜展的短距状附属器；花柱先端不等2裂；子房裂片先端被短柔毛。花期7～8月。

| **生境分布** | 生于林缘、林下、河岸砾石地的混交林中。以长白山区为主要分布区域，分布于吉林延边、白山、通化、吉林、辽源（东丰）等。

| **资源情况** | 野生资源较少。药材主要来源于野生。

| **采收加工** | 初夏及秋季采挖，洗净，鲜用或切片晒干。

| **功能主治** | 苦、辛，凉。清热消肿。用于无名肿毒，疮疖。

| **用法用量** | 内服煎汤，10～20g。外用适量，捣敷。

唇形科 Labiatae 糙苏属 *Phlomis*

块根糙苏 *Phlomis tuberosa* Linn.

| 植物别名 | 块茎糙苏。

| 药 材 名 | 块茎糙苏（药用部位：块根）。

| 形态特征 | 多年生草本。根块根状增粗。茎具分枝。基生叶或下部的茎生叶三角形，先端钝或急尖，基部深心形，边缘为不整齐的粗圆齿状，中部的茎生叶三角状披针形，基部心形，边缘为粗牙齿状，苞叶披针形，稀卵圆形，向上渐变小。轮伞花序多数，3～10 生于主茎及分枝上，彼此分离，多花密集；苞片线状钻形；花萼管状钟形，齿半圆形，先端微凹，具长 1.8～2.5mm 的刺尖；花冠紫红色，外面唇瓣上密被具长射线的星状绒毛，内面在花冠筒近中部具毛环，冠檐二唇形，上唇边缘为不整齐的牙齿状，自内面密被髯毛，下唇卵形，3 圆裂，中裂片倒心形，较大，侧裂片卵形，较小；花柱先端不等 2 裂。小

块根糙苏

坚果先端被星状短毛。花期 7 ~ 8 月，果期 8 ~ 9 月。

| **生境分布** | 生于路旁、丘陵、草坡、砂质草原、荒地、沙地或灌丛。分布于吉林白城、松原、四平等。

| **资源情况** | 野生资源较少。药材主要来源于野生。

| **采收加工** | 夏季采挖，洗净，晒干。

| **药材性状** | 本品呈椭圆形、长椭圆形或扁圆形，长 0.8 ~ 3cm，直径一般为 0.5 ~ 1.5cm，少数大的直径可达 4cm；表面棕色或棕褐色，有粗皱纹，有的一端残留茎基，另一端为连接两块根的细根，有的两端均为细根，细根直径约 2mm。质硬，不易折断，断面黄白色或黄色。气微，味淡。

| **功能主治** | 微苦，温；有小毒。活血通经，清热解毒，芳香化湿，截疟杀虫。用于月经不调，梅毒，化脓性创伤，湿浊中阻，疟疾。

| **用法用量** | 内服煎汤，3 ~ 6g。外用适量，捣敷；或研末撒。

唇形科 Labiatae 糙苏属 Phlomis

糙苏
Phlomis umbrosa Turcz.

| **植物别名** | 山芝麻、山苏子。

| **药 材 名** | 糙苏（药用部位：地上部分。别名：山苏子、山芝麻）、糙苏根（药用部位：根）。

| **形态特征** | 多年生草本。根粗厚，须根肉质。茎多分枝，四棱形，具浅槽。叶近圆形、圆卵形至卵状长圆形，先端急尖，基部浅心形或圆形，边缘具带胼胝尖的锯齿状牙齿或不整齐的圆齿，叶柄长 1 ~ 12cm，腹凹背凸；苞叶通常为卵形，边缘具粗锯齿状牙齿。轮伞花序通常 4 ~ 8 花，多数，生于主茎及分枝上；苞片线状钻形，较坚硬，常呈紫红色；花萼管状，齿先端具长约 1.5mm 的小刺尖；花冠通常粉红色，下唇色较深，常具红色斑点，长约 1.7cm，花冠筒长约 1cm，冠檐二唇形，3 圆裂，裂片卵形或近圆形，中裂片较大；雄蕊内藏，花

糙苏

丝无毛，无附属器。小坚果无毛。花期 7 ~ 8 月，果期 8 ~ 9 月。

| 生境分布 |　生于疏林或草坡。分布于吉林延边、白山、通化等。

| 资源情况 |　野生资源稀少。药材主要来源于野生。

| 采收加工 |　糙苏：夏、秋季采割，晒干。

糙苏根：秋季采挖，除去泥土和杂质，晒干。

| 药材性状 |　糙苏：本品茎呈方柱形，长
0.5 ~ 1.5m，多分枝，表面绿
褐色，具浅槽，疏被硬毛；
质硬而脆，断面中央有髓。
叶对生，皱缩，展平后呈近圆
形、圆卵形或卵状长圆形，长
5.2 ~ 12cm，先端急尖，基
部浅心形或圆形，边缘具锯
齿，两面均疏被短柔毛；叶
柄长 1 ~ 12cm，疏被毛。轮
状花序密被白色毛；苞片线
状钻形，紫红色；花萼宿存，
呈蜂窝状。气微香，味涩。

| 功能主治 |　糙苏：祛风，解毒，止咳祛痰。
用于感冒，慢性支气管炎，
疖肿。

糙苏根：辛，温。清热消肿，
祛风活络，强筋壮骨，生肌，
续筋接骨，安胎。用于感冒，
风湿关节痛，腰痛，跌打损伤，
疮疖肿毒。

| 用法用量 |　内服煎汤，3 ~ 10g。

唇形科 Labiatae 夏枯草属 Prunella

山菠菜
Prunella asiatica Nakai

| 植物别名 | 东北夏枯草、夏枯草。

| 药材名 | 东北夏枯草（药用部位：果穗）。

| 形态特征 | 多年生草本。茎多数，从基部发出，上升，下部多少伏地，钝四棱形。茎生叶卵圆形或卵圆状长圆形，先端钝或近急尖，边缘疏生波状齿或圆齿状锯齿，叶柄显著，腹平背凸；花序下方的 1 ~ 2 对叶较狭长，近宽披针形。轮伞花序具 6 花，聚集于枝顶组成长 3 ~ 5cm 的穗状花序，每 1 轮伞花序下方均承以苞片；苞片向上渐变小，扁圆形；花梗短；花萼连齿在内长约 10mm，萼檐二唇形，上唇扁平、宽大，近圆形，下唇较狭，宽 3.5mm，2 深裂；花冠淡紫色或深紫色，花冠筒长约 10mm，冠檐二唇形，上唇长圆形，长 9mm，下唇宽大；雄蕊 4，前对显著较长，花丝先端 2 裂，1 裂片具花药，另 1 裂片超

山菠菜

出花药之上，花药 2 室；子房棕褐色，花柱丝状；花盘近平顶。小坚果卵珠状。花期 6 ~ 7 月，果期 8 ~ 9 月。

| **生境分布** | 生于林下、林缘灌丛间、林间干草地、山路边、山坡。以长白山区为主要分布区域，分布于吉林延边、白山、通化、吉林、辽源（东丰）、长春（德惠）等。

| **资源情况** | 野生资源丰富。药材主要来源于野生。

| **采收加工** | 夏季果穗呈棕红色时采收，除去杂质，晒干。

| **功能主治** | 苦、辛，寒。清肝明目，降压散结。用于淋巴结结核，甲状腺肿，高血压，头痛目眩，目赤流泪，眼睛疼痛，病毒性肝炎，乳腺炎，腮腺炎，肺结核，痈疖肿毒。

| **用法用量** | 内服煎汤，9 ~ 15g。

尾叶香茶菜

唇形科 Labiatae 香茶菜属 *Rabdosia*

尾叶香茶菜 *Rabdosia excisa* (Maxim.) Hara

| 植物别名 |

龟叶草、山苏子、野苏子。

| 药 材 名 |

尾叶香茶菜（药用部位：全草。别名：野苏子、龟叶草）。

| 形态特征 |

多年生草本。茎直立，高 0.6 ~ 1m，下部半木质，上部草质，四棱形。茎生叶对生，圆形或圆状卵圆形，先端具深凹，凹缺中有一尾状长尖的顶齿，顶齿长 4 ~ 6cm，基部渐狭至中肋，全缘或下部有 1 ~ 2 对粗锯齿，叶片基部宽楔形或近截形，骤然渐狭下延至叶柄，边缘在基部以上具粗大的牙齿状锯齿。圆锥花序顶生或于上部叶腋内腋生，顶生者长大，由具 1 ~ 5 花的聚伞花序组成，聚伞花序具短梗，总梗长约 3mm，花梗长 1 ~ 2mm；苞叶与茎生叶同形；花萼钟形，萼齿 5，上唇较短，具 3 齿，下唇稍长，具 2 齿；花冠淡紫色、紫色或蓝色，长达 9mm，冠檐二唇形，上唇外反，下唇宽卵形，长达 5mm；雄蕊 4，内藏，花丝丝状；花柱丝状。成熟小坚果倒卵形。花期 7 ~ 8 月，果期 8 ~ 9 月。

| 生境分布 | 生于山坡路旁、林缘草地、灌丛、杂木林下等。以长白山区为主要分布区域，分布于吉林延边、白山、通化、吉林、辽源（东丰）等。

| 资源情况 | 野生资源丰富。药材主要来源于野生。

| 采收加工 | 夏、秋季采收，除去杂质，晒干。

| 药材性状 | 本品茎下部半木质，上部草质，四棱形。茎生叶对生，叶片圆形或卵圆形，基部宽楔形或近截形，骤然渐狭下延至叶柄，边缘在基部以上具粗大的牙齿状锯齿，上面暗绿色，下面淡绿色，平行细脉明显；叶柄腹凹背凸，上部具翅。圆锥花序顶生或于上部叶腋内腋生，聚伞花序具短梗。气微，味苦。

| 功能主治 | 清热解毒，健胃，活血。用于跌打损伤，瘀血肿痛，骨折，创伤出血，疮疡肿毒，蛇虫咬伤，感冒发热，肝炎，胃炎，乳腺炎，关节炎，癥瘕积聚。

| 附 注 | 在 FOC 中，本种的拉丁学名被修订为 *Isodon excisus* (Maximowicz) Kudô。

唇形科 Labiatae 香茶菜属 *Rabdosia*

内折香茶菜 *Rabdosia inflexa* (Thunb.) Hara

| **植物别名** | 山薄荷、山薄荷香茶菜。

| **药 材 名** | 内折香茶菜（药用部位：全草或叶）。

| **形态特征** | 多年生草本。茎曲折，直立，自下部多分枝，钝四棱形，具4槽。茎生叶三角状阔卵形或阔卵形，先端锐尖或钝，基部阔楔形，骤然渐狭下延，边缘在基部以上具粗大圆齿状锯齿，齿尖具硬尖，坚纸质，侧脉约4对。圆锥花序由具3～5花的聚伞花序组成，聚伞花序具梗，总梗长达5mm；苞叶卵圆形；小苞片线形或线状披针形；花萼钟形，萼齿5，近相等或微呈3/2式，果时花萼稍增大；花冠淡红色至青紫色，长约8mm，花冠筒长约3.5mm，基部上方浅囊状，冠檐二唇形，上唇外反，长约3mm，宽达4mm，先端相等4圆裂，下唇阔卵圆形，内凹，舟形；雄蕊4，内藏，花丝扁平，中部以下具髯毛；花柱丝状，

内折香茶菜

内藏，先端相等 2 浅裂；花盘环状。花期 7 ～ 8 月，果期 8 ～ 9 月。

| 生境分布 | 生于山谷溪旁疏林中或向阳处。分布于吉林延边、白山、通化、长春、吉林、辽源等。

| 资源情况 | 野生资源较少。药材主要来源于野生。

| 采收加工 | 夏、秋季采收全草，除去杂质，晒干；或单取叶晒干。

| 功能主治 | 全草，清热解毒，祛湿止痛。用于急性胆囊炎。叶，解毒。用于痢疾。

| 附　注 | 在 FOC 中，本种的拉丁学名被修订为 *Isodon inflexus* (Thunberg) Kudô。

蓝萼香茶菜

Rabdosia japonica (Burm. f.) Hara var. *glaucocalyx* (Maxim.) Hara

| 植物别名 | 毛叶香茶菜、山苏子、野苏子。

| 药 材 名 | 蓝萼香茶菜（药用部位：全草）。

| 形态特征 | 多年生草本。根茎木质，粗大，向下有细长的侧根。茎直立，高
0.4 ~ 1.5m，钝四棱形，具 4 槽及细条纹，下部木质，几无毛，上
部被微柔毛及腺点，多分枝，分枝具花序。茎生叶对生，卵形或阔
卵形，长（4 ~）6.5 ~ 13cm，宽（2.5 ~）3 ~ 7cm，叶疏被短柔
毛及腺点，顶齿卵形或披针形而渐尖，锯齿较钝，坚纸质，上面暗
绿色，下面淡绿色，两面被微柔毛及腺点，侧脉约 5 对，斜上升，
在叶缘之内网结，与中脉在上面微隆起、下面显著凸起，平行细脉
在上面明显可见而在下面隆起；叶柄长 1 ~ 3.5cm，上部有狭而斜
向上宽展的翅，腹凹背凸，被微柔毛。圆锥花序在茎及枝上顶生，

蓝萼香茶菜

疏松而开展，由具（3 ~）5 ~ 7 花的聚伞花序组成，聚伞花序具梗，总梗长（3 ~）6 ~ 15mm，向上渐短，花梗长约 3mm，与总梗及花序轴均被微柔毛及腺点；下部 1 对苞叶卵形，叶状，向上变小，呈苞片状，阔卵圆形，无柄，较花序梗短很多，小苞片微小，线形，长约 1mm；花萼开花时钟形，长 1.5 ~ 2mm，常带蓝色，外面密被贴生微柔毛，内面无毛，萼齿 5，三角形，锐尖，长约为花萼长的 1/3，近等大，前 2 齿稍宽而长，果时花萼管状钟形，长达 4mm，脉纹明显，略弯曲，下唇 2 齿稍长而宽，上唇 3 齿，中齿略小；花冠淡紫色、紫蓝色至蓝色，上唇具深色斑点，长约 5mm，外面被短柔毛，内面无毛，花冠筒长约 2.5mm，基部上方浅囊状，冠檐二唇形，上唇反折，先端具 4 圆裂，下唇阔卵圆形，内凹；雄蕊 4，伸出，花丝扁平，中部以下具髯毛；花柱伸出，先端相等 2 浅裂；花盘环状。成熟小坚果卵状三棱形，长 1.5mm，黄褐色，无毛，先端具疣状突起。花期 7 ~ 8 月，果期 9 ~ 10 月。

| **生境分布** | 生于山坡、路旁、林缘、灌丛等。以长白山区为主要分布区域，分布于吉林延边、白山、通化、吉林、辽源（东丰）等。

| **资源情况** | 野生资源较丰富。药材主要来源于野生。

| **采收加工** | 夏、秋季采收，洗净，切段，晒干。

| **功能主治** | 苦、甘，凉。清热解毒，活血化瘀，健脾。用于感冒，咽喉肿痛，扁桃体炎，胃炎，肝炎，乳腺炎，癌症（食管癌、贲门癌、肝癌、乳腺癌）初起，闭经，跌打损伤，关节痛，蛇虫咬伤。

| **用法用量** | 内服煎汤，6 ~ 15g。

唇形科 Labiatae 香茶菜属 *Rabdosia*

溪黄草

Rabdosia serra (Maxim.) Hara

| **植物别名** | 毛果香茶菜、山苏子。

| **药 材 名** | 溪黄草（药用部位：全草。别名：熊胆草、血风草、溪沟草）。

| **形态特征** | 多年生草本。根茎肥大，粗壮，有时呈疙瘩状。茎直立，钝四棱形。茎生叶对生，卵圆形、卵圆状披针形或披针形，先端近渐尖，基部楔形，边缘具粗大、内弯的锯齿，侧脉每侧 4 ~ 5，与中脉在两面微隆起。圆锥花序生于茎及分枝先端，长 10 ~ 20cm，下部常分枝，因而植株上部全体组成庞大、疏松的圆锥花序，圆锥花序由具 5 至多花的聚伞花序组成，聚伞花序具梗；苞叶在下部者叶状；花萼钟形，萼齿 5，长三角形，近等大；花冠紫色，花冠筒基部上方浅囊状，至喉部宽约 1.2mm，冠檐二唇形，上唇外反，先端相等 4 圆裂，下唇阔卵圆形；雄蕊 4，内藏；花柱丝状；花盘环状。成熟小坚果阔

溪黄草

卵圆形，长 1.5mm。花期 7 ～ 8 月，果期 8 ～ 9 月。

| **生境分布** | 生于林缘草地、灌丛、林下湿地、溪水沟边、山坡或路旁等。以长白山区为主要分布区域，分布于吉林延边、白山、通化、吉林、辽源（东丰）等。

| **资源情况** | 野生资源较少。药材主要来源于野生。

| **采收加工** | 夏、秋季采收，晒干；鲜品随时可采。

| **药材性状** | 本品茎枝呈方形，密被倒向微柔毛。叶对生，常破碎，完整叶多皱缩，展开后呈卵形或卵状披针形，长 4 ～ 12cm，两面沿脉被微柔毛，叶柄长 1 ～ 1.5cm。聚伞花序具梗，由具 5 至多花的聚伞花序组成顶生圆锥花序；苞片及小苞片狭卵形至条形，密被柔毛；花萼钟状，长约 1.5mm，密被灰白色柔毛并夹有腺点；萼齿三角形，近等大，与萼筒等长；花冠紫色，长约 5.5mm，花冠筒近基部上面浅囊状，上唇 4 等裂，下唇船形；雄蕊及花柱不伸出花冠。气微，味苦。

| **功能主治** | 辛、苦，凉。归肝、胆、大肠经。清热解毒，利湿消肿，凉血，消肿散瘀。用于急性肝炎，急性胆囊炎，跌打瘀肿。

| **用法用量** | 内服煎汤，15 ～ 30g。外用适量，捣敷；或研末搽。

| **附　　注** | 在 FOC 中，本种的拉丁学名被修订为 *Isodon serra* (Maximowicz) Kudô。

唇形科 Labiatae   鼠尾草属 Salvia

丹参

Salvia miltiorrhiza Bunge

| 植物别名 | 血参根、野苏子根、烧酒壶根。

| 药 材 名 | 丹参（药用部位：根及根茎。别名：血山根、赤参、山参）。

| 形态特征 | 多年生直立草本。根肥厚，肉质，外面朱红色，内面白色，疏生支根。茎直立，四棱形，具槽，密被长柔毛，多分枝。叶常为奇数羽状复叶，叶柄密被向下的长柔毛，小叶卵圆形、椭圆状卵圆形或宽披针形，先端锐尖或渐尖，基部圆形或偏斜，边缘具圆齿，草质，两面被疏柔毛，下面较密。轮伞花序；苞片披针形；花萼钟形；花冠紫蓝色，外面被具腺短柔毛，尤以上唇为密，内面离花冠筒基部 2 ~ 3mm 处斜生不完全小疏柔毛毛环，花冠筒外伸，比冠檐短，向上渐宽，至喉部宽达 8mm，冠檐二唇形，上唇镰状，向上竖立，先端微缺，下唇短于上唇，3 裂，中裂片先端 2 裂，裂片先端具不整齐的尖齿，

丹参

侧裂片短，先端圆形；能育雄蕊 2，伸至上唇片，中部关节处略被小疏柔毛，上臂显著伸长，下臂短而增粗，药室不育，先端联合，退化雄蕊线形；花柱远外伸，先端不相等 2 裂，后裂片极短，前裂片线形；花盘前方稍膨大。小坚果黑色，椭圆形。花期 4 ~ 8 月，花后见果。

| 生境分布 | 生于山坡、林下草丛或溪谷旁。吉林无野生分布。吉林东部山区、中部半山区有栽培。

| 资源情况 | 吉林有栽培。药材主要来源于栽培。

| 采收加工 | 春、秋季采挖，除去泥沙，干燥。

| 药材性状 | 本品根茎短粗，先端有时残留茎基。根数条，长圆柱形，略弯曲，有的分枝并具须状细根，长 10 ~ 20cm，直径 0.3 ~ 1cm。表面棕红色或暗棕红色，粗糙，具纵皱纹。老根外皮疏松，多显紫棕色，常呈鳞片状剥落。质硬而脆，断面疏松，有裂隙或略平整而致密，皮部棕红色，木部灰黄色或紫褐色，导管束黄白色，呈放射状排列。气微，味微苦、涩。以条粗、内紫黑色、有菊花状白点者为佳。栽培品较粗壮，直径 0.5 ~ 1.5cm。表面红棕色，具纵皱纹，外皮紧贴，不易剥落。质坚实，断面较平整，略呈角质样。

| 功能主治 | 苦，微寒。归心、肝经。活血祛瘀，通经止痛，清心除烦，凉血消痈。用于胸痹心痛，脘腹胁痛，癥瘕积聚，热痹疼痛，心烦不眠，月经不调，痛经经闭，疮疡肿痛。

| 用法用量 | 内服煎汤，9 ~ 15g；或入丸、散。外用适量，熬膏涂；或煎汤熏洗。

| 附　　注 | 在《吉林分巡道造送会典馆、国史馆清册》（1902）中记载的本地物产中，有关于"丹参"的记载。

唇形科 Labiatae 鼠尾草属 Salvia

一串红
Salvia splendens Ker-Gawl.

| 植物别名 | 爆仗红、炮仔花、象牙海棠。

| 药 材 名 | 一串红（药用部位：全草）。

| 形态特征 | 亚灌木状草本。茎钝四棱形，具浅槽，无毛。叶卵圆形或三角状卵圆形，先端渐尖，基部截形或圆形，稀钝，边缘具锯齿，上面绿色，下面色较淡，两面无毛，下面具腺点；茎生叶叶柄无毛。轮伞花序 2 ~ 6 花；花萼钟形，红色，外面沿脉上被染红的具腺柔毛，内面在上半部被微硬伏毛，二唇形，唇裂达花萼长的 1/3，上唇三角状卵圆形，先端具小尖头，下唇比上唇略长，深 2 裂，裂片三角形，先端渐尖；花冠红色，外面被微柔毛，内面无毛，花冠筒筒状，直伸，在喉部略增大，冠檐二唇形，上唇直伸，略内弯，长圆形，先端微缺，下唇比上唇短，3 裂，中裂片半圆形，侧裂片长卵圆形，比中裂片

一串红

长；能育雄蕊 2，近外伸，花丝长约 5mm，药隔长约 1.3cm，近伸直，上、下臂近等长，上臂药室发育，下臂药室不育，下臂粗大，不联合；退化雄蕊短小；花柱与花冠近等长，先端不相等 2 裂，前裂片较长；花盘等大。小坚果椭圆形，长约 3.5mm，暗褐色，先端具极少数不规则的折皱突起，边缘或棱具狭翅，光滑。花期 3 ~ 10 月。

| **生境分布** | 生于农田、城区。吉林无野生分布。吉林各地均有栽培。

| **资源情况** | 吉林广泛栽培。药材主要来源于栽培。

| **采收加工** | 夏、秋季采收，除去杂质，晒干。

| **功能主治** | 清热解毒，凉血消肿。用于痈疮肿毒，跌打损伤，脱臼肿痛，毒蛇咬伤。

多裂叶荆芥 *Schizonepeta multifida* (Linn.) Briq.

| 植物别名 | 裂叶荆芥。

| 药 材 名 | 多裂叶荆芥（药用部位：地上部分。别名：假苏、鼠蓂、姜芥）。

| 形态特征 | 多年生草本。茎高可达 40cm，上部四棱形，基部带圆柱形，侧枝通
常极短，极似数枚叶片丛生，有时上部的侧枝发育，并有花序。叶卵
形，羽状深裂或分裂，有时浅裂至近全缘，先端锐尖，基部截形至心
形，裂片线状披针形至卵形，全缘或具疏齿，坚纸质，有腺点；叶
柄通常长约 1.5cm。花序为由多数轮伞花序组成的顶生穗状花序；
苞片叶状，深裂或全缘，下部的较大，上部的渐变小，卵形，先端
骤尖，变紫色，较花长，小苞片卵状披针形或披针形；花萼紫色，
基部带黄色，具 15 脉，齿 5，三角形，先端急尖；花冠蓝紫色，干
后变淡黄色，长约 8mm，花冠筒向喉部渐宽，冠檐二唇形，上唇 2 裂，

多裂叶荆芥

下唇 3 裂，中裂片最大；雄蕊 4，花药浅紫色。小坚果扁长圆形。花期 7 ~ 8 月，果期 8 ~ 9 月。

| 生境分布 | 生于林缘、山坡草丛或湿润的草原。分布于吉林白城、松原等。吉林东部地区有栽培。

| 资源情况 | 野生资源较少。吉林有栽培。药材主要来源于栽培。

| 采收加工 | 夏、秋季花开至顶时割取地上部分，除去杂质，晒干。

| 药材性状 | 本品茎呈方柱形，上部有分枝，茎枝表面淡紫红色，被短柔毛；质轻脆，易折断，断面纤维状。叶裂片较宽，卵形或卵状披针形。轮伞花序连续，很少间断；萼齿先端急尖。气芳香，味微涩而辛凉。

| 功能主治 | 辛、微苦，微温。归肺、肝经。发表，祛风，止血。用于感冒发热，头痛，咽喉肿痛，中风口噤，吐血，衄血，便血，崩漏，产后血晕，痈肿，疮疥，瘰疬。

| 用法用量 | 内服煎汤，3 ~ 10g；或入丸、散。外用适量，煎汤熏洗；或捣敷；或研末调敷。

| 附　注 | 在 FOC 中，本种的拉丁学名被修订为 *Nepeta multifida* Linnaeus。

唇形科 Labiatae 裂叶荆芥属 Schizonepeta

裂叶荆芥 *Schizonepeta tenuifolia* (Benth.) Briq.

裂叶荆芥

| 植物别名 |

假苏、四棱杆蒿、小茴香。

| 药 材 名 |

荆芥（药用部位：地上部分。别名：香荆芥、线荠、四棱杆蒿）、荆芥穗（药用部位：花穗）。

| 形态特征 |

一年生草本。茎高 0.3 ～ 1m，四棱形，多分枝，茎下部的节及小枝基部通常微红色。叶通常为指状 3 裂，大小不等，先端锐尖，基部楔状渐狭并下延至叶柄，裂片披针形，宽 1.5 ～ 4mm，中间的较大，两侧的较小，全缘，草质；叶柄长 2 ～ 10mm。花序为多数轮伞花序组成的顶生穗状花序，通常生于主茎上的较长大而多花，生于侧枝上的较小而疏花，但均间断；苞片叶状，下部的较大，与叶同形，上部的渐变小，乃至与花等长，小苞片线形，极小；花萼管状钟形，具 15 脉，齿 5，三角状披针形或披针形，先端渐尖，长约 0.7mm；花冠青紫色，花冠筒向上扩展，冠檐二唇形，上唇先端 2 浅裂，下唇 3 裂，中裂片最大；雄蕊 4，花药蓝色；花柱先端近相等 2 裂。小坚果长圆状三棱形。花期 7 ～ 8 月，果期 8 ～ 9 月。

| 生境分布 | 生于林缘、路旁、灌丛或住宅附近。分布于吉林延边、白山、通化、长春、吉林、辽源等。吉林东部地区有栽培。

| 资源情况 | 野生资源较丰富。吉林有栽培。药材主要来源于栽培。

| 采收加工 | 荆芥：夏、秋季花开至顶时割取地上部分，除去杂质，晒干。
荆芥穗：夏、秋季花开至顶时摘下花穗，晒干。

| 药材性状 | 荆芥：本品茎呈方柱形，上部有分枝，长 50 ～ 80cm，直径 0.2 ～ 0.4cm；表面淡黄绿色或淡紫红色，被短柔毛；体轻，质脆，断面类白色。叶对生，多已脱落，叶片 3 ～ 5 羽状分裂，裂片细长。穗状轮伞花序顶生，长 2 ～ 9cm，直径约 0.7cm。花冠多脱落，宿萼钟状，先端 5 齿裂，淡棕色或黄绿色，被短柔毛。小坚果棕黑色。气芳香，味微涩而辛凉。
荆芥穗：本品穗状轮伞花序呈圆柱形，长 3 ～ 15cm，直径约 7mm。花冠多脱落，宿萼钟形，黄绿色，质脆，易碎，内有棕黑色小坚果。气芳香，味微涩而辛凉。

| 功能主治 | 荆芥：辛，温。归肺、肝经。解表散风，透疹，消疮。用于感冒，头痛，麻疹，风疹，疮疡初起。
荆芥穗：辛、苦，微温。清头目诸风，止头痛，明目，解肺、肝、咽喉热痛，消肿，除诸毒，发散疮痈。用于便血，血崩，风热证，肺气、鼻窍塞闭。

| 用法用量 | 内服煎汤，5 ～ 10g；或入丸、散。外用适量，捣敷；或研末调敷；或煎汤洗。

| 附　　注 | （1）在 FOC 中，本种的拉丁学名被修订为 *Nepeta tenuifolia* Bentham。
（2）荆芥在吉林的药用历史较久。在《大中华吉林省地理志》（1921）、《桦甸县志未是稿》（1931）、《吉林新志》（1934）等地方志中均有关于"荆芥"的记载。
（3）市场流通的荆芥的规格主要有全荆芥、荆芥咀、荆芥穗，由于此三者面向的消费群体不同，因而销量保持相对稳定。由于人工种植荆芥的技术尚不成熟，导致其种植规模不大。野生荆芥资源虽多，但在国家保护野生资源的背景下，现已被限制采挖。同时近年来荆芥在香料、饲料产业中得到广泛应用，有的产地将其加工成荆芥油远销香港及东南亚各国，市场需求量不断加大。随着市场需求量的增加，荆芥价格有所上升。吉林荆芥药材商品皆来源于种植，且其产出量随市场价格浮动而变化。近年来由于人工成本增加等原因，荆芥的种植面积逐年减少，要想扩大种植规模还有待于政府的政策支持。
（4）2020 年版《中国药典》记载本种的中文名称为荆芥。

唇形科 Labiatae 黄芩属 *Scutellaria*

纤弱黄芩 *Scutellaria dependens* Maxim.

| **植物别名** | 小花黄芩。

| **药 材 名** | 纤弱黄芩（药用部位：全草）。

| **形态特征** | 一年生草本。根茎细，在节上生纤维状须根。茎大多直立，或先端稍弯，四棱形。叶具柄，柄长 0.8 ~ 4mm；叶片膜质，卵圆状三角形或三角形，先端钝或圆形，基部浅心形或截状心形。花单生于茎中部或下部的叶腋内，初向上斜展，其后下垂；花梗长度超过叶柄；花萼开花时长 1.8 ~ 2mm，脉纹稍凸出，盾片高约 1mm；花冠白色或下唇带淡紫色；冠檐二唇形，上唇短，直伸，2 裂，下唇中裂片向上伸展，梯形，长约 1.5mm，两侧裂片三角状卵圆形；雄蕊 4，前对较长，微露出，花丝扁平；子房 4 裂，等大，具短柄或几无柄，花柱细长，先端明显 2 裂；花盘厚，扁圆形，前方微微平伸，与子

纤弱黄芩

房之间具泡状毛。小坚果黄褐色，卵球形，具瘤状突起。花期7～8月，果期8～9月。

| **生境分布** | 生于林缘、林下湿地、沼泽、河边松软坡地。分布于吉林延边、白山、通化、长春、吉林、辽源等。

| **资源情况** | 野生资源较少。药材主要来源于野生。

| **采收加工** | 夏、秋季采收，除去杂质，晒干。

| **功能主治** | 清热解毒。用于痈疔，黄疸，喉痛，天头蛇症，气喘，疟疾，肺热，风湿病。

唇形科 Labiatae 黄芩属 *Scutellaria*

念珠根茎黄芩 *Scutellaria moniliorrhiza* Kom.

| 植物别名 |　念珠根黄芩。

| 药 材 名 |　念珠根茎黄芩（药用部位：根、果实）。

| 形态特征 |　多年生草本。根茎直伸或横走，白色，念珠状，在节上生纤维状须根。茎直立，高 12 ～ 36cm，四棱形。叶具短柄，柄长 1.5 ～ 4mm；叶片卵圆形或卵圆状长圆形，先端锐尖至具钝头，基部圆形至浅心形，边缘每侧具 3 ～ 7 圆齿；侧脉 3 ～ 4 对。花少数，单生于茎上部叶叶腋中；花梗下部 1/3 处具成对的线形小苞片；花萼开花时长 3 ～ 4mm，果时花萼略增大，长 5mm；花冠蓝色，花冠筒基部浅囊状增大，宽 2mm，冠檐二唇形，上唇盔状，内凹，先端微缺，下唇中裂片近圆形，先端微缺，最宽处达 1cm，2 侧裂片卵圆形；雄蕊 4，前对较长，微露出，具能育半药，花丝扁平；子房 4 裂，裂片等大，

念珠根茎黄芩

花柱丝状，先端锐尖，微裂；花盘前方隆起。小坚果淡褐色，椭圆球形。花期 7 ～ 8 月，果期 8 ～ 9 月。

| **生境分布** | 生于山坡、山谷、林缘或灌丛等。分布于吉林延边、白山、通化等。

| **资源情况** | 野生资源较少。药材主要来源于野生。

| **采收加工** | 春、秋季采挖根，除去残茎、泥沙，晒干。秋季采摘成熟果实，晒干或鲜用。

| **功能主治** | 根，苦，寒。清热燥湿，泻火解毒，止血安胎。用于湿热，暑温，胸闷呕逆，湿热痞满，泻痢，黄疸，肺热咳嗽，高热烦渴，血热吐衄，痈肿疮毒，胎动不安。果实，凉血，止血，止痢。用于肠澼脓血。

| **用法用量** | 根，内服煎汤，6 ～ 15g。外用适量，捣敷。果实，内服煎汤，5 ～ 10g。

| **附　　注** | 本种为吉林省Ⅲ级重点保护野生植物。

唇形科 Labiatae 黄芩属 Scutellaria

京黄芩
Scutellaria pekinensis Maxim.

| **植物别名** | 筋骨草、丹参。

| **药 材 名** | 京黄芩（药用部位：全草）。

| **形态特征** | 一年生草本。根茎细长。茎直立，四棱形。叶草质，卵圆形或三角状卵圆形，先端锐尖至钝，有时圆形，基部截形、截状楔形至近圆形，边缘具浅而钝的 2 ~ 10 对牙齿；叶柄长 0.3 ~ 2cm。花对生，排列成长 4.5 ~ 11.5cm 的顶生总状花序；花梗长约 2.5mm；花萼开花时长约 3mm，果时增大；花冠蓝紫色，外面被具腺小柔毛，内面无毛，花冠筒前方基部略膝曲状，中部宽 1.5mm，向上渐宽，至喉部宽达 5mm；冠檐二唇形，上唇盔状，内凹，先端微缺，下唇中裂片宽卵圆形，两侧中部微内缢，先端微缺，两侧裂片卵圆形；雄蕊 4，二强，花丝扁平，中部以下被纤毛；花盘肥厚，前方隆起，子房柄短；

京黄芩

子房光滑，无毛，花柱细长。成熟小坚果栗色或黑栗色，卵形，具瘤，腹面中下部具 1 果脐。花期 6～7 月，果期 8～9 月。

| **生境分布** | 生于林缘、林下湿地、沟边湿地、山坡等。以长白山区为主要分布区域，分布于吉林延边、白山、通化、吉林、辽源（东丰）等。

| **资源情况** | 野生资源较少。药材主要来源于野生。

| **采收加工** | 夏、秋季采收，除去杂质，晒干。

| **功能主治** | 清热解毒，活血化瘀。用于跌打损伤。

| **附　　注** | 本种为吉林省 **Ⅲ** 级重点保护野生植物。

唇形科 Labiatae 黄芩属 Scutellaria

狭叶黄芩 *Scutellaria regeliana* Nakai

| 药 材 名 | 狭叶黄芩（药用部位：根。别名：薄叶黄芩）。

| 形态特征 | 多年生草本。根茎直伸或斜行，纤细，在节上生须根及匍匐枝。茎直立，高 26 ～ 30cm，四棱形，具沟，中部节间长 2.5 ～ 4cm。叶具极短的柄，柄粗壮；叶片披针形或三角状披针形，先端钝，基部不明显浅心形或近截形，全缘但稍内卷。花单生于茎中部以上的叶腋内，偏向一侧；花梗长约 4mm，基部有 1 对被疏柔毛的针状小苞片；花冠紫色，长 2 ～ 2.5cm；冠檐二唇形，上唇盔状，先端微缺，下唇中裂片大，近扁圆形，全缘，2 侧裂片长圆形，宽 3.5mm；雄蕊 4，均内藏，前对较长，花丝扁平；子房 4 裂，裂片等大，花柱细长，扁平；花盘环状，前方微膨大。小坚果黄褐色，卵球形，具瘤状突起，腹面基部具果脐。花期 6 ～ 7 月，果期 7 ～ 9 月。

狭叶黄芩

| **生境分布** | 生于林缘、草地、湿地、河岸。以长白山区为主要分布区域，分布于吉林延边、白山、通化、吉林、辽源（东丰）等。

| **资源情况** | 野生资源较丰富。药材主要来源于野生。

| **采收加工** | 春、夏季采挖，除去须根、地上茎及泥土，洗净，晒干。

| **功能主治** | 苦，寒。清热燥湿，泻火解毒，止血安胎。用于湿热证，疮痈肿毒，血热出血，胎动不安。

唇形科 Labiatae 黄芩属 Scutellaria

并头黄芩

Scutellaria scordifolia Fisch. ex Schrank.

| 植物别名 | 山麻子、头巾草。

| 药材名 | 并头黄芩（药用部位：全草。别名：山麻子、半枝莲、头巾草）。

| 形态特征 | 多年生草本。根茎斜行或近直伸，节上生须根。茎直立，高 12 ~ 36cm，四棱形。叶具很短的柄或近无柄，柄长 1 ~ 3mm；叶片三角状狭卵形、三角状卵形或披针形，先端多钝，稀微尖，基部浅心形、近截形，边缘大多具浅锐牙齿，侧脉约 3 对，在上面凹陷，在下面明显凸起。花单生于茎上部的叶腋内，偏向一侧；花梗长 2 ~ 4mm，近基部有 1 对长约 1mm 的针状小苞片；花萼开花时长 3 ~ 4mm，果时长 4.5mm；花冠蓝紫色，长 2 ~ 2.2cm；花冠筒基部浅囊状膝曲，冠檐二唇形，上唇盔状，内凹，下唇中裂片圆状卵圆形，先端微缺，最宽处宽 7mm，2 侧裂片卵圆形，先端微缺；雄

并头黄芩

蕊 4，均内藏，前对较长，花丝扁平；子房 4 裂，裂片等大，花柱细长，先端锐尖，微裂；花盘前方隆起，后方延伸成短子房柄。小坚果黑色，椭圆形。花期 6 ~ 8 月，果期 8 ~ 9 月。

| **生境分布** | 生于阳草坡、草原中湿地、田边地头、沙地。吉林各地均有分布。

| **资源情况** | 野生资源较丰富。药材主要来源于野生。

| **采收加工** | 7 ~ 9 月采收，除去杂质，鲜用或晒干。

| **药材性状** | 本品根茎上生须根。茎方柱形，长 10 ~ 20cm，基部直径 1 ~ 2mm，表面紫色。叶片三角状狭卵形、三角状卵形或披针形，侧脉约 3 对，在上面凹陷，在下面明显凸起。花梗长 2 ~ 4mm，近基部有针状小苞片；花蓝紫色，花柱细长。小坚果黑色，椭圆形。气微，味微苦。

| **功能主治** | 微苦，凉。清热解毒，利尿。用于肠痈，跌打损伤，蛇咬伤。

| **用法用量** | 内服煎汤，15 ~ 30g；捣汁加酒服，60g。外用适量，捣敷。

唇形科 Labiatae 黄芩属 Scutellaria

粘毛黄芩 *Scutellaria viscidula* Bge.

粘毛黄芩

| 植物别名 |

腺毛黄芩、黄花黄芩、下巴子。

| 药 材 名 |

粘毛黄芩（药用部位：根、果实）。

| 形态特征 |

多年生草本。根茎直生或斜行，自上部生出数茎。茎直立或渐上升，四棱形。下部叶通常具柄；叶片披针形、披针状线形或线状长圆形至线形，先端微钝或钝，基部楔形或阔楔形，侧脉 3 ～ 4 对。花序顶生，总状；花梗长约 3mm；苞片下部者似叶，上部者远较小，椭圆形或椭圆状卵形；花萼开花时长约 3mm，盾片高 1 ～ 1.5mm；花冠黄白色或白色，花冠筒近基部明显膝曲，冠檐二唇形，上唇盔状，下唇中裂片宽大，近圆形，直径 13mm，两侧裂片卵圆形，宽 3mm；雄蕊 4，前对较长，伸出，具半药，花丝扁平；子房褐色，无毛，花柱细长；花盘肥厚，前方隆起，后方延伸成长 0.5mm 的子房柄。小坚果黑色，卵球形，具瘤，腹面近基部具果脐。花期 6 ～ 7 月，果期 7 ～ 8 月。

| 生境分布 | 生于砂砾地、荒地或草地等。分布于吉林白城（洮北、通榆、洮南）等。

| 资源情况 | 野生资源较少。药材主要来源于野生。

| 采收加工 | 春、秋季采挖根，除去残茎、泥沙，晒干。秋季采摘成熟果实，晒干或鲜用。

| 功能主治 | 根，苦，寒。清热燥湿，泻火解毒，止血安胎。用于湿热，暑温，胸闷呕逆，湿热痞满，泻痢，黄疸，肺热咳嗽，高热烦渴，血热吐衄，痈肿疮毒，胎动不安。果实，凉血，止血，止痢。用于肠澼脓血。

唇形科 Labiatae 水苏属 Stachys

毛水苏 *Stachys baicalensis* Fisch. ex Benth.

| **植物别名** | 水苏草、水苏子。

| **药材名** | 毛水苏（药用部位：全草。别名：水苏草、野紫苏、山升麻）、毛水苏根（药用部位：根）。

| **形态特征** | 多年生草本。根茎节上生须根。茎直立，单一，四棱形，具槽，在棱及节上密被倒向至平展的刚毛。茎生叶长圆状线形，先端稍锐尖，基部圆形，边缘有小的圆齿状锯齿，叶柄短，长1～2mm；苞叶披针形。轮伞花序通常具6花，多数组成穗状花序，穗状花序上部密集、下部疏散；小苞片线形，刺尖；花梗极短，长1mm；花萼钟形，连齿长9mm，具10脉，明显，齿5，披针状三角形；花冠淡紫色至紫色，花冠筒直伸，近等大，冠檐二唇形，上唇直伸，卵圆形，长7mm，下唇卵圆形，3裂，中裂片近圆形；雄蕊4，均延伸至上唇片之下，

毛水苏

前对较长，花丝扁平，花药卵圆形，2 室，室极叉开；子房黑褐色，花柱丝状，略超出雄蕊，先端相等 2 浅裂；花盘平顶，边缘波状。小坚果棕褐色，卵珠状。花期 7 ~ 8 月，果期 8 ~ 9 月。

| **生境分布** | 生于林缘、林下、灌丛、湿地、河岸等。以长白山区为主要分布区域，分布于吉林延边、白山、通化、吉林、辽源（东丰）等。

| **资源情况** | 野生资源较少。药材主要来源于野生。

| **采收加工** | 毛水苏：夏、秋季采收，除去杂质，晒干。
毛水苏根：秋季采挖，洗净，晒干。

| **功能主治** | 毛水苏：辛，平。归肺、胃经。疏风理气，解表化瘀，止血解毒。用于感冒，痧证，肺痿，肺痈，头晕目眩，口臭，咽痛，痢疾，胃酸过多，产后中风，吐血，衄血，血崩，血淋，跌打损伤，疖疮肿毒。
毛水苏根：辛，微温。解毒消肿，平肝，补阴。用于跌打损伤，烂痛疮癣，吐血，失音咳嗽。

| **用法用量** | 内服煎汤，9 ~ 15g。外用适量，煎汤洗；或研末撒；或捣敷。

唇形科 Labiatae 水苏属 *Stachys*

狭叶毛水苏 *Stachys baicalensis* Fisch. ex Benth. var. *angustifolia* Honda

| 药 材 名 | 狭叶毛水苏（药用部位：全草）。

| 形态特征 | 多年生草本，高 40 ~ 80cm。根茎节上生须根。茎直立，单一，四棱形，具槽，在棱及节上密被倒向至平展的刚毛。茎生叶线形或线状披针形，先端稍锐尖，基部圆形，边缘有小的圆齿状锯齿，叶柄短，长 1 ~ 2mm；苞叶披针形。轮伞花序通常具 6 花，多数组成穗状花序，穗状花序上部密集、下部疏散；小苞片线形，刺尖；花梗极短；花萼钟形，连齿长 9mm，具 10 脉，明显，齿 5，披针状三角形；花冠淡紫色至紫色，花冠筒直伸，近等大，冠檐二唇形，上唇直伸，卵圆形，长 7mm，下唇卵圆形，3 裂，中裂片近圆形；雄蕊 4，均延伸至上唇片之下，前对较长，花丝扁平，花药卵圆形，2 室，室极叉开；子房黑褐色，花柱丝状，略超出雄蕊，先端相等 2 浅裂；

狭叶毛水苏

花盘平顶，边缘波状。小坚果棕褐色，卵珠状。花期 7 ~ 8 月，果期 8 ~ 9 月。

| **生境分布** | 生于开旷地。分布于吉林延边、白山、通化、长春、吉林、辽源等。

| **资源情况** | 野生资源较少。药材主要来源于野生。

| **采收加工** | 夏、秋季采收，除去杂质，晒干。

| **功能主治** | 疏风理气，解表化瘀，止血解毒。用于感冒，痧证，肺痿，肺痈，头晕目眩，口臭，咽痛，痢疾，胃酸过多，产后中风，吐血，衄血，血崩，血淋，跌打损伤，疔疮肿毒。

唇形科 Labiatae 水苏属 Stachys

华水苏
Stachys chinensis Bunge ex Benth.

华水苏

| 植物别名 |

水苏、水苏子。

| 药 材 名 |

水苏（药用部位：全草。别名：鸡苏、香苏、龙脑薄荷）。

| 形态特征 |

多年生草本，直立，高约 60cm。茎单一，四棱形。茎生叶长圆状披针形，长 5.5 ～ 8.5cm，宽 1 ～ 1.5cm，先端钝，基部近圆形，边缘具锯齿状圆齿，叶柄极短，长 2 ～ 5mm，或近无柄；最下部的苞叶与茎生叶同形而较小，上部的苞叶渐变小。轮伞花序通常具 6 花，远离而组成长穗状花序；小苞片刺状，微小；花梗极短或近无梗；花萼钟形，连齿长约 1cm，具 10 脉，齿 5，披针形，等大；花冠紫色，花冠筒长 8mm，冠檐二唇形，上唇直立，长圆形，下唇平展，近圆形，长、宽均约 7mm，3 裂，中裂片最大；雄蕊 4，前对较长，均延伸至上唇片稍下方或与其相等，花丝丝状，中部以下明显被柔毛，花药卵圆形，2 室，室极叉开；子房黑褐色，无毛，花柱丝状，伸出雄蕊之上，先端相等 2 浅裂，裂片钻形。花盘平顶。小坚果卵圆状三棱形，褐色，无毛。花期 6 ~ 8 月，果期 7 ~ 9 月。

| **生境分布** | 生于林缘、灌丛、草甸、水边、路边。以长白山区为主要分布区域，分布于吉林延边、白山、通化、吉林、辽源（东丰）等。

| **资源情况** | 野生资源较丰富。药材主要来源于野生。

| **采收加工** | 夏、秋季采收，除去杂质，晒干。

| **药材性状** | 本品茎呈四棱形，长 15 ~ 40cm，直径 0.1 ~ 0.3cm；表面黄绿色至绿褐色；较粗糙，棱及节上疏生刚毛。叶对生，叶柄长 1 ~ 5mm，叶展平后呈短矩圆状披针形，长 1.5 ~ 8cm，宽 0.6 ~ 1.5cm，边缘锯齿明显。通常 6 花排列成轮伞花序，着生于茎枝上部叶腋内，花萼钟形，具 5 齿，齿端锐尖。小坚果卵圆状三棱形，墨色，较光滑。气微，味淡。

| **功能主治** | 清热解毒，止咳利咽，止血消肿。用于感冒，痧证，肺痿，肺痈，头风目眩，咽痛，失音，吐血，咯血，衄血，崩漏，痢疾，淋证，跌打肿痛。

| **用法用量** | 内服煎汤，9 ~ 15g。外用适量，煎汤洗；或研末撒；或捣敷。

唇形科 Labiatae 水苏属 Stachys

水苏 *Stachys japonica* Miq.

水苏

| 植物别名 |

宽叶水苏、水苏子。

| 药材名 |

水苏（药用部位：地上部分。别名：香苏、龙脑薄荷、芥苴）、水苏根（药用部位：根）。

| 形态特征 |

多年生草本。根茎节上生须根。茎单一，直立，基部多少匍匐，四棱形。茎生叶长圆状宽披针形，先端微急尖，基部圆形至微心形，边缘具圆齿状锯齿，叶柄明显，近茎基部者最长，向上渐变短；苞叶披针形，向上渐变小。轮伞花序具 6 ~ 8 花，组成长 5 ~ 13cm、上部密集、下部疏散的穗状花序；小苞片刺状，长约 1mm；花梗短，长约 1mm；花萼钟形，连齿长达 7.5mm，具 10 脉，不明显，齿 5，等大，三角状披针形；花冠粉红色或淡红紫色，花冠筒长约 6mm，冠檐二唇形，上唇直立，倒卵圆形，下唇张开，3 裂，中裂片最大，近圆形；雄蕊 4，均延伸至上唇片之下，花丝丝状，花药卵圆形，2 室；子房黑褐色，花柱丝状，稍超出雄蕊，先端相等 2 浅裂；花盘平顶。小坚果卵球形，棕褐色，无毛。花期 6 ~ 8 月，果期 7 ~ 9 月。

| 生境分布 |

生于湿草地、路旁、河岸、沟谷等,常成片生长。以长白山区为主要分布区域,分布于吉林延边、白山、通化、长春、吉林、辽源(东丰)、松原(长岭)等。

| 资源情况 |

野生资源较少。药材主要来源于野生。

| 采收加工 |

水苏:7 ~ 8 月采收,除去杂质,晒干。

水苏根:秋季采挖,洗净,晒干。

| 药材性状 |

水苏:同"华水苏"。

| 功能主治 |

水苏:同"华水苏"。

水苏根:消炎,平肝,补阴。用于跌打损伤,烂痛疮癣,吐血,失音咳嗽,久痢。

| 用法用量 |

水苏:同"华水苏"。

水苏根:内服煎汤,15 ~ 30g;或捣汁。外用适量,捣敷。

唇形科 Labiatae 水苏属 Stachys

甘露子

Stachys sieboldii Miq.

甘露子

| 植物别名 |

草石蚕、地蚕、螺蛳菜。

| 药 材 名 |

甘露子（药用部位：全草或块茎。别名：宝塔菜、地蚕、土人参）。

| 形态特征 |

多年生草本，高 0.3 ~ 1.2m。根茎白色，在节上有鳞状叶及须根，先端有念珠状或螺蛳形的肥大块茎。茎直立或基部倾斜，单一或多分枝，四棱形。茎生叶卵圆形或长椭圆状卵圆形，先端微锐尖或渐尖，基部平截至浅心形，侧脉 4 ~ 5 对，叶柄长 1 ~ 3cm；苞叶向上渐变小，呈苞片状。轮伞花序通常具 6 花，多数远离而组成长 5 ~ 15cm 的顶生穗状花序；小苞片线形，长约 1mm；花梗短，长约 1mm；花萼狭钟形，连齿长 9mm，具 10 脉，多少明显，齿 5，正三角形至长三角形；花冠粉红色至紫红色，下唇有紫斑，长约 1.3cm，花冠筒长约 9mm，冠檐二唇形，上唇长圆形，长 4mm，下唇长、宽均约 7mm，3 裂，中裂片较大，近圆形，直径约 3.5mm，侧裂片卵圆形；雄蕊 4，前对较长，花丝丝状，花药卵圆形，2 室；花柱丝状。

小坚果卵珠形，黑褐色，具小瘤。花期 7 ~ 8 月，果期 9 月。

| **生境分布** | 生于山坡、草地、路边或住宅附近。分布于吉林延边、白山、通化、长春、吉林、辽源、松原（扶余）等。

| **资源情况** | 野生资源较丰富。药材主要来源于野生。

| **采收加工** | 夏、秋季采收全草，洗净，鲜用或晒干。秋季采挖块茎，洗净，鲜用或晒干。

| **功能主治** | 甘，平；无毒。清热解毒，活血散瘀，祛风利湿，滋养强壮，清肺解表。用于风热感冒，肺炎，肺结核，虚劳咳嗽，小儿疳积，小便淋痛，疮疡肿毒，毒蛇咬伤。

| **用法用量** | 内服煎汤，6 ~ 15。外用适量，鲜品捣敷。

| **附　　注** | 本种的块茎可被腌制成咸菜，清脆爽口。

唇形科 Labiatae 百里香属 Thymus

百里香
Thymus mongolicus Ronn.

| 植物别名 | 山胡椒、地角花、地椒叶。

| 药 材 名 | 百里香（药用部位：地上部分。别名：地椒、麝香草）。

| 形态特征 | 落叶半灌木。茎多数，匍匐或上升；不育枝从茎的末端或基部生出，匍匐或上升；花枝高 1.5 ～ 10cm，在花序下密被向下曲或稍平展的疏柔毛，下部毛变短而疏，具 2 ～ 4 对叶，基部有脱落的先出叶。叶卵圆形，先端钝或稍锐尖，基部楔形或渐狭，全缘或稀有 1 ～ 2 对小锯齿，两面无毛，侧脉 2 ～ 3 对，在下面微凸起，腺点多少有些明显，叶柄明显，靠下部的叶柄长约为叶片的 1/2，在上部的则较短；苞叶与叶同形，边缘在下部 1/3 者具缘毛。花序头状，多花或少花，花具短梗；花萼管状钟形或狭钟形，下部被疏柔毛，上部近无毛，下唇较上唇长或与上唇近等长，上唇齿短，齿不超过上唇

百里香

全长的 1/3，三角形，具缘毛或无毛；花冠紫红色、紫色或淡紫色、粉红色，花冠筒伸长，向上稍增大。小坚果近圆形或卵圆形，压扁状，光滑。花期 7 ~ 8 月，果期 8 ~ 9 月。

| **生境分布** | 生于多石山地、斜坡、山谷、山沟、路旁或杂草丛，常成片生长。分布于吉林白城、松原等。

| **资源情况** | 野生资源较少。药材主要来源于野生。

| **采收加工** | 夏季枝叶茂盛时采收，洗净，切段，鲜用或晒干。

| **药材性状** | 本品茎呈方柱形，多分枝，长 5 ~ 10cm，直径约 1mm；表面紫褐色，幼茎被白色柔毛，节明显，匍匐茎节上具细根。叶多皱缩，展平后呈卵圆形，长 0.3 ~ 1cm，宽 1.5 ~ 4mm，先端钝或稍锐尖，基部楔形，全缘，下面腺点明显。小花集成头状，紫色或淡紫色。小坚果近圆形或卵圆形，压扁状。气芳香，味辛。

| **功能主治** | 辛，温。温中散寒，健脾消食，祛风镇痛。用于胃寒痛，小腹胀满，吐逆，腹痛，泄泻，食少痞胀，风寒咳嗽，咽肿，牙痛，身痛，肌肤瘙痒。

| **用法用量** | 内服煎汤，6 ~ 15g。

唇形科 Labiatae 百里香属 Thymus

地椒
Thymus quinquecostatus Cêlak.

| 药 材 名 | 地椒（药用部位：全草）。

| 形态特征 | 落叶半灌木。茎斜上升或近水平伸展；花枝多数，高 3 ~ 15cm，从
茎上或茎的基部长出，直立或上升，具多数节间，最多可达 15，通
常比叶短，花序以下密被向下弯曲的疏柔毛。叶长圆状椭圆形或长
圆状披针形，稀卵圆形或卵状披针形，先端钝或锐尖，基部渐狭成
短柄，全缘，边缘外卷，沿边缘下 1/2 处或仅在基部具长缘毛，近
革质，两面无毛，侧脉 2 ~ 3 对，粗，在下面凸起、上面明显，腺
点小且多而密，明显；苞叶同形，边缘下 1/2 处被长缘毛。花序头
状或稍伸长成长圆状的头状花序；花梗长达 4mm，密被向下弯曲的
短柔毛；花萼管状钟形，上面无毛，下面被平展的疏柔毛，上唇稍
长或近等于下唇，上唇的齿披针形，约为全唇长的 1/2 或稍短；花

地椒

冠筒比花萼短。花期 7 ~ 8 月，果期 8 ~ 9 月。

| **生境分布** | 生于多石山地或向阳的干山坡。分布于吉林延边、白山、通化、长春、吉林、辽源等。

| **资源情况** | 野生资源较少。药材主要来源于野生。

| **采收加工** | 夏、秋季采收，除去杂质，晒干。

| **功能主治** | 祛风止咳，健脾行气，利湿通淋。用于感冒头痛，咳嗽，百日咳，脘腹疼痛，消化不良，呕吐腹泻，牙痛，小便涩痛，湿疹瘙痒，疮痈肿痛。

茄科 Solanaceae 颠茄属 Atropa

颠茄 *Atropa belladonna* L.

颠茄

| 药材名 |

颠茄草（药用部位：全草。别名：美女草、别拉多娜草、颠茄）、颠茄根（药用部位：根）。

| 形态特征 |

多年生草本，或因栽培为一年生。根粗壮，圆柱形。茎下部单一，带紫色，上部叉状分枝，嫩枝绿色，多腺毛，老时逐渐脱落。叶互生或在枝上部生大小不等的 2 叶，叶柄长达 4cm，幼时生腺毛；叶片卵形、卵状椭圆形或椭圆形，先端渐尖或急尖，基部楔形并下延至叶柄，上面暗绿色或绿色，下面淡绿色，两面沿叶脉有柔毛。花俯垂，花梗长 2 ~ 3cm，密生白色腺毛；花萼长约为花冠之半，裂片三角形，先端渐尖，生腺毛，花后稍增大，果时呈星芒状向外开展；花冠筒状钟形，下部黄绿色，上部淡紫色，筒中部稍膨大，5 浅裂，裂片先端钝，花开时向外反折，外面纵脉隆起，被腺毛，内面筒基部有毛；花丝下端生柔毛，上端向下弓曲，长约 1.7cm，花药椭圆形，黄色；花盘绕生于子房基部；花柱长约 2cm，柱头带绿色。浆果球状，成熟后紫黑色，光滑，汁液紫色；种子扁肾形，褐色。花果期 6 ~ 9 月。

| **生境分布** | 生于农田、菜园旁等。吉林各地均有分布。吉林各地均有栽培。 |

| **资源情况** | 野生资源稀少。吉林有栽培。药材主要来源于栽培。 |

| **采收加工** | 颠茄草：开花至结果期内采收，除去粗茎和泥沙，切段，干燥。
颠茄根：秋季采挖，除去粗茎和泥沙，切段，干燥。 |

| **药材性状** | 颠茄草：本品根呈圆柱形，扭曲，表面浅灰棕色，具纵皱纹和支根痕。质硬，断面平坦，具形成层环。茎呈扁圆柱形，直径 3 ~ 6mm，表面黄绿色，有细纵皱纹和稀疏的细点状皮孔，中空，幼茎有毛。叶多皱缩、破碎，完整叶片卵状椭圆形，黄绿色至深棕色。花萼 5 裂，花冠钟状。果实球形，直径 5 ~ 8mm，具长梗，种子多数。气微，味微苦、辛。以叶完整、嫩茎多者为佳。
颠茄根：本品呈圆柱形，稍扭曲，直径 5 ~ 15mm。表面浅灰棕色，具纵皱纹，偶见支根痕。老根较硬，木质；细根质脆，易折断，断面平坦，皮部狭，灰白色，木部宽广，棕黄色，形成层环纹明显。气微，味苦、辛。 |

| **功能主治** | 解痉止痛。用于胃及十二指肠溃疡，胃肠道、肾、胆绞痛，呕恶，盗汗，流涎。 |

| **用法用量** | 内服制成酊剂或片剂。 |

茄科 Solanaceae 辣椒属 Capsicum

辣椒 *Capsicum annuum* L.

| **药 材 名** | 辣椒（药用部位：果实。别名：番椒、辣茄、辣虎）。 |

| **形态特征** | 一年生或有限多年生植物。茎近无毛或微生柔毛，分枝稍呈"之"字形折曲。叶互生，枝先端节不伸长而呈双生或簇生状，矩圆状卵形、卵形或卵状披针形，长 4 ～ 13cm，宽 1.5 ～ 4cm，全缘，先端短渐尖或急尖，基部狭楔形；叶柄长 4 ～ 7cm。花单生，俯垂；花萼杯状，具不显著 5 齿；花冠白色，裂片卵形；花药灰紫色。果柄较粗壮，俯垂；果实长指状，先端渐尖且常弯曲，未成熟时绿色，成熟后呈红色、橙色或紫红色，味辣；种子扁肾形，淡黄色。花果期 5 ～ 11 月。 |

| **生境分布** | 生于农田、菜园等。吉林无野生分布。吉林各地均有栽培。 |

| **资源情况** | 吉林广泛栽培。药材主要来源于栽培。 |

辣椒

| 采收加工 |

夏、秋季果皮变红色时采收，除去枝梗，晒干。

| 药材性状 |

本品呈圆锥形、类圆锥形，略弯曲。表面橙红色、红色或深红色，光滑或较皱缩，显油性；基部微圆，常有绿棕色、具5裂齿的宿萼及果柄。果肉薄。质较脆，横切面可见中轴胎座，有较薄的隔膜将果实分为2～3室，内含多数种子。气特异，味辛、辣。

| 功能主治 |

辛，热。归脾、胃经。温中散寒，下气消食。用于胃寒气滞，脘腹胀痛，呕吐，泻痢，风湿痛，冻疮。

| 用法用量 |

内服入丸、散，1～3g。外用适量，煎汤熏洗；或捣敷。

茄科 Solanaceae 辣椒属 Capsicum

朝天椒 *Capsicum annuum* L. var. *conoides* (Mill.) Irish

| **植物别名** | 树椒。

| **药材名** | 朝天椒（药用部位：果实）。

| **形态特征** | 植株多二歧分枝。叶长 4～7cm，卵形。花常单生于 2 分叉间，花梗直立，花稍俯垂，花冠白色或带紫色。果柄及果实均直立，果实较小，圆锥状，长 1.5（～3）cm，成熟后红色或紫色，味极辣。

| **生境分布** | 生于菜园、庭院等。吉林无野生分布。吉林各地均有栽培。

| **资源情况** | 吉林有栽培。药材主要来源于栽培。

| **采收加工** | 夏、秋季果实成熟时采收，晒干。

朝天椒

| **功能主治** | 温中散寒，健胃消食。用于消化不良，胃寒。

茄科 Solanaceae 曼陀罗属 Datura

毛曼陀罗
Datura innoxia Mill.

| 植物别名 |　凤茄花。

| 药 材 名 |　北洋金花（药用部位：花）、曼陀罗叶（药用部位：叶）、曼陀罗子（药用部位：果实、种子）、曼陀罗根（药用部位：根）。

| 形态特征 |　一年生直立草本或半灌木状，高 1 ~ 2m，全体密被细腺毛和短柔毛。茎粗壮，下部灰白色，分枝灰绿色或微带紫色。叶片广卵形，长 10 ~ 18cm，宽 4 ~ 15cm，先端急尖，基部不对称，近圆形，全缘而呈微波状或有不规则的疏齿，侧脉每边 7 ~ 10。花单生于枝杈间或叶腋，直立或斜升；花梗长 1 ~ 2cm，初直立，花萎谢后渐转向下弓曲；花萼圆筒状而不具棱角，向下渐稍膨大，5 裂，裂片狭三角形，有时不等大，花后宿存部分随果实增大而渐大，呈五角形，果时向外反折；花冠长漏斗状，檐部直径 7 ~ 10cm，下部带淡绿色，

毛曼陀罗

上部白色，花开放后呈喇叭状，边缘有 10 尖头；花丝长约 5.5cm，花药长 1 ～ 1.5cm；子房密生白色针状柔毛。蒴果俯垂，近球状或卵球状，直径 3 ～ 4cm，密生细针刺，针刺有韧性，全果亦密生白色柔毛，成熟后淡褐色，近先端不规则开裂；种子扁肾形，褐色。花期 7 ～ 8 月，果期 9 ～ 10 月。

| **生境分布** | 生于田野、荒地、路旁或居住区附近。以长白山区为主要分布区域，分布于吉林延边、白山、通化、吉林、辽源（东丰）等。

| **资源情况** | 野生资源较丰富。药材主要来源于野生。

| **采收加工** | 北洋金花：4 ～ 11 月花初开时采收，晒干或低温干燥。
曼陀罗叶：夏季茎叶生长茂盛时采收，晒干。
曼陀罗子：秋季采收成熟果实，晒干，除去杂质；或打下种子，晒干。
曼陀罗根：夏、秋季采挖，洗净，鲜用或晒干。

| **药材性状** | 北洋金花：本品带有花萼。萼筒长 4 ～ 9cm，先端 5 裂，裂片长约 1.5cm，表面密生毛茸。花冠长 10 ～ 18cm，先端裂片三角形，裂片间有短尖。花药长约 1cm。质脆，易碎，气微臭，味苦、辛。
曼陀罗叶：本品呈广卵形，长 6 ～ 28cm，宽 4 ～ 24cm。先端渐尖，基部圆形、

截形或楔形，不对称，全缘或呈不规则羽状浅裂，裂片三角形，有缘毛；上面疏被白色柔毛，脉上较密，下面密被白色柔毛，脉上较密，侧脉 7 ~ 10 对，与中脉呈 60° ~ 80° 角直达裂片先端，中脉及侧脉在下面凸出。叶柄近圆柱形，长 2 ~ 16cm，微紫色，密生白色柔毛。气微，味苦。

曼陀罗子：本品蒴果呈近球形或卵球形，直径 3 ~ 4cm，基部宿萼略呈五角形，针刺细而有韧性。果皮由上部作不规则开裂。种子扁肾形，长约 5mm，宽约 3mm，淡褐色。气特异，味微苦；有毒。

| **功能主治** | 北洋金花：定喘，祛风，麻醉止痛。用于哮喘，惊痫，风湿痹痛，脚气，疮疡疼痛；并作外科手术麻醉剂。

曼陀罗叶：苦、辛，温；有毒。镇咳平喘，止痛拔脓。用于喘咳，痹痛，脚气，脱肛，痈疽疮疖。

曼陀罗子：辛、苦，温；有毒。归肝、脾经。平喘，祛风，止痛。用于喘咳，惊痫，风寒湿痹，脱肛，跌打损伤，疮疖。

曼陀罗根：辛、苦，温；有毒。镇咳，止痛，拔脓。用于喘咳，风湿痹痛，疖癣，恶疮，狂犬咬伤。

| **用法用量** | 北洋金花：内服煎汤，0.3 ~ 0.5g，宜入丸、散。外用适量，煎汤洗；或研末调敷；或作卷烟分次燃吸，每日量不超过 0.5g。

曼陀罗叶：内服煎汤，0.3 ~ 0.6g；或浸酒。外用适量，煎汤洗；或捣汁涂。

曼陀罗子：内服煎汤，0.15 ~ 0.3g；或浸酒。外用适量，煎汤洗；或浸酒涂擦。

曼陀罗根：内服煎汤，0.9 ~ 1.5g。外用适量，煎汤熏洗；或研末调涂。

茄科 Solanaceae 曼陀罗属 Datura

洋金花 *Datura metel* L.

| 植物别名 | 白曼陀罗、白花曼陀罗、风茄花。

| 药 材 名 | 洋金花（药用部位：花。别名：南洋金花）、曼陀罗叶（药用部位：叶）、曼陀罗子（药用部位：果实、种子）、曼陀罗根（药用部位：根）。

| 形态特征 | 一年生直立草本而呈半灌木状，全体近无毛。茎基部稍木质化。叶卵形或广卵形，先端渐尖，基部不对称圆形、截形或楔形，边缘有不规则的短齿或浅裂，或全缘而呈波状，侧脉每边 4 ~ 6。花单生于枝权间或叶腋，花梗长约 1cm；花萼筒状，裂片狭三角形或披针形，果时宿存部分增大成浅盘状；花冠长漏斗状，檐部直径 6 ~ 10cm，筒中部之下较细，向上扩大成喇叭状，裂片先端有小尖头，白色、黄色或浅紫色，单瓣，在栽培类型中有 2 重瓣或

洋金花

3 重瓣；雄蕊 5，在重瓣类型中常变态成 15 左右，花药长约 1.2cm；子房疏生短刺毛，花柱长 11 ~ 16cm。蒴果近球状或扁球状，疏生粗短刺，不规则 4 瓣裂；种子淡褐色，宽约 3mm。花期 7 ~ 8 月，果期 9 ~ 10 月。

| **生境分布** | 生于田野、路边或住宅附近。以长白山区为主要分布区域，分布于吉林延边、白山、通化、吉林、辽源（东丰）、四平（双辽）、松原（扶余）等。吉林各地均有栽培。

| **资源情况** | 野生资源较少。吉林有栽培。药材主要来源于野生。

| **采收加工** | 洋金花：4 ~ 11 月花初开时采收，晒干或低温干燥。
曼陀罗叶、曼陀罗子、曼陀罗根：同"毛曼陀罗"。

| **药材性状** | 洋金花：本品花多皱缩成条状，完整者长 9 ~ 15cm。花萼呈筒状，长为花冠的 2/5，灰绿色或灰黄色，先端 5 裂，基部具 5 纵脉纹，表面微有茸毛；花冠呈喇叭状，淡黄色或黄棕色，先端 5 浅裂，裂片有短尖，短尖下有明显的 3 纵脉纹，2 裂片之间微凹；雄蕊 5，花丝贴生于花冠筒内，长为花冠的 3/4；雌蕊 1，柱头棒状。烘干品质柔韧，气特异；晒干品质脆，气微，味微苦。
曼陀罗叶：本品呈灰绿色至深绿色，多皱缩、破碎。完整叶片展平后呈菱状卵形，长 8 ~ 20cm，宽 4 ~ 15cm，先端渐尖，基部楔形不对称，边缘有不规则重锯齿，齿端渐尖，两面均无毛。质脆，易碎。气微，味苦、涩。
曼陀罗子：本品蒴果近球形或扁球形，直径约 3cm，茎部有浅盘状宿萼及短果柄。表面黄绿色，疏生粗短刺；果皮木质化，成熟时作不规则 4 瓣裂。种子多数，扁平，三角形，宽约 3mm，淡褐色。气特异，味微苦，有毒。

| **功能主治** | 洋金花：辛，温；有毒。归肺、肝经。平喘止咳，镇痛解痉。用于哮喘咳嗽，脘腹冷痛，风湿痹痛，小儿慢惊风。
曼陀罗叶、曼陀罗子、曼陀罗根：同"毛曼陀罗"。

| **用法用量** | 洋金花：内服煎汤，0.3 ~ 0.6g，宜入丸、散。外用适量，可作卷烟分次燃吸（每日量不超过 1.5g）。
曼陀罗叶、曼陀罗子、曼陀罗根：同"毛曼陀罗"。

| **附　注** | 本种在吉林各地均有零散分布，但数量稀少，难以形成规模产出。因此只有少量药材商品产出，且均为自产自销，无商品供市。

茄科 Solanaceae 曼陀罗属 Datura

曼陀罗
Datura stramonium Linn.

| 植物别名 | 醉心花。

| 药 材 名 | 曼陀罗（药用部位：花、种子）。

| 形态特征 | 草本或半灌木状。茎粗壮，圆柱状，淡绿色或带紫色。叶广卵形，先端渐尖，基部不对称楔形，边缘不规则波状浅裂，裂片先端急尖，侧脉每边 3 ~ 5，直达裂片先端；叶柄长 3 ~ 5cm。花单生于枝杈间或叶腋，直立，有短梗；花萼筒状，长 4 ~ 5cm，筒部有 5 棱，两棱间稍向内陷，基部稍膨大，先端紧围花冠筒，5 浅裂，裂片三角形，花后自近基部断裂，宿存部分随果实增大而增大并向外反折；花冠漏斗状，下部带绿色，上部白色或淡紫色，檐部 5 浅裂，裂片有短尖头；雄蕊不伸出花冠，花丝长约 3cm，花药长约 4mm；子房密生针状柔毛。蒴果直立，卵状，表面生坚硬针刺或无刺而近平滑，

曼陀罗

成熟后淡黄色，规则 4 瓣裂；种子卵圆形，稍扁，黑色。花期 7 ~ 8 月，果期 9 ~ 10 月。

| **生境分布** | 生于住宅旁、荒地、路边或草地。以长白山区为主要分布区域，分布于吉林延边、白山、通化、吉林、辽源（东丰）、长春（农安）、白城（洮北、大安）等。

| **资源情况** | 野生资源较丰富。药材主要来源于野生。

| **采收加工** | 春、夏季花初开时采收花，晒干或低温干燥。秋季采摘成熟果实，打下种子，除去杂质，晒干。

| **药材性状** | 本品花呈条状，皱缩。花萼筒状，长 4 ~ 5cm，筒部具 5 棱。种子卵圆形，稍扁，黑色。气微，味苦，有毒。

| **功能主治** | 花，辛，温；有大毒。平喘止咳，镇痛解痉。用于咳嗽痰喘，疼痛。种子，辛，苦，温；有毒。平喘，祛风，止痛。用于喘咳，惊痫，风寒湿痹。

茄科 Solanaceae 天仙子属 *Hyoscyamus*

天仙子
Hyoscyamus niger L.

| 植物别名 | 莨菪、山烟、山烟子。

| 药 材 名 | 天仙子（药用部位：种子。别名：莨菪子、莨菪实、牙痛子）。

| 形态特征 | 二年生草本，全体被黏性腺毛。根较粗壮。一年生的茎极短，自根茎发出莲座状叶丛，卵状披针形或长矩圆形；翌春茎伸长而分枝，下部渐木质化。茎生叶卵形或三角状卵形，先端钝或渐尖，边缘羽状浅裂或深裂，茎先端的叶呈浅波状，裂片多为三角形。花在茎中部以下单生于叶腋，在茎上部则单生于苞状叶腋内而聚集成蝎尾式总状花序，通常偏向一侧，近无梗或仅有极短的花梗；花萼筒状钟形，5浅裂，裂片大小稍不等，花后增大成坛状，基部圆形，有10纵肋，裂片张开，先端针刺状；花冠钟状，长约为花萼的1倍，黄色而脉纹紫堇色；雄蕊稍伸出花冠。蒴果包藏于宿存萼内，长卵圆状；

天仙子

种子近圆盘形，淡黄棕色。花期 7~8 月，果期 8~9 月。

| 生境分布 | 生于村舍、山路旁、杂草地或撂荒地等。分布于吉林长春、吉林、辽源等。

| 资源情况 | 野生资源较少。药材主要来源于野生。

| 采收加工 | 夏、秋季间果皮变黄色时采摘果实，暴晒，打下种子，筛去果皮、枝梗，晒干。

| 药材性状 | 本品呈类扁肾形或扁卵形，直径约 1mm。表面棕黄色或灰黄色，有细密的网纹，略尖的一端有点状种脐。切面灰白色，油质，有胚乳，胚弯曲。气微，味微辛。

| 功能主治 | 苦、辛，温；有大毒。归心、胃、肝经。解痉，止痛，安神。用于胃痉挛疼痛，哮喘，泄泻，癫狂病，帕金森病，眩晕；外用于痈肿疮疖，龋齿痛。

| 用法用量 | 内服煎汤，0.6~1.2g；或入散剂，0.06~0.6g。外用适量，研末调敷；或煎汤洗；或烧烟熏。

| 附　　注 | （1）天仙子在吉林的药用历史较久。在《珲春县志》（1931）、《珲春乡土志》（1935）等地方志中均有关于"天仙子"的记载。

（2）天仙子为有毒中药材，用量不大。吉林部分地区虽有本种的野生资源分布，但数量不多，且无人采收，因此尚无药材商品产出。

（3）2020 年版《中国药典》记载本种的中文名称为莨菪。

茄科 Solanaceae 枸杞属 Lycium

宁夏枸杞 *Lycium barbarum* L.

| **药 材 名** | 枸杞子（药用部位：果实。别名：苟起子、狗奶子、地骨子）、地骨皮（药用部位：根皮。别名：杞根、地骨、枸杞根）、枸杞叶（药用部位：嫩茎叶）。

| **形态特征** | 落叶灌木。叶互生或簇生，披针形或长椭圆状披针形，先端短渐尖或急尖，基部楔形，叶脉不明显。花在长枝上 1 ~ 2 生于叶腋，在短枝上 2 ~ 6 同叶簇生；花梗长 1 ~ 2cm，向先端渐增粗；花萼钟状，长 4 ~ 5mm，通常 2 中裂，裂片有小尖头或先端又 2 ~ 3 齿裂；花冠漏斗状，紫堇色，筒部长 8 ~ 10mm，自下部向上渐扩大，明显长于檐部裂片，裂片长 5 ~ 6mm，卵形，先端圆钝，基部有耳，边缘无缘毛，花开时平展；雄蕊的花丝基部稍上处及花冠筒内壁生 1 圈密绒毛；花柱像雄蕊一样，由于花冠裂片平展而稍伸出花冠。

宁夏枸杞

浆果红色，果皮肉质，多汁液，广椭圆状、矩圆状、卵状或近球状，先端有短尖头或平截，有时稍凹陷；种子常 20 或更多，略呈肾形，扁压，棕黄色，长约 2mm。花期 6 ~ 8 月，果期 8 ~ 10 月。

| **生境分布** | 生于山坡、河岸、农田或路旁等。分布于吉林四平（双辽）、松原（前郭尔罗斯、乾安）、白城（大安、通榆）等。吉林东部地区、西部地区有栽培。

| **资源情况** | 野生资源稀少。吉林有栽培。药材主要来源于野生。

| **采收加工** | 枸杞子：夏、秋季果实呈红色时采收，热风烘干，除去果柄；或晾至皮皱后，晒干，除去果柄。
地骨皮：春初或秋后采挖根部，洗净，剥取根皮，晒干。
枸杞叶：夏季采摘，晒干。

| **药材性状** | 枸杞子：本品呈类纺锤形或椭圆形，长 6 ~ 20mm，直径 3 ~ 10mm。表面红色或暗红色，先端有小突起状的花柱痕，基部有白色的果柄痕。果皮柔韧，皱缩；果肉肉质，柔润。种子 20 ~ 50，类肾形，扁而翘，长 1.5 ~ 1.9mm，宽 1 ~ 1.7mm，表面浅黄色或棕黄色。气微，味甜。以粒大、肉厚、种子少、色红、质柔软者为佳。
地骨皮：本品呈筒状或槽状，长 3 ~ 10cm，宽 0.5 ~ 1.5cm，厚 0.1 ~ 0.3cm。

外表面灰黄色至棕黄色，粗糙，有不规则纵裂纹，易呈鳞片状剥落。内表面黄白色至灰黄色，较平坦，有细纵纹。体轻，质脆，易折断，断面不平坦，外层黄棕色，内层灰白色。气微，味微甘而后苦。

枸杞叶：本品单叶或数叶簇生于嫩枝上。叶片皱缩，展平后呈卵形或长椭圆形，长 2 ~ 6cm，宽 0.5 ~ 2.5cm，全缘。表面深绿色。质脆，易碎。气微，味苦。

| 功能主治 |　枸杞子：甘，平。归肝、肾经。滋补肝肾，益精明目。用于虚劳精亏，腰膝酸痛，眩晕耳鸣，阳痿遗精，内热消渴，血虚萎黄，目昏不明。

地骨皮：甘，寒。归肺、肝、肾经。凉血除蒸，清肺降火。用于阴虚潮热，骨蒸盗汗，肺热咳嗽，咯血，衄血，内热消渴。

枸杞叶：苦、甘，凉。归肝、脾、肾经。补虚益精，清热，止渴，祛风明目。用于虚劳发热，烦渴，目赤昏痛，翳障夜盲，崩漏带下，热毒疮肿。

| 用法用量 |　枸杞子：内服煎汤，6 ~ 12g；或入丸、散、膏、酒。

地骨皮：内服煎汤，一般用 9 ~ 15g，大剂量可用至 15 ~ 30g。

枸杞叶：内服煎汤，鲜品 60 ~ 240g；或煮食；或捣汁。外用适量，煎汤洗；或捣汁滴眼。

| 附　注 | 本种和枸杞 *Lycium chinense* Mill. 在鉴定时容易发生混淆，宁夏枸杞的叶通常为披针形或长椭圆状披针形；花萼通常 2 中裂，裂片先端常有胼胝质小尖头或每裂片先端有 2 ~ 3 小齿；花冠筒明显长于檐部裂片，裂片边缘无缘毛；果实甜，无苦味；种子较小，长约 2mm。而枸杞的叶通常为卵形、卵状菱形、长椭圆形或卵状披针形；花萼通常 3 裂或有时不规则 4 ~ 5 齿裂；花冠筒短于或近等长于檐部裂片，裂片边缘有缘毛；果实味甜而后微苦；种子较大，长约 3mm。二者可以以此区别。

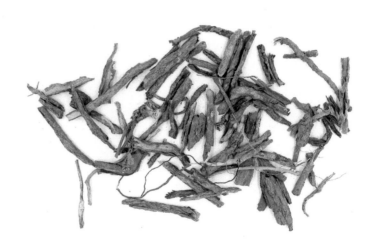

茄科 Solanaceae 枸杞属 Lycium

枸杞 *Lycium chinense* Mill.

| 植物别名 | 野枸杞、枸杞、狗奶条子。

| 药 材 名 | 枸杞（药用部位：果实。别名：苟起子、狗奶子、地骨子）、地骨皮（药用部位：根皮。别名：杞根、地骨、枸杞根）、枸杞叶（药用部位：嫩茎叶）。

| 形态特征 | 落叶多分枝灌木。枝条细弱，弓状弯曲或俯垂，棘刺长 0.5 ~ 2cm。叶纸质，单叶互生或 2 ~ 4 簇生，卵形、卵状菱形、长椭圆形、卵状披针形，先端急尖，基部楔形。花在长枝上单生或双生于叶腋，在短枝上则同叶簇生；花萼长 3 ~ 4mm，通常 3 中裂或 4 ~ 5 齿裂；花冠漏斗状，淡紫色，筒部向上骤然扩大，5 深裂，裂片卵形，先端圆钝，平展或稍向外反曲，基部耳显著；雄蕊较花冠稍短，或因花冠裂片外展而伸出花冠，花丝在近基部密生 1 圈绒毛并交织成椭

枸杞

圆状的毛丛，与毛丛等高的花冠筒内壁亦密生 1 环绒毛；花柱稍伸出雄蕊，上端弓弯，柱头绿色。浆果红色，卵状，先端尖或钝，长 7 ~ 15mm；种子扁肾形，黄色。花期 7 ~ 8 月，果期 8 ~ 9 月。

| **生境分布** | 生于林缘、灌丛、山坡、路旁、沙地、荒地。分布于吉林延边、白山、通化等。吉林东部地区有栽培。

| **资源情况** | 野生资源较少。吉林有栽培。药材主要来源于栽培。

| **采收加工** | 枸杞：夏、秋季果实成熟时采摘，除去果柄，置阴凉处晾至果皮起皱纹后，再暴晒至外皮干硬、果肉柔软即得。遇阴雨可用微火烘干。
地骨皮、枸杞叶：同"宁夏枸杞"。

| **药材性状** | 枸杞：本品呈椭圆形或圆柱形，两端略尖，长 1 ~ 1.5cm，直径 3 ~ 5mm。表面鲜红色或暗红色，具不规则的皱纹，无光泽。质柔软而略滋润，内藏多个种子。无臭，味甜。以粒大、肉厚、种子少、色红、质柔软者为佳，粒小、肉薄、种子多、色灰红者质次。
地骨皮、枸杞叶：同"宁夏枸杞"。

| **功能主治** | 枸杞：甘，平。归肝、肾经。滋肾，润肺，补肝，明目。用于肝肾阴亏，腰膝酸软，头晕，目眩，目昏多泪，虚劳咳嗽，消渴，遗精。
地骨皮、枸杞叶：同"宁夏枸杞"。

| **用法用量** | 枸杞：内服煎汤，6 ~ 12g；或熬膏；或浸酒；或入丸、散。
地骨皮、枸杞叶：同"宁夏枸杞"。

| **附　　注** | 枸杞在吉林的药用历史较久。在《长白汇征录》（1910）、《东丰县志》（1917）、《洮南县志》（1930）等多部地方志中均有关于"枸杞"的记载。

茄科 Solanaceae 蕃茄属 *Lycopersicon*

番茄 *Lycopersicon esculentum* Mill.

| 植物别名 | 藩茄、西红柿。

| 药 材 名 | 西红柿（药用部位：果实、叶）。

| 形态特征 | 体高 0.6 ~ 2m，全体生黏质腺毛，有强烈气味。茎易倒伏。叶为羽状复叶或羽状深裂，长 10 ~ 40cm，小叶极不规则，大小不等，常 5 ~ 9，卵形或矩圆形，边缘有不规则锯齿或裂片。花序总梗长 2 ~ 5cm，常 3 ~ 7 花；花萼辐状，裂片披针形，果时宿存；花冠辐状，直径约 2cm，黄色。浆果扁球状或近球状，肉质而多汁液，橘黄色或鲜红色，光滑；种子黄色。花果期夏、秋季。

| 生境分布 | 生于农田、菜园旁。吉林无野生分布。吉林各地均有栽培。

番茄

| 资源情况 | 吉林广泛栽培。药材主要来源于栽培。

| 采收加工 | 秋季采取成熟果实,晒干或鲜用。夏、秋季采摘叶,鲜用或晒干。

| 药材性状 | 本品浆果呈扁球状或近球状,肉质而多汁液,橘黄色或鲜红色,光滑。叶为羽状复叶或羽状深裂,长 10 ~ 40cm,小叶极不规则,大小不等,卵形或矩圆形,边缘有不规则锯齿或裂片。气微,味酸。

| 功能主治 | 果实,酸、甘,微寒。生津止渴,健胃消食。用于口渴,食欲不振。叶,解表散风,透疹。用于皮疹,疮疡。

茄科 Solanaceae 假酸浆属 Nicandra

假酸浆 *Nicandra physaloides* (Linn.) Gaertn.

| 植物别名 |　鞭打绣球。

| 药 材 名 |　假酸浆（药用部位：全草或花、果实、种子）。

| 形态特征 |　一年生草本。茎直立，有棱条，无毛，上部交互不等的二歧分枝。
叶卵形或椭圆形，草质，先端急尖或短渐尖，基部楔形，边缘具圆
缺的粗齿或浅裂，两面有稀疏毛；叶柄长为叶片长的 1/4 ~ 1/3。花
单生于枝腋而与叶对生，通常具较叶柄长的花梗，俯垂；花萼 5 深
裂，裂片先端尖锐，基部心状箭形，有 2 尖锐的耳片，果时包围果实；
花冠钟状，浅蓝色，直径达 4cm，檐部有折襞，5 浅裂。浆果球状，
黄色；种子淡褐色，直径约 1mm。花期 7 ~ 8 月，果期 8 ~ 9 月。

| 生境分布 |　生于山坡、林缘、田边、荒地或住宅区。以长白山区为主要分布区域，

假酸浆

分布于吉林延边、白山、通化、吉林、辽源（东丰）等。

| **资源情况** | 野生资源较丰富。药材主要来源于野生。

| **采收加工** | 秋季果实成熟时采收全草，分出果实或种子，分别洗净，鲜用或晒干。春、夏季花开时采摘花，阴干。

| **药材性状** | 本品主根呈长圆锥形，有纤细的须状根。茎棱状，具纵沟，绿色，有时带紫色。叶卵形或椭圆形，边缘具粗齿或浅裂，两面有稀疏毛。花梗较叶柄长，花萼基部心形。浆果球形，直径 1.5 ~ 2cm，黄色，外包膨大的宿萼。种子小，淡褐色。气微，味甜、微苦。

| **功能主治** | 全草，甘、微苦，平；有小毒。镇静，祛痰，清热解毒。用于感冒，咳嗽，狂犬病，精神病，癫痫，风湿痛，疮疖，痧证，疥癣。花、果实、种子，清热解毒，祛风退火，利尿。用于发热，胃热，热淋，风湿关节痛，疮痈肿毒。

茄科 Solanaceae 烟草属 *Nicotiana*

烟草

Nicotiana tabacum L.

| **植物别名** | 烟叶。

| **药材名** | 烟草（药用部位：叶。别名：野烟、淡把姑、担不归）。

| **形态特征** | 一年生或有限多年生草本，全体被腺毛。根粗壮。茎高 0.7 ~ 2m，基部稍木质化。叶矩圆状披针形、披针形、矩圆形或卵形，先端渐尖，基部渐狭至茎呈耳状而半抱茎，柄不明显或呈翅状。花序顶生，圆锥状，多花；花梗长 5 ~ 20mm；花萼筒状或筒状钟形，裂片三角状披针形，长短不等；花冠漏斗状，淡红色，筒部色更淡，稍弓曲，檐部宽 1 ~ 1.5cm，裂片急尖；雄蕊中 1 枚显著较其余 4 枚短，不伸出花冠喉部，花丝基部有毛。蒴果卵状或矩圆状，长约等于宿存萼；种子圆形或宽矩圆形，直径约 0.5mm，褐色。夏、秋季开花结果。

烟草

| **生境分布** | 生于路边、沟边等。分布于吉林延边（汪清）等。吉林白城、吉林（蛟河）等有小规模栽培。

| **资源情况** | 野生资源稀少。吉林有栽培。药材主要来源于栽培。

| **采收加工** | 7 月，当叶由深绿色变成淡黄色、叶尖下垂时，可按叶成熟时间的先后，分数次采摘，采后晒干或烘干，再回潮，发酵，干燥；亦可鲜用。

| **药材性状** | 本品完整叶片呈卵形或椭圆状披针形，长约 60cm，宽约 25cm。先端渐尖，基部稍下延成翅状柄，全缘或带微波状，上面黄棕色，下面色较淡，主脉宽而凸出，具毛，稍经湿润，则带黏性。气特异，味苦、辣。

| **功能主治** | 辛，温；有毒。行气止痛，麻醉，发汗，镇静，催吐，消肿，解毒，杀虫。用于食滞饱胀，气结疼痛，骨折疼痛，偏头痛，疟疾，痈疽疔疮，肿毒，头癣，蛇、犬、蜈蚣咬伤。

| **用法用量** | 内服煎汤，鲜品 9 ~ 15g；或点燃吸烟。外用适量，煎汤洗；或捣敷；或研末调敷。

| **附　　注** | 烟草在吉林的药用历史较久。在《怀德县志》（1929）、《辑安县志》（1931）等多部地方志中均有关于"烟草"的记载。

茄科 Solanaceae 散血丹属 *Physaliastrum*

日本散血丹 *Physaliastrum japonicum* (Franch. et Sav.) Honda

日本散血丹

| 植物别名 |

白姑娘、山茄子。

| 药 材 名 |

日本散血丹（药用部位：根）。

| 形态特征 |

一年生草本，高 0.5 ~ 0.7m。茎有稀疏柔毛。叶草质，卵形或阔卵形，先端急尖，基部偏斜楔形并下延至叶柄，全缘而稍呈波状，有缘毛，两面亦有疏短柔毛，长 4 ~ 8cm，宽 3 ~ 5cm，叶柄呈狭翼状。花常 2 ~ 3 生于叶腋或枝腋，俯垂，花梗长 2 ~ 4cm；花萼短钟状，疏生长柔毛和不规则、分散、三角形的小鳞片，直径 3 ~ 3.5mm，萼齿极短，扁三角形，大小相等；花冠钟状，直径约 1cm，5 浅裂，裂片有缘毛，筒部内面中部有 5 对同雄蕊互生的蜜腺，下面有 5 簇髯毛；雄蕊稍短于花冠筒而不伸到花冠裂片的弯缺处。浆果球状，直径约 1cm，被果萼包围，果萼近球状，长近等于浆果，因此浆果先端裸露；种子近圆盘形。

| 生境分布 |

生于山坡草丛中。分布于吉林延边、白山、

通化等。

| **资源情况** | 野生资源稀少。药材主要来源于野生。

| **采收加工** | 春、秋季采挖，洗净，晒干。

| **功能主治** | 活血散瘀，祛风散寒，收敛止痛。用于跌打损伤，瘀血肿痛。

| **附　　注** | 在 FOC 中，本种的拉丁学名被修订为 *Physaliastrum echinatum* (Yatabe) Makino。

挂金灯

Physalis alkekengi L. var. *franchetii* (Mast.) Makino

挂金灯

| 植物别名 |

挂金灯酸浆、酸浆、红姑娘。

| 药 材 名 |

锦灯笼（药用部位：宿萼或带果实的宿萼。别名：酸浆实、灯笼儿、王母珠）。

| 形态特征 |

一年生或多年生草本。根茎长，横走。茎直立，不分枝，有纵棱，节稍膨大。单叶互生，或在茎上部 2 叶双生；叶片长卵形至广卵形或菱状卵形，基部广楔形，先端渐尖，近全缘，波状或具不规则粗齿，具缘毛，两面几乎无毛，或表面及背面脉上疏被短毛。花单生于叶腋；花梗直立，花后向下弯曲，近无毛或疏被柔毛，果期无毛；花萼钟状，绿色，长约 6mm，被柔毛，萼齿三角形；花冠辐状，白色，5 浅裂，裂片广三角形，外面被短柔毛，具缘毛；雄蕊与花柱短于花冠，花药黄色。果柄无毛；果萼卵状，膨胀成灯笼状，无毛，橙红色至火红色，近革质，网脉显著，具 10 纵肋，先端萼齿闭合，具缘毛；浆果球形，包于膨胀的宿存萼内，熟时橙红色；种子多数，肾形，淡黄色。花期 6 ~ 7 月，果期 8 ~ 10 月。

| **生境分布** | 生于林缘、山坡草地、路旁、田间或住宅附近。以长白山区为主要分布区域，分布于吉林延边、白山、通化、吉林、辽源（东丰）等。

| **资源情况** | 野生资源较少。药材主要来源于野生。

| **采收加工** | 秋季果实成熟、宿萼呈橘红色时采收，干燥。

| **药材性状** | 本品宿萼膨大而薄，略呈灯笼状，多皱缩或压扁，长 2.5 ～ 4.5cm，直径 2 ～ 4cm；表面橘红色或淡绿色，有 5 明显的纵棱，棱间具网状细脉纹，先端渐尖，微 5 裂，基部内凹，有细果柄。体轻，质韧，中空。浆果类球形，直径约 1.2cm，橘黄色或橘红色，表面皱缩，内含多数种子。种子细小，扁圆形，黄棕色。气微，宿存萼味苦，果实微甜、微酸。

| **功能主治** | 苦，寒。归肺经。清热解毒，利咽化痰，利尿。用于咽喉肿痛，喑哑，肺热咳嗽，小便不利；外用于疮疡肿毒，湿疹，天疱疮。

| **用法用量** | 内服煎汤，5 ～ 9g。外用适量，捣敷。

| **附　　注** | （1）本种的成熟果实可生食。
（2）2020 年版《中国药典》记载本种的中文名称为酸浆。

茄科 Solanaceae 酸浆属 Physalis

苦蘵 *Physalis angulata* L.

苦蘵

| 植物别名 |

苦职酸浆、洋姑娘。

| 药 材 名 |

苦蘵（药用部位：果实）。

| 形态特征 |

一年生草本，被疏短柔毛或近无毛，高常
0.3 ~ 0.5m；茎多分枝，分枝纤细。叶柄长
1 ~ 5cm，叶片卵形至卵状椭圆形，先端渐
尖或急尖，基部阔楔形或楔形，全缘或有不
等大的牙齿，两面近无毛。花梗纤细，和花
萼一样生短柔毛；花萼5中裂，裂片披针形，
生缘毛；花冠淡黄色，喉部常有紫色斑纹，
长 4 ~ 6mm，直径 6 ~ 8mm；花药蓝紫色
或有时黄色，长约 1.5mm。果萼卵球状，薄
纸质；浆果直径约 1.2cm；种子圆盘状。花
果期 5 ~ 12 月。

| 生境分布 |

生于山谷林下、村屯附近、房前屋后。分布
于吉林延边、白山、通化等。吉林西部地区
松原、白城等有大规模种植，以食用为主。

| 资源情况 | 野生资源较少。吉林有栽培。药材主要来源于栽培。

| 采收加工 | 秋季果实成熟时采收，鲜用或晒干。

| 功能主治 | 苦，寒。清热，利尿，解毒。用于烂脚、烂疮疼痛，疝气，跌打损伤。

| 用法用量 | 内服煎汤，6 ~ 9g。外用适量，捣汁涂。

茄科 Solanaceae 酸浆属 Physalis

大果酸浆
Physalis macrophysa Rydb.

大果酸浆

| 药 材 名 |

大果酸浆（药用部位：全草）。

| 形态特征 |

一年生直立草本，高 0.6 ~ 0.8m。茎多分枝，基部略带木质，节部带紫色，幼时疏被柔毛。叶互生，或 2 叶双生，叶柄长 1.2 ~ 3cm；叶片狭卵状椭圆形、狭菱状卵形或卵状披针形，长 4 ~ 7cm，宽 1.5 ~ 2.5cm，基部不对称楔形，全缘或具波状小齿，或有时具 1 ~ 2 不规则大牙齿，疏被缘毛，两面无毛。花腋生，花梗长约 5mm，无毛；花萼钟状，长约 6mm，萼齿三角形或三角状披针形，边缘密被白色柔毛；花冠辐状，黄色，直径 1.5 ~ 2cm，喉部带紫色斑纹，裂片开展，广卵形，先端三角形突尖，密被缘毛；雄蕊及花柱均较花冠短，花药带青紫色，长约 2mm，花柱稍超出雄蕊，柱头头状 2 浅裂。果柄长约 1cm，无毛；果萼卵状，紫色或黄绿色，长 3 ~ 5cm，直径 2.5 ~ 3.5cm，薄革质，具网状脉，有 10 纵肋，基部不凹陷或稍凹陷；浆果球形，直径 2.5 ~ 3.5cm，成熟时暗紫色，为宿存萼包裹。花期 6 ~ 9 月，果期 8 ~ 9 月。

| 生境分布 |

生于山谷林下、村屯附近、草地、路旁。以长白山区为主要分布区域,分布于吉林延边、白山、通化、吉林、辽源(东丰)等。

| 资源情况 |

野生资源较少。药材主要来源于野生。

| 采收加工 |

夏、秋季采收,除去杂质,切段,晒干或鲜用。

| 药材性状 |

本品茎多分枝,基部略带木质,节部带紫色。叶片狭卵状椭圆形、狭菱状卵形或卵状披针形。花冠黄色,喉部带紫色斑纹,裂片密被缘毛。果萼卵状,紫色或黄绿色,薄革质,具网状脉;浆果球形,直径 2.5 ~ 3.5cm,暗紫色,为宿存萼包裹。气微,味苦。

| 功能主治 |

清热解毒,芳香化湿,截疟杀虫。用于湿阻中焦,疟疾。

茄科 Solanaceae 酸浆属 Physalis

毛酸浆 *Physalis pubescens* L.

毛酸浆

| 植物别名 |

洋姑娘。

| 药材名 |

苦蘵（药用部位：全草。别名：洋姑娘）。

| 形态特征 |

一年生草本，高 0.3 ～ 0.6m，全株密生短毛。茎具铺散状分枝。叶互生，叶柄长 3 ～ 8cm，叶质薄，叶片卵形或卵状心形，长 3 ～ 8cm，宽 2 ～ 6cm，先端渐尖，基部偏斜，边缘有不等大的齿。花单生于叶腋，花梗长 5 ～ 10mm；花萼钟状，外面密生短柔毛，5 中裂，果期黄色；花冠钟状，浅黄色，5 浅裂，其基部有紫色斑纹，有缘毛；雄蕊 5，花药黄色。果萼卵形或阔卵形，基部稍凹入；浆果球形，淡黄色，包藏于宿存萼内。花期 7 ～ 8 月，果期 9 ～ 10 月。

| 生境分布 |

生于田边、宅边或荒野路边。以长白山区为主要分布区域，分布于吉林延边、白山、通化、吉林、辽源（东丰）等。

| **资源情况** | 野生资源较少。药材主要来源于野生。

| **采收加工** | 夏、秋季采收，晒干。

| **功能主治** | 苦，寒。清热解毒，消肿利尿，止血。用于感冒，肺热咳嗽，咽喉肿痛，腮腺炎，牙龈肿痛，湿热黄疸，痢疾，水肿，热淋，天疱疮，疔疮。

| **附　注** | （1）在 FOC 中，本种的拉丁学名被修订为 *Physalis philadelphica* Lamarck。
（2）本种的成熟果实可生食。

茄科 Solanaceae 泡囊草属 Physochlaina

泡囊草
Physochlaina physaloides (L.) G. Don

| **植物别名** | 大头狼毒。

| **药 材 名** | 泡囊草（药用部位：全草。别名：大头狼毒）、泡囊草根（药用部位：根）。

| **形态特征** | 多年生草本，高 30 ~ 50cm。自根茎可发出 1 至数茎。茎幼时有腺质短柔毛，后渐脱落至近无毛。叶卵形，先端急尖，基部宽楔形，并下延至长 1 ~ 4cm 的叶柄，全缘而微波状，两面幼时有毛。花序为伞形聚伞花序，有鳞片状苞片；花梗像花萼一样密生腺质短柔毛，果时毛脱落而变稀疏，长 5 ~ 10mm；花萼筒状狭钟形，5 浅裂，裂片长 2mm，密生缘毛，果时增大成卵状或近球状，萼齿向内倾斜但顶口不闭合；花冠漏斗状，长超过花萼的 1 倍，紫色，筒部色淡，5 浅裂，裂片先端圆钝；雄蕊稍伸出花冠；花柱显著伸出花冠。蒴果

泡囊草

直径约 8mm；种子扁肾状，长约 3mm，宽 2.5mm，黄色。花期 4 ~ 5 月，果期 6 ~ 7 月。

| 生境分布 |　生于山坡草地、林边或石质山坡上。分布于吉林白城、松原等。

| 资源情况 |　野生资源较少。药材主要来源于野生。

| 采收加工 |　泡囊草：夏、秋季采收，除去杂质，晒干。

泡囊草根：夏、秋季采挖，除去杂质，晒干。

| 药材性状 |　泡囊草：本品根呈圆柱形，表面棕褐色，具横向凸起的皮孔。茎圆柱形，表面具长柔毛，黄绿色，质脆。叶深绿色，多卷缩，展平后呈宽卵形或三角状卵形，长 3 ~ 9cm，宽 2.5 ~ 6cm；先端渐尖，基部宽楔形或心形，全缘而呈微波状。气微，味微苦。

泡囊草根：本品略呈圆柱形，长 10 ~ 14cm，直径 2 ~ 3.5cm。根头先端有 2 ~ 3 个茎痕及点状突起，主根下部常有 2 ~ 3 分枝，表面棕褐色或浅棕色，有明显的横向凸起的皮孔。质轻，断面木部占大部分，可见 4 ~ 5 层同心环纹，且有多数放射状裂隙。气微，味微苦。

| 功能主治 |　泡囊草：苦，平；有毒。清热解毒，祛湿杀虫。用于中耳炎，鼻窦炎，咽喉肿痛，疮痈肿痛，头痛。

泡囊草根：甘、微苦，热；有毒。补虚温中，安神定喘。用于虚寒泄泻，劳伤咳喘，心慌不安。

| 用法用量 |　内服煎汤，0.3 ~ 0.6g；或研末。

茄科 Solanaceae 茄属 Solanum

茄
Solanum melongena L.

| 植物别名 | 白茄、茄子、紫茄。

| 药 材 名 | 茄子（药用部位：果实。别名：落苏、昆仑瓜、白茄）、茄叶（药用部位：叶）、茄花（药用部位：花。别名：紫茄子花）、茄根（药用部位：根。别名：白茄根、茄母、茄子根）、茄蒂（药用部位：宿萼）。

| 形态特征 | 直立分枝草本至亚灌木。小枝、叶柄及花梗均被具 6 ~ 8（~ 10）分枝、平贴或具短柄的星状绒毛，小枝多为紫色（野生的往往有皮刺），渐老则毛被逐渐脱落。叶大，卵形至长圆状卵形，先端钝，基部不相等，边缘浅波状或深波状圆裂，上面被具 3 ~ 7（~ 8）分枝、短而平贴的星状绒毛，下面密被具 7 ~ 8 分枝、较长而平贴的星状绒毛，侧脉每边 4 ~ 5，在上面疏被星状绒毛，在下面则较密，中脉的毛被与侧脉的相同（野生种的中脉及侧脉在两面均具小

茄

皮刺），叶柄长 2 ～ 4.5cm（野生的具皮刺）。能孕花单生，毛被较密，花后常下垂，不孕花蝎尾状，与能孕花并出；花萼近钟形，外面密被与花梗相似的星状绒毛及小皮刺，萼裂片披针形，先端锐尖，内面疏被星状绒毛；花冠辐状，外面星状毛被较密，内面仅裂片先端疏被星状绒毛；子房圆形，先端密被星状毛，花柱中部以下被星状绒毛，柱头浅裂。果实的形状、大小变异极大。

| **生境分布** | 生于农田、菜园等。吉林无野生分布。吉林各地均有栽培。

| **资源情况** | 吉林广泛栽培。药材主要来源于栽培。

| **采收加工** | 茄子：秋季果实成熟时采收，鲜用或晒干。

茄叶：夏、秋季割取地上部分，摘下叶子，晒干。

茄花：夏季开花期间采收，除去杂质，干燥。

茄根：从初花期至结果期均可采挖，除去粗茎及泥沙后，切段，干燥。

茄蒂：夏、秋季采收，鲜用或晒干。

| **药材性状** | 茄子：本品呈不规则圆形或长圆形，大小不等。表面紫棕色，极皱缩，先端略凹陷，基部有宿存萼和果柄。宿存萼灰黑色，具不明显的 5 齿，果柄具纵直纹理，果皮革质，有光泽。种子多数，近肾形，稍扁，淡棕色，长 2 ～ 4mm，宽 2 ～ 3mm。

气微，味苦。

茄叶：本品呈半月形，并有枝条残基或枝痕。体轻，质坚硬，断面不平坦，具纤维性，黄白色，中央有淡灰绿色髓部或呈空洞状。气微，味微咸。

茄花：本品呈蝎尾状，花萼近钟形，裂片披针形，先端锐尖，内面有星状绒毛，外面有星状绒毛及小皮刺，花冠辐状，外面星状毛被较密，内面仅裂片先端疏被星状绒毛，子房圆形，先端密被星状毛，花柱有星状绒毛，柱头浅裂。气微，味微咸。

茄根：本品主根通常不明显，有的略呈短圆锥形，具侧根及多数错综弯曲的须根。表面浅灰黄色。质坚实，不易折断，断面黄白色。气微，味微咸。

茄蒂：本品大多不完整，完整者略呈浅钟状或星状，灰黑色，先端5裂，裂片宽三角形，略向内卷。萼筒喉部类圆形，直径1.2～2cm，内面灰白色，基部具长梗，有纵直纹。质坚脆。气微，味淡。

| 功能主治 |　　茄子：甘，凉。归脾、胃、大肠经。清热，活血，止痛，消肿。用于肠风下血，热毒疮痈，皮肤溃疡。

茄叶：甘、辛，平。散血消肿。用于血淋，血痢，肠风下血，痈肿，冻伤。

茄花：甘，平。敛疮，止痛，利湿。用于金疮，牙痛。

茄根：甘，凉。清热利湿，祛风止咳，收敛止血。用于久痢便血，脚气，齿痛，冻疮，痔疮，风痹。

茄蒂：凉血，解毒。用于肠风下血，痈疽肿毒，口疮，牙痛。

| **用法用量** | 茄子：内服煎汤，15 ~ 30g。外用适量，捣敷。

茄叶：内服研末，6 ~ 9g。外用适量，煎汤浸洗；或捣敷；或烧存性研末调敷。

茄花：内服烘干研末，2 ~ 3g。外用适量，研末涂敷。

茄根：内服煎汤，9 ~ 18g；或入散剂。外用适量，煎汤洗；或捣汁；或烧存性研末调敷。

茄蒂：内服煎汤，6 ~ 9g；或研末。外用适量，研末掺敷；或生擦。

茄科 Solanaceae 茄属 Solanum

龙葵
Solanum nigrum L.

龙葵

| 植物别名 |

黑天天、黑星星、黑黝黝。

| 药 材 名 |

龙葵（药用部位：全草。别名：苦葵、黑茄子、野葡萄）。

| 形态特征 |

一年生直立草本。茎无棱或棱不明显，绿色或紫色，近无毛或被微柔毛。叶卵形，长 2.5 ~ 10cm，宽 1.5 ~ 5.5cm，先端短尖，基部楔形至阔楔形而下延至叶柄，全缘或每边具不规则的波状粗齿，光滑或两面均被稀疏短柔毛，叶脉每边 5 ~ 6。蝎尾状花序腋外生，由 3 ~ 10 花组成，花梗近无毛或具短柔毛；花萼小，浅杯状，齿卵圆形，先端圆，基部两齿连接处成角度；花冠白色，筒部隐于萼内，冠檐长约 2.5mm，5 深裂，裂片卵圆形；花丝短，花药黄色，长约 1.2mm，约为花丝长度的 4 倍，顶孔向内；子房卵形，花柱中部以下被白色绒毛，柱头小，头状。浆果球形，熟时黑色；种子多数，近卵形，直径 1.5 ~ 2mm，两侧压扁。花期 7 ~ 8 月，果期 9 ~ 10 月。

| 生境分布 | 生于田野、荒地、路边、草甸、渠边、林缘或山坡。吉林各地均有分布。吉林东部地区有栽培。

| 资源情况 | 野生资源丰富。吉林有栽培。药材主要来源于栽培。

| 采收加工 | 夏、秋季采收，鲜用或晒干。

| 药材性状 | 本品茎呈圆柱形，多分枝，长 30 ~ 70cm，直径 2 ~ 10mm。表面黄绿色，具纵皱纹。质硬而脆，断面黄白色，中空。叶片多皱缩或破碎，完整者呈卵形或椭圆形，长 2 ~ 8cm，宽 1 ~ 5cm，先端锐尖或钝，全缘或有不规则波状锯齿，暗绿色，两面光滑或疏被短柔毛，叶柄长 0.3 ~ 2.2cm。花、果实少见，聚伞花序蝎尾状，腋外生，花 4 ~ 6，花萼棕褐色，花冠棕黄色。浆果球形，黑色或绿色，皱缩。种子多数，棕色。气微，味淡。

| 功能主治 | 苦，寒；有小毒。清热解毒，消肿散结，活血。用于疔疮，痈肿，丹毒，跌打扭伤，慢性支气管炎，急性肾炎，皮肤湿疹，小便不利，带下过多，前列腺炎，痢疾。

| 用法用量 | 内服煎汤，15 ~ 30g。外用适量，捣敷；或煎汤洗。

| 附　注 | （1）龙葵资源丰富，分布区域广，但作为药材的用量不大。吉林龙葵药材的产出量小，多自产自销，其商品资源有待于进一步开发利用。
（2）本种成熟后的黑色果实可以生食，但是全草有毒，特别是未成熟的浆果毒性最强，切勿食用。

茄科 Solanaceae 茄属 *Solanum*

珊瑚豆
Solanum pseudo-capsicum L. var. *diflorum* (Vell.) Bitter

珊瑚豆

| 植物别名 |

玉珊瑚、刺石榴、洋海椒。

| 药 材 名 |

野海椒（药用部位：全草。别名：海茄子、岩海椒、天辣子）。

| 形态特征 |

直立分枝落叶小灌木，高 0.3 ~ 1.5m。小枝幼时被树枝状簇绒毛，后渐脱落。叶双生，大小不相等，椭圆状披针形，长 2 ~ 5cm 或稍长，宽 1 ~ 1.5cm 或稍宽，先端钝或短尖，基部楔形下延成短柄，叶上面无毛，下面沿脉常有树枝状簇绒毛，全缘或略作波状，中脉在下面凸出，侧脉每边 4 ~ 7，在下面明显；叶柄长 2 ~ 5mm，幼时被树枝状簇绒毛，后逐渐脱落。花序短，腋生，通常 1 ~ 3，单生或呈蝎尾状花序，总花梗短，几近于无，花梗长约 5mm，花小，直径 8 ~ 10mm；花萼绿色，5 深裂，裂片卵状披针形，先端钝，长约 5mm；花冠白色，筒部隐于萼内，长约 1.5mm，冠檐长 6.5 ~ 8.5mm，5 深裂，裂片卵圆形，长 4 ~ 6mm，宽约 4mm，先端尖或钝；花丝长约 1mm，花药长圆形，长约为花丝长度的 2 倍，顶孔略向内；子房近圆形，直径约 1.5mm，花柱长 4 ~ 6mm，柱头截形。浆果单生，球状，珊瑚红色或橘黄色，直径 1 ~ 2cm；种子扁平，直径约 3mm。花期 4 ~ 7 月，果熟期 8 ~ 12 月。

| **生境分布** | 生于荒地、林边，多见于田边、路旁、丛林中或水沟边，常见于海拔 1350 ~ 2800m 的地区，海拔 600m 的地区也有分布。吉林无野生分布。吉林中部地区有栽培。

| **资源情况** | 吉林偶见栽培。药材主要来源于栽培。

| **采收加工** | 夏、秋季采收，晒干。

| **功能主治** | 辛，温；有小毒。祛风除湿，通经活络，消肿止痛。用于风湿痹痛，腰背疼痛，跌打损伤，无名肿毒。

| **用法用量** | 内服煎汤，每日 5 ~ 10g。外用适量，研末调敷。

茄科 Solanaceae 茄属 Solanum

青杞
Solanum septemlobum Bunge

青杞

| 植物别名 |

野狗杞、草狗杞、野茄子。

| 药 材 名 |

蜀羊泉（药用部位：全草。别名：狗杞子、野茄子、野狗杞）。

| 形态特征 |

多年生直立草本，高约50cm。茎具棱角，多分枝。叶互生，叶柄长1～2cm，叶卵形，长3～7cm，宽2～5cm，为不整齐的羽状分裂，裂片阔线形或披针形，先端渐尖，基部突窄，下延为叶柄。二歧聚伞花序顶生或腋外生，总花梗长1～2.5cm，花梗长5～8mm，基部具关节；花萼小，杯状，5裂，萼齿三角形；花冠青紫色，先端深5裂，裂片长圆形；雄蕊5；子房卵形，2室，柱头头状。浆果近球形，熟时红色；种子扁圆形。花期夏、秋季间，果熟期秋末冬初。

| 生境分布 |

生于山坡向阳处。分布于吉林延边、白山、通化等。

| **资源情况** | 野生资源较少。药材主要来源于野生。

| **采收加工** | 夏、秋季割取，洗净，切段，鲜用或晒干。

| **功能主治** | 苦，寒；有小毒。清热解毒。用于咽喉肿痛，目昏目赤，皮肤瘙痒。

| **用法用量** | 内服煎汤，15 ~ 30g。外用适量，捣敷；或煎汤熏洗。

茄科 Solanaceae 茄属 Solanum

阳芋
Solanum tuberosum L.

阳芋

| 植物别名 |

马铃薯、土豆、山药豆。

| 药 材 名 |

阳芋（药用部位：块茎。别名：马铃薯、土豆）。

| 形态特征 |

一年生草本，无毛或被疏柔毛。地下茎块状，扁圆形或长圆形，直径 3 ~ 10cm，外皮白色、淡红色或紫色。叶为不相等的奇数羽状复叶，小叶常大小相间，长 10 ~ 20cm；叶柄长 2.5 ~ 5cm；小叶 6 ~ 8 对，卵形至长圆形，最大者长可达 6cm，宽达 3.2cm，最小者长、宽均不及 1cm，先端尖，基部稍不相等，全缘，两面均被白色疏柔毛，侧脉每边 6 ~ 7，先端略弯，小叶柄长 1 ~ 8mm。伞房花序顶生，后侧生，花白色或蓝紫色；花萼钟形，直径约 1cm，外面被疏柔毛，5 裂，裂片披针形，先端长渐尖；花冠辐状，花冠筒隐于萼内，长约 2mm，冠檐长约 1.5cm，裂片 5，三角形；花药长为花丝长度的 5 倍；子房卵圆形，无毛，柱头头状。浆果圆球状，光滑，直径约 1.5cm。花期夏季。

| 生境分布 |

生于农田、菜园等。吉林无野生分布。吉林各地均有栽培，主产于农安、公主岭等。

| 资源情况 |

吉林广泛栽培。药材主要来源于栽培。

| 采收加工 |

秋季采收，洗净，晒干。

| 药材性状 |

本品呈扁球形或长圆形，直径 3～10cm。表面白色或黄色，节间短而不明显，侧芽着生于凹隐的"芽眼"内，一端有短茎基或茎痕。质硬，富粉性。气微，味淡。

| 功能主治 |

甘，平。补气，健脾，消炎。用于腮腺炎，烫伤；外用于头痛。此外，块茎汁用于风湿，痛风。

| 用法用量 |

内服适量，煮食；或煎汤。外用适量，磨汁涂。

玄参科 Scrophulariaceae　芯芭属 Cymbaria

达乌里芯芭 *Cymbaria dahurica* Linn.

| 植物别名 | 大黄花。

| 药 材 名 | 大黄花（药用部位：全草。别名：白蒿茶、兴安芯芭、芯玛芭）。

| 形态特征 | 多年生草本，密被白色绢毛，植株呈银灰白色。根茎垂直或倾卧向
下。茎多条自根茎分枝顶部发出，成丛，基部为紧密的鳞片所覆盖，
老时基部木质化。叶对生，线形至线状披针形，全缘或偶见稍分裂，
具 2 ~ 3 裂片，通常长 10 ~ 20mm，宽 2 ~ 3mm。总状花序顶生，
花少数，每茎 1 ~ 4，单生于苞腋，直立或斜伸；花梗与萼管基部
连接处有 2 小苞片；小苞片长 11 ~ 20mm，线形或披针形；花萼下
部筒状；花冠黄色，长 30 ~ 45mm，二唇形，下唇 3 裂，在其 2 裂
口后有 2 褶襞，中裂片较 2 侧裂片略长，上唇先端 2 裂；雄蕊 4，二强，
微露出花冠喉部，前方 1 对较长，花丝基部被毛，花药背着，药室

达乌里芯芭

2，纵裂，长倒卵形；子房长圆形，花柱细长，柱头头状。蒴果革质，长卵圆形，先端有喙；种子卵形，长 3 ~ 4mm。花期 6 ~ 8 月，果期 7 ~ 9 月。

| **生境分布** | 生于山坡、荒地、林缘、草原、草甸、路边等。分布于吉林白城、松原等。

| **资源情况** | 野生资源较少。药材主要来源于野生。

| **采收加工** | 夏、秋季采收，切段，晒干。

| **药材性状** | 本品全株密被白色绢毛。茎丛生，基部为鳞片覆盖。叶无柄，条形至条状披针形，全缘。花皱缩成喇叭状，长 4 ~ 6cm，上部直径达 1cm；表面棕黄色，密被丝状毛；花萼具齿，齿间常有 1 ~ 2 附加小齿。气微，味微苦。

| **功能主治** | 微苦，凉。祛风除湿，利尿消肿，凉血止血。用于风湿关节痛，月经过多，吐血，衄血，便血，外伤出血，肾炎，水肿，黄水疮。

| **用法用量** | 内服煎汤，3 ~ 9g；或研末，1.5 ~ 3g。外用适量，煎汤洗。

玄参科 Scrophulariaceae 毛地黄属 Digitalis

毛地黄 *Digitalis purpurea* L.

毛地黄

| 植物别名 |

洋地黄。

| 药 材 名 |

洋地黄（药用部位：叶。别名：地钟黄、洋地黄叶）。

| 形态特征 |

一年生或多年生草本，除花冠外，全体被灰白色短柔毛和腺毛，有时茎上几无毛，高 0.6 ~ 1.2m。茎单生或数条成丛。基生叶多数呈莲座状，叶柄具狭翅，长可达 15cm，叶片卵形或长椭圆形，先端尖或钝，基部渐狭，边缘具带短尖的圆齿，少有锯齿；下部茎生叶与基生叶同形，向上渐小，叶柄短直至无柄而成为苞片。花萼钟状，长约 1cm，果期略增大，5 裂几达基部，裂片矩圆状卵形，先端钝至急尖；花冠紫红色，内面具斑点，裂片很短，先端被白色柔毛。蒴果卵形；种子短棒状，除被蜂窝状网纹外，尚有极细的柔毛。花期 5 ~ 6 月。

| 生境分布 |

生于农田、街道。吉林无野生分布。吉林各地均有栽培。

| 资源情况 |

吉林有栽培。药材主要来源于栽培。

| 采收加工 |

9 ~ 10 月，叶片肥厚、浓绿、粗糙、停止生长时采收，采后于 60℃ 以下迅速干燥。

| 药材性状 |

本品叶片多破碎、皱缩，完整叶片卵状披针形至宽卵形，长 10 ~ 40cm，宽 4 ~ 11cm。叶先端钝圆，基部渐狭成翅状叶柄，长约至 12cm；叶缘具不规则圆钝锯齿；上表面暗绿色，微有毛，叶脉下凹；下表面淡灰绿色，密被毛，羽状网脉，主脉及主要侧脉宽扁，带紫色，显著凸起，细脉末端伸入叶缘每 1 锯齿，质脆。干时气微，湿润后气特异，味极苦。

| 功能主治 |

苦，温。归心经。强心利尿。用于心力衰竭，心性水肿。

| 用法用量 |

内服粉剂，一般每次 0.1g，极量为 0.4g；或制成片剂、注射剂。

玄参科 | Scrophulariaceae 小米草属 | *Euphrasia*

小米草 *Euphrasia pectinata* Ten.

| 植物别名 | 芒叶小米草。

| 药 材 名 | 小米草（药用部位：全草。别名：芒小米草、药用小米草）。

| 形态特征 | 一年生草本。植株直立，高 10 ~ 30（~ 45）cm，不分枝或下部分枝，被白色柔毛。叶与苞叶无柄，卵形至卵圆形，基部楔形，每边有数枚稍钝、急尖的锯齿，两面脉上及叶缘多少被刚毛，无腺毛。花序长 3 ~ 15cm，初花期短而花密集，逐渐伸长至果期果实疏离；花萼管状，长 5 ~ 7mm，被刚毛，裂片狭三角形，渐尖；花冠白色或淡紫色，背面长 5 ~ 10mm，外面被柔毛，背部较密，其余部分较疏，下唇比上唇长约 1mm，下唇裂片先端明显凹缺；花药棕色。蒴果长矩圆状；种子白色，长 1mm。花期 6 ~ 9 月。

小米草

生境分布	生于阴坡草地或灌丛。以长白山区为主要分布区域，分布于吉林延边、白山、通化、吉林、辽源（东丰）等。
资源情况	野生资源一般。药材主要来源于野生。
采收加工	7 ~ 8 月采收，切段，晒干。
功能主治	苦，凉。归膀胱经。清热解毒。用于咽喉肿痛，风热咳嗽，肺炎，口疮痢疾。
用法用量	内服煎汤，6 ~ 10g。

玄参科 Scrophulariaceae 小米草属 *Euphrasia*

高枝小米草 *Euphrasia pectinata* Ten. subsp. *simplex* (Freyn) Hong

高枝小米草

| 植物别名 |

小米草高枝亚种、芒小米草。

| 药 材 名 |

高枝小米草（药用部位：全草）。

| 形态特征 |

一年生草本，高（15 ~ ）25 ~ 50cm，通常在中上部多分枝，被白色柔毛。叶及苞叶卵圆形至三角状圆形，基部近平截，边缘锯齿急尖至渐尖，有时呈芒状，两面脉上及叶缘多少被刚毛，无腺毛。花序长 3 ~ 15cm，初花期短而花密集，逐渐伸长，至果期果疏离；花萼管状，长 5 ~ 7mm，被刚毛，裂片狭三角形，渐尖；花冠白色或淡紫色，背面长 5 ~ 10mm，外面被柔毛，背部较密，其余部分较疏，下唇比上唇长约 1mm，下唇裂片先端明显凹缺；花药棕色。蒴果长矩圆状，长 4 ~ 8mm；种子白色，长 1mm。花期 6 ~ 9 月。

| 生境分布 |

生于山坡草地，极少生于近水边或疏林下草丛。分布于吉林白山（抚松、长白）、延边（龙井、安图）等。

| **资源情况** | 野生资源较少。药材主要来源于野生。

| **采收加工** | 7 ~ 8 月采收，切段，晒干。

| **功能主治** | 清热解毒。用于咽喉肿痛，肺炎咳嗽，口疮痈疾。

| **用法用量** | 内服煎汤，6 ~ 10g。

海滨柳穿鱼

玄参科 Scrophulariaceae 柳穿鱼属 Linaria

海滨柳穿鱼 *Linaria japonica* Miq.

| 药 材 名 |

海滨柳穿鱼（药用部位：全草）。

| 形态特征 |

多年生草本，无毛，带灰色。茎上升，常分枝。叶对生或 3 ~ 4 轮生，上部的常不规则轮生或互生，无柄，卵形、倒卵形或矩圆形，先端钝至近急尖，基部圆钝至多少楔形，有不清晰的三出弧状脉。总状花序顶生；苞片与叶同形，但小得多；花梗长 3 ~ 5mm；花萼裂片卵形至披针形；花冠亮黄色，上唇长于下唇，下唇侧裂片宽达 3 ~ 5mm，中裂片较窄，距长 3 ~ 6mm，伸直。蒴果球状，直径 6mm；种子肾形，边缘增厚。花期 7 ~ 8月，果期 8 ~ 9月。

| 生境分布 |

生于沙滩、河岸或海滨沙地等。分布于吉林延边（珲春）等。

| 资源情况 |

野生资源较少。药材主要来源于野生。

| 采收加工 |

夏、秋季采收，除去杂质，晒干。

| **功能主治** |　利尿，泻下。用于小便不利。

玄参科 Scrophulariaceae 柳穿鱼属 Linaria

柳穿鱼 *Linaria vulgaris* Mill.

| 植物别名 | 中国柳穿鱼、苞米碴子花。

| 药 材 名 | 柳穿鱼（药用部位：全草）。

| 形态特征 | 多年生草本，高 10 ~ 80cm。茎直立，单一或分枝，无毛。叶通常互生或下部叶轮生，稀全部叶均为 4 轮生；叶条形，通常具单脉，稀具 3 脉。总状花序顶生，长 3 ~ 11cm，多花密集，花序轴与花梗均无毛或疏生短腺毛；苞片条形至狭披针形，比花梗长；花梗长 3 ~ 10mm；花萼裂片披针形，外面无毛，里面稍密被腺毛；花冠黄色，上唇比下唇长，裂片卵形，长约 2mm，下唇侧裂片卵圆形，宽 3 ~ 4mm，中裂片舌状，距稍弯曲，长 8 ~ 12mm；雄蕊 4，2 较长；雌蕊子房上位，2 室。蒴果椭圆状球形或近球形，长 7 ~ 9mm，宽 6 ~ 7mm；种子圆盘形，边缘有宽翅，成熟时中央常有瘤状突起。

柳穿鱼

花期 6 ~ 7 月，果期 8 ~ 9 月。

| **生境分布** | 生于山边、田园草地、河岸、石滩、草原、沙丘、路边。分布于吉林延边、白山、通化等。

| **资源情况** | 野生资源较少。药材主要来源于野生。

| **采收加工** | 夏、秋季采收，除去杂质，晒干。

| **药材性状** | 本品茎分枝，无毛。叶条形，具单脉。总状花序顶生，花序轴与花梗均无毛或疏生短腺毛；苞片条形至狭披针形；花萼裂片披针形，外面无毛，内部密被毛；花冠黄色。蒴果椭圆状球形或近球形，长 5 ~ 7cm，宽 4 ~ 5cm。种子圆盘形，边缘有宽翅，成熟时中央常有瘤状突起。气微，味甜、微苦。

| **功能主治** | 甘、微苦，寒。清热解毒，散瘀消肿，通便利尿，消炎祛痰，止咳平喘。用于流行性感冒，咳嗽，发热，头痛，头晕，黄疸，痔疮，便秘，膀胱炎，心血管病，出血，皮肤病，烫火伤。

| **用法用量** | 内服煎汤，10 ~ 15g；或研末冲服。外用适量，研末调敷；或煎汤熏洗。

玄参科 Scrophulariaceae 母草属 Lindernia

陌上菜 *Lindernia procumbens* (Krock.) Philcox

| 植物别名 | 母草、通泉草。

| 药 材 名 | 白猪母菜（药用部位：全草。别名：六月雪、白胶墙、母草）。

| 形态特征 | 一年生直立草本。根细密成丛。茎高 5 ~ 20cm，基部多分枝，无毛。叶无柄；叶片椭圆形至矩圆形多少带菱形，长 1 ~ 2.5cm，宽 6 ~ 12mm，先端钝至具圆头，全缘或有不明显的钝齿，两面无毛，叶脉并行，自叶基发出 3 ~ 5。花单生于叶腋，花梗纤细，长 1.2 ~ 2cm，比叶长，无毛；花萼仅基部联合，齿 5，条状披针形，长约 4mm，先端具钝头，外面微被短毛；花冠粉红色或紫色，长 5 ~ 7mm，管长约 3.5mm，向上渐扩大，上唇短，长约 1mm，2 浅裂，下唇甚大于上唇，长约 3mm，3 裂，侧裂片椭圆形，较小，中裂片圆形，向前凸出；雄蕊 4，全育，前方 2 雄蕊的附属物腺体状而短小；花药

陌上菜

基部微凹；柱头 2 裂。蒴果球形或卵球形，与花萼近等长或略过之，室间 2 裂；种子多数，有格纹。花期 7 ~ 8 月，果期 8 ~ 9 月。

| **生境分布** | 生于田边、草地、水边泥地、沼泽湿地，是稻田常见杂草。分布于吉林通化（通化、集安、辉南）、白山（靖宇）、延边（和龙、汪清、珲春）等。

| **资源情况** | 野生资源丰富。药材主要来源于野生。

| **采收加工** | 夏、秋季采收，除去杂质，晒干。

| **药材性状** | 本品根细密成丛。茎有分枝，无毛。叶无柄；叶片椭圆形至矩圆形或菱形，全缘或有不明显的钝齿，两面无毛，叶脉并行。花梗纤细，无毛。蒴果球形或卵球形，与花萼近等长或略过之，室间 2 裂；种子多数，有网纹。气微，味淡。

| **功能主治** | 淡、甘。清热解毒，清肝泻火，凉血利湿，消炎退肿。用于肝火上炎，目赤肿痛，血尿，湿热泻痢，赤白痢疾，肛门灼热肿痛，痔疮，红肿热毒。

| **用法用量** | 内服煎汤，10 ~ 15g。外用适量，煎汤洗。

玄参科 Scrophulariaceae 通泉草属 *Mazus*

通泉草
Mazus japonicus (Thunb.) O. Kuntze

| **植物别名** | 小通泉草、绿蓝花。

| **药 材 名** | 通泉草（药用部位：全草。别名：小通泉草、弹刀子菜、脓泡药）。

| **形态特征** | 一年生草本。主根伸长，垂直向下或短缩，须根纤细，多数，散生或簇生。茎1～5或有时更多，直立，上升或倾卧状上升，着地部分节上常能长出不定根，分枝多而披散，少不分枝。基生叶少至多数，有时呈莲座状或早落，倒卵状匙形至卵状倒披针形，膜质至薄纸质，先端全缘或有不明显的疏齿，基部楔形，下延成带翅的叶柄，边缘具不规则的粗齿或基部有1～2浅羽裂片；茎生叶对生或互生，少数，与基生叶相似或几等大。总状花序生于茎、枝先端，常在近基部即生花，伸长或上部呈束状，通常3～20，花稀疏；花梗上部者较短；花萼钟状，花期长约6mm，果期多少增大，萼片与萼筒近等长，卵形，

通泉草

先端急尖，脉不明显；花冠白色、紫色或蓝色，上唇裂片卵状三角形，下唇中裂片较小，稍凸出，倒卵圆形。蒴果球形；种子小而多数，黄色。花期7～8月，果期8～9月。

| **生境分布** | 生于田野、荒地、路旁、林下、林缘、山坡砂石地或湿草地等。以长白山区为主要分布区域，分布于吉林延边、白山、通化、吉林、辽源（东丰、东辽）、松原（长岭）、四平（双辽、梨树）等。

| **资源情况** | 野生资源较丰富。药材主要来源于野生。

| **采收加工** | 春、夏、秋季可采收，洗净，鲜用或晒干。

| **功能主治** | 苦，平。清热解毒，消炎消肿，利尿，止痛，健胃消积。用于偏头痛，消化不良，疔疮，脓疱疮，无名肿毒，烫火伤，毒蛇咬伤。

| **用法用量** | 内服煎汤，10～15g。外用适量，鲜品捣敷。

| **附　　注** | 在 FOC 中，本种的拉丁学名被修订为 *Mazus pumilus* (N. L. Burman) Steenis。

玄参科 Scrophulariaceae 通泉草属 *Mazus*

弹刀子菜 *Mazus stachydifolius* (Turcz.) Maxim.

| 植物别名 | 通泉草。

| 药 材 名 | 弹刀子菜（药用部位：全草。别名：水苏叶通泉草、四叶细辛）。

| 形态特征 | 多年生草本，高 10 ~ 40cm，全株有多细胞白色长柔毛。根茎较短。茎直立，有时基部多分枝。基生叶匙形，具短柄，常早期枯萎；茎生叶对生，上部常互生，无柄，长椭圆形或倒卵状披针形，长 3 ~ 7cm，边缘具不规则锯齿。总状花序顶生，多在茎中、上部开花，稀近基部开花；花萼漏斗状，长 7 ~ 12mm，长于花梗，萼齿略长于筒部，披针状三角形；花冠紫色，上唇 2 裂，裂片尖锐，下唇 3 裂，中裂片宽而圆钝，2 着生腺毛的折皱直达喉部；子房上部有长硬毛。蒴果卵球形。花期 7 ~ 8 月，果期 8 ~ 9 月。

弹刀子菜

| **生境分布** | 生于林下、林缘、山坡砂石地。以长白山区为主要分布区域，分布于吉林延边、白山、通化、吉林、辽源（东丰）等。 |

| **资源情况** | 野生资源较丰富。药材主要来源于野生。 |

| **采收加工** | 夏季采收，晒干。 |

| **功能主治** | 微辛，凉。清热解毒，活血散瘀，消肿止痛，解蛇毒。用于瘀血肿痛，毒蛇咬伤。 |

| **用法用量** | 内服煎汤，15 ~ 30g。外用适量，鲜品捣敷。 |

玄参科 Scrophulariaceae 山罗花属 *Melampyrum*

山罗花
Melampyrum roseum Maxim.

山罗花

| 植物别名 |

宽叶山萝花。

| 药 材 名 |

山罗花（药用部位：全草。别名：球锈草、山萝花）。

| 形态特征 |

一年生直立草本，植株全体疏被鳞片状短毛，有时茎上还有2列多细胞柔毛。茎通常多分枝，少不分枝，近四棱形。叶柄长约5mm，叶片披针形至卵状披针形，先端渐尖，基部圆钝或楔形。苞叶绿色，仅基部具尖齿至整个边缘具多个刺毛状长齿，较少几全缘，先端急尖至长渐尖。花萼长约4mm，常被糙毛，脉上常生多细胞柔毛，萼齿长三角形至钻状三角形，生短睫毛；花冠紫色、紫红色或红色，筒部长约为檐部长的2倍，上唇内面密被须毛。蒴果卵状渐尖，直或先端稍向前偏，被鳞片状毛，少无毛；种子黑色，长3mm。花期7～8月，果期8～9月。

| 生境分布 |

生于林下、林缘、山坡、灌丛或蒿草丛中，常成片生长。以长白山区为主要分布区域，分布于吉林延边、白山、通化、吉林、辽源（东丰）等。

| 资源情况 |

野生资源较丰富。药材主要来源于野生。

| 采收加工 |

7 ~ 8 月采收，鲜用或晾干。

| 功能主治 |

苦，寒。清热解毒，消散痈肿。用于感冒，月经不调，肺热咳嗽，风湿关节痛，腰痛，跌打损伤，痈疮肿毒，肠痈，肺痈，疮毒，疖肿，疮疡。

| 用法用量 |

内服煎汤，15 ~ 30g。外用适量，鲜品捣敷。

| 附　注 |

本种的根可泡茶饮。

沟酸浆 *Mimulus tenellus* Bunge

| 药 材 名 | 沟酸浆（药用部位：全草）。

| 形态特征 | 多年生草本，柔弱，常铺散状，无毛。茎长可达 40cm，多分枝，下部匍匐生根，四方形，角处具窄翅。叶卵形、卵状三角形至卵状矩圆形，先端急尖，基部截形，边缘具明显的疏锯齿，具羽状脉，叶柄细长，与叶片等长或较短，偶被柔毛。花单生于叶腋，花梗与叶柄近等长，明显较叶短；花萼圆筒形，长约 5mm，果期肿胀成囊泡状，增大近 1 倍，沿肋偶被绒毛，或有时稍具窄翅，萼口平截，萼齿 5，细小，刺状；花冠较萼长 1.5 倍，漏斗状，黄色，喉部有红色斑点，唇短，先端圆形，竖直，沿喉部被密的髯毛；雄蕊同花柱无毛，内藏。蒴果椭圆形，较萼稍短；种子卵圆形，具细微的乳头状突起。花期 7 ~ 8 月，果期 8 ~ 9 月。

沟酸浆

| 生境分布 | 生于林下湿地、林缘、农田、溪水沟边。分布于吉林延边、白山、通化、长春、吉林、辽源等。

| 资源情况 | 野生资源较少。药材主要来源于野生。

| 采收加工 | 秋季采收，除去杂质，鲜用或晒干。

| 药材性状 | 本品全株柔软，无毛。茎有分枝，四方形。叶卵形、卵状三角形至卵状矩圆形，边缘具明显的疏锯齿，具羽状脉，叶柄细长，偶被柔毛。花梗与叶柄近等长，明显较叶短；花萼圆筒形；花冠较萼长，漏斗状，黄色，喉部有红色斑点。蒴果椭圆形，较萼稍短。种子卵圆形，具细微的乳头状突起。气微，味涩。

| 功能主治 | 涩，平。清热解毒，止泻止痛，健脾燥湿。用于湿阻中焦，泻痢腹痛。

玄参科 Scrophulariaceae 疗齿草属 Odontites

疗齿草

Odontites serotina (Lam.) Dum.

| **植物别名** | 齿叶草。

| **药 材 名** | 疗齿草（药用部位：全草）。

| **形态特征** | 一年生草本。植株高 15 ～ 35cm，全体被贴伏而倒生的白色细硬毛。茎直立，四棱形，常在中、上部分枝。叶一般对生，有时上部的叶互生，无柄，披针形至条状披针形，边缘疏生锯齿。花腋生或上部聚成穗状花序；花梗极短；苞片叶状；花萼钟状，果期多少增大，4裂，裂片狭三角形，被细硬毛；花冠紫色、紫红色或淡红色，长8 ～ 10mm，外面被白色柔毛，上唇直立，略呈盔状，先端微凹或2浅裂，下唇开展，3裂，裂片倒卵形，中裂片先端微凹；雄蕊与上唇略等长，花药箭形，基部突尖。蒴果长椭圆形，略扁，上部被细刚毛，先端微凹；种子椭圆形或卵形，褐色，具狭翅。花期 7 ～ 8 月，

疗齿草

果期 8 ~ 9 月。

| **生境分布** | 生于河岸、草原湿地、水边、路旁或山坡等。分布于吉林白城（镇赉、大安、通榆、洮南、洮北）、松原（乾安、前郭尔罗斯、扶余）等。

| **资源情况** | 野生资源较少。药材主要来源于野生。

| **采收加工** | 夏、秋季开花时采收，阴干。

| **功能主治** | 苦，凉；有小毒。清热燥湿，凉血止痛。用于热性传染病，肝胆湿热，瘀血作痛，肝火头痛，胁痛。

| **用法用量** | 内服煎汤，3 ~ 15g。

| **附　　注** | 在 FOC 中，本种的拉丁学名被修订为 *Odontites vulgaris* Moench。

玄参科 Scrophulariaceae 马先蒿属 Pedicularis

野苏子 *Pedicularis grandiflora* Fisch.

| 植物别名 | 大野苏子马先蒿、大花马先蒿。

| 药 材 名 | 野苏子（药用部位：全草）。

| 形态特征 | 多年生草本，植株高超过 1m，常多分枝，干时变为黑色，全体无毛。根成丛，多少肉质。茎粗壮，中空，有条纹及棱角。叶互生，基生者在花期多已枯萎，茎生者极大，连柄长可达 30cm 或更长，柄长达 7cm，圆柱形；叶片卵状长圆形，2 回羽状全裂，裂片多少披针形，羽状深裂至全裂，最终的裂片长短不等，具生白色胼胝的粗齿。花序常总状，向心开放；花稀疏，下部者有短梗；苞片不显著，多少三角形，近基处有少数裂片；花萼钟形，长约 8mm，齿 5，相等，为萼管长度的 1/3 ~ 1/2，三角形，边缘有胼胝细齿而反卷，其清晰的主脉为稀疏的横脉所联络；花冠长约 33mm，盔端尖锐而无齿，

野苏子

下唇不很开展，多少依伏于盔而较短，裂片圆卵形，略等大，互相盖叠；雄蕊药室有长刺尖，花丝无毛。果实卵圆形，有凸尖，稍侧扁，室相等。花期 7 ~ 8 月，果期 8 ~ 9 月。

| 生境分布 | 生于湿地草原、水泽或湿草甸等。以长白山区为主要分布区域，分布于吉林延边、白山、通化、吉林、辽源（东丰）等。

| 资源情况 | 野生资源较少。药材主要来源于野生。

| 采收加工 | 夏、秋季采收，除去杂质，晒干。

| 药材性状 | 本品多分枝，黑色，全体无毛。根肉质。茎粗壮，中空，有条纹及棱角。叶柄圆柱形；叶片卵状长圆形。花稀疏，有短梗。果实卵圆形，有凸尖，稍侧扁。气微，味苦。

| 功能主治 | 清热解毒，解表，疏散风热。用于风热感冒，疥疮未溃。

玄参科 Scrophulariaceae 马先蒿属 *Pedicularis*

返顾马先蒿 *Pedicularis resupinata* Linn.

| **植物别名** | 马先蒿、东北马先蒿。

| **药材名** | 返顾马先蒿（药用部位：全草。别名：芝麻七、马屎蒿）。

| **形态特征** | 多年生草本，高 30 ~ 70cm，直立，干时不变黑色。根多数丛生，细长而呈纤维状，长可达 10cm。茎常单出，上部多分枝，粗壮而中空，多方形、有棱，有疏毛或几无毛。叶密生，均茎出，互生或有时下部者甚或中部者对生，叶柄短，上部之叶近无柄，无毛或有短毛；叶片膜质至纸质，卵形至长圆状披针形，先端渐狭，基部广楔形或圆形，边缘有钝圆的重齿，齿上有浅色的胼胝或刺状尖头，且常反卷，向上渐小而变为苞片，两面无毛或有疏毛。花单生于茎枝先端的叶腋中，无梗或有短梗；花萼长卵圆形，多少膜质，脉有网结，几无毛，先端深裂，齿仅 2，宽三角形，全缘或略有齿，光滑

返顾马先蒿

或有微缘毛；花冠淡紫红色；柱头伸出喙端。蒴果斜长圆状披针形，仅稍长于萼。花期 6 ~ 8 月，果期 7 ~ 9 月。

| **生境分布** | 生于草甸、林缘。以长白山区为主要分布区域，分布于吉林延边、白山、通化、吉林、辽源（东丰）、松原（扶余）等。

| **资源情况** | 野生资源较少。药材主要来源于野生。

| **采收加工** | 夏、秋季采收，除去杂质，洗净泥土，晒干，切段。

| **功能主治** | 苦，平。清热解毒，祛风，胜湿，利水。用于风湿关节痛，小便不利，石淋，尿路结石，带下，疥疮。

| **用法用量** | 内服煎汤，6 ~ 9g；或研末。外用适量，煎汤洗。

玄参科 Scrophulariaceae 马先蒿属 Pedicularis

旌节马先蒿
Pedicularis sceptrum-carolinum Linn.

旌节马先蒿

| 植物别名 |

黄旗马先蒿。

| 药 材 名 |

旌节马先蒿（药用部位：全草）。

| 形态特征 |

多年生直立草本，高 0.6 ~ 1m，丛生。茎单一，仅下部有叶，上部长而裸露，作花葶状。基生叶宿存而成丛，具长柄，两边常有狭翅；叶片倒披针形至线状长圆形，长达 30cm，宽达 4cm，下半部多羽状全裂，裂片小而疏距，上半部多羽状深裂，裂片连续而轴有翅，裂片每边 7 ~ 17，互生；茎生叶仅 1 ~ 2，有时 3 作假轮生状。花序生于茎的顶部，在开花后期相当伸长，可达 20cm 或更长；苞片宽卵形，基部圆形；花萼钟形，齿 5，三角状卵形至狭长卵形；花冠黄色，管长约 15mm，下唇依伏于上唇，裂片 3，圆形，边缘重叠，盔作镰状弓曲；花柱不伸出。蒴果大，略侧扁，长 2cm；种子为三角状不规则肾形。花期 7 ~ 8 月，果期 8 ~ 9 月。

| 生境分布 |

生于河岸低湿地或山坡灌丛等。分布于吉林

延边（安图、和龙、敦化）、白山（抚松、长白）、通化（柳河）等。

| **资源情况** | 野生资源较少。药材主要来源于野生。

| **采收加工** | 夏、秋季采收，除去杂质，洗净泥土，晒干，切段。

| **功能主治** | 清热，凉血，解毒。用于热毒证，血热出血。

玄参科 Scrophulariaceae 马先蒿属 Pedicularis

穗花马先蒿 *Pedicularis spicata* Pall.

| **药 材 名** | 穗花马先蒿（药用部位：根）。

| **形态特征** | 一年生草本。茎直立。叶基出，呈莲座状，较茎生叶小，叶柄长 13mm，叶片椭圆状长圆形，羽状深裂，裂片长卵形；茎生叶多4轮生，叶片长圆状披针形至线状狭披针形，基部广楔形，先端渐细而顶尖微钝，边缘羽状浅裂至深裂，裂片9～20对。穗状花序生于茎枝先端，长可达12cm，仅下部花轮有时间断；苞片下部者叶状，中、上部者为菱状卵形而有长尖头；花萼短而呈钟形，萼齿3，后方1具三角形锐头而小，余4各边两两结合成一具短三角形钝头的宽齿；花冠红色，长12～18mm，管在萼口以直角或相近的角度向前方膝曲，下段长约3mm，上段长6～7mm，向喉部稍扩大，盔指向前上方，下唇长于盔2～2.5倍，中裂片较小，倒卵形；雄蕊花丝1对，有毛；

穗花马先蒿

柱头稍伸出。蒴果狭卵形；种子仅 5 ~ 6。花期 7 ~ 9 月，果期 8 ~ 10 月。

| **生境分布** | 生于林下、林缘、溪流旁或湿地灌丛。以长白山区为主要分布区域，分布于吉林延边、白山、通化、吉林、辽源（东丰）等。

| **资源情况** | 野生资源较少。药材主要来源于野生。

| **采收加工** | 秋季采挖，除去残茎、泥沙，阴干。

| **功能主治** | 大补元气，生津安神，强心。用于气血虚损，虚劳多汗，虚脱衰竭，高血压。

玄参科 Scrophulariaceae 马先蒿属 *Pedicularis*

红纹马先蒿 *Pedicularis striata* Pall.

| 植物别名 | 细叶马先蒿。

| 药材名 | 红纹马先蒿（药用部位：全草）。

| 形态特征 | 多年生草本，高达 1m，直立，干时不变黑。根粗壮，有分枝。茎单生，或在下部分枝，老时木质化，壮实，密被短卷毛，老时近无毛。叶互生，基生叶成丛，至开花时常已枯败，茎生叶很多，向上渐小，至花序中变为苞片，叶片均为披针形，长达 10cm，宽 3 ~ 4cm，羽状深裂至全裂，中肋两旁常有翅，裂片平展，线形，边缘有浅锯齿，齿有胼胝，叶柄在基生叶中与叶片等长或稍短，长达 8 ~ 10cm，茎生叶叶柄较短。花序穗状，伸长，稠密，偶下部的花疏远，或在结果时稍疏，长 6 ~ 22cm，轴被密毛；苞片三角形或披针形，下部者多少叶状而有齿，上部者全缘，短于花，无毛或被卷曲缘毛；花萼

红纹马先蒿

钟形，长 10 ~ 13mm，薄革质，被疏毛，齿 5，不相等，后方 1 较短，三角形，侧生者两两结合成先端 2 裂的大齿，边缘有卷曲之毛；花冠黄色，具绛红色的脉纹，长 25 ~ 33mm，管在喉部以下向右扭旋，使花冠稍稍偏向右方，其长度约等于盔，盔强大，先端作镰形弯曲，端部下缘具 2 齿，下唇不很张开，稍短于盔，3 浅裂，侧裂片斜肾形，中裂片宽超过长，叠置于侧裂片之下；花丝有 1 对被毛。蒴果卵圆形，2 室相等，稍稍扁平，有短凸尖，长 9 ~ 16mm，宽 3 ~ 6mm，含种子约 16；种子极小，近扁平，长圆形或卵圆形，黑色。花期 6 ~ 7 月，果期 7 ~ 8 月。

| **生境分布** | 生于海拔 1300 ~ 2650m 的高山草原或疏林。分布于吉林延边、白山、通化等。

| **资源情况** | 野生资源较少。药材主要来源于野生。

| **采收加工** | 夏、秋季采收，除去杂质，洗净，晒干。

| **功能主治** | 苦，寒。清热解毒，利水，涩精。用于毒蛇咬伤。

玄参科 Scrophulariaceae 马先蒿属 Pedicularis

轮叶马先蒿 *Pedicularis verticillata* Linn.

| **植物别名** | 轮花马先蒿。

| **药 材 名** | 轮叶马先蒿（药用部位：根）。

| **形态特征** | 多年生草本。茎直立。基生叶发达而长存，柄长约 3cm，叶片长圆形至线状披针形，羽状深裂至全裂，裂片线状长圆形至三角状卵形；茎生叶下部者偶对生，一般 4 轮生，叶片较基生叶宽短。花序总状；花萼球状卵圆形，具 10 暗色脉纹，前方深开裂，齿常不很明显而偏聚于后方，后方 1 多独立，较小；花冠紫红色，长 13mm，管约在距基部 3mm 处以直角向前膝屈，使其上段由萼的裂口中伸出，上段长 5 ~ 6mm，下唇约与盔等长或稍长，中裂片圆形而有柄；雄蕊药对离开而不并生，花丝前方 1 对有毛；花柱稍稍伸出。蒴果形状、大小多变，多少披针形，先端渐尖，不弓曲，或偶有全长向下弓曲者，

轮叶马先蒿

或上线至近端处突然弯下成 1 钝尖，而后再在下线前端成 1 小凸尖；种子黑色，半圆形，有极细而不明显的纵纹。花期 6 ~ 7 月，果期 8 ~ 9 月。

| **生境分布** | 生于溪流旁、湿地灌丛、高山冻原或高山草甸，常成片生长。分布于吉林白山（抚松、靖宇、长白）等。

| **资源情况** | 野生资源较少。药材主要来源于野生。

| **采收加工** | 秋季采挖，洗净，晒干。

| **功能主治** | 甘、微苦，温。归心、脾经。大补元气，生津安神，强心。用于气血虚损，虚劳多汗，虚脱衰竭，高血压。

| **用法用量** | 内服煎汤，6 ~ 9g。

玄参科 Scrophulariaceae 松蒿属 *Phtheirospermum*

松蒿
Phtheirospermum japonicum (Thunb.) Kanitz

| 植物别名 | 糯蒿、荆芥。

| 药 材 名 | 松蒿（药用部位：全草。别名：糯蒿、细绒蒿、土茵陈）。

| 形态特征 | 一年生草本，高可达 1m，但有时高仅 5cm 即开花，植株被多细胞腺毛。茎直立或弯曲而后上升，通常多分枝。叶具长 5 ～ 12mm、边缘有狭翅的柄，叶片长三角状卵形，近基部者羽状全裂，向上则为羽状深裂；小裂片长卵形或卵圆形，多少歪斜，边缘具重锯齿或深裂。花具长 2 ～ 7mm 的梗，花萼长 4 ～ 10mm，萼齿 5，叶状，披针形，羽状浅裂至深裂，裂齿先端锐尖；花冠紫红色至淡紫红色，外面被柔毛，上唇裂片三角状卵形，下唇裂片先端圆钝；花丝基部疏被长柔毛。蒴果卵球形；种子卵圆形，扁平。花期 8 ～ 9 月，果期 9 ～ 10 月。

松蒿

| 生境分布 | 生于山坡草地、林缘、灌丛或荒地。以长白山区为主要分布区域，分布于吉林延边、白山、通化、吉林、辽源（东丰）、长春（德惠）、松原（扶余）等。

| 资源情况 | 野生资源较丰富。药材主要来源于野生。

| 采收加工 | 夏、秋季采收，鲜用或晒干。

| 药材性状 | 本品长 30 ~ 60cm，茎上部多分枝，有黏性。叶对生，多皱缩而破碎；完整叶片三角状卵形，长 3 ~ 5cm，宽 2 ~ 3.5cm；羽状深裂，两侧裂片长圆形，先端裂片较大，卵圆形，边缘具细锯齿，叶两面均有腺毛。花序穗状；花萼钟状，长约 6mm，5 裂；花冠淡红紫色。气微，味微辛。

| 功能主治 | 微辛，平。归肺、脾、胃经。清热利湿。用于湿热黄疸，病毒性肝炎，水肿，风热感冒；外用于疮痈。

| 用法用量 | 内服煎汤，15 ~ 30g。外用适量，煎汤洗；或研末调敷。

玄参科 Scrophulariaceae 地黄属 Rehmannia

地黄

Rehmannia glutinosa (Gaert.) Libosch. ex Fisch. et Mey.

| **植物别名** | 生地。

| **药材名** | 地黄（药用部位：块根。别名：野地黄、酒壶花、山烟根）。

| **形态特征** | 多年生草本，密被灰白色多细胞长柔毛和腺毛。根茎肉质，鲜时黄色。叶通常在茎基部集成莲座状，向上则强烈缩小成苞片；叶片卵形至长椭圆形，边缘具不规则圆齿或钝锯齿以至牙齿。花具梗，梗细弱，弯曲而后上升，在茎顶部略排列成总状花序；萼具 10 隆起的脉；萼齿 5，矩圆状披针形、卵状披针形或多少三角形；花冠筒多少弓曲，外面紫红色，被多细胞长柔毛，花冠裂片 5，先端钝或微凹，内面黄紫色，外面紫红色；雄蕊 4，药室矩圆形，基部叉开，而使两药室常排成直线；子房幼时 2 室，老时因隔膜撕裂而成 1 室，无毛，花柱顶部扩大成 2 片状柱头。蒴果卵形至长卵形。花期 7 ～

地黄

8 月，果期 8 ~ 9 月。

| **生境分布** | 生于山坡砂质地、荒地或路旁。分布于吉林通化（通化）、白山（靖宇）等。吉林东部地区有栽培。

| **资源情况** | 野生资源稀少。吉林有栽培。药材主要来源于野生。

| **采收加工** | 秋季采挖，除去芦头、须根及泥沙，鲜用；或将地黄缓缓烘焙至约八成干。前者习称"鲜地黄"，后者习称"生地黄"。

| **药材性状** | 本品鲜地黄呈纺锤形或条状，长 8 ~ 24cm，直径 2 ~ 9cm。外皮薄，表面浅红黄色，具弯曲的纵皱纹、芽痕、横长皮孔样突起及不规则疤痕。肉质，易断，断面皮部淡黄白色，可见橘红色油点，木部黄白色，导管呈放射状排列。气微，味微甜、微苦。本品生地黄多呈不规则的团块状或长圆形，中间膨大，两端稍细，有的细小，呈长条状，稍扁而扭曲，长 6 ~ 12cm，直径 2 ~ 6cm。表面棕黑色或棕灰色，极皱缩，具不规则的横曲纹。体重，质较软而韧，不易折断，断面棕黄色至黑色或乌黑色，有光泽，具黏性。气微，味微甜。

| **功能主治** | 鲜地黄，甘、苦，寒。归心、肝、肾经。清热生津，凉血止血。用于热病伤阴，舌绛烦渴，温毒发斑，吐血，衄血，咽喉肿痛。生地黄，甘，寒。归心、肝、

肾经。清热凉血，养阴生津。用于热入营血，温毒发斑，吐血衄血，热病伤阴，舌绛烦渴，津伤便秘，阴虚发热，骨蒸劳热，内热消渴。

| 用法用量 |　鲜地黄，内服煎汤，12 ~ 30g。生地黄，内服煎汤，10 ~ 15g；或入丸、散；或熬膏；或浸酒。

| 附　　注 |　在《洮南县志》（1930）记载的本地物产中，有关于"地黄"的记载。

玄参科 | Scrophulariaceae 玄参属 | *Scrophularia*

北玄参
Scrophularia buergeriana Miq.

| **植物别名** | 小山白薯、黑元参。

| **药 材 名** | 北玄参（药用部位：根。别名：北元参、黑肾、元参）。

| **形态特征** | 多年生高大草本，高可达 1.5m，有一段不长的地下茎。根头肉质结节，支根纺锤形膨大。茎四棱形，具白色髓心，略有自叶柄下延之狭翅，无毛或仅有微毛。叶片卵形至椭圆状卵形，多少三角形，基部阔楔形至截形，边缘有锐锯齿，无毛或仅下面有微毛；叶柄长达 5.5cm，无毛或仅有微毛。花序穗状，除顶生花序外，常由上部叶腋发出侧生花序，聚伞花序全部互生或下部者由于极接近而似对生，总花梗和花梗均不超过 5mm，多少有腺毛；花萼长约 2mm，裂片卵状椭圆形至宽卵形，先端钝至圆形；花冠黄绿色，上唇长于下唇约 1.5mm，两唇的裂片均圆钝，上唇 2 裂片边缘互相重叠，下唇中

北玄参

裂片略小；雄蕊几与下唇等长，退化雄蕊倒卵状圆形；花柱长约为子房的 2 倍。蒴果卵圆形。花期 7 月，果期 8 ~ 9 月。

| **生境分布** | 生于低山荒坡、湿草地、沟谷、河岸、山坡、林缘等较湿润的土壤中。分布于吉林延边（安图）、白山（抚松、长白）等。

| **资源情况** | 野生资源较少。药材主要来源于野生。

| **采收加工** | 秋末冬初茎叶枯萎时采挖，除去茎叶、须根及子芽，暴晒至半干后，堆闷 3 ~ 4d，晒至八九成干，再堆闷至心部油润发黑后，再晒干。

| **药材性状** | 本品呈圆柱形，有纵皱纹，表面灰褐色，有细根及细根痕。质坚实，不易折断，断面黑色，微有光泽。气特异，似焦糖，味苦、咸。以粗壮、质坚实、断面色黑者为佳。

| **功能主治** | 苦、咸，凉。归肺、胃、肾经。滋阴，降火，除烦，解毒。用于热病烦渴，发斑，骨蒸劳热，夜寐不宁，自汗盗汗，津伤便秘，吐血衄血，咽喉肿痛，痈肿，瘰疬。

| **用法用量** | 内服煎汤，9 ~ 15g；或入丸、散。外用适量，捣敷；或研末调敷。

| **附　　注** | 本种分布在吉林的野生资源较稀少，延边有少量栽培，但都自产自销，并无药材商品产出。

玄参科 Scrophulariaceae 玄参属 *Scrophularia*

丹东玄参 *Scrophularia kakudensis* Franch.

| **植物别名** | 广萼玄参、元参。

| **药 材 名** | 大山玄参（药用部位：根。别名：川玄参、土参、元参）。

| **形态特征** | 多年生草本，高达 1m 或更高，有一段直生而具须根的地下茎。支根纺锤形膨大。茎四棱形，有浅槽，具白色髓心，不分枝或上部分枝，上面疏生白色柔毛。叶具柄，下部的柄长达 4cm；叶片卵形至狭卵形，基部近圆形、近截形至微心形，边缘具整齐的锯齿，无毛或下面脉上有短毛。花序顶生和腋生，集成 1 大型圆锥花序，长达 30cm，总花梗和花梗长达 1.5cm，均生腺毛；花萼长约 4.5mm，裂片卵状椭圆形至宽卵形，先端锐尖；花冠外面绿色而内面带紫褐色，花冠筒球状筒形，上唇长于下唇约 2mm，上唇裂片近圆形，相邻边缘相互重叠，下唇裂片长约 1.5mm；雄蕊约与下唇等长，花丝扁，

丹东玄参

微毛状粗糙，退化雄蕊扇状圆形；花柱稍长于子房。蒴果宽卵形。花期 7 ~ 8 月，果期 9 ~ 10 月。

| **生境分布** | 生于山坡灌丛。分布于吉林通化（通化、柳河）、延边（延吉、龙井）等。

| **资源情况** | 野生资源较少。药材主要来源于野生。

| **采收加工** | 秋、冬季采挖，洗净，晒干。

| **药材性状** | 本品主根粗壮，须根较多；支根纺锤形膨大。表面灰褐色，有细根及细根痕。质坚实，不易折断，断面黑色。气特异，似焦糖，味苦、咸。

| **功能主治** | 苦、咸，凉。滋阴，降火，除烦，解毒。用于热病烦渴，发斑，骨蒸劳热，夜寐不安，津伤便秘，咽喉肿痛，痈肿，瘰疬。

| **用法用量** | 内服煎汤，6 ~ 12g。

玄参科 Scrophulariaceae 阴行草属 Siphonostegia

阴行草 *Siphonostegia chinensis* Benth.

| **植物别名** | 刘寄奴、黄花茵陈。

| **药 材 名** | 北刘寄奴（药用部位：全草。别名：黄花茵陈、吊钟草、灵茵陈）。

| **形态特征** | 一年生高大草本，高可达 1m 或更高。支根数条，纺锤形或胡萝卜状膨大。茎四棱形，有浅槽，无翅或有极狭的翅，无毛或多少有白色卷毛，常分枝。叶在茎下部的多对生而具柄，上部的有时互生而柄极短，叶片形状多变，多为卵形，有时上部的为卵状披针形至披针形，基部楔形、圆形或近心形，边缘具细锯齿，稀为不规则的细重锯齿。花序为疏散的大圆锥花序，由顶生和腋生的聚伞圆锥花序组成，但在较小的植株中，仅有顶生聚伞圆锥花序，聚伞花序常 2 ~ 4 回复出，有腺毛；花褐紫色，花萼裂片圆形，边缘稍膜质；花冠筒多少球形，上唇长于下唇约 2.5mm，裂片圆形，相邻边缘相互重叠，

阴行草

下唇裂片多少卵形，中裂片稍短；雄蕊稍短于下唇，花丝肥厚，退化雄蕊大而近圆形；花柱稍长于子房。蒴果卵圆形。花期 6 ～ 10 月，果期 9 ～ 11 月。

| **生境分布** | 生于溪旁、丛林、高山草丛、山坡草地、林缘、灌丛或荒地。分布于吉林白山（抚松、靖宇、长白）等。

| **资源情况** | 野生资源较少。药材主要来源于野生。

| **采收加工** | 秋季采收，除去杂质，晒干。

| **药材性状** | 本品长 30 ～ 60cm，枝表面紫褐色，被黄白色短柔毛，基部毛较少或近无毛，质坚实而硬，折断面黄白色，中央有髓。残留的叶片为黑褐色，多破碎不全，皱缩卷曲，质脆而易脱落。花序着生在枝端，花冠多数已萎落，花萼黄褐色，宿存，内萼通常藏有多数棕褐色的种子。气微，味苦。

| **功能主治** | 苦，寒。活血祛瘀，通经止痛，凉血止血，清热利湿。用于跌打损伤，外伤出血，瘀血经闭，月经不调，产后瘀痛，癥瘕积聚，血痢，血淋，湿热黄疸，水肿腹胀，带下过多。

| **用法用量** | 内服煎汤，9 ～ 15g，鲜品 30 ～ 60g；或研末。外用适量，研末调敷。

| **附　注** | （1）本种药材多作为民间用药，用量较小。受劳动力成本提高的影响，药农采收积极性不高。本种在吉林的野生资源较少，无药材商品产出。

（2）本种为吉林省 II 级重点保护野生植物。

玄参科 Scrophulariaceae 婆婆纳属 Veronica

北水苦荬 *Veronica anagallis-aquatica* L.

| **植物别名** | 水苦荬婆婆纳、大仙桃草。

| **药 材 名** | 北水苦荬（药用部位：带虫瘿的地上部分。别名：水苦荬、婆婆纳、半边山）。

| **形态特征** | 多年生（稀为一年生）草本，通常全体无毛，极少在花序轴、花梗、花萼和蒴果上有几根腺毛。根茎斜走。茎直立或基部倾斜，不分枝或分枝，高 0.1 ~ 1m。叶无柄，上部的半抱茎，多为椭圆形或长卵形，少为卵状矩圆形，更少为披针形，全缘或有疏而小的锯齿。花序比叶长，多花；花梗与苞片近等长，上升，与花序轴呈锐角，果期弯曲向上，使蒴果靠近花序轴，花序通常不宽于 1cm；花萼裂片卵状披针形，急尖，果期直立或叉开，不紧贴蒴果；花冠浅蓝色、浅紫色或白色，裂片宽卵形；雄蕊短于花冠。蒴果近圆形，长、宽近相等，

北水苦荬

几与萼等长，先端圆钝而微凹。花期 7 ~ 8 月，果期 8 ~ 9 月。

| 生境分布 | 生于沼泽地、水边、湿草甸。以长白山区为主要分布区域，分布于吉林延边、白山、通化、吉林、辽源（东丰）等。

| 资源情况 | 野生资源较少。药材主要来源于野生。

| 采收加工 | 5 ~ 6 月采割，除去杂质，晒干。

| 药材性状 | 本品茎呈圆柱形，稍扁，微具棱线，表面绿褐色；质脆，易折断，断面中空。叶对生，无柄，叶片多破碎，完整叶呈披针形，长 1 ~ 7cm，宽 0.5 ~ 2cm，全缘或有小齿，两面无毛。总状花序腋生；花梗纤细，长 2 ~ 5mm；苞片 4，卵状披针形，较花冠略短；花冠浅褐色。果实近球形，直径约 2.5mm。气微，味微苦。

| 功能主治 | 苦，平。归肺、肝、肾经。解毒消肿，清热利湿，止血化瘀。用于感冒，喉痛，劳伤咯血，痢疾，血淋，月经不调，疝气，疔疮，跌打损伤，高血压，胃痛，骨折。

| 用法用量 | 内服煎汤，10 ~ 30g；或研末。外用适量，鲜品捣敷。

玄参科 Scrophulariaceae 婆婆纳属 Veronica

石蚕叶婆婆纳 Veronica chamaedrys L.

| **药 材 名** | 石蚕叶婆婆纳（药用部位：全草）。

| **形态特征** | 多年生草本。茎上升，高 10 ~ 50cm，不分枝，密生 2 列多细胞长柔毛。叶下部者具极短的叶柄，中、上部者无柄，叶片卵形或圆卵形，长 2.5cm，宽 1.5 ~ 2cm，先端钝，基部平截或浅心形，边缘具深刻的钝齿，两面疏被短毛。总状花序成对，侧生于茎上部叶叶腋，除花冠外，花序各部分均被多细胞腺毛；苞片条状椭圆形，与花梗等长或较短；花萼裂片 4，披针形；花冠辐状，直径约 12mm，后方和侧面裂片宽大于长，前方裂片倒卵圆形，花冠内面几乎无毛；雄蕊短于花冠；花柱长 5 ~ 6mm。蒴果倒心形。花期 6 ~ 7 月，果期 7 ~ 8 月。

| **生境分布** | 生于林缘、湿草地或铁路边等。分布于吉林延边、白山、通化、长春、

石蚕叶婆婆纳

吉林、辽源等。

| **资源情况** | 野生资源较丰富。药材主要来源于野生。

| **采收加工** | 春、夏、秋季均可采收，洗净，晒干。

| **药材性状** | 本品茎不分枝，密生 2 列多细胞长柔毛。叶片卵形或圆卵形，边缘具深刻的钝齿，两面疏被短毛。花序总状；苞片条状椭圆形。蒴果倒心形。气微，味苦。

| **功能主治** | 清热解毒。用于咽喉肿痛。

玄参科 Scrophulariaceae 婆婆纳属 Veronica

大婆婆纳 *Veronica dahurica* Stev.

大婆婆纳

| 药 材 名 |

大婆婆纳（药用部位：全草）。

| 形态特征 |

多年生草本。茎单生或数条丛生，直立，高可达 1m，不分枝或稀上部分枝，通常被多细胞腺毛或柔毛。叶对生，在茎节上有一连接叶柄基部的环，叶柄长 1 ~ 1.5cm，少有较短者，叶片卵形、卵状披针形或披针形，基部常心形，先端常钝，少急尖，长 2 ~ 8cm，宽 1 ~ 3.5cm，两面被短腺毛，边缘具深刻的粗钝齿，常夹有重锯齿，基部羽状深裂过半，裂片外缘有粗齿，叶腋有不发育的分枝。总状花序长穗状，单生或因茎上部分枝而复出，各部分均被腺毛；花梗长 2 ~ 3mm；花冠白色或粉色，长 8mm，筒部长占花冠长的 1/3，檐部裂片开展，卵圆形至长卵形；雄蕊略伸出；花柱长近 1cm。蒴果与萼近等长。花期 7 ~ 8 月，果期 8 ~ 9 月。

| 生境分布 |

生于山坡草地、沟谷、沙丘、林缘、灌丛。吉林各地均有分布。

| **资源情况** | 野生资源较少。药材主要来源于野生。

| **采收加工** | 春、夏、秋季均可采收，洗净，晒干。

| **药材性状** | 本品茎偶见分枝，通常被柔毛。叶片卵形、卵状披针形或披针形，基部常心形，两面被短毛，边缘具深刻的粗钝齿。总状花序长穗状，各部分均被毛；花冠白色或粉色，檐部裂片卵圆形至长卵形。蒴果与萼近等长。气微，味苦。

| **功能主治** | 解毒，止血。用于咽喉肿痛，出血。

玄参科 Scrophulariaceae 婆婆纳属 Veronica

细叶婆婆纳 *Veronica linariifolia* Pall. ex Link

细叶婆婆纳

| 药 材 名 |

细叶婆婆纳（药用部位：全草）。

| 形态特征 |

多年生草本。根茎短，高 30 ~ 80cm。茎直立，单生或稀为 2 丛生，通常不分枝，被白色而多卷曲的柔毛。叶全部互生，稀下部叶对生，叶片条形、线状披针形或长圆状披针形，下部叶全缘，上部叶具粗疏牙齿，无毛或被白色的柔毛。总状花序顶生，长穗状；花梗短，被柔毛；花萼 4 深裂，裂片披针形，有睫毛；花冠蓝色或紫色，长 5 ~ 6mm，筒部长约为花冠长的 1/3，喉部有柔毛，裂片不等，后方 1 圆形，其余 3 卵形。蒴果卵球形，稍扁，先端微凹。花期 7 ~ 8 月，果期 8 ~ 9 月。

| 生境分布 |

生于草甸、草地、灌丛或疏林下。分布于吉林延边、白山、通化、长春、吉林、辽源等。

| 资源情况 |

野生资源较少。药材主要来源于野生。

| 采收加工 |

春、夏、秋季均可采收，洗净，晒干。

| **药材性状** | 本品根茎短。茎常不分枝，有白色而多卷曲的柔毛。叶全部互生或下部对生，条形至条状长椭圆形，下端全缘而中、上端边缘有三角状锯齿，两面无毛或被白色柔毛。总状花序长穗状；花梗被柔毛；花冠蓝色或紫色。气微，味苦。

| **功能主治** | 苦，微寒。清热解毒，止咳化痰，祛湿止痛，利尿。用于感冒，咳嗽咳痰，肢节酸痛，风湿痹病，小便不利。

玄参科 Scrophulariaceae 婆婆纳属 Veronica

兔儿尾苗 *Veronica longifolia* L.

兔儿尾苗

| 植物别名 |

长尾婆婆纳。

| 药 材 名 |

兔儿尾苗（药用部位：全草。别名：长尾婆婆纳）。

| 形态特征 |

一年生草本。茎单生或数条丛生，近直立，不分枝或上部分枝，高 0.4 ~ 1m 或更高，无毛或上部有极疏的白色柔毛。叶对生，偶 3 ~ 4 轮生，节上有一连接叶柄基部的环，叶腋有不发育的分枝，叶柄长 2 ~ 4mm，偶达 1cm，叶片披针形，渐尖，基部圆钝至宽楔形，有时浅心形，边缘具深刻的尖锯齿，常夹有重锯齿，两面无毛或有短曲毛。总状花序常单生，少复出，长穗状，各部分均被白色短曲毛；花梗直，长约 2mm；花冠紫色或蓝色，长 5 ~ 6mm，筒部长占花冠长的 2/5 ~ 1/2，裂片开展，后方 1 卵形，其余长卵形；雄蕊伸出；花柱长 7mm。蒴果长约 3mm，无毛。花期 6 ~ 8 月。

| 生境分布 |

生于海拔约 1500m 的山坡草甸、林缘、灌丛、桦木林下。分布于吉林延边、白山、通化、四平（铁东）等。

| **资源情况** | 野生资源较少。药材主要来源于野生。

| **采收加工** | 春、夏、秋季均可采收，洗净，晒干。

| **药材性状** | 本品茎有分枝，无毛或上部有极疏的白色柔毛。叶片披针形，边缘具深刻的尖锯齿，常夹有重锯齿，两面无毛或有短曲毛。总状花序长穗状，被白色短曲毛。蒴果长约 2mm，无毛。气微，味苦。

| **功能主治** | 祛风除湿，解毒，止痛。用于风湿痹病，咳嗽，气管炎，膀胱炎。

| **附　　注** | 在 FOC 中，本种的拉丁学名被修订为 *Pseudolysimachion longifolium* (Linnaeus) Opiz。

玄参科 Scrophulariaceae 婆婆纳属 Veronica

蚊母草 *Veronica peregrina* L.

蚊母草

| 植物别名 |

蚊母婆婆纳、接骨草、仙桃草。

| 药 材 名 |

蚊母草（药用部位：带虫瘿的全草。别名：仙桃草、水蓑衣、英桃草）。

| 形态特征 |

一年生草本，植株高 10 ~ 25cm，通常自基部多分枝。主茎直立，侧枝披散，全体无毛或疏生柔毛。叶无柄，下部的倒披针形，上部的长矩圆形，全缘或中上端有三角状锯齿。总状花序长，果期长达 20cm；苞片与叶同形而略小；花梗极短；花萼裂片长矩圆形至宽条形，长 3 ~ 4mm；花冠白色或浅蓝色，长 2mm，裂片长矩圆形至卵形；雄蕊短于花冠。蒴果倒心形，明显侧扁，长 3 ~ 4mm，宽略过之，边缘生短腺毛，宿存的花柱不超出凹口；种子矩圆形。花期 5 ~ 6 月，果期 7 ~ 8 月。

| 生境分布 |

生于潮湿的荒地、路边、水边。以长白山区为主要分布区域，分布于吉林延边、白山、通化、吉林、辽源（东丰）等。

| **资源情况** | 野生资源较丰富。药材主要来源于野生。

| **采收加工** | 春、夏季间采集果实未开裂的全草，除去杂质，晒干或用文火烘干。

| **药材性状** | 本品须根簇状，细而卷曲，表面棕灰色至棕色，折断面白色。茎圆柱形，直径约1mm；表面枯黄色或棕色，老茎微带紫色，有纵纹；质柔软，折断面中空。叶大多脱落，残留的叶片淡棕色或棕黑色，皱缩，卷曲。蒴果棕色，有虫瘿的果实膨大为肉质桃形，有多数细小而扁的种子。种子淡棕色。气微，味淡。以虫瘿多、内有小虫者为佳。

| **功能主治** | 辛，凉。归肝、胃、肺经。活血止血，行气止痛，清肺热，和肝胃。用于跌打损伤，咳嗽，痰中带血，吐血，鼻衄，咽喉肿痛，疝痛，痛经。

| **用法用量** | 内服煎汤，10～30g；或研末；或捣汁服。外用适量，鲜品捣敷；或煎汤洗。

玄参科 Scrophulariaceae 婆婆纳属 Veronica

东北婆婆纳

Veronica rotunda Nakai var. *subintegra* (Nakai) Yamazaki

| 药 材 名 | 东北婆婆纳（药用部位：全草）。

| 形态特征 | 多年生草本。茎单生，不分枝或上部分枝，无毛或中、上部被短柔毛。叶对生，茎节上有一连接叶基部的环，中、下部的叶无柄，抱茎，上部的叶无柄或有短柄，披针形、广披针形或长圆形，基部楔形，先端急尖至渐尖，表面无毛，背面沿叶脉被短柔毛。总状花序单生或分枝，花序轴密被白色短柔毛；花梗密被腺毛或短柔毛；苞片线形；花萼裂片 4，披针形；花冠蓝色、蓝紫色或淡紫色，稀白色，筒部短，长为全长的 1/4，里面被长毛，裂片多少开展，卵形或长圆形；雄蕊伸出花冠外。蒴果倒心状椭圆形或近椭圆形；种子卵圆形或椭圆形，褐色，扁平。花期 6 ～ 8 月，果期 8 ～ 9 月。

| 生境分布 | 生于草甸、林缘草地、沼泽地、山坡、针叶林林下、水边。分布于

东北婆婆纳

吉林白城（洮南、大安）、松原（乾安）、吉林（蛟河）、通化（辉南）等。

| 资源情况 |

野生资源较少。药材主要来源于野生。

| 采收加工 |

春、夏、秋季均可采收，洗净，晒干。

| 药材性状 |

本品茎上部分枝，无毛或中上部被短柔毛。叶无柄或有短柄，披针形、广披针形或长圆形，表面无毛，背面沿叶脉被短柔毛。花序总状，花序轴密被白色短柔毛；花梗密被柔毛；苞片线形；花冠蓝色、蓝紫色或淡紫色，内面被长毛，裂片卵形或长圆形。蒴果倒心状椭圆形或近椭圆形。种子卵圆形或椭圆形，褐色，扁平。气微，味苦。

| 功能主治 |

清肺止咳，化痰。用于肺热咳嗽、咳痰。

玄参科　Scrophulariaceae　婆婆纳属　*Veronica*

小婆婆纳 *Veronica serpyllifolia* L.

小婆婆纳

| **药 材 名** |

小婆婆纳（药用部位：全草。别名：百里香叶、婆婆纳、仙桃草）。

| **形态特征** |

多年生草本。茎多支丛生，下部匍匐生根，中、上部直立，高 10 ～ 30cm，被多细胞柔毛，上部常被多细胞腺毛。叶无柄，有时下部的叶有极短的柄，卵圆形至卵状矩圆形，边缘具浅齿缺，极少全缘，三至五出脉或为羽状叶脉。总状花序多花，单生或复出，果期长达 20cm，花序各部分密或疏被多细胞腺毛；花冠蓝色、紫色或紫红色，长 4mm；花柱长约 2.5mm。蒴果肾形或肾状倒心形，基部圆或几平截，边缘有 1 圈多细胞腺毛。花期 6 ～ 7 月，果期 8 ～ 9 月。

| **生境分布** |

生于湿地草甸、林缘或山坡草地等。以长白山区为主要分布区域，分布于吉林延边、白山、通化、吉林、辽源（东丰）等。

| **资源情况** |

野生资源较少。药材主要来源于野生。

| 采收加工 | 春、夏、秋季均可采收，洗净，晒干。

| 药材性状 | 本品茎多丛生，被柔毛。叶无柄，卵圆形至卵状矩圆形，边缘具浅齿。花序总状；花柱长约 2.5mm。蒴果肾形或肾状倒心形，基部圆或几平截，边缘具绒毛。气微，味甘、苦。

| 功能主治 | 甘、苦、涩，平。活血止血，清热解毒。用于跌打损伤，内有瘀血，月经不调，创伤出血，口疮，烫火伤，蛇咬伤。

| 用法用量 | 内服煎汤，3 ~ 9g。外用适量，鲜品捣敷。

玄参科 Scrophulariaceae 腹水草属 Veronicastrum

草本威灵仙 *Veronicastrum sibiricum* (L.) Pennell

草本威灵仙

| 植物别名 |

轮叶婆婆纳、狼尾巴花、草灵仙。

| 药 材 名 |

草本威灵仙（药用部位：全草。别名：轮叶婆婆纳、轮叶腹水草、九盖草）。

| 形态特征 |

多年生草本，高达 1m 或更高。根茎横走，长达 13cm，节间短，根多而须状。茎圆柱形，不分枝，无毛或多少被多细胞长柔毛。叶 4～6 轮生，矩圆形至宽条形，长 8～15cm，宽 1.5～4.5cm，无毛或两面疏被多细胞硬毛。花序顶生，长尾状，各部分无毛；花萼裂片长不超过花冠之半，钻形；花冠红紫色、紫色或淡紫色，长 5～7mm，裂片长 1.5～2mm。蒴果卵状，长约 3.5mm；种子椭圆形。花期 7～9 月。

| 生境分布 |

生于河岸、沟谷、湿草地、林缘草地、山坡、灌丛等。以长白山区为主要分布区域，分布于吉林延边、白山、通化、吉林、辽源（东丰）等。

| **资源情况** | 野生资源较丰富。药材主要来源于野生。

| **采收加工** | 夏、秋季采收，除去泥土、杂质，晒干。

| **药材性状** | 本品根茎节间短，根多而须状。茎圆柱形。叶近无柄或具短柄；叶片广披针形、长圆状披针形或倒披针形，边缘具尖锯齿；近革质。花序穗状；苞片条形；花萼裂片条形或线状披针形。蒴果卵形或卵状椭圆形。种子多数，细小。气微，味微苦。

| **功能主治** | 微苦，寒。祛风除湿，解毒止痛。用于感冒，风湿痹痛，膀胱炎，肺痨，创伤出血，毒蛇咬伤，毒虫螫伤。

紫葳科 Bignoniaceae 梓属 Catalpa

梓

Catalpa ovata G. Don

梓

| 植物别名 |

梓树、臭梧桐。

| 药 材 名 |

梓白皮（药用部位：根皮、树皮的韧皮部。别名：梓树皮）、梓木（药用部位：木材。别名：雷电子）、梓叶（药用部位：叶。别名：木豆角叶、木王叶）、梓实（药用部位：果实。别名：梓树果、木王果）。

| 形态特征 |

落叶乔木，高达 15m。树冠伞形，主干通直，嫩枝具稀疏柔毛。叶对生或近对生，有时轮生，阔卵形，长、宽近相等，长约 25cm，先端渐尖，基部心形，全缘或浅波状，常 3 浅裂，叶片两面均粗糙，微被柔毛或近无毛，侧脉 4 ~ 6 对，基部掌状脉 5 ~ 7；叶柄长 6 ~ 18cm。圆锥花序顶生；花序梗微被疏毛，长 12 ~ 28cm；花萼蕾时圆球形，2 唇开裂，长 6 ~ 8mm；花冠钟状，淡黄色，内面具 2 黄色条纹及紫色斑点，长约 2.5cm，直径约 2cm；能育雄蕊 2，花丝插生于花冠筒上，花药叉开，退化雄蕊 3；子房上位，棒状，花柱丝形，柱头 2 裂。蒴果线形，下垂，长 20 ~ 30cm，直径 5 ~ 7mm；种子长椭圆形，两端具有平展的长毛。花期 7 ~ 8 月，果期 9 ~ 10 月。

| **生境分布** | 生于山坡、沟旁、荒地或田边等。分布于吉林延边、白山、通化、四平（梨树）等。吉林各地均有栽培。

| **资源情况** | 野生资源较少。吉林广泛栽培。药材主要来源于栽培。

| **采收加工** | 梓白皮：春、秋季采挖根，剥取根皮，或剥取树皮，洗去泥沙，抽去木心，晒干。
梓木：春、夏、秋季皆可采收，晒干。
梓叶：夏季采收，晒干或鲜用。
梓实：秋季果实成熟时采摘，晒干或鲜用。

| **药材性状** | 梓白皮：本品呈块片状、卷曲状，大小不等，长 20 ~ 30cm，直径 2 ~ 3cm，厚 3 ~ 5mm。外表面栓皮易脱落，棕褐色，皱缩，有小支根痕；内表面黄白色，平滑细致，具细网状纹理。折断面不平整，纤维性，撕之不易成薄片。气微，味淡。以皮块大、厚实、内表面色黄者为佳。
梓实：本品呈狭线形，鲜时具强黏性，干燥后渐次消失，长 15 ~ 25cm，直径 3 ~ 7cm。暗棕色或黑棕色，有细纵皱，并有具光泽的细点，粗糙而脆，先端常破裂，露出种子，基部有果柄。种子菲薄，淡褐色，长 5mm，直径 2 ~ 3mm，上下两端被白色、具光泽的毛绒，长约 1cm，中央内面有暗色脐点，除去种皮可见 2 子叶。气微，味淡。

| **功能主治** | 梓白皮：苦，寒。归胆、胃经。清热解毒，和胃降逆，杀虫。用于腰肌劳损，时病发热，黄疸，反胃，湿疹，皮肤瘙痒，疥疮，小儿头疮。
梓木：苦，寒。归肺、肝、大肠经。催吐，止痛。用于手足痛风，霍乱。
梓叶：苦，寒。归心、肺经。消肿解毒，杀虫止痒。用于手足烂疮，疥疮，皮肤瘙痒。
梓实：甘，平。归肾、膀胱经。利尿，消肿，杀虫。用于水肿，小便涩痛，蛋白尿，肝硬化腹水。

| **用法用量** | 梓白皮：内服煎汤，5 ~ 9g。外用适量，研末调敷；或煎汤洗浴。
梓木：内服煎汤，5 ~ 9g。外用适量，煎汤熏蒸。
梓叶：外用适量，煎汤洗；或煎汁涂；或鲜品捣敷。
梓实：内服煎汤，9 ~ 15g。

紫葳科 Bignoniaceae 角蒿属 Incarvillea

角蒿
Incarvillea sinensis Lam.

角蒿

| 植物别名 |

角蒿透骨草、羊角草、羊角蒿。

| 药 材 名 |

角蒿（药用部位：全草。别名：乌曲玛保）。

| 形态特征 |

一年生至多年生草本。根近木质而分枝。茎分枝。叶互生，不聚生于茎的基部，2～3回羽状细裂，形态多变异，小叶不规则细裂，末回裂片线状披针形，具细齿或全缘。顶生总状花序疏散；小苞片绿色，线形，长3～5mm；花萼钟状，绿色带紫红色，长和宽均约5mm，萼齿钻状，萼齿间折皱2浅裂；花冠淡玫瑰色或粉红色，有时带紫色，钟状漏斗形，基部收缩成细筒，长约4cm，直径2.5cm，花冠裂片圆形；雄蕊4，二强，着生于花冠筒近基部，花药成对靠合；花柱淡黄色。蒴果淡绿色，细圆柱形，先端尾状渐尖；种子扁圆形，细小，四周具透明的膜质翅，先端具缺刻。花期7～8月，果期8～9月。

| 生境分布 |

生于荒地、路边、水边、山沟或向阳砂质地上。分布于吉林白城、松原、四平、吉林（龙潭）、辽源（东丰）、通化（梅河口）等。

| **资源情况** | 野生资源较丰富。药材主要来源于野生。

| **采收加工** | 花盛期采收，洗净泥土，晾干。

| **药材性状** | 本品根呈圆柱状，上端常残留茎和叶的残基，质脆，断面类白色至淡黄色，皮部颜色较深，疏松，颗粒状，髓明显。叶皱缩，完整叶片长矩圆形，羽状全裂，裂片大小不一，暗绿色至淡黄色。花皱缩，淡紫色或黑褐色；湿展后呈漏斗状，先端 5 浅裂，雄蕊 4，柱头漏斗形。偶见蒴果，具 4 棱。气微，味淡。以色绿、枝嫩、带"珍珠"果者为佳。

| **功能主治** | 辛、苦，平；有小毒。归肝、肾经。祛风除湿，清热解毒，止痛，杀虫止痒。用于风湿痹痛，筋骨疼痛，口疮，齿龈溃烂，耳疮，湿疹，疥癣，阴道毛滴虫病。

| **用法用量** | 内服煎汤，9 ~ 15g。外用适量，煎汤熏洗；或捣敷。

胡麻科 Pedaliaceae 胡麻属 Sesamum

芝麻 *Sesamum indicum* L.

芝麻

| 植物别名 |

胡麻、油麻、脂麻。

| 药 材 名 |

黑芝麻（药用部位：种子。别名：胡麻、油麻、脂麻）。

| 形态特征 |

一年生直立草本，高 0.6 ～ 1.5m，分枝或不分枝，中空或具白色髓部，微有毛。叶矩圆形或卵形，下部叶常掌状 3 裂，中部叶有齿缺，上部叶近全缘；叶柄长 1 ～ 5cm。花单生或 2 ～ 3 同生于叶腋内；花萼裂片披针形，被柔毛；花冠长 2.5 ～ 3cm，筒状，直径 1 ～ 1.5cm，白色而常有紫红色或黄色的彩晕；雄蕊 4，内藏；子房上位，4 室（云南西双版纳栽培植物可至 8 室），被柔毛。蒴果矩圆形，长 2 ～ 3cm，直径 6 ～ 12mm，有纵棱，直立，被毛，分裂至中部或基部；种子有黑色、白色之分。花期夏末秋初。

| 生境分布 |

生于路边、田埂或房前屋后。吉林无野生分布。吉林各地均有栽培。

| **资源情况** | 吉林有栽培。药材主要来源于栽培。

| **采收加工** | 秋季果实成熟时采割植株，晒干，打下种子，除去杂质，再晒干。

| **药材性状** | 本品呈扁卵圆形，长约 3mm，宽约 2mm。表面黑色，平滑或有网状皱纹，尖端有棕色点状种脐。种皮薄，子叶 2，白色，富油性。气微，味甘，有油香气。

| **功能主治** | 甘，平。归肝、肾、大肠经。补肝肾，益精血，润肠燥。用于精血亏虚，头晕眼花，耳鸣耳聋，须发早白，病后脱发，肠燥便秘。

| **用法用量** | 内服煎汤，9 ~ 15g；或入丸、散。外用适量，煎汤洗浴；或捣敷。

| **附　　注** | 2020 年版《中国药典》记载本种的中文名称为脂麻。

苦苣苔科 Gesneriaceae 旋蒴苣苔属 Boea

旋蒴苣苔
Boea hygrometrica (Bunge) R. Br.

| 植物别名 | 猫耳旋蒴苣苔、猫耳朵、牛耳草。

| 药 材 名 | 牛耳草（药用部位：全草。别名：猫耳朵、石花子、崖青叶）。

| 形态特征 | 多年生草本。叶全部基生，莲座状，无柄，近圆形、圆卵形或卵形，上面被白色贴伏长柔毛，下面被白色或淡褐色贴伏长绒毛，先端圆形，边缘具牙齿或波状浅齿，叶脉不明显。伞形聚伞花序2～5，每花序具2～5花；苞片2；花萼钟状，5裂至近基部，上唇2略小，线状披针形，先端钝，全缘；花冠淡蓝紫色，檐部稍二唇形，上唇2裂，裂片等大，长圆形，比下唇裂片短而窄，下唇3裂，裂片等大，宽卵形或卵形；雄蕊2，花丝扁平，花药卵圆形，退化雄蕊3，极小；无花盘；雌蕊不伸出花冠外，子房卵状长圆形。蒴果长圆形；种子卵圆形。花期7～8月，果期9月。

旋蒴苣苔

| **生境分布** | 生于阴坡石崖或山坡路旁岩石上。分布于吉林白山（抚松、长白）、延边（和龙、安图）、吉林（磐石）等。

| **资源情况** | 野生资源较少。药材主要来源于野生。

| **采收加工** | 夏、秋季采收，除去杂质，鲜用或晒干。

| **功能主治** | 苦、涩，平。归肺经。祛痰，散结，消肿，止血，解毒。用于慢性支气管炎，咳嗽痰多，颈部淋巴结结核，癣疮，小儿疳积，食积，中耳炎，跌打损伤。

| **用法用量** | 内服煎汤，9 ~ 15g；研末冲服，3g；或浸酒饮。外用适量，研粉撒；或鲜品捣敷。

列当科 Orobanchaceae 草苁蓉属 Boschniakia

草苁蓉 *Boschniakia rossica* (Cham. et Schlecht.) Fedtsch.

| 植物别名 | 肉苁蓉、不老草。

| 药 材 名 | 草苁蓉（药用部位：全草。别名：肉松蓉、地精、不老草）。

| 形态特征 | 多年生寄生草本，植株高 15 ~ 35cm。根茎横走，圆柱状，通常有 2 ~ 3 直立的茎。茎不分枝，粗壮，中部直径 1.5 ~ 2cm，基部增粗。叶密集生于茎近基部，向上渐变稀疏，三角形或宽卵状三角形，长、宽均为 6 ~ 8（~ 10）mm。花序穗状，圆柱形；苞片 1，宽卵形或近圆形；花梗长 1 ~ 2mm；花萼杯状，长 5 ~ 7mm，先端不整齐地 3 ~ 5 齿裂，裂片狭三角形或披针形；花冠宽钟状，暗紫色或暗紫红色，花冠筒膨大成囊状，上唇直立，近盔状，下唇极短，3 裂，裂片三角形或三角状披针形；雄蕊 4，稍伸出花冠之外，长 5.5 ~ 6.5mm，花药卵形；雌蕊由 2 合生心皮组成，子房近球形，胎座 2。

草苁蓉

蒴果近球形；种子椭圆球形。花期 7 ~ 8 月，果期 8 ~ 9 月。

| **生境分布** | 生于山顶多石处、灌丛、山坡、林下低湿处或河边，常寄生于桤木属植物的根上。分布于吉林白山（长白、抚松、临江）、延边（安图）等。

| **资源情况** | 野生资源较少。药材主要来源于野生。

| **采收加工** | 7 ~ 8 月采收，除去杂质，阴干或晒干。

| **药材性状** | 本品全体近无毛，长 5 ~ 10cm。根茎横生，圆柱状。茎常单茎、双茎或多茎连结，无分枝，直径 0.5 ~ 1.5cm，表面呈暗黄棕色至紫褐色。叶密集生于茎基部，三角形或宽卵状三角形，先端锐尖或钝圆，长 0.5 ~ 1cm。穗状花序长 8 ~ 22cm；花萼杯状，先端不整齐 3 ~ 5 齿裂；花冠宽钟状，暗紫色或暗紫红色，筒部膨大成囊状，上唇直立，近盔状，下唇极短，3 裂，裂片为三角形或三角状披针形。蒴果近球状，2 裂，中间有一明显纵沟，先端常具宿存的花柱基部，斜喙状。种子椭圆球形。上部较脆，易折断，根部坚实。气微，味苦涩、微辛。

| **功能主治** | 甘、酸，温。补肾壮阳，润肠通便，止血。用于肾虚阳痿，腰膝冷痛，肠燥便秘，不孕不育。

| **用法用量** | 内服煎汤，15 ~ 30g；或泡酒。

| **附　　注** | （1）草苁蓉已被列入 2019 年版《吉林省中药材标准》第一册。
（2）草苁蓉作为中药材的用量不大，但作为具有保健功效的泡酒原料，其年用量超过 200t。在一些特产和保健品商店，草苁蓉以根计价，视其大小，价格不等。本种药材在吉林的年产量为 50t 左右，供求平稳。
（3）本种为吉林省 I 级重点保护野生植物。

列当科 Orobanchaceae 列当属 Orobanche

弯管列当

Orobanche cernua Loefling

弯管列当

| 植物别名 |

二色列当、欧亚列当、独根草。

| 药 材 名 |

弯管列当（药用部位：全草）。

| 形态特征 |

一年生、二年生或多年生寄生草本，常具多分枝的肉质根。茎黄褐色，圆柱状，不分枝。叶三角状卵形或卵状披针形。花序穗状，具多数花；苞片卵形或卵状披针形；花萼钟状，2深裂至基部，裂片先端常2浅裂；花冠在花丝着生处（特别是在花期后）明显膨大，向上缢缩，口部稍膨大，筒部淡黄色，在缢缩处稍扭转地向下膝状弯曲，上唇2浅裂，下唇稍短于上唇，3裂，裂片淡紫色或淡蓝色，近圆形；雄蕊4，花丝着生于距筒基部5～7mm处，基部稍增粗，花药卵形；子房卵状长圆形，花柱稍粗壮，柱头2浅裂。蒴果长圆形或长圆状椭圆形，干后深褐色；种子长椭圆形。花期7～8月，果期8～9月。

| 生境分布 |

寄生于山坡、草地、灌丛、疏林等地蒿属植物的根上。分布于吉林松原（乾安、长岭）、

白城（通榆、镇赉）等。

| **资源情况** |　野生资源较少。药材主要来源于野生。

| **采收加工** |　春、夏季采收，洗去泥沙、杂质，晒至七八成干，扎成小把，再晒至全干。

| **功能主治** |　补肾助阳，强筋骨，止泻。用于阳痿遗精，腰膝酸痛，筋骨痿软。

列当科 Orobanchaceae 列当属 Orobanche

列当

Orobanche coerulescens Steph.

| 植物别名 | 紫花列当、独根草、兔子腿。

| 药 材 名 | 列当（药用部位：全草。别名：独根草、兔子拐棒）。

| 形态特征 | 二年生或多年生寄生草本，全株密被蛛丝状长绵毛。茎直立，不分枝，具明显的条纹，基部常稍膨大。叶生于茎下部的较密集，上部的渐变稀疏，卵状披针形，连同苞片和花萼外面及边缘密被蛛丝状长绵毛。花多数，排列成穗状花序，先端钝圆或呈锥状；苞片与叶同形并近等大，先端尾状渐尖；花萼2深裂达近基部，每裂片中部以上再2浅裂，小裂片狭披针形；花冠深蓝色、蓝紫色或淡紫色，上唇2浅裂，下唇3裂，裂片近圆形或长圆形，中间的较大；雄蕊4，花丝着生于花冠筒中部，花药卵形；子房椭圆体状或圆柱状，花柱与花丝近等长，柱头常2浅裂。蒴果卵状长圆形或圆柱形；种子多数。

列当

花期 6 ~ 7 月，果期 8 ~ 9 月。

| **生境分布** | 寄生于山坡、草地、灌丛、疏林、砂石堆积处等地的蒿属植物的根上。吉林各地均有分布。

| **资源情况** | 野生资源较少。药材主要来源于野生。

| **采收加工** | 夏、秋季采收，除去泥沙，晒干。

| **药材性状** | 本品茎单一，呈圆柱形，被白色蛛丝状长绵毛，直径 0.5 ~ 1cm，长 15 ~ 35cm，表面黄褐色或暗褐色，具纵沟。质硬脆，较易折断，断面中空或有浅黄色髓，内层类白色，中层棕色。鳞叶互生，卵状披针形，呈黄棕色。花序穗状，黄褐色，花冠淡紫色或黄褐色。气微，味微苦。

| **功能主治** | 甘，温。归肾、肝、大肠经。补肾助阳，强筋健骨，润肠通便。用于肾阳虚之阳痿早泄，遗精，腰膝酸软冷痛，耳鸣，宫冷不孕，肠燥便秘。

| **用法用量** | 内服煎汤，10 ~ 15g；或浸酒。外用适量，煎汤洗。

| **附 注** | （1）列当已被列入 2019 年版《吉林省中药材标准》第一册。
（2）列当的价格为 6 ~ 8 元 /kg，供求平稳，价格走势一般。本种在吉林的野生资源较丰富，主产于镇赉、大安等地，年产量约 10t。
（3）本种为吉林省 II 级重点保护野生植物。

列当科 Orobanchaceae 列当属 Orobanche

黑水列当

Orobanche pycnostachya Hance var. *amurensis* G. Beck

黑水列当

| 药 材 名 |

黑水列当（药用部位：全草。别名：山紫菀）。

| 形态特征 |

二年生或多年生草本，株高 10 ~ 40
（~ 50）cm，全株密被腺毛。茎不分枝，
直立，基部稍膨大。叶卵状披针形或披针形，
干后黄褐色，长 1 ~ 2.5cm，宽 4 ~ 8mm，
连同苞片、花萼裂片和花冠裂片外面及边缘
密被腺毛。花序穗状，圆柱形，长 8 ~ 20cm，
先端锥状，具多数花；苞片卵状披针形，长
1.6 ~ 1.8（~ 2）cm，宽 4 ~ 6mm，先端尾
状渐尖或长尾状渐尖；花萼长 1.2 ~ 1.5cm，
2 深裂至基部，每裂片又再 2 裂，小裂片狭
披针形或近线形，不等长，长 4 ~ 6mm；
花冠蓝色或紫色，长 2 ~ 3cm，筒中部稍弯
曲，在花丝着生处稍上方缢缩，向上稍增大，
上唇 2 浅裂，偶见先端微凹，下唇长于上
唇，3 裂，中裂片常较大，全部裂片近圆形，
边缘波状或具不规则的小圆齿状牙齿；雄蕊
4，花丝着生于距筒基部 5 ~ 7mm 处，长
1.2 ~ 1.4cm，基部稍膨大并疏被腺毛，向上
渐变无毛，花药长卵形，缝线被长柔毛；子
房长圆状椭圆形，花柱稍粗壮，长约 1.5cm，
疏被腺毛，柱头 2 浅裂。蒴果长圆形，干后

深褐色，长约 1cm，直径 3 ～ 4mm；种子多数，干后黑褐色，长圆形，长 0.35 ～ 0.38mm，直径 0.27mm，表面具网状纹饰，网眼底部具蜂巢状凹点。

| 生境分布 |

寄生于山坡、草地、灌丛、疏林等地蒿属植物的根上。吉林各地均有分布。

| 资源情况 |

野生资源较少。药材主要来源于野生。

| 采收加工 |

夏、秋季采收，除去杂质，晒干。

| 功能主治 |

补肾壮阳，强筋壮骨。用于腰膝冷痛，阳痿，遗精，肠炎，痢疾，小儿久泻，神经症。

列当科 Orobanchaceae 列当属 Orobanche

黄花列当
Orobanche pycnostachya Hance

黄花列当

| 植物别名 |

兔子拐棍、独根草。

| 药 材 名 |

黄花列当（药用部位：全草）。

| 形态特征 |

二年生或多年生寄生草本，全株密被腺毛。茎不分枝，直立，基部稍膨大。叶卵状披针形或披针形，连同苞片、花萼裂片和花冠裂片的外面及边缘密被腺毛。花序穗状，圆柱形，先端锥状，具多数花；苞片卵状披针形，先端尾状渐尖或长尾状渐尖；花萼2深裂至基部，每裂片又再2裂，小裂片狭披针形或近线形；花冠黄色，筒中部稍弯曲，在花丝着生处稍上方缢缩，向上稍增大，上唇2浅裂，偶见先端微凹，下唇长于上唇，3裂，中裂片常较大，全部裂片近圆形；雄蕊4，花丝着生于距花冠筒基部5～7mm处，花药长卵形；花柱稍粗壮。蒴果长圆形；种子多数，干后黑褐色，长圆形。花期5～6月，果期7～8月。

| 生境分布 |

寄生于山坡、荒沙地、草地、灌丛、疏林等

地的蒿属植物的根上。吉林各地均有分布。

| **资源情况** | 野生资源较少。药材主要来源于野生。

| **采收加工** | 春、夏季采收，洗去泥沙、杂质，晒至七八成干，扎成小把，再晒至全干。

| **药材性状** | 本品被短腺毛。茎肥壮，肉质，表面黄褐色或暗褐色，具纵皱纹。鳞片互生，卵状披针形，先端尖，黄褐色，皱缩，稍卷曲。花序顶生，长7~10cm，黄褐色；花冠筒状，黄色，略弯曲；花柱较花冠稍长。蒴果卵状椭圆形，长1cm。气微，味微苦。

| **功能主治** | 甘，温。补肾助阳，强筋骨。用于神经衰弱，腰膝酸软，小儿腹泻，肠炎，痢疾。

| **用法用量** | 内服煎汤，3~9g；或浸酒。外用适量，煎汤洗。

列当科 Orobanchaceae 黄筒花属 Phacellanthus

黄筒花 *Phacellanthus tubiflorus* Sieb.

| **药 材 名** | 黄筒花（药用部位：全草）。

| **形态特征** | 多年生肉质寄生小草本。茎直立，单生或簇生，不分枝。叶较稀疏，螺旋状排列于茎上，卵状三角形或狭卵状三角形，先端尖。花常 4 至十几朵簇生于茎先端，呈近头状花序；苞片 1，宽卵形至长椭圆形，先端渐尖或稍钝；无花萼；花冠筒状二唇形，白色，后渐变浅黄色，上唇先端微凹或 2 浅裂，下唇 3 裂，明显短于上唇，裂片近等大，长圆形；雄蕊 4，花丝纤细，着生于距花冠筒基部 1 ~ 1.2cm 处，花药 2 室，全部发育，卵形；子房椭圆球形，侧膜胎座 4 ~ 6，花柱伸长，无毛，柱头棍棒状，近 2 浅裂。蒴果长圆形；种子多数，卵形，种皮网状。花期 7 月，果期 8 月。

| **生境分布** | 寄生于针阔叶混交林内阴湿处木本植物的根上。分布于吉林延边、

黄筒花

白山、通化等。

| **资源情况** | 野生资源较少。药材主要来源于野生。

| **采收加工** | 6 ～ 8 月采收，晒干。

| **功能主治** | 甘，温。清热利湿，顺气除痰，补肾壮阳，消肿止痛，解毒。用于湿阻中焦，咳痰喘息，腰膝酸痛，肿痛。

| **用法用量** | 内服煎汤，6 ～ 15g。

| **附　　注** | 本种为吉林省Ⅲ级重点保护野生植物。

狸藻科 Lentibulariaceae 狸藻属 Utricularia

狸藻 *Utricularia vulgaris* L.

| 植物别名 | 闸草。

| 药 材 名 | 狸藻（药用部位：全草）。

| 形态特征 | 多年生水生草本。匍匐枝圆柱形，多分枝，节间长 3 ～ 12mm。叶器多数，互生，2 裂达基部，裂片卵形、椭圆形或长圆状披针形，先羽状深裂，后 2 ～ 4 回二歧状深裂；末回裂片毛发状。捕虫囊通常多数，侧生于叶器裂片上，斜卵球状，侧扁。花序直立，中部以上具 3 ～ 10 疏离的花；花序梗圆柱状；苞片与鳞片同形，基部着生，宽卵形、圆形或长圆形；花梗丝状；花萼 2 裂达基部，裂片近相等，上唇先端微钝，下唇先端截形或微凹；花冠黄色，长 12 ～ 18mm，上唇卵形至近圆形，下唇横椭圆形，距筒状，基部宽圆锥状；雄蕊无毛，花丝线形，药室汇合；子房球形。蒴果球形，长 3 ～ 5mm，

狸藻

周裂；种子扁压，具 6 角和细小的网状突起。花期 6 ~ 8 月，果期 7 ~ 9 月。

| **生境分布** | 生于水坑、河边水中或沼泽地，常成片生长。吉林各地均有分布。

| **资源情况** | 野生资源较丰富。药材主要来源于野生。

| **采收加工** | 夏、秋季采捞，除去杂质，洗净，晒干。

| **功能主治** | 淡，平。清热解毒，利水杀虫。用于咽喉肿痛，水肿，虫积证。

透骨草科 Phrymaceae　透骨草属 Phryma

透骨草

Phryma leptostachya L. subsp. *asiatica* (Hara) Kitamura

| 植物别名 | 接生草、毒蛆草。

| 药 材 名 | 透骨草（药用部位：全草。别名：老婆子针线）。

| 形态特征 | 多年生草本。茎具 4 棱，被细柔毛，节部稍膨大，上部常分枝。叶对生，被细柔毛；叶片卵形或三角状卵形，薄纸质，基部楔形或近截形，下延，先端渐尖至长渐尖，边缘具粗锯齿，表面疏生短柔毛，背面有毛或仅脉上有毛。总状花序细长如穗状，顶生或腋生，花轴被短柔毛；花小，疏生，花梗极短，花期向上或平展，花后向下；花基部具 1 苞片，披针形，小苞片 2，钻形，具缘毛；花萼筒状，外面具纵棱，近无毛，上唇 3 裂片刺芒状，先端向后钩曲，下唇 2 齿裂三角状，具缘毛；花冠白色，常带淡紫色，上唇 2 裂片齿状，钝尖，下唇长于上唇，3 裂片钝圆，中裂片较大；雄蕊 4，二强；子房狭倒

透骨草

卵形或长圆形，花柱稍短于雄蕊。瘦果包于宿存萼内，棒状，下垂，贴近花轴；种子 1，长椭圆形，淡黄褐色，有纵纹，先端尖。花期 7 ~ 8 月，果期 8 ~ 9 月。

| **生境分布** | 生于林下、灌丛、林缘等较阴湿处。以长白山区为主要分布区域，分布于吉林延边、白山、通化、吉林、辽源（东丰）等。

| **资源情况** | 野生资源丰富。药材主要来源于野生。

| **采收加工** | 夏、秋季采收，除去杂质，晒干。

| **药材性状** | 本品茎呈四棱形，被倒生短毛。单叶对生，叶片卵形或卵圆形，先端稍尖，边缘有粗锯齿，两面均生短细毛。总状花序顶生或腋生，花柄短，花萼筒状，先端 5 裂，花冠 5 唇裂，上 3 裂紫红色，下 2 裂白色有紫纹。瘦果在宿存萼中成熟、下垂，种子 1，有纵纹。气微，味涩。

| **功能主治** | 苦，凉。清热利湿，活血消肿。用于黄水疮，疥疮，漆疮，湿疹，疮毒感染发热，跌打损伤，骨折。

| **用法用量** | 内服煎汤，9 ~ 15g。外用适量，捣敷。

| **附　注** | 透骨草在吉林的药用历史较久。在《镇东县志》（1927）、《（民国）安图县志》（1929）、《吉林新志》（1934）等 10 余部地方志中均有关于"透骨草"的记载。

车前科 Plantaginaceae 车前属 Plantago

车前

Plantago asiatica L.

车前

| 植物别名 |

车前草、车轱辘菜、车轮菜子。

| 药 材 名 |

车前草（药用部位：全草。别名：牛么草、牛舌草、虾蟆衣）、车前子（药用部位：种子。别名：牛么草子、车轱辘草子、车前仁）。

| 形态特征 |

二年生或多年生草本。须根多数。根茎短，稍粗。叶基生，呈莲座状，平卧、斜展或直立；叶片薄纸质或纸质，宽卵形至宽椭圆形，先端钝圆至急尖，边缘波状，或全缘，或中部以下有锯齿、牙齿或裂齿，基部宽楔形或近圆形；脉 5 ~ 7；叶柄基部扩大成鞘。花序 3 ~ 10，直立或弓曲上升；穗状花序细圆柱状，紧密或稀疏，下部常间断；苞片狭卵状三角形或三角状披针形；花具短梗；萼片先端钝圆或钝尖；花冠白色，花冠筒与萼片约等长，裂片狭三角形；雄蕊着生于花冠筒内面近基部，花药卵状椭圆形，白色；胚珠 7 ~ 18。蒴果纺锤状卵形、卵球形或圆锥状卵形；种子 5 ~ 12，卵状椭圆形或椭圆形，黑褐色至黑色。花期 7 ~ 8 月，果期 8 ~ 9 月。

| **生境分布** | 生于山野、路旁、荒地、田间小路、田边或住宅附近，常成片生长。吉林各地均有分布。

| **资源情况** | 野生资源丰富。药材主要来源于野生。

| **采收加工** | 车前草：夏季采收，除去泥沙，晒干。
车前子：夏、秋季种子成熟时采收果穗，晒干，搓出种子，除去杂质，晒干。

| **药材性状** | 车前草：本品根丛生，须状。叶基生，具长柄；叶片皱缩，展平后呈卵状椭圆形或宽卵形，长 6 ~ 13cm，宽 2.5 ~ 8cm；表面灰绿色或污绿色，具明显弧形脉 5 ~ 7；先端钝或短尖，基部宽楔形，全缘或有不规则波状浅齿。穗状花序数条，花茎长。蒴果盖裂，萼宿存。气微香，味微苦。以叶片完整、色灰绿者为佳。
车前子：本品呈椭圆形、不规则长圆形或三角状长圆形，略扁，长约 2mm，宽约 1mm。表面黄棕色至黑褐色，有细皱纹，一面有灰白色凹点状种脐。质硬。气微，味淡。以粒大、色黑、饱满者为佳。

| **功能主治** | 车前草：甘，寒。归肝、肾、肺、小肠经。利尿通淋，凉血解毒，清热祛痰。用于热淋涩痛，水肿尿少，暑湿泄泻，痰热咳嗽，吐血衄血，痈肿疮毒。
车前子：甘，寒。归肝、肾、肺、小肠经。清热利尿通淋，渗湿止泻，明目祛痰。用于热淋涩痛，水肿胀满，暑湿泄泻，目赤肿痛，痰热咳嗽。

| **用法用量** | 车前草：内服煎汤，9 ~ 30g，鲜品 30 ~ 60g；或捣汁服。外用适量，煎汤洗；或捣敷；或绞汁涂。
车前子：内服煎汤，9 ~ 15g，包煎；或入丸、散。外用适量，煎汤洗；或研末调敷。

| **附　注** | （1）车前在吉林的药用历史较久。在《吉林通志》（1891）、《大中华吉林省地理志》（1921）、《吉林新志》（1934）等 40 余部地方志中均有关于"车前"的记载。
（2）本种的幼苗为可食用的山野菜。

车前科 Plantaginaceae 车前属 *Plantago*

平车前 *Plantago depressa* Willd.

| **植物别名** | 车前草、车轱辘菜、驴耳朵菜。

| **药 材 名** | 车前草（药用部位：全草。别名：牛么草、牛舌草、虾蟆衣）、车前子（药用部位：种子。别名：牛么草子、车轱辘草子、车前仁）。

| **形态特征** | 一年生或二年生草本。直根长，具多数侧根，多少肉质。根茎短。叶基生，呈莲座状，平卧、斜展或直立；叶片纸质，椭圆形、椭圆状披针形或卵状披针形，先端急尖或微钝，边缘具浅波状钝齿、不规则锯齿或牙齿，基部宽楔形至狭楔形，脉 5 ~ 7。花序 3 ~ 10 或更多；穗状花序细圆柱状，上部密集，基部常间断；苞片三角状卵形；花萼龙骨突宽厚；花冠白色，花冠筒与萼片等长或略长于萼片，裂片极小，椭圆形或卵形；雄蕊着生于花冠筒内面近先端，同花柱明显外伸，花药卵状椭圆形或宽椭圆形，先端具宽三角状小突起；

平车前

胚珠 5。蒴果卵状椭圆形至圆锥状卵形，于基部上方周裂；种子 4 ~ 5，椭圆形，腹面平坦，黄褐色至黑色；子叶背腹向排列。花期 6 ~ 7 月，果期 8 ~ 9 月。

| **生境分布** | 生于山野、路旁、田埂、草地、林缘、河边或住宅附近，常成片生长。吉林各地均有分布。

| **资源情况** | 野生资源丰富。药材主要来源于野生。

| **采收加工** | 车前草、车前子：同"车前"。

| **药材性状** | 车前草：本品主根直而长。叶片较狭，长椭圆形或椭圆状披针形，长 5 ~ 14cm，宽 2 ~ 3cm。
车前子：同"车前"。

| **功能主治** | 车前草、车前子：同"车前"。

| **用法用量** | 车前草、车前子：同"车前"。

车前科 Plantaginaceae 车前属 Plantago

长叶车前
Plantago lanceolata L.

长叶车前

| 植物别名 |

披针叶车前、欧车前、窄叶车前。

| 药 材 名 |

长叶车前（药用部位：全草或种子）。

| 形态特征 |

多年生草本。直根粗长。根茎粗短。叶基生，呈莲座状；叶片纸质，线状披针形、披针形或椭圆状披针形，先端渐尖至急尖，全缘或具极疏的小齿，基部狭楔形，下延，脉 3 ~ 7；叶柄细，基部略扩大成鞘状。花序 3 ~ 15；花序梗直立或弓曲上升；穗状花序幼时通常呈圆锥状卵形，成长后变短圆柱状或头状，紧密；苞片卵形或椭圆形；花萼龙骨突不达先端，膜质侧片宽，前对萼片至近先端合生；花冠白色，花冠筒约与萼片等长或稍长，裂片披针形或卵状披针形，先端尾状急尖；雄蕊着生于花冠筒内面中部，与花柱明显外伸，花药椭圆形；胚珠 2 ~ 3。蒴果狭卵球形；种子 1 ~ 2，狭椭圆形至长卵形，淡褐色至黑褐色。花期 5 ~ 6 月，果期 6 ~ 7 月。

| 生境分布 |

生于山坡、路旁或草地等，常成片生长。吉

林各地均有分布。

| **资源情况** | 野生资源丰富。药材主要来源于野生。

| **采收加工** | 车前草：夏季采收，除去泥沙，晒干。
车前子：夏、秋季种子成熟时采收果穗，晒干，搓出种子，除去杂质，晒干。

| **药材性状** | 本品根茎粗短，圆柱形。叶片线状披针形、披针形或椭圆状披针形，先端渐尖至急尖，全缘或具极疏的小齿，基部狭楔形，脉 3 ~ 7；叶柄细，基部略扩大成鞘状。花序 3 ~ 15；花序梗直立或弓曲上升；穗状花序数条。蒴果盖裂，萼宿存。气微香，味微苦。种子狭椭圆形至长卵形，长约 3mm，宽约 1mm。淡褐色至黑褐色，有光泽，腹面内凹成船形；子叶左右向排列。质硬。气微，味淡。

| **功能主治** | 全草，解毒止血，止咳解痉。用于外伤出血，咳嗽哮喘，肺病。种子，止泻。用于中毒腹泻。

车前科 Plantaginaceae 车前属 *Plantago*

大车前 *Plantago major* L.

| 植物别名 | 车轱辘菜、车轮菜子、驴耳朵菜。

| 药材名 | 大车前草（药用部位：全草。别名：当道、牛遗）、大车前子（药用部位：种子。别名：车前实、凤眼前仁）。

| 形态特征 | 二年生或多年生草本。须根多数。根茎粗短。叶基生，呈莲座状，平卧、斜展或直立；叶片草质、薄纸质或纸质，宽卵形至宽椭圆形，先端钝尖或急尖，边缘波状或疏生不规则牙齿，或近全缘，两面疏生短柔毛或近无毛，少数被较密的柔毛；叶柄基部鞘状，常被毛。花序1至数个；花序梗直立或弓曲上升，有纵条纹，被柔毛；穗状花序细圆柱状，基部常间断；苞片宽卵状三角形，宽与长约相等或宽略超过长，无毛或先端疏生短毛，龙骨突宽厚；花无梗；萼片先端圆形，无毛或疏生短缘毛，边缘膜质，龙骨突不达先端，前对萼片椭圆形至宽椭圆形，后对萼片宽椭圆形至近圆形；花冠白色，无毛，

大车前

花冠筒与萼片等长或略长于萼片，裂片披针形至狭卵形，于花后反折；雄蕊着生于花冠筒内面近基部，与花柱明显外伸，花药椭圆形，通常初为淡紫色，稀白色，干后变淡褐色；胚珠 12 ～ 40 或更多。蒴果近球形、卵球形或宽椭圆球形，于中部或稍低处周裂；种子卵形、椭圆形或菱形，具角，腹面隆起或近平坦，黄褐色；子叶背腹向排列。花期 6 ～ 8 月，果期 7 ～ 9 月。

| **生境分布** | 生于海拔 500 ～ 2800m 的草地、草甸、林缘、河滩、沟边、沼泽地、山坡路旁、田边或荒地。以长白山区为主要分布区域，分布于吉林延边、白山、通化、长春、吉林、辽源（东丰）等。

| **资源情况** | 野生资源较丰富。药材主要来源于野生。

| **采收加工** | 大车前草：夏季采收，除去泥沙，晒干。
大车前子：夏、秋季种子成熟时采收果穗，晒干，搓出种子，除去杂质，晒干。

| **药材性状** | 大车前草：本品具短而肥的根茎，并有须根。叶片卵形或宽卵形，长 6 ～ 10cm，宽 3 ～ 6cm，先端圆钝，基部圆形或宽楔形，叶脉 5 ～ 7。穗状花序排列紧密。蒴果椭圆形，周裂，萼宿存。气微香，味微苦。
大车前子：本品呈类三角形或斜方形，粒小，长 0.8 ～ 1.6mm，宽 0.5 ～ 0.9mm。表面棕色或棕褐色，腹面隆起较高，脐点白色，多位于腹面隆起的中央或一端。气微，味淡。

| **功能主治** | 大车前草：甘，寒。归肝、肾、膀胱经。清热利尿，凉血，解毒。用于热结膀胱，小便不利，淋浊带下，暑湿泻痢，衄血，尿血，肝热目赤，咽喉肿痛，痈肿疮毒。
大车前子：甘、淡，微寒。归肺、肝、肾、膀胱经。清热利尿，渗湿止泻，明目，祛痰。用于小便不利，淋浊带下，水肿胀满，暑湿泻痢，目赤障翳，痰热咳喘。

| **用法用量** | 大车前草：内服煎汤，15 ～ 30g，鲜品 30 ～ 60g；或捣汁服。外用适量，煎汤洗；或捣敷；或绞汁涂。
大车前子：内服煎汤，5 ～ 15g，包煎；或入丸、散。外用适量，煎汤洗；或研末调敷。

忍冬科 Caprifoliaceae 六道木属 Abelia

六道木
Abelia biflora Turcz.

| 药 材 名 | 六道木（药用部位：果实。别名：交翅木）。

| 形态特征 | 落叶灌木，高 1 ~ 3m。幼枝被倒生硬毛，老枝无毛。叶矩圆形至矩圆状披针形，长 2 ~ 6cm，宽 0.5 ~ 2cm，先端尖至渐尖，基部钝至渐狭成楔形，全缘或中部以上羽状浅裂而具 1 ~ 4 对粗齿，上面深绿色，下面绿白色，两面疏被柔毛，脉上密被长柔毛，边缘有睫毛；叶柄长 2 ~ 4mm，基部膨大且成对相连，被硬毛。花单生于小枝上的叶腋，无总花梗；花梗长 5 ~ 10mm，被硬毛；小苞片三齿状，长齿 1，短齿 2，花后不落；萼筒圆柱形，疏生短硬毛，萼齿 4，狭椭圆形或倒卵状矩圆形，长约 1cm；花冠白色、淡黄色或带浅红色，狭漏斗形或高脚碟形，外面被短柔毛，杂有倒向硬毛，4 裂，裂片圆形，筒长为裂片的 3 倍，内面密生硬毛；雄蕊 4，二强，着生于花

六道木

冠筒中部，内藏，花药长卵圆形；子房 3 室，仅 1 室发育，花柱长约 1cm，柱头头状。果实具硬毛，冠以 4 宿存而略增大的萼裂片；种子圆柱形，长 4 ～ 6mm，具肉质胚乳。早春开花，8 ～ 9 月结果。

| 生境分布 |

生于海拔 1000 ～ 2000m 的山坡灌丛、林下或沟边。分布于吉林白山等。

| 资源情况 |

野生资源较少。药材主要来源于栽培。

| 采收加工 |

秋季果实成熟时采收，晒干或鲜用。

| 功能主治 |

祛风湿，消肿毒。用于风湿筋骨疼痛，痈毒红肿。

| 用法用量 |

内服煎汤，2.5 ～ 5g。

忍冬科 Caprifoliaceae 北极花属 *Linnaea*

北极花 *Linnaea borealis* Linn.

| **药 材 名** | 北极花（药用部位：全草）。

| **形态特征** | 常绿匍匐小灌木。茎细长，红褐色，具稀疏短柔毛。叶圆形至倒卵形，边缘中部以上具 1 ~ 3 对浅圆齿，上面疏生柔毛，下面灰白色而无毛。花芳香，总花梗状着花小枝长 6 ~ 7cm；苞片狭小，条形，微被短柔毛；花梗纤细；小苞片大小不等；萼筒近圆形，萼檐裂片狭尖，钻状披针形，被短柔毛；花冠淡红色或白色，裂片卵圆形，筒外面无毛，内面被短柔毛；雄蕊着生于花冠筒中部以下，花药黄色；柱头伸出花冠外。果实近圆形，黄色，下垂。花果期 7 ~ 8 月。

| **生境分布** | 生于海拔 750 ~ 2300m 的针叶林林下，或在树干和长满苔藓的岩石上成片生长。以长白山区为主要分布区域，分布于吉林延边、白山、通化、吉林、辽源（东丰）等。

北极花

| 资源情况 | 野生资源较少。药材主要来源于野生。

| 采收加工 | 春、夏季采收，鲜用或晒干。

| 功能主治 | 祛风除湿。用于风湿痹病。

忍冬科 Caprifoliaceae 忍冬属 Lonicera

蓝靛果

Lonicera caerulea Linn. var. *edulis* Turcz. ex Herd.

| 植物别名 | 蓝靛果忍冬、羊奶子、黑瞎子果。

| 药 材 名 | 蓝靛果（药用部位：果实）。

| 形态特征 | 落叶灌木。树皮片状剥裂。多分枝，直立或开展；幼枝有长、短两种，被硬直糙毛或刚毛，老枝棕色，壮枝节部常有大形、盘状的托叶，茎犹如贯穿其中。冬芽叉开，长卵形，先端锐尖，有时具副芽。叶矩圆形、卵状矩圆形或卵状椭圆形，稀卵形，先端尖或稍钝，基部圆形，两面疏生短硬毛，下面中脉毛较密且近水平开展，有时几无毛。花生于叶腋；苞片条形，长为萼筒的 2 ~ 3 倍；花冠黄白色，常带粉红色或紫色，外面有柔毛，基部具浅囊，筒比裂片长 1.5 ~ 2 倍；雄蕊的花丝上部伸出花冠外；花柱无毛，伸出。浆果蓝黑色，稍被白粉，椭圆形至矩圆状椭圆形。花期 5 ~ 6 月，果期 7 ~ 8 月。

蓝靛果

| **生境分布** | 生于河岸、山坡、林下湿地、湿草甸等。以长白山区为主要分布区域，分布于吉林延边、白山、通化、吉林、辽源（东丰）等。吉林汪清、抚松、靖宇、蛟河、桦甸、通化有栽培。 |

| **资源情况** | 野生资源较丰富。吉林有栽培。药材主要来源于栽培。 |

| **采收加工** | 秋季采收成熟果实，晒干或鲜用。 |

| **药材性状** | 本品呈椭圆形至矩圆状椭圆形，长 0.5 ~ 2cm，直径约 0.5cm。表面蓝黑色，稍被白粉。气微，味甘。 |

| **功能主治** | 苦，凉。清热解毒，散痈消肿。用于疗疮，乳痈，肠痈，丹毒，湿热痢疾。 |

| **用法用量** | 内服煎汤，6 ~ 12g。 |

| **附　　注** | 本种的成熟果实可以生食、酿酒。 |

忍冬科 Caprifoliaceae 忍冬属 Lonicera

金花忍冬 *Lonicera chrysantha* Turcz.

| **植物别名** | 黄花忍冬、黄金忍冬、王八骨头。

| **药 材 名** | 黄花忍冬（药用部位：花蕾）。

| **形态特征** | 落叶灌木。冬芽卵状披针形，鳞片 5 ~ 6 对，外面疏生柔毛，有白色长睫毛。叶纸质，菱状卵形、菱状披针形、倒卵形或卵状披针形，先端渐尖或急尾尖，基部楔形至圆形，两面脉上被直或稍弯的糙伏毛，中脉毛较密，有直缘毛。总花梗细；苞片条形或狭条状披针形，常高出萼筒；小苞片分离，卵状矩圆形、宽卵形、倒卵形至近圆形，长为萼筒的 1/3 ~ 2/3；相邻两萼筒分离，常无毛而具腺，萼齿圆卵形、半圆形或卵形，先端圆或钝；花冠先白色后变黄色，长 0.8 ~ 2cm，外面疏生短糙毛，唇形，唇瓣长于筒 2 ~ 3 倍，筒内有短柔毛，基部有 1 深囊或有时囊不明显；雄蕊和花柱短于花冠，花丝中部以

金花忍冬

下有密毛, 药隔上半部有短柔伏毛; 花柱全被短柔毛。果实红色, 圆形。花期 5 ~ 6 月, 果期 8 ~ 9 月。

| **生境分布** | 生于沟谷、山坡、林下、林缘或灌丛等。以长白山区为主要分布区域, 分布于吉林延边、白山、通化、吉林、辽源（东丰）等。

| **资源情况** | 野生资源较少。药材主要来源于野生。

| **采收加工** | 5 ~ 6 月, 在晴天清晨露水刚干时采摘花蕾, 鲜用, 晾晒或阴干。

| **药材性状** | 本品花蕾呈小棒槌状, 下端较细, 长 0.7 ~ 1.2cm, 上部直径 2 ~ 3mm。表面浅黄色, 毛极少, 萼筒绿色。气微香, 味微苦。

| **功能主治** | 苦, 凉。清热解毒, 消散痈肿。用于热毒疮痈, 红肿疼痛。

| **用法用量** | 内服煎汤, 6 ~ 12g; 或鲜品捣汁服。外用适量, 捣敷。

忍冬科 Caprifoliaceae 忍冬属 Lonicera

忍冬

Lonicera japonica Thunb.

忍冬

| 植物别名 |

金银花、忍冬藤、双花。

| 药材名 |

金银花（药用部位：花蕾或初开的花。别名：银花、双花、二花）。

| 形态特征 |

半常绿藤本。枝条褐色至赤褐色，密被黄褐色而开展的硬直糙毛、腺毛和短柔毛。叶纸质，卵形至矩圆状卵形，有时卵状披针形，稀圆卵形或倒卵形，长3～9.5cm，先端尖或渐尖，少有钝圆或微凹缺，基部圆形或近心形。总花梗通常单生于小枝上部叶腋；苞片大，叶状，卵形至椭圆形；小苞片先端圆形或截形，长约1mm；萼筒长约2mm，萼齿卵状三角形或长三角形，先端尖而有长毛，外面和边缘均有密毛；花冠白色，有时基部向阳面呈微红色，后变黄色，唇形，筒稍长于唇瓣，很少近等长，外被多少倒生、开展或半开展的糙毛和长腺毛，上唇裂片先端钝，下唇带状而反曲；雄蕊和花柱均高出花冠。果实圆形，熟时蓝黑色，有光泽；种子卵圆形或椭圆形，褐色，长约3mm，中部有1凸起的脊，两侧有浅的横沟纹。花期6～7

月，果熟期 8 ~ 9 月。

| **生境分布** | 生于山坡灌丛或疏林中，常缠绕在其他树木上生长。分布于吉林通化（集安）、白山（靖宇、抚松）、延边（珲春）、长春（九台）、吉林（昌邑）等。

| **资源情况** | 野生资源较少。药材主要来源于野生。

| **采收加工** | 夏初花开前或初开时采收，干燥。

| **药材性状** | 本品呈棒状，上粗下细，略弯曲，长 2 ~ 3cm，上部直径约 3mm，下部直径约 1.5mm。表面黄白色或绿白色（贮久色渐深），密被短柔毛。偶见叶状苞片。花萼绿色，先端 5 裂，裂片有毛，长约 2mm。开放者花冠筒状，先端二唇形；雄蕊 5，附于花冠筒壁，黄色；雌蕊 1，子房无毛。气清香，味淡、微苦。以花未开放、色黄白、肥大者为佳。

| **功能主治** | 甘，寒。归肺、心、胃经。清热解毒，疏散风热。用于痈肿疔疮，喉痹，丹毒，热毒血痢，风热感冒，温病发热。

| **用法用量** | 内服煎汤，6 ~ 15g；或入丸、散。外用适量，捣敷。

| **附　注** | 本种最明显的特征在于具有大形的叶状苞片。它在形态上有些类似于华南忍冬 *Lonicera confusa* (Sweet) DC.，但华南忍冬的苞片狭细而非叶状，萼筒密生短柔毛，小枝密生卷曲的短柔毛，与本种明显不同。

忍冬科 Caprifoliaceae 忍冬属 Lonicera

金银忍冬
Lonicera maackii (Rupr.) Maxim.

| 植物别名 | 马氏忍冬、金银木、短柄忍冬。

| 药材名 | 金银忍冬（药用部位：花及花蕾、叶）。

| 形态特征 | 落叶灌木。冬芽小，卵圆形，有 5 ～ 6 对或更多鳞片。叶纸质，形状变化较大，通常卵状椭圆形至卵状披针形，稀矩圆状披针形或倒卵状矩圆形，更少菱状矩圆形或圆卵形，先端渐尖或长渐尖，基部宽楔形至圆形。花芳香，生于幼枝叶腋，总花梗短于叶柄；苞片条形，有时条状倒披针形而呈叶状；小苞片多少联合成对，长为萼筒的 1/2 至几相等，先端截形；相邻两萼筒分离，无毛或疏生微腺毛，萼檐钟状，长为萼筒的 2/3 至相等，干膜质，萼齿宽三角形或披针形，不相等，先端尖，裂隙约达萼檐之半；花冠先白色后变黄色，外被短伏毛或无毛，唇形，筒长约为唇瓣的 1/2；雄蕊与花柱长约达花

金银忍冬

冠的 2/3。果实暗红色，圆形；种子具蜂窝状微小浅凹点。花期 5 ~ 6 月，果期 9 ~ 10 月。

| **生境分布** | 生于林下、灌丛、荒山坡或河岸湿润地等。以长白山区为主要分布区域，分布于吉林延边、白山、通化、吉林、辽源（东丰）等。

| **资源情况** | 野生资源较丰富。药材主要来源于野生。

| **采收加工** | 夏初花开前采收花及花蕾，干燥。夏、秋季采收叶，晒干或鲜用。

| **药材性状** | 本品花蕾呈小棒槌状，下端较细，长 0.7 ~ 1.2cm，上部直径 2 ~ 3mm。浅黄色，毛极少。萼筒绿色。气微香，味微苦。叶多破碎，完整者呈卵状椭圆形至卵状披针形，长 5 ~ 8cm，宽 2.5 ~ 4cm，先端长渐尖，基部阔楔形，全缘，沿脉有短疏毛；叶柄长 3 ~ 5cm，有腺毛及柔毛。

| **功能主治** | 花及花蕾，甘、淡，寒。清热解毒，祛风解表，消肿止痛。用于上呼吸道感染，流行性感冒，扁桃体炎，急性化脓性乳腺炎，大叶性肺炎，肺脓疡，急性结膜炎。叶，辛、苦。归肺、脾经。镇咳，祛痰，平喘。用于急、慢性支气管炎，感冒咳嗽。

| **用法用量** | 花及花蕾，内服煎汤，9 ~ 15g。外用适量，捣敷；或煎汤洗。叶，内服煎汤，15 ~ 25g。

忍冬科 Caprifoliaceae 忍冬属 Lonicera

长白忍冬 *Lonicera ruprechtiana* Regel

长白忍冬

| 植物别名 |

扁旦胡子、王八骨头、短萼忍冬。

| 药 材 名 |

长白忍冬（药用部位：花蕾）。

| 形态特征 |

落叶灌木。幼枝和叶柄被绒状短柔毛，枝疏被短柔毛或无毛；凡小枝、叶柄、叶片两面、总花梗和苞片均疏生黄褐色微腺毛。冬芽约有 6 对鳞片。叶纸质，矩圆状倒卵形、卵状矩圆形至矩圆状披针形，先端渐尖或急渐尖，基部圆形至楔形或近截形，有时两侧不等，边缘略波状起伏或有时具不规则浅波状大牙齿，有缘毛，上面初时疏生微毛或近无毛，下面密被短柔毛。总花梗疏被微柔毛；苞片条形，长超过萼齿，被微柔毛；小苞片分离，圆卵形至卵状披针形，长为萼筒的 1/4 ~ 1/3，无毛或具腺缘毛；相邻两萼筒分离，萼齿卵状三角形至三角状披针形，干膜质；花冠白色，后变黄色，外面无毛，筒粗短，内面密生短柔毛，基部有 1 深囊，唇瓣长 8 ~ 11mm，上唇 2 侧裂片深达 1/2 ~ 2/3 处，下唇长约 1cm，反曲；雄蕊短于花冠，花丝着生于药隔的近基部，基部

有短柔毛；花柱略短于雄蕊，全被短柔毛，柱头粗大。果实橘红色，圆形；种子椭圆形，棕色，有细凹点。花期 5 ～ 6 月，果熟期 7 ～ 8 月。

| 生境分布 |　生于山坡、林缘、阔叶林林下。以长白山区为主要分布区域，分布于吉林延边、白山、通化、吉林、辽源（东丰）等。

| 资源情况 |　野生资源较丰富。药材主要来源于野生。

| 采收加工 |　夏初花开前或初开时采收，干燥。

| 功能主治 |　清热解毒。用于外感表证，咽喉肿痛。

忍冬科 Caprifoliaceae 忍冬属 Lonicera

华北忍冬
Lonicera tatarinowii Maxim.

| **植物别名** | 藏花忍冬。

| **药 材 名** | 华北忍冬（药用部位：花蕾）。

| **形态特征** | 落叶灌木，高达 2m；幼枝、叶柄和总花梗均无毛。冬芽有 7 ~ 8 对宿存、先端尖的外鳞片。叶矩圆状披针形或矩圆形，长 3 ~ 7cm，先端尖至渐尖，基部阔楔形至圆形，上面无毛，下面除中脉外有灰白色细绒毛，后毛变稀疏或秃净；叶柄长 2 ~ 5mm。总花梗纤细，长 1 ~ 2（~ 2.5）cm；苞片三角状披针形，长约为萼筒之半，无毛；杯状小苞片长为萼筒的 1/5 ~ 1/3，有缘毛；相邻两萼筒合生至中部以上，很少完全分离，长约 2mm，无毛，萼齿三角状披针形，不等形，比萼筒短；花冠黑紫色，唇形，长约 1cm，外面无毛，筒长为唇瓣的 1/2，基部一侧稍肿大，内面有柔毛，上唇 2 侧裂片深达全长的

华北忍冬

1/2，中裂片较短，下唇舌状；雄蕊生于花冠喉部，约与唇瓣等长，花丝无毛或仅基部有柔毛；子房 2 ~ 3 室，花柱有短毛。果实红色，近圆形，直径 5 ~ 6mm；种子褐色，矩圆形或近圆形，长 3.5 ~ 4.5mm，表面颗粒状而粗糙。花期 5 ~ 6 月，果熟期 8 ~ 9 月。

| 生境分布 |　生于海拔 400 ~ 1750m 的山坡杂木林或灌丛。分布于吉林延边、白山、通化等。

| 资源情况 |　野生资源较少。药材主要来源于野生。

| 采收加工 |　夏初花开前或初开时采收，干燥。

| 功能主治 |　祛风湿，通经络。用于风湿痹痛。

忍冬科 Caprifoliaceae 接骨木属 Sambucus

接骨木 *Sambucus williamsii* Hance

| 植物别名 | 宽叶接骨木、大叶接骨木、马尿骚。

| 药 材 名 | 接骨木（药用部位：枝条。别名：东北接骨木）。

| 形态特征 | 落叶灌木或小乔木。老枝淡红褐色，具明显的长椭圆形皮孔，髓部淡褐色。羽状复叶一般有小叶 2 ~ 3 对，有时仅 1 对或多达 5 对，侧生小叶片卵圆形、狭椭圆形至倒矩圆状披针形，先端尖、渐尖至尾尖，边缘具不整齐的锯齿，具长约 2cm 的柄；托叶狭带形，或退化成带蓝色的突起。花与叶同出，圆锥形聚伞花序顶生，具总花梗，花序分枝多呈直角开展；花小而密；萼筒杯状，萼齿三角状披针形，稍短于萼筒；花冠蕾时带粉红色，花开后呈白色或淡黄色，筒短，裂片矩圆形或长卵圆形；雄蕊与花冠裂片等长，开展，花丝基部稍肥大，花药黄色；子房 3 室，花柱短，柱头 3 裂。果实红色，极少

接骨木

蓝紫黑色，卵圆形或近圆形；分核 2 ~ 3，卵圆形至椭圆形，略有皱纹。花期 5 月，果熟期 8 ~ 9 月。

| 生境分布 |　生于路边、河流附近、灌丛、石砾地或阔叶疏林中等。吉林各地均有分布。

| 资源情况 |　野生资源较丰富。药材主要来源于野生。

| 采收加工 |　全年均可采收，鲜用或切段晒干。

| 药材性状 |　本品呈圆柱形，长 5 ~ 10cm，直径 0.2 ~ 1.2cm。表面灰褐色或绿褐色，有隆起的纵沟及较细的纵裂纹，表面有点状凸起的皮孔。皮易剥离，脱落后呈浅绿色至浅黄棕色。质坚硬，不易折断，断面不平坦，皮部较薄。木部黄白色至浅棕色，髓部疏松，呈海绵状，浅黄棕色或棕褐色。气微，味淡。以片完整、色黄白、无杂质者为佳。

| 功能主治 |　甘、苦，平。归肝经。祛风利湿，活血止痛，接骨续筋。用于风湿筋骨疼痛，腰痛，关节炎，痛风，大骨节病，急、慢性肾炎，水肿，风疹，瘾疹，产后血晕，跌打肿痛，骨折，创伤出血。

| 用法用量 |　内服煎汤，15 ~ 30g；或入丸、散。外用适量，捣敷；或煎汤熏洗；或研末撒。

| 附　　注 |　吉林接骨木的年产量大约在 200t，作为中药材，其资源的开发与利用工作才刚刚起步，作为化工、食品原料，其尚未得到有效开发。同时，作为绿化观赏树种，接骨木也存在很大的开发利用空间，具有较好的发展前景。

毛接骨木

Sambucus williamsii Hance var. *miquelii* (Nakai) Y. C. Tang

药 材 名	毛接骨木（药用部位：根、枝叶、花）。
形态特征	落叶灌木或小乔木。老枝淡红褐色，具明显的长椭圆形皮孔，髓部淡褐色。羽状复叶有小叶（1～）2～3对，小叶片主脉及侧脉基部被明显的黄白色长硬毛，小叶柄、叶轴及幼枝亦被黄色长硬毛；托叶狭带形，或退化成带蓝色的突起。花与叶同出，圆锥形聚伞花序顶生，具总花梗，花序分枝多呈直角开展，花序轴除被短柔毛外，还夹杂长硬毛；花小而密；萼筒杯状，萼齿三角状披针形，稍短于萼筒；花冠蕾时带粉红色，花开后呈白色或淡黄色，筒短，裂片矩圆形或长卵圆形；雄蕊与花冠裂片等长，开展，花丝基部稍肥大，花药黄色；子房3室，花柱短，柱头3裂。果实红色，极少蓝紫黑色，卵圆形或近圆形；分核2～3，卵圆形至椭圆形，略有皱纹。花期5

毛接骨木

月，果熟期 8 ~ 9 月。

| **生境分布** | 生于海拔 1000 ~ 1400m 的松林、桦木林中，或山坡岩缝、林缘等。分布于吉林延边、白山、通化等。

| **资源情况** | 野生资源较少。药材主要来源于野生。

| **采收加工** | 秋季采挖根，鲜用或切段晒干。夏、秋季采收枝叶，鲜用或晒干。春、秋季花盛开时采收花，鲜用或晒干。

| **功能主治** | 根、枝叶，活血，止痛，祛风除湿，祛痰利水，接骨。用于风湿痹痛。花，发汗，利尿。用于小便不利。

忍冬科 Caprifoliaceae 莛子藨属 Triosteum

腋花莛子藨 *Triosteum sinuatum* Maxim.

腋花莛子藨

| 植物别名 |

波叶莛子藨。

| 药 材 名 |

腋花莛子藨（药用部位：全草）。

| 形态特征 |

多年生草本。根茎粗大，木质化。茎单一，直立，被开展的细刚毛和腺毛。单叶，卵形或卵状椭圆形，基部下延，与相邻叶合生，茎贯穿其中，全缘，或茎中、下部的叶常具2～3缺刻或呈波状，表面绿色，疏被伏毛，背面沿叶脉密被软毛和腺毛。花腋生，通常2花，稀1～3，无梗，基部具2绿色小苞片；花萼5裂，裂片狭披针形，密被腺毛；花冠二唇形，上唇4裂，下唇1，外面淡黄绿色，内面带紫色；雄蕊5，与花冠近等长，花柱被长毛，柱头头状。核果卵球形，被腺毛，花萼宿存。花期5～6月，果期8～10月。

| 生境分布 |

生于山坡、草甸、林缘、灌丛或林下等。以长白山区为主要分布区域，分布于吉林延边、白山、通化、吉林、辽源（东丰）等。

| **资源情况** | 野生资源较少。药材主要来源于野生。

| **采收加工** | 夏、秋季采收,鲜用或切段晒干。

| **功能主治** | 利尿消肿,调经活血。用于小便不利,浮肿,月经不调,劳伤疼痛。

忍冬科 Caprifoliaceae 荚蒾属 Viburnum

修枝荚蒾 *Viburnum burejaeticum* Regel et Herd.

| **植物别名** | 暖木条、暖木条荚蒾。

| **药 材 名** | 修枝荚蒾（药用部位：嫩枝叶。别名：暖木条、暖木条荚蒾）。

| **形态特征** | 落叶灌木。树皮暗灰色；当年生小枝、冬芽、叶片下面、叶柄及花序均被簇状短毛，二年生小枝黄白色，无毛。叶纸质，宽卵形至椭圆形或椭圆状倒卵形，先端尖，稀稍钝，基部钝或圆形，两侧常不等，边缘有牙齿状小锯齿，初时上面疏被簇状毛或无毛，成长后下面常仅主脉及侧脉上有毛，侧脉 5 ~ 6 对，近边缘前互相网结，连同中脉上面略凹陷，下面凸起。聚伞花序的总花梗长达 2cm，第一级辐射枝 5，花大部分生于第二级辐射枝上；萼筒矩圆筒形，无毛，萼齿三角形；花冠白色，辐状，无毛，裂片宽卵形，比筒部长近 2 倍；花药宽椭圆形。果实红色，后变黑色，椭圆形至矩圆形；核扁，矩

修枝荚蒾

圆形，有 2 背沟和 3 腹沟。花期 5 ~ 6 月，果熟期 8 ~ 9 月。

| **生境分布** | 生于山坡、林缘、河岸边、灌丛、针阔叶混交林中。以长白山区为主要分布区域，分布于吉林延边、白山、通化、吉林、辽源（东丰）等。

| **资源情况** | 野生资源较丰富。药材主要来源于野生。

| **采收加工** | 春、夏季采收，鲜用或晒干。

| **功能主治** | 祛风通络，活血消肿，解毒。用于痹证，血瘀肿痛。

| **附　　注** | 蒙古荚蒾 *Viburnum mongolicum* (Pall.) Rehd. 的叶、小枝与本种相似，但其花冠筒状钟形而非辐状，花序的花稀少，生于第一级辐射枝上，二者可以以此区别。

忍冬科 Caprifoliaceae 荚蒾属 *Viburnum*

朝鲜荚蒾
Viburnum koreanum Nakai

| **药 材 名** | 朝鲜荚蒾（药用部位：嫩枝叶、果实）。

| **形态特征** | 落叶灌木。幼枝绿褐色，后变灰褐色。冬芽有 1 对合生的外鳞片。叶纸质，近圆形或宽卵形，浅 2 ~ 4 裂，枝条先端的叶有时不裂，具掌状三至五出脉，基部圆形、截形或浅心形，近叶柄两侧各有 1 腺体，裂片先端锐尖，边缘有不规则牙齿，上面幼时无毛或疏被柔毛，后变无毛，下面有微细腺点，脉上和脉腋有带黄色长柔毛；叶柄初时疏被柔毛，后变无毛，基部有 2 钻形托叶。复伞形聚伞花序生于具 1 对叶的短枝先端，有 5 ~ 30 花，总花梗纤细，第一级辐射枝 5 ~ 7，花生于第一级辐射枝上，花梗甚短；萼齿三角形，无毛；花冠乳白色，辐状；雄蕊极短，花药黄白色。果实黄红色或暗红色，近椭圆形；核卵状矩圆形。花期 6 ~ 7 月，果期 8 ~ 9 月。

朝鲜荚蒾

| 生境分布 | 生于山坡、灌丛、针叶林、岳桦林或林缘等。以长白山区为主要分布区域，分布于吉林延边、白山、通化、吉林、辽源（东丰）等。

| 资源情况 | 野生资源较丰富。药材主要来源于野生。

| 采收加工 | 春、夏季采收嫩枝叶，晒干或鲜用。秋季采摘成熟果实，晒干或鲜用。

| 功能主治 | 通经活络，祛风止痒。用于痹证，皮肤瘙痒。

忍冬科 Caprifoliaceae 荚蒾属 Viburnum

鸡树条

Viburnum opulus Linn. var. *calvescens* (Rehd.) Hara

| 植物别名 | 鸡树条荚蒾、天目琼花、鸡屎条子。

| 药 材 名 | 鸡树条（药用部位：枝叶。别名：鸡树条荚蒾）。

| 形态特征 | 落叶灌木，高 2 ~ 3m。树皮灰褐色，有纵条及软木层；小枝褐色至赤褐色，有明显条棱，光滑无毛；冬芽卵形，外有 2 鳞片包被，光滑无毛。叶对生，阔卵形至卵圆形，先端 3 中裂，侧裂片微外展，基部圆形或截形，先端渐尖或突尖，有掌状三出脉，边缘有不整齐的牙齿，上面暗绿色，无毛，或沿脉有疏毛，下面淡绿色，无毛或沿脉有毛，或脉腋有簇毛，通常枝上部的叶不分裂或微裂，椭圆形或长圆状披针形；叶柄粗壮，长 1 ~ 4cm，上部有腺点，近无毛；托叶小钻形。复伞形花序生于枝梢的先端，紧密多花，常由 6 ~ 8 出小伞形花序组成，外围有不孕性的白色辐射花，中央为孕性花，

鸡树条

杯状，5 裂；雄蕊 5，花药紫色，较长，超出花冠。核果球形，鲜红色；核扁圆形。花期 6 ~ 7 月，果期 8 ~ 9 月。

| **生境分布** | 生于林缘、林下、灌丛、山坡或路旁等。以长白山区为主要分布区域，分布于吉林延边、白山、通化、吉林、辽源（东丰）等。

| **资源情况** | 野生资源较丰富。吉林有栽培。药材主要来源于栽培。

| **采收加工** | 春、夏季采收，晒干。

| **药材性状** | 本品当年生小枝有棱，无毛，有明显凸起的皮孔，二年生小枝黄色或红褐色，近圆柱形；老枝和茎干暗灰色，树皮厚。小枝、叶柄均无毛。叶下面仅脉腋集聚簇状毛或有时脉上亦有少数长伏毛。冬芽卵圆形，有柄，有 1 对合生的外鳞片，无毛，内鳞片膜质，基部合生成筒状。叶圆卵形至广卵形或倒卵形，通常 3 裂，具掌状三出脉，基部圆形、截形或浅心形，无毛，裂片先端渐尖，边缘具不整齐的粗齿，侧裂片略向外开展；位于小枝上部的叶常较狭长，椭圆形至矩圆状披针形而不分裂，边缘疏生波状牙齿，或浅 3 裂而裂片全缘或近全缘，侧裂片短，中裂片伸长；叶柄粗壮，无毛，有 2 ~ 4 或更多明显的长盘形腺体，基部有 2 钻形托叶。气微，味甘、苦。

| **功能主治** | 甘、苦，平。祛风通络，活血消肿。用于腰肢关节酸痛，跌仆闪挫伤，疮疖，疥癣。

| **附　注** | 在 FOC 中，本种的拉丁学名被修订为 *Viburnum opulus* subsp. *calvescens* (Rehder) Sugimoto.

忍冬科 Caprifoliaceae 锦带花属 Weigela

锦带花 *Weigela florida* (Bunge) A. DC.

| **植物别名** | 山芝麻。

| **药材名** | 锦带花（药用部位：花）。

| **形态特征** | 落叶灌木，高达 1 ~ 3m。幼枝稍四方形，有 2 列短柔毛；树皮灰色。芽先端尖，具 3 ~ 4 对鳞片，常光滑。叶矩圆形、椭圆形至倒卵状椭圆形，先端渐尖，基部阔楔形至圆形，边缘有锯齿，上面疏生短柔毛，脉上毛较密，下面密生短柔毛或绒毛，具短柄至无柄。花单生或呈聚伞花序生于侧生短枝的叶腋或枝顶；萼筒长圆柱形，疏被柔毛，萼齿长约 1cm，不等，深达萼檐中部；花冠紫红色或玫瑰红色，外面疏生短柔毛，裂片不整齐，开展，内面浅红色；花丝短于花冠，花药黄色；子房上部的腺体黄绿色，花柱细长，柱头 2 裂。果实先端有短柄状喙，疏生柔毛；种子无翅。花期 5 ~ 6 月，果期 7 ~ 8 月。

锦带花

| **生境分布** | 生于山地、灌丛、山坡石砬子、山顶岩壁。以长白山区为主要分布区域，分布于吉林延边、白山、通化、吉林、辽源（东丰）等。吉林各地均有栽培。

| **资源情况** | 野生资源较少。吉林广泛栽培。药材主要来源于栽培。

| **采收加工** | 夏初花开时采收，干燥。

| **功能主治** | 活血止痛。用于血瘀疼痛。

五福花科 Adoxaceae 五福花属 Adoxa

五福花
Adoxa moschatellina Linn.

| 药 材 名 | 五福花（药用部位：全草）。

| 形态特征 | 多年生矮小草本，高 8 ～ 15cm。根茎横生，末端加粗。茎单一，纤细，无毛，有长匍匐枝。基生叶 1 ～ 3，为一至二回三出复叶；小叶片宽卵形或圆形，3 裂；茎生叶 2，对生，3 深裂，裂片再 3 裂，叶柄长约 1cm。花序有限生长，5 ～ 7 花组成顶生聚伞形头状花序，无花柄；花黄绿色，直径 4 ～ 6mm；花萼浅杯状，顶生花的花萼裂片 2，侧生花的花萼裂片 3；花冠辐状，管极短，顶生花的花冠裂片 4，侧生花的花冠裂片 5，裂片上乳突约略可见；内轮雄蕊退化为腺状乳突，外轮雄蕊在顶生花为 4，在侧生花为 5，花丝 2 裂几至基部，花药单室，盾形，向外，纵裂；子房半下位至下位，花柱在顶生花为 4，在侧生花为 5，基部联合，柱头 4 ～ 5，点状。核果球形，直

五福花

径 2 ~ 5mm。花期 4 ~ 5 月，果期 7 ~ 8 月。

| **生境分布** | 生于林下、林缘、阴湿地、沟边、灌丛或溪边湿草地等，常成片生长。以长白山区为主要分布区域，分布于吉林延边、白山、通化、吉林、辽源（东丰）等。

| **资源情况** | 野生资源较丰富。药材主要来源于野生。

| **采收加工** | 夏、秋季采收，鲜用或晒干。

| **功能主治** | 镇静安神。用于心神不宁，失眠。

败酱科 Valerianaceae 败酱属 Patrinia

墓头回
Patrinia heterophylla Bunge

| 植物别名 | 异叶败酱、追风箭、摆子草。

| 药 材 名 | 墓头回（药用部位：根。别名：地花菜、墓头灰、箭头风）。

| 形态特征 | 多年生草本。根茎较长，横走。茎直立。基生叶丛生，长 3 ~ 8cm，具长柄，叶片边缘圆齿状或具糙齿状缺刻，不分裂或羽状分裂至全裂，具 1 ~ 5 对侧裂片，裂片卵形至线状披针形，顶生裂片常较大，卵形至卵状披针形；茎生叶对生，茎下部叶常 2 ~ 6 对羽状全裂，顶生裂片较侧生裂片稍大或近等大，卵形或宽卵形，先端渐尖或长渐尖。花黄色，组成顶生伞房状聚伞花序；萼齿 5；花冠钟形，花冠筒长 1.8 ~ 2.4mm，裂片 5，卵形或卵状椭圆形；雄蕊 4，伸出，花丝 2 长 2 短，近蜜囊者长 3 ~ 3.6mm，花药长圆形；子房倒卵形或长圆形，长 0.7 ~ 0.8mm，花柱稍弯曲，柱头盾状或截头状。瘦

墓头回

果长圆形或倒卵形，先端平截；翅状果苞干膜质，倒卵形、倒卵状长圆形或倒卵状椭圆形。花期 7 ~ 8 月，果期 8 ~ 9 月。

| **生境分布** | 生于山地岩缝、草丛、路边、砂质坡或土坡上等。吉林各地均有分布。

| **资源情况** | 野生资源较丰富。药材主要来源于野生。

| **采收加工** | 秋季采挖，除去茎叶、杂质，洗净，鲜用或晒干。

| **药材性状** | 本品呈细圆柱形，有分枝。表面黄褐色，有细纵纹及点状支根，有的具瘤状突起。质硬，断面黄白色，具裂隙。具特异臭气，味稍苦。以根粗大、气味浓者为佳。

| **功能主治** | 苦、微酸、微涩，凉。归心、肝经。燥湿止带，收敛止血，清热解毒。用于赤白带下，崩漏，泄泻，痢疾，黄疸，疟疾，肠痈，疮疡肿毒，跌打损伤，宫颈癌，胃癌。

| **用法用量** | 内服煎汤，9 ~ 15g。外用适量，捣敷。

| **附　注** | 以墓头回为主要原料生产的复方墓头回胶囊，对引起女性生殖道炎症的常见致病菌有不同程度的抑制作用，是替代抗生素治疗妇科慢性感染性疾病的理想药物。墓头回有着广阔的发展前景。吉林墓头回的资源有限，并无药材商品产出。

败酱科 Valerianaceae 败酱属 Patrinia

岩败酱

Patrinia rupestris (Pall.) Juss.

| **药 材 名** | 岩败酱（药用部位：全草或根。别名：鹿酱、败酱草、野苦菜）。

| **形态特征** | 多年生草本。根茎稍斜升。茎多数丛生。基生叶开花时常枯萎脱落，叶片倒卵状长圆形、长圆形、卵形或倒卵形；茎生叶长圆形或椭圆形，羽状深裂至全裂，通常具 3 ~ 6 对侧生裂片，裂片条形、长圆状披针形或条状披针形，常疏具缺刻状钝齿或全缘，顶生裂片与侧生裂片同形或较宽大，常全裂成 3 条形裂片或羽状分裂。花密生，顶生伞房状聚伞花序具 3 ~ 7 级对生分枝；萼齿 5，截形、波状或卵圆形；花冠黄色，漏斗状钟形，花冠裂片长圆形、卵状椭圆形、卵状长圆形、卵形或卵圆形；花药长圆形，近蜜囊的 2 花丝长 3 ~ 4mm；子房圆柱状。瘦果倒卵状圆柱形。花期 7 ~ 8 月，果期 8 ~ 9 月。

| **生境分布** | 生于山坡多砾石处、林间草甸、石质丘陵坡地石缝或较干燥的阳坡

岩败酱

草丛中。以长白山区为主要分布区域，分布于吉林延边、白山、通化、长春、吉林、辽源（东丰）、白城（通榆、镇赉）等。

| **资源情况** | 野生资源较少。药材主要来源于野生。

| **采收加工** | 夏、秋季采收全草，除去杂质，切段，晒干。秋季采挖根，洗净，晒干。

| **药材性状** | 本品根呈圆柱形，微弯曲，表面棕黑色或棕褐色，栓皮有时剥落，具瘤状突起，质松脆，易折断，断面不平坦，皮部较窄，外侧棕褐色，内侧灰白色，木部较宽广，黄白色至淡棕黄色，有多数放射状裂隙。根茎棕褐色或灰棕色，具分枝，节明显，稍膨大。茎灰棕色至灰绿色，圆柱形，微弯曲，节明显，具残留的卷曲、破碎的叶，先端有时有残留的棕黄色小花。气特异，味微苦。

| **功能主治** | 全草，苦，凉。清热解毒，活血排脓。用于肠痈，泄泻，肠炎，阑尾炎，肝炎，黄疸。根，镇静。用于神经衰弱。

| **用法用量** | 内服煎汤，9 ~ 15g。

| **附　注** | 中败酱 *Patrinia intermedia* (Horn.) Roem. et Schult. 的形态与本种极为相似，但前者根茎先端常分枝，全株叶片的顶生裂片与侧生裂片同形，叶裂片条形而不同，可以以此区别。

败酱科 Valerianaceae 败酱属 Patrinia

糙叶败酱

Patrinia rupestris (Pall.) Juss. subsp. *scabra* (Bunge) H. J. Wang

| 植物别名 | 墓头回、追风箭、墓头灰。

| 药 材 名 | 墓头回（药用部位：根。别名：地花菜、墓头灰、箭头风）。

| 形态特征 | 多年生草本，高 20 ~ 40cm。茎丛生，茎上部多分枝，分枝处有节纹。叶对生，革质，羽状分裂，裂片倒披针形、狭披针形或长圆形，有牙齿，顶生裂片较侧生裂片略大，叶缘及叶面被毛。聚伞花序顶生，呈伞房状排列；花轴及花梗上生细毛；苞片狭窄，寓生；花小，黄色；花冠合瓣，5 裂；雄蕊 4；子房 3 室，柱头头状。果实翅状，卵形或近圆形，扁薄如纸，有网纹，种子位于中央。花期 7 ~ 9 月，果期 8 ~ 10 月。

| 生境分布 | 生于草原、沙地、灌丛、森林草原、石质丘陵、石缝、较干燥的阳

糙叶败酱

坡草丛、墓地或荒地等。分布于吉林白城、松原、四平等。

| 资源情况 | 野生资源较少。药材主要来源于野生。

| 采收加工 | 秋季采挖，除去茎叶、杂质，洗净，鲜用或晒干。

| 药材性状 | 本品呈不规则圆柱形，长短不一，常弯曲，直径0.4～5cm。根头部粗大，有的分枝。表面粗糙，棕褐色，皱缩，有的具瘤状突起。栓皮易剥落，脱落后呈棕黄色。体轻，质松，折断面具纤维性，具放射状裂隙。具特异臭气，味稍苦。

| 功能主治 | 苦、微酸、微涩，凉。归心、肝经。清热燥湿，消肿生肌，止血止带，解毒，截疟，破癥瘕。用于宫颈柱状上皮异位，早期宫颈癌，带下，崩漏，疟疾，跌打损伤。

| 用法用量 | 内服煎汤，9～15g。外用适量，捣敷。

| 附　　注 | 在 FOC 中，本种的拉丁学名被修订为 *Patrinia scabra* Bunge。

败酱科 Valerianaceae 败酱属 Patrinia

败酱

Patrinia scabiosaefolia Fisch. ex Trev.

| **植物别名** | 黄花败酱、黄花龙芽、长虫把。

| **药 材 名** | 败酱草（药用部位：全草。别名：黄花败酱）。

| **形态特征** | 多年生草本，高 0.3 ~ 2m。根茎横卧或斜生。茎直立。基生叶丛生，花时枯落，卵形、椭圆形或椭圆状披针形，不分裂或羽状分裂，或全裂，先端钝或尖，基部楔形，边缘具粗锯齿；茎生叶对生，宽卵形至披针形，常羽状深裂或全裂，具 2 ~ 5 对侧裂片，顶生裂片卵形、椭圆形或椭圆状披针形，上部叶渐变窄小。花序为聚伞花序组成的大型伞房花序，顶生，具 5 ~ 7 级分枝；总苞线形，甚小；苞片小；花小；花冠钟形，黄色，花冠裂片卵形；雄蕊 4，花丝不等长，近蜜囊的 2 花丝长 3.5mm，花药长圆形，长约 1mm；子房椭圆状长圆形。瘦果长圆形，具 3 棱，内含一椭圆形、扁平的种子。花期 7 ~ 8

败酱

月，果期 8 ~ 9 月。

| **生境分布** | 生于森林草原带、山地的草甸子、山坡林下、林缘、灌丛、路边或田边的草丛，常成片生长。吉林各地均有分布。

| **资源情况** | 野生资源丰富。药材主要来源于野生。

| **采收加工** | 多在夏季采收，将全株拔起，除去泥沙后晒干。

| **药材性状** | 本品根呈长圆锥形或长圆柱形，长达 10cm，直径 1 ~ 4mm；表面有纵纹，断面黄白色。茎圆柱形，直径 2 ~ 8mm；表面黄绿色或红棕色，具纵棱及细纹理，有倒生粗毛。茎生叶多卷缩或破碎，两面疏被白毛，完整叶多羽状深裂或全裂，裂片 5 ~ 11，边缘有锯齿；茎上部叶较小，常 3 裂。枝先端有花序或果序。小花黄色。瘦果长椭圆形，无膜质、翅状苞片。气特异，味微苦。以根茎圆柱形、有节、叶完整者为佳。

| **功能主治** | 苦、辛，凉。归胃、大肠、肝经。清热解毒，利湿排脓，活血祛瘀。用于肠痈，阑尾炎，肠炎，痢疾，泄泻，肝炎，结膜炎，目赤肿痛，产后瘀血腹痛，赤白带下，痈肿疔疮，疥癣。

| **用法用量** | 内服煎汤，15 ~ 30g，鲜品 60 ~ 120g。外用适量，捣敷。

| **附　注** | 败酱主要用于提制浸膏，制药厂的用量较大。吉林年产败酱约 100t。通化、吉林和延边延吉的部分地区已开展人工种植，效益可观。

败酱科 Valerianaceae 败酱属 Patrinia

攀倒甑 *Patrinia villosa* (Thunb.) Juss.

攀倒甑

| 植物别名 |

白花败酱、败酱。

| 药 材 名 |

败酱草（药用部位：全草）。

| 形态特征 |

多年生草本，高 0.5 ~ 1.2m。基生叶丛生，叶片卵形、宽卵形或卵状披针形至长圆状披针形，先端渐尖，边缘具粗钝齿，基部楔形下延，不分裂或大头羽状深裂，常有 1 ~ 4 对侧生裂片；茎生叶对生，与基生叶同形，先端尾状渐尖或渐尖。由聚伞花序组成顶生圆锥花序或伞房花序，分枝达 5 ~ 6 级；总苞叶卵状披针形至线状披针形或线形；花萼小，萼齿 5，浅波状或浅钝裂状；花冠钟形，白色，5 深裂，蜜囊先端的裂片常较大，花冠筒常比裂片稍长；雄蕊 4，伸出；子房下位，花柱较雄蕊稍短。瘦果倒卵形，与宿存、增大的苞片贴生；果苞倒卵形、卵形、倒卵状长圆形或椭圆形，有时圆形，先端钝圆，不分裂或微 3 裂，基部楔形或钝，网脉明显，具主脉 2。花期 7 ~ 8 月，果期 8 ~ 9 月。

| 生境分布 | 生于山坡、草地、林下、林缘或灌丛。以长白山区为主要分布区域，分布于吉林延边、白山、通化、长春、吉林、辽源（东丰）、松原（前郭尔罗斯）等。 |

| 资源情况 | 野生资源较少。药材主要来源于野生。 |

| 采收加工 | 同"败酱"。 |

| 药材性状 | 本品根茎短，长约10cm，有的具细长的匍匐茎，断面无棕色"木心"。茎光滑，直径可达1.1cm。完整叶呈卵形或长椭圆形，不裂或基部具1对小裂片。花白色；苞片膜质，多具2主脉。气特异，味微苦。 |

| 功能主治 | 同"败酱"。 |

| 用法用量 | 同"败酱"。 |

败酱科 Valerianaceae 缬草属 *Valeriana*

黑水缬草 *Valeriana amurensis* Smir. ex Kom.

黑水缬草

| 植物别名 |

黑龙江缬草、媳妇菜、野鸡膀子。

| 药 材 名 |

缬草（药用部位：根茎。别名：鹿子草、甘松、猫食菜）。

| 形态特征 |

多年生草本，植株高 80 ~ 150cm。根茎短缩，不明显；茎直立，不分枝，被粗毛，向上至花序具柄腺毛渐增多。叶（5 ~ ）7 ~ 11 对，羽状全裂；较下部的叶长 9 ~ 12cm，宽 4 ~ 10cm，叶柄基部扁平，叶裂片卵形，通常钝，偶锐尖，具粗牙齿，疏生短毛；较上部的叶较小，无柄，叶裂片甚狭，锐尖，具牙齿或全缘。多歧聚伞花序顶生，花梗被具柄的腺毛和粗毛；小苞片草质，边缘膜质，披针形或线形，先端渐尖至急尖，具腺毛；花冠淡红色，漏斗状，长 3 ~ 5mm。瘦果狭三角状卵形，长约 3mm，被粗毛。花期 6 ~ 7 月，果期 8 ~ 9 月。

| 生境分布 |

生于林缘、阴湿地、沼泽地、草炭土或沼泽化的草甸中。以长白山区为主要分布区域，分布于吉林延边、白山、通化、吉林、辽源（东丰）等。

| **资源情况** | 野生资源较少。药材主要来源于野生。

| **采收加工** | 9 ~ 10 月采挖，去掉茎叶及泥土，晒干。

| **药材性状** | 本品呈长 0.3 ~ 1.4cm，直径 0.3 ~ 1cm，表面棕黄色，先端残留有棕黄色地上茎和叶柄残基，四周密生多数小细根。质坚实，不易折断，断面中间有空隙。具特殊臭气，味微苦。

| **功能主治** | 辛、苦，温；有微毒。归心、肝经。安神镇静，祛风解痉，生肌止血，止痛。用于心神不安，胃弱，腰痛，月经不调，跌打损伤，关节炎，心悸。

| **用法用量** | 内服煎汤，3 ~ 9g；或浸酒。外用适量，研末调敷。

| **附　　注** | 本种与缬草 *Valeriana officinalis* Linn. 在植株形态上最为相似，二者叶形的变异均较大，但本种以植株上部，特别是花序部分具腺毛而与后者有明显区别。

败酱科 Valerianaceae 缬草属 Valeriana

缬草
Valeriana officinalis Linn.

缬草

| 植物别名 |

欧缬草、东北缬草、媳妇菜。

| 药 材 名 |

缬草（药用部位：根及根茎。别名：鹿子草、甘松、猫食菜）。

| 形态特征 |

多年生高大草本。根茎粗短，呈头状，须根簇生。茎中空，有纵棱，被粗毛，尤以节部为多，老时毛少。匍枝叶、基生叶和基部叶在花期常凋萎；茎生叶卵形至宽卵形，羽状深裂，裂片 7 ~ 11，中央裂片与两侧裂片近同形、等大，但有时与第 1 对侧裂片合生成3 裂状，裂片披针形或条形，先端渐窄，基部下延，全缘或有疏锯齿，两面及柄轴多少被毛。花序顶生，呈伞房状三出聚伞圆锥花序；小苞片中央纸质，两侧膜质，长椭圆状长圆形、倒披针形或线状披针形，先端芒状突尖，边缘多少有粗缘毛；花冠淡紫红色或白色，花冠裂片椭圆形，雌、雄蕊约与花冠等长。瘦果长卵形，基部近平截，光秃或两面被毛。花期 6 ~ 7 月，果期 8 ~ 9 月。

| 生境分布 | 生于山坡草地、林下、灌丛、草甸或沟边等。以长白山区为主要分布区域，分布于吉林延边、白山、通化、长春、吉林、辽源（东丰）、松原（前郭尔罗斯）等。吉林梅河口地区有小规模栽培。

| 资源情况 | 野生资源较少。吉林有栽培。药材主要来源于野生。

| 采收加工 | 9 ~ 10 月采挖，除去泥土及残留茎叶，洗净（为了便于清洗，可将缬草置于木墩上，用特制的专业刀具切割），晒干。

| 药材性状 | 本品根茎呈头状或柱状，先端残留黄棕色茎基，中心絮状而疏松，多空隙；长0.5 ~ 5cm，直径 0.3 ~ 3cm；表面暗棕色或黄棕色，质坚实，不易折断，断面黄色或棕色，四周密生多数细长的根。根多数，须根簇生，长 4 ~ 25cm，直径2 ~ 5mm；表面灰棕色或灰黄色，具众多深纵皱纹；质脆，易折断，断面黄白色。有特异臭气，味微苦、辛。

| 功能主治 | 辛、苦，温。归心、肝经。安神，行气止痛，活血通经。用于失眠多梦，心腹胀痛，腰腿疼痛，跌打损伤，月经不调，痛经，闭经。

| 用法用量 | 内服煎汤，5 ~ 15g；或研末，1 ~ 2g；或浸酒。外用适量，研末调敷。

| 附　注 | （1）缬草已被列入 2019 年版《吉林省中药材标准》第一册。
（2）缬草在国内用量很小，但缬草提取物及其制剂在国际市场上十分畅销，销售额名列植物药的前 10 位。我国的缬草资源分布广泛，资源丰富，但并未得到有效的开发利用，只是作为原材料出口日本、美国和一些欧洲国家，其年产销量大约在300t。吉林野生缬草资源分布广，数量少，采挖困难，因此无药材商品产出。在东丰有少量人工栽培商品产出，也都出口日本等国家。

川续断科 Dipsacaceae 蓝盆花属 Scabiosa

窄叶蓝盆花
Scabiosa comosa Fisch. ex Roem. et Schult.

| **植物别名** | 细叶山萝卜、细叶蓝盆花。

| **药 材 名** | 蓝盆花（药用部位：花）。

| **形态特征** | 多年生草本。茎直立，黄白色或带紫色，具棱，节间长 6 ～ 12cm。基生叶成丛，叶片窄椭圆形，羽状全裂，稀为齿裂，裂片线形，花时常枯萎；茎生叶对生，基部连接成短鞘，抱茎，具长 1 ～ 1.2cm 的短柄或无柄，叶片长圆形，1 ～ 2 回狭羽状全裂。头状花序单生或三出，花时直径 3 ～ 3.5cm，半球形；总苞片 6 ～ 10，披针形；小总苞倒圆锥形；花萼 5 裂，细长针状，棕黄色；花冠蓝紫色，外面密生短柔毛，中央花冠筒状，先端 5 裂，裂片等长，边缘花二唇形，上唇 2 裂，较短，下唇 3 裂，较长，中裂片最长达 1cm；雄蕊 4，花丝细长，外伸。瘦果长圆形，先端具宿存的萼刺。花期 7 ～ 8 月，

窄叶蓝盆花

果期 9 月。

| **生境分布** | 生于干燥砂质地、山坡草地、灌丛、砂石地、沙丘、草原或干山坡，常成片生长。分布于吉林白城、松原等。

| **资源情况** | 野生资源较丰富。药材主要来源于野生。

| **采收加工** | 夏初花开时采收，干燥。

| **药材性状** | 本品头状花序多完整，直径 1.5 ~ 2.5cm。花冠皱缩或破碎，有时脱落，蓝色或淡紫色。总苞片较平展，灰绿色至淡黄绿色。小总苞白色至淡绿色。残留总花梗灰绿色，呈圆柱形。质轻脆。气微，味苦、辛。

| **功能主治** | 甘、微苦，凉。清热泻火。用于肝火头痛，发热，肺热咳嗽，黄疸，目赤。

| **用法用量** | 内服研末，3 ~ 5g，冲服。

川续断科 Dipsacaceae 蓝盆花属 Scabiosa

华北蓝盆花 *Scabiosa tschiliensis* Grün.

| **植物别名** | 蒙古山萝卜。

| **药材名** | 华北蓝盆花（药用部位：花）。

| **形态特征** | 多年生草本。根粗壮，木质，长 5 ~ 15cm。基生叶簇生，连叶柄长 10 ~ 15cm，叶片卵状披针形或窄卵形至椭圆形，先端急尖或钝，有疏钝锯齿或浅裂片；茎生叶对生，羽状深裂至全裂，侧裂片披针形，叶柄短或向上渐无柄；近上部叶羽状全裂，裂片条状披针形。头状花序在茎上部呈三出聚伞状，花时扁球形；总苞片 10 ~ 14，披针形；花托苞片披针形；小总苞果时方柱状，具 8 肋；花萼 5 裂，刚毛状，果时长 2 ~ 2.5cm；边缘花花冠二唇形，蓝紫色，裂片 5，不等大，上唇 2 裂片较短，下唇 3 裂，中裂片最长达 1cm；雄蕊 4，花开时伸出花冠筒外，花药长圆形。瘦果椭圆形，长约 2mm，果实脱落时

华北蓝盆花

花托呈长圆棒状。花期 7 ~ 8 月,果期 9 月。

| **生境分布** | 生于山坡、林缘、草甸、灌丛。以长白山区为主要分布区域,分布于吉林延边、白山、通化、长春、吉林、辽源(东丰)、白城(洮南)等。

| **资源情况** | 野生资源较丰富。药材主要来源于野生。

| **采收加工** | 夏初花开时采收,干燥。

| **药材性状** | 本品花序呈扁圆头状,总苞片、苞片均为窄披针形,较花稍短;边缘花较大。花萼 5 裂,刺毛状。花冠蓝紫色,筒状,先端 5 裂,大裂片 3,小裂片 2。雄蕊 4;子房包于杯状小总苞内。气微,味微苦。

| **功能主治** | 甘、微苦,凉。清热泻火。用于肝火上炎,头痛,发热,肺热咳嗽。

桔梗科 Campanulaceae 沙参属 Adenophora

展枝沙参

Adenophora divaricata Franch. et Sav.

| 植物别名 | 南沙参、四叶菜。

| 药 材 名 | 展枝沙参（药用部位：根）。

| 形态特征 | 多年生草本。根常短而分叉。茎单生，高可达 1m，不分枝，无毛，少数有倒生短硬毛。基生叶早枯萎；茎生叶全部轮生，极少稍错开；叶片常菱状卵形至菱状圆形，先端急尖至钝，极少短渐尖，边缘具锯齿，齿不内弯。花序常为宽金字塔状，花序分枝长而几乎平展；花萼外面有乳头状突起或无，筒部圆锥状，基部急尖，最宽处在顶部，裂片椭圆状披针形，长 5 ~ 8mm，宽可达 3mm，干时黄灰色；花盘细长，长 1.8 ~ 2.5mm，超过宽；花柱长（15 ~ ）18 ~ 22mm，常多少伸出花冠；花冠蓝色、蓝紫色，极少近白色。蒴果卵状椭圆形，长约 8mm，直径 4 ~ 5mm；种子棕色，椭圆状，稍扁，有 1 条棱，

展枝沙参

平滑，长 2mm。花期 7 ~ 8 月，果期 8 ~ 9 月。

| 生境分布 | 生于林缘、灌丛、山坡、草地或路旁等。以长白山区为主要分布区域，分布于吉林延边、白山、通化、长春、吉林、辽源（东丰）、白城（镇赉、洮北）、松原（扶余）等。

| 资源情况 | 野生资源较丰富。药材主要来源于野生。

| 采收加工 | 秋季地上茎叶枯萎后或早春植株萌芽前采挖，除去泥沙、枯残茎叶及须根，刮去粗皮，晒干或烘干。

| 药材性状 | 本品呈长圆锥形，具分枝，长 8 ~ 12cm，直径 1 ~ 2.5cm。表面棕黑色，横纹众多，鳞片状。质脆，断面黄色，较致密，无空心。气微，味甘、微苦。

| 功能主治 | 甘、微苦，凉。清热润肺，化痰止咳，养阴养胃，生津止渴。用于肺热燥咳，热病口干，食欲不振。

| 附 注 | 本种的幼苗为山野菜。

桔梗科 Campanulaceae 沙参属 Adenophora

狭叶沙参

Adenophora gmelinii (Spreng.) Fisch.

| **植物别名** | 柳叶沙参、柳齿沙参。

| **药 材 名** | 狭叶沙参（药用部位：根）。

| **形态特征** | 多年生草本。根细长，长达 40cm，皮灰黑色。茎单生或数条发自同
一茎基上，不分枝，通常无毛，有时有短硬毛。基生叶多变，浅心形、
三角形或菱状卵形，具粗圆齿；茎生叶多数为条形，少数为披针形，
无柄，全缘或具疏齿，无毛。聚伞花序全为单花而组成假总状花序，
或下部的有几朵花，短而几乎垂直向上，因而组成很狭窄的圆锥花
序，有时甚至单花顶生于主茎上；花萼完全无毛，仅少数有瘤状突起，
筒部倒卵状矩圆形，裂片条状披针形；花冠宽钟状，蓝色或淡紫色，
裂片长，多为卵状三角形，少近正三角形；花盘筒状，被疏毛或无毛；
花柱稍短于花冠，极少近等长。蒴果椭圆状；种子椭圆状，黄棕色，

狭叶沙参

有 1 翅状棱。花期 7 ~ 9 月，果期 8 ~ 10 月。

| **生境分布** | 生于山坡草地、灌丛。以长白山区为主要分布区域，分布于吉林延边、白山、通化、吉林、辽源（东丰）等。

| **资源情况** | 野生资源较丰富。药材主要来源于野生。

| **采收加工** | 秋季地上茎叶枯萎后或早春植株萌芽前采挖，除去泥沙、枯残茎叶及须根，刮去粗皮，晒干或烘干。

| **药材性状** | 本品呈圆锥形或圆柱形，略弯曲。表面黄白色或淡棕黄色，凹陷处常有残留粗皮，上部多有深陷横纹，呈断续的环状，下部有纵纹及纵沟。体轻，质松泡，易折断，断面不平坦，黄白色，多裂隙。气微，味微甘。

| **功能主治** | 甘，凉。清热泻火，养阴润肺，止咳祛痰。用于热病，肺热燥咳，咳痰黄稠。

| **附 注** | 本种为吉林省 Ⅱ 级重点保护野生植物。

桔梗科 Campanulaceae 沙参属 Adenophora

沼沙参 *Adenophora palustris* Kom.

| **药 材 名** | 沼沙参（药用部位：根）。

| **形态特征** | 多年生草本。根圆锥形。茎直立，无毛，高约 1m，不分枝，密生叶。茎生叶互生，无柄，长圆形或圆卵形，先端急尖，厚而稍有光泽，边缘有圆齿或不规则锯齿。花序假总状，具数朵花；花萼无毛，裂片卵形至卵状披针形，先端稍钝或急尖，有清晰网脉，边缘浅裂或有齿；花冠宽钟状，长 1 ~ 2cm；花盘长 4mm，宽 1.5mm，无毛；花柱稍稍伸出花冠。花期 7 ~ 8 月，果期 8 ~ 9 月。

| **生境分布** | 生于沼泽、湿地或湿草甸子。以长白山区为主要分布区域，分布于吉林延边、白山、通化、吉林、辽源（东丰）等。

| **资源情况** | 野生资源较少。药材主要来源于野生。

沼沙参

| 采收加工 |

秋季地上茎叶枯萎后或早春植株萌芽前采挖，除去泥沙、枯残茎叶及须根，刮去粗皮，晒干或烘干。

| 功能主治 |

润肺益气，化痰止咳，养阴清肺。用于肺热咳嗽，咳痰黄稠，阴虚发热。

桔梗科 Campanulaceae 沙参属 Adenophora

长白沙参

Adenophora pereskiifolia (Fisch. ex Roem. et Schult.) G. Don

长白沙参

| 药 材 名 |

长白沙参（药用部位：根）。

| 形态特征 |

多年生草本。根常短而分叉。茎单生，高可达 1m。基生叶早枯萎；茎生叶常 3 ~ 5 轮生，叶片多为椭圆形，极少为卵形，更少为披针形至狭披针形，先端短渐尖至长渐尖，基部楔状渐狭，具短柄或无柄，边缘具稍内弯的锯齿。花序狭金字塔状，其分枝（聚伞花序）互生，短而几乎直上，长度极少超过 10cm，有时仅数朵花集成假总状花序；花萼外面有或无乳头状突起，筒部倒卵状或倒卵状球形，中部最宽，裂片披针形至条状披针形；花冠漏斗状钟形，蓝紫色或蓝色，裂片宽三角形；花盘环状至短筒状，长、宽相等或宽超过长；花柱多少伸出花冠，有时强烈伸出。蒴果卵状椭圆形；种子棕色，椭圆状，稍扁。花期 7 ~ 8 月，果期 8 ~ 9 月。

| 生境分布 |

生于林缘、山坡草地、灌丛、林下草地或草甸。以长白山区为主要分布区域，分布于吉林延边、白山、通化、吉林、辽源（东丰）等。

| 资源情况 |

野生资源较丰富。药材主要来源于野生。

| 采收加工 |

秋季地上茎叶枯萎后或早春植株萌芽前采挖，除去泥沙、枯残茎叶及须根，刮去粗皮，晒干或烘干。

| 功能主治 |

甘，寒。清热养阴，润肺化痰，益胃生津。用于肺热燥咳，虚劳久咳，咽喉痛。

| 附   注 |

本种为吉林省Ⅲ级重点保护野生植物。

桔梗科 Campanulaceae 沙参属 Adenophora

石沙参
Adenophora polyantha Nakai

| 植物别名 | 糙萼沙参。

| 药 材 名 | 石沙参（药用部位：根）。

| 形态特征 | 多年生草本。茎1至数条发自同一茎基上，常不分枝，无毛或有不同疏密程度的短毛。基生叶心状肾形，边缘具不规则粗锯齿，基部沿叶柄下延；茎生叶完全无柄，卵形至披针形，极少为披针状条形，边缘具疏离而三角形的尖锯齿或几乎为刺状的齿，无毛或疏生短毛。花序常不分枝而呈假总状花序，或有短分枝而组成狭圆锥花序；花梗短，长一般不超过1cm；花萼通常被毛，有的整个花萼被毛，有的仅筒部被毛，毛有密有疏，有的为短毛，有的为乳头状突起，极少完全无毛，筒部倒圆锥状，裂片狭三角状披针形；花冠紫色或深蓝色，钟状，喉部常稍稍收缢，裂片短，不超过全长的1/4，常

石沙参

先直而后反折；花盘筒状，常疏被细柔毛；花柱常稍稍伸出花冠，有时在花大时与花冠近等长。蒴果卵状椭圆形；种子黄棕色，卵状椭圆形；稍扁，有一带翅的棱。花期8～10月。

| **生境分布** | 生于阳坡开旷草地。分布于吉林松原（前郭尔罗斯、乾安）、白城（通榆、洮北）、白山（长白、靖宇）、通化（辉南）等。

| **资源情况** | 野生资源较少。药材主要来源于野生。

| **采收加工** | 秋季地上茎叶枯萎后或早春植株萌芽前采挖，除去泥沙、枯残茎叶及须根，刮去粗皮，晒干或烘干。

| **功能主治** | 甘，凉。清热养阴，祛痰止咳。用于肺热燥咳，虚劳久咳。

桔梗科 Campanulaceae 沙参属 Adenophora

薄叶荠苨 *Adenophora remotiflora* (Sieb. et Zucc.) Miq.

| 植物别名 | 地参、荠苨。

| 药 材 名 | 荠苨（药用部位：根。别名：菧苨、甜桔梗、土桔梗）。

| 形态特征 | 多年生草本。根圆锥形，黄褐色，具分枝。茎单生，直立，光滑，无毛，常多少呈"之"字形曲折，有白色乳汁。单叶互生，有长柄，叶卵形至卵状披针形，少为卵圆形，基部多平截、圆钝至宽楔形，先端多渐尖，叶缘有不整齐的锯齿或重锯齿。花序呈假总状或狭圆锥状；花下垂；花萼5裂，钟形，裂片狭披针形，全缘；花冠钟状，蓝色、蓝紫色或白色，裂片三角形；雄蕊5，花丝下半部分呈披针形，上方渐细；花盘筒状，细长；雌蕊1，子房半下位。蒴果倒卵形；种子多数。花期7～8月，果期8～9月。

薄叶荠苨

| 生境分布 |

生于山坡、林间草地、林缘或路旁等。以长白山区为主要分布区域，分布于吉林延边、白山、通化、吉林、辽源（东丰）等。

| 资源情况 |

野生资源较丰富。药材主要来源于野生。

| 采收加工 |

春季采挖，除去茎叶，洗净，晒干。

| 功能主治 |

甘，寒。归肺、脾经。清热解毒，化痰。用于疮毒，咽喉痛，消渴，咳嗽。

| 用法用量 |

内服煎汤，5 ~ 10g。外用适量，捣敷。

| 附　注 |

本种的幼苗及根为山野菜。

桔梗科 Campanulaceae 沙参属 Adenophora

扫帚沙参 *Adenophora stenophylla* Hemsl.

| 植物别名 | 细叶沙参、蒙古沙参。

| 药 材 名 | 扫帚沙参（药用部位：根。别名：蒙古沙参）。

| 形态特征 | 多年生草本。茎通常多支发自一条根上，常有细弱分枝，加之叶较密集，因此呈扫帚状，密被短毛至无毛。基生叶卵圆形，基部圆钝；茎生叶无柄，针状至长椭圆状条形，全缘或疏生尖锯齿，无毛或被短刚毛。花序分枝纤细，几乎垂直上升，组成狭圆锥花序，极少无花序分枝，仅数朵花集成假总状花序；花梗纤细；花萼无毛，筒部矩圆状倒卵形，裂片钻状，全缘或有 1 ~ 2 对瘤状小齿；花冠钟状，蓝色或紫蓝色，裂片卵状三角形；花盘筒状，无毛或有疏毛；花柱比花冠稍短。蒴果椭圆状至长椭圆状；种子椭圆状，棕黄色，稍扁，有一带翅的棱。花期 7 ~ 9 月，果期 9 月。

扫帚沙参

| 生境分布 |

生于草原或干燥草甸上。分布于吉林松原（乾安）、白城（镇赉、洮南）、四平（双辽）等。

| 资源情况 |

野生资源较少。药材主要来源于野生。

| 采收加工 |

春、秋季采挖，除去泥沙、枯残茎叶及须根，刮去外层栓皮，晒干或烘干。

| 功能主治 |

健胃，强壮。用于饮食积滞，体虚羸弱。

| 附　注 |

本种因具有呈扫帚状、花小、果实小等特征而很易识别。虽然与狭叶沙参 *Adenophora gmelinii* (Spreng.) Fisch. 的形态最相近，但本种的花小、果实小，而且花萼裂片窄小，边缘常有瘤状齿，可以以此区别。

桔梗科 Campanulaceae 沙参属 Adenophora

荠苨
Adenophora trachelioides Maxim.

荠苨

| 植物别名 |

心叶沙参、杏叶菜。

| 药 材 名 |

荠苨（药用部位：根。别名：土桔梗、空沙参、梅参）。

| 形态特征 |

多年生草本。茎单生，无毛，常多少呈"之"字形曲折，有时具分枝。基生叶心状肾形，宽超过长；茎生叶具 2 ～ 6cm 长的叶柄，叶片心形或在茎上部的叶基部近平截，通常叶基部不向叶柄下延成翅，先端钝至短渐尖，边缘具单锯齿或重锯齿，无毛或仅沿叶脉疏生短硬毛。花序分枝大多长而几乎平展，组成大圆锥花序，或分枝短而组成狭圆锥花序；花萼筒部倒三角状圆锥形，裂片长椭圆形或披针形；花冠钟状，蓝色、蓝紫色或白色，裂片宽三角状半圆形，先端急尖；花盘筒状，上下等粗或向上渐细；花柱与花冠近等长。蒴果卵状圆锥形；种子黄棕色，两端黑色，长矩圆状，稍扁，有 1 棱，棱外缘黄白色。花期 7 ～ 8 月，果期 8 ～ 9 月。

| 生境分布 |

生于林下、灌丛、林间草地、山坡路旁或干

燥石质山坡等。以长白山区为主要分布区域，分布于吉林延边、白山、通化、吉林、辽源（东丰）、长春（榆树）等。

| 资源情况 | 野生资源较少。药材主要来源于野生。

| 采收加工 | 春季采挖，除去茎叶，洗净，晒干。

| 药材性状 | 本品呈圆锥形，多芦头。表面棕褐色，光滑细腻。体轻，质松泡。断面黄白色，不平坦，无"金井玉栏"及"菊花心"，有不规则裂隙，呈花纹状，皱缩。无臭，味微甜。

| 功能主治 | 甘，寒。归肺、脾经。清热解毒，化痰止咳。用于肺热咳嗽，咽喉肿痛，消渴，疔疮肿毒。

| 用法用量 | 内服煎汤，5～10g。外用适量，捣敷。

| 附　注 | （1）本种常与薄叶荠苨 *Adenophora remotiflora* (Sieb. et Zucc.) Miq. 相混，后者的叶薄，膜质，叶基部多平截至圆钝或为宽楔形，少为心形，多沿叶柄下延成翅，先端渐尖，可以以此区别。但以前未注意到二者在花萼筒部形态上的区别，本种的萼筒倒三角状圆锥形，而薄叶荠苨的萼筒则为倒卵状或倒卵状圆锥形，此差异是很稳定的，据此再结合叶片的差别，两种是可以区分开来的。

（2）荠苨在吉林的药用历史较久。在《（宣统）安图县志》（1911）、《长白汇征录》（1910）等地方志中均有关于"荠苨"的记载。

（3）本种为吉林省Ⅲ级重点保护野生植物。

（4）本种的幼苗及根为山野菜。

桔梗科 Campanulaceae 牧根草属 Asyneuma

牧根草 *Asyneuma japonicum* (Miq.) Briq.

牧根草

| 植物别名 |

山生菜。

| 药 材 名 |

牧根草（药用部位：根）。

| 形态特征 |

多年生草本。根肉质，胡萝卜状，分枝或不分枝。茎单生或数条丛生，直立，高大而粗壮，不分枝，或有时上部分枝，无毛。茎下部的叶有长达 3.5cm 的长柄，茎上部的叶近无柄，茎下部的叶为卵形或卵圆形，茎上部的叶为披针形或卵状披针形，基部楔形，或有时圆钝，先端急尖至渐尖，边缘具锯齿，上面疏生短毛，下面无毛。花除花丝和花柱外均无毛；萼筒球状，裂片条形；花冠紫蓝色或蓝紫色，裂片长 8 ~ 10mm。蒴果球状；种子卵状椭圆形，棕褐色，长近 1mm。花期 7 ~ 8 月，果期 9 月。

| 生境分布 |

生于阔叶林林下或杂木林林下、林缘或路旁等。以长白山区为主要分布区域，分布于吉林延边、白山、通化、吉林、辽源（东丰）等。

| 资源情况 | 野生资源较少。药材主要来源于野生。

| 采收加工 | 春、夏季采挖，洗净，晒干。

| 功能主治 | 解毒消肿，养阴清肺，止咳。用于阴虚劳嗽，肺热燥咳。

| 附　　注 | 本种的幼苗为山野菜，可蘸酱生食或焯水后食用。

桔梗科 Campanulaceae 风铃草属 Campanula

聚花风铃草 *Campanula glomerata* L.

聚花风铃草

| 植物别名 |

灯笼花、山菠菜、风铃草。

| 药 材 名 |

聚花风铃草（药用部位：全草。别名：风铃草）。

| 形态特征 |

多年生草本，高 0.5 ~ 1.25m。茎直立，近无毛或疏被或密被白色硬毛或绒毛，基生叶具长柄，长卵形至心状卵形；茎生叶下部者具长柄，上部者无柄，椭圆形、长卵形至卵状披针形，全部叶边缘有尖锯齿。花数朵集成头状花序，生于茎中上部叶腋间，无总梗，亦无花梗，在茎先端，由于节间缩短、多个头状花序集成复头状花序，导致愈向茎顶，叶愈短而宽，最后成为卵圆状三角形的总苞状，每朵花下有一大小不等的苞片，头状花序中间的花先开，其苞片也最小；花萼裂片钻形；花冠紫色、蓝紫色或蓝色，管状钟形，分裂至中部；雄蕊 5，花丝基部膨大；花柱有微毛，柱头 3 裂。蒴果倒卵状圆锥形，于侧面开裂；种子长矩圆状，扁。花期 7 ~ 8 月，果期 8 ~ 9 月。

| 生境分布 |

生于林缘、灌丛、山坡或路边草地等。以长白山区为主要分布区域，分布于吉林延边、白山、通化、吉林、辽源（东丰）等。

| 资源情况 |

野生资源较丰富。药材主要来源于野生。

| 采收加工 |

7～9月采收，洗净，晒干。

| 功能主治 |

苦，凉。归肺经。清热解毒，止痛。用于咽喉肿痛，声音嘶哑，头痛，咽喉炎。

| 用法用量 |

内服煎汤，6～10g。

| 附　注 |

（1）在 FOC 中，本种的拉丁学名被修订为 *Campanula glomerata* subsp. *speciosa* (Sprengel) Domin。

（2）本种的幼苗为山野菜。

桔梗科 Campanulaceae 风铃草属 Campanula

紫斑风铃草 *Campanula puncatata* Lam.

紫斑风铃草

| 植物别名 |

风铃草、山小菜、灯笼花。

| 药 材 名 |

紫斑风铃草（药用部位：全草）。

| 形态特征 |

多年生草本，全体被刚毛，具细长而横走的根茎。茎直立，粗壮，通常在上部分枝。基生叶具长柄，心状卵形；茎生叶下部者有带翅的长柄，上部者无柄，三角状卵形至披针形，先端尖或渐尖，两面被刺状柔毛，背面沿脉毛较密，边缘具不整齐的钝齿。花顶生于主茎及分枝先端，下垂；花萼密被刺状柔毛，萼筒先端 5 裂，裂片直立，狭三角状披针形，裂片间有一卵形至卵状披针形而反折的附属物，它的边缘有芒状长刺毛；花冠白色，带紫斑，筒状钟形，裂片有睫毛；雄蕊5；子房与萼筒合生，无毛，柱头 3 裂，线形。蒴果半球状倒锥形，脉很明显，于侧面基部 3 孔裂；种子灰褐色，矩圆状，稍扁。花期 6 ~ 7 月，果期 8 ~ 9 月。

| 生境分布 |

生于林缘、灌丛、草原、山坡或路边草地等，常成片生长。以长白山区为主要分布区域，分布于吉林延边、白山、通化、长春、吉林、辽源（东丰）、松原（扶余）、白城（大安）等。

| 资源情况 | 野生资源较丰富。药材主要来源于野生。

| 采收加工 | 夏、秋季采收，除去杂质，晒干。

| 药材性状 | 本品全体被刚毛，具细长的根茎。茎粗壮，有分枝。基生叶心状卵形；茎生叶三角状卵形至披针形，两面被刺状柔毛，背面沿脉毛较密，边缘具不整齐的钝齿。花萼密被刺状柔毛，裂片狭三角状披针形，边缘有芒状长刺毛。蒴果半球状倒锥形，脉很明显，于侧面基部3孔裂。种子灰褐色，矩圆状，稍扁。气微，味苦。

| 功能主治 | 苦，凉。清热解毒，祛风除湿，止痛，平喘。用于咽喉痛，头痛，难产。

| 附　　注 | 本种的幼苗为山野菜。

| 桔梗科 | Campanulaceae | 党参属 | Codonopsis |

羊乳

Codonopsis lanceolata (Sieb. et Zucc.) Trautv.

羊乳

| 植物别名 |

轮叶党参、羊奶参、山胡萝卜。

| 药 材 名 |

羊乳（药用部位：根。别名：山胡萝卜）。

| 形态特征 |

多年生草质藤本。根常肥大，呈纺锤状而有
少数细小侧根，表面灰黄色。茎缠绕。叶在
主茎上的互生，披针形或菱状狭卵形，细小；
在小枝先端上的通常 2 ~ 4 簇生，而近对生
或轮生状，叶柄短小，叶片菱状卵形、狭卵
形或椭圆形，先端尖或钝，通常全缘或有疏
波状锯齿。花单生或对生于小枝先端；花萼
贴生至子房中部，筒部半球状，裂片卵状三
角形，先端尖，全缘；花冠阔钟状，浅裂，
裂片三角状，反卷，黄绿色或乳白色，内有
紫色斑纹；花盘肉质，深绿色；花丝钻状，
基部微扩大；子房下位。蒴果下部半球状，
上部有喙；种子多数，卵形。花期 7 ~ 8 月，
果期 8 ~ 9 月。

| 生境分布 |

生于山坡、湿地、林缘、草甸、疏林、灌丛、
溪间或阔叶林林内等。以长白山区为主要分

布区域，分布于吉林延边、白山、通化、吉林、辽源（东丰）等。吉林集安、柳河、梅河口、安图、伊通有规模化种植，主要集中在集安。

| **资源情况** | 野生资源较少。吉林有栽培。药材主要来源于栽培。

| **采收加工** | 秋季地上部分枯萎或翌年春季植株萌芽前采挖，除去茎叶、泥土，洗净，晒干。

| **药材性状** | 本品呈片状，直径 2 ~ 6cm。表面灰棕色或灰黄色。根茎（芦头）上常见密集的芽痕和茎痕，主根上部常有横环纹，全体有皱沟，粗糙不平。质轻，易折断，折断面灰白色，多裂隙。气微，味甜、微苦。

| **功能主治** | 甘，温。归肝、脾、肺、大肠经。补益脾肺，解毒排脓。用于肺虚咳嗽，肺痈，乳痈，肠痈，肿毒，瘰疬，喉蛾，体虚少乳，带下等。

| **用法用量** | 内服煎汤，15 ~ 30g。外用适量，捣敷。

| **附　　注** | （1）本种为吉林省Ⅲ级重点保护野生植物。
（2）本种的幼苗和根为山野菜。

桔梗科 Campanulaceae 党参属 Codonopsis

雀斑党参 *Codonopsis ussuriensis* (Rupr. et Maxim.) Hemsl.

雀斑党参

| 植物别名 |

乌苏里党参、山土豆。

| 药材名 |

雀斑党参（药用部位：根）。

| 形态特征 |

多年生草质藤本。根下部常肥大，呈块状球形或长圆状，灰黄色。茎缠绕，纤细，节间短，常有多数纤细分枝。叶在主茎上的互生，披针形或菱状卵形，细小；在纤细分枝先端上的通常 3 ~ 5 簇生，呈假轮生状，叶柄短小，叶片披针形或椭圆形，先端尖或钝，基部渐狭，全缘，上面绿色，无毛，下面灰绿色，无毛或疏生柔毛。花单生于纤细分枝先端；花梗长 2 ~ 5cm；苞片 1，细小，披针形或菱状狭卵形；花萼贴生至子房中部，筒部半球状，裂片狭披针形或卵状三角形，先端急尖，全缘；花冠钟状，先端浅裂，裂片三角状，暗紫色或污紫色，内面有明显的暗带或黑斑；花丝基部微扩大。蒴果下部半球状，上部有喙；种子多数，卵形，无翼，细小，暗棕色而有光泽。花期 7 ~ 8 月，果期 8 ~ 9 月。

| 生境分布 | 生于山地、山沟、河岸湿地、林缘、山坡、草地或灌丛等。以长白山区为主要分布区域，分布于吉林延边、白山、通化、吉林、辽源（东丰）等。

| 资源情况 | 野生资源较少。药材主要来源于野生。

| 采收加工 | 秋季地上部分枯萎或翌年春季植株萌芽前采挖，除去茎叶、泥土，洗净，晒干。

| 药材性状 | 本品呈长圆柱形，稍弯曲。表面黄棕色至灰棕色，根头部有多数疣状凸起的茎痕及芽，茎痕的先端呈凹下的圆点状。根头下有致密的环状横纹。全体有纵皱纹和散在的横长皮孔样突起，支根断落处常有黑褐色胶状物。质稍硬或略带韧性，断面稍平坦，有裂隙或放射状纹理，皮部淡棕色，木部淡黄色。有特殊香气，味微甜。

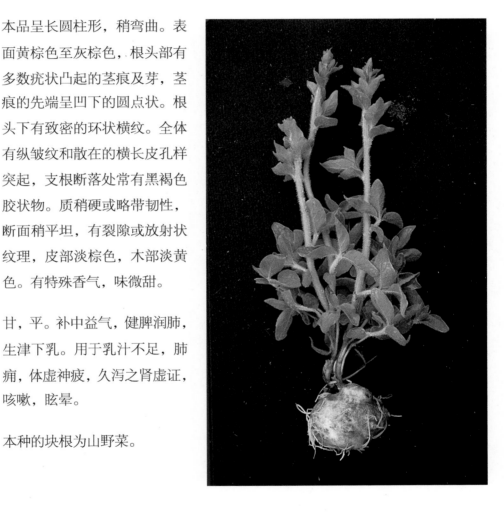

| 功能主治 | 甘，平。补中益气，健脾润肺，生津下乳。用于乳汁不足，肺痈，体虚神疲，久泻之肾虚证，咳嗽，眩晕。

| 附　注 | 本种的块根为山野菜。

桔梗科 Campanulaceae 半边莲属 Lobelia

山梗菜
Lobelia sessilifolia Lamb.

山梗菜

| 植物别名 |

大种半边莲、半边莲。

| 药 材 名 |

山梗菜（药用部位：全草。别名：半边莲、水苋菜、苦菜）。

| 形态特征 |

多年生草本。根茎直立，生多数须根。茎圆柱状，通常不分枝，无毛。叶螺旋状排列，在茎的中上部较密集，无柄，厚纸质；叶片宽披针形至条状披针形，边缘有细锯齿，先端渐尖，基部近圆形至阔楔形，两面无毛。总状花序顶生，无毛；苞片叶状，窄披针形，比花短；萼筒杯状钟形，无毛，裂片三角状披针形，全缘，无毛；花冠蓝紫色，近二唇形，外面无毛，内面生长柔毛，上唇2裂片长匙形，较长于花冠筒，上升，下唇裂片椭圆形，约与花冠筒等长，裂片边缘密生睫毛；雄蕊在基部以上联合成筒，花丝筒无毛，花药接合线上密生柔毛，仅下方2花药先端生笔毛状髯毛。蒴果倒卵状；种子近半圆状，一边厚，一边薄，棕红色，表面光滑。花果期7～9月。

| **生境分布** | 生于沼泽地、平原、山坡、湿地、草甸。以长白山区为主要分布区域，分布于吉林延边、白山、通化、吉林、辽源（东丰）等。 |

| **资源情况** | 野生资源较少。药材主要来源于野生。 |

| **采收加工** | 夏、秋季采收，洗净，鲜用或晒干。 |

| **药材性状** | 本品根茎较粗壮，具多数白色细须根。茎直立。单叶互生，披针形，先端尖，边缘具细锯齿。总状花序生于茎先端，花萼钟状 5 裂；花冠深蓝色，近二唇形，上唇 2 全裂，下唇 3 裂，裂片长圆形，密生白色缘毛。有时可见小蒴果。气微，味微苦。 |

| **功能主治** | 辛，平；有小毒。归肺、肾经。宣肺化痰，清热解毒，利尿消肿。用于支气管炎，咳嗽痰喘，水肿，肝硬化腹水；外用于痈肿疮疖，毒蛇咬伤，蜂螫。 |

| **用法用量** | 内服煎汤，10 ~ 15g，鲜品 15 ~ 30g；或捣汁饮。外用适量，鲜品捣敷。 |

菊科 Compositae 蓍属 Achillea

齿叶蓍

Achillea acuminata (Ledeb.) Sch.-Bip.

齿叶蓍

| 植物别名 |

单叶蓍。

| 药 材 名 |

齿叶蓍（药用部位：地上部分）。

| 形态特征 |

多年生草本，高 0.3 ~ 1m。茎直立，单生，有时分枝，上部密被短柔毛，下部光滑。茎基部和下部叶花期凋落，茎中部叶披针形或条状披针形，先端渐尖，基部稍狭，无柄，边缘具整齐上弯的重小锯齿，齿先端具软骨质小尖，初时两面被短柔毛，后光滑或仅下面沿叶脉有短柔毛，具极疏的腺点。头状花序较多数，排成疏伞房状；总苞半球形，被长柔毛；总苞片 3 层，覆瓦状排列，外层较短，卵状矩圆形，先端急尖，内层矩圆形，先端圆形，中部淡黄绿色，边缘宽膜质，淡黄色或淡褐色，被较密的长柔毛，托片与总苞片相似，上部和先端有黄色长柔毛；边缘舌状花 14，舌片白色，先端具 3 圆齿，管部极短，翅状压扁；两性管状花白色。瘦果倒披针形，有淡白色边肋，背面或背腹两面有时凸起成肋状，无冠状冠毛。花期 7 ~ 8 月，果期 8 ~ 9 月。

| 生境分布 |

生于山坡下湿地、草甸、林缘。分布于吉林白山（长白、抚松）、延边（安图、和龙）等。

| 资源情况 |

野生资源较丰富。药材主要来源于野生。

| 采收加工 |

6 ~ 8 月割取带有花序的地上部分，阴干。

| 药材性状 |

本品茎有分枝，上部密被短柔毛，下部光滑。叶披针形或条状披针形，无柄，边缘具整齐上弯的小锯齿，沿叶脉有短柔毛，具极疏的腺点。头状花序排成疏伞房状；总苞半球形，被长柔毛；总苞片卵状矩圆形，淡黄色或淡褐色，被较密的长柔毛。气微香，味微苦。

| 功能主治 |

活血解毒，祛风止痛，止血消肿。用于瘀血肿痛，痹证。

菊科 Compositae 蓍属 Achillea

高山蓍
Achillea alpina L.

高山蓍

| 植物别名 |

蓍。

| 药 材 名 |

蓍草（药用部位：地上部分。别名：蓍、蜈蚣草、飞天蜈蚣）。

| 形态特征 |

多年生草本，具短根茎。茎直立，高 30 ~ 80cm，被疏或密的伏柔毛，中部以上叶腋常有不育枝，仅在花序或上半部有分枝。叶无柄，下部叶花期枯萎凋落，中部叶条状披针形，篦齿状羽状浅裂至深裂，基部裂片抱茎；裂片条形或条状披针形，尖锐，边缘有不等大的锯齿或浅裂，齿先端和裂片先端有软骨质小尖。头状花序多数，集成伞房状；总苞宽矩圆形或近球形，总苞片 3 层，覆瓦状排列，宽披针形至长椭圆形；边缘舌状花 6 ~ 8，白色，宽椭圆形，显著超出总苞，先端具 3 浅齿；管状花白色，冠檐 5 裂，管部压扁。瘦果宽倒披针形，扁，有淡色边肋，无冠毛。花期 7 ~ 8 月，果期 8 ~ 9 月。

| 生境分布 |

生于山坡草地、灌丛或林缘等。以长白山区

为主要分布区域，分布于吉林延边、白山、通化、吉林、辽源（东丰）等。

| **资源情况** | 野生资源较丰富。药材主要来源于野生。

| **采收加工** | 夏、秋季花开时采割，除去杂质，阴干。

| **药材性状** | 本品茎呈圆柱形，直径 1 ～ 5mm。表面黄绿色或黄棕色，具纵棱，被白色柔毛；质脆，易折断，断面白色，中央有髓或中空。叶常卷缩，破碎，完整者展平后为长线状披针形，裂片线形，表面灰绿色至黄棕色，两面被柔毛。头状花序密集成复伞房状，黄棕色；总苞片卵形或长圆形，覆瓦状排列。气微香，味微苦。以茎呈圆柱形、叶片完整者为佳。

| **功能主治** | 苦、酸，平。归肺、脾、膀胱经。解毒利湿，活血止痛。用于乳蛾咽痛，泄泻痢疾，肠痈腹痛，热淋涩痛，湿热带下，蛇虫咬伤。

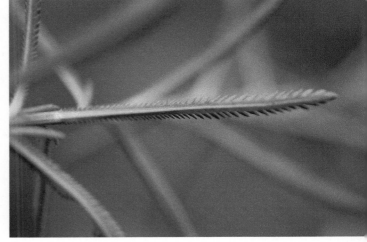

| **用法用量** | 内服煎汤，15 ～ 45g，必要时日服 2 剂。

| **附　注** | （1）蓍草药用量小，市场价格平稳，销势迟缓。吉林的本种资源分布较为零散，无药材商品产出。

（2）2020 年版《中国药典》记载本种的中文名称为蓍。

菊科 Compositae 蓍属 Achillea

蓍

Achillea millefolium L.

蓍

| 植物别名 |

千叶蓍。

| 药 材 名 |

洋蓍草（药用部位：地上部分。别名：一支蒿、锯齿草、蜈蚣蒿）。

| 形态特征 |

多年生草本，具细的匍匐根茎。茎直立，高 0.4 ~ 1m，有细条纹，密生白色长柔毛，上部分枝或不分枝，中部以上叶腋常有缩短的不育枝。叶无柄，披针形、矩圆状披针形或近条形，羽状全裂或 2 ~ 3 回羽状全裂，有时基部裂片之间的上部有 1 中间齿，末回裂片披针形至条形，先端具软骨质小尖，上面密生凹入的腺体，下面被长柔毛。头状花序多数，密集成复伞房状；总苞矩圆形或近卵形，总苞片 3 层，覆瓦状排列；边花 5，舌片近圆形，白色、粉红色或淡紫红色，先端具 2 ~ 3 齿；盘花两性，管状，黄色，5 齿裂，外面具腺点。瘦果矩圆形，淡绿色，有狭的淡白色边肋，无冠毛。花期 7 ~ 8 月，果期 8 ~ 9 月。

| 生境分布 |

生于荒坡、湿草地、铁路沿线、河岸砂质地带、河岸石质地带或沟谷等。吉林各地均有分布。

| 资源情况 |

野生资源较少。药材主要来源于野生。

| 采收加工 |

6～8月采割带有花序的地上部分，阴干。

| 功能主治 |

辛、微苦，凉；有毒。解毒消肿，祛风止痛，活血止血。用于风湿关节痛，跌打损伤，疮痈肿毒，牙痛，经闭腹痛，胃痛，肠炎，痢疾，泄泻；外用于毒蛇咬伤。

| 用法用量 |

内服煎汤，5～10g；或浸酒。外用适量，煎汤洗；或捣敷。

菊科 Compositae 蓍属 Achillea

短瓣蓍

Achillea ptarmicoides Maxim.

短瓣蓍

| 植物别名 |

鸡冠子菜、千锯草、锯齿草。

| 药 材 名 |

短瓣蓍（药用部位：地上部分）。

| 形态特征 |

多年生草本，具短的根茎。茎直立，高
0.7 ~ 1m，疏生白色柔毛及黄色的腺点，通
常不分枝，中部叶腋有不育枝。叶无柄，条
形至条状披针形，篦齿状羽状深裂或近全
裂；裂片条形，先端急尖，边缘有不整齐的
锯齿，裂片先端和齿先端具白色软骨质尖头，
裂片间距小于或大于裂片的宽度，叶轴上面
被柔毛，两面密生黄色腺点；下部叶近花期
凋落，上部叶向上渐小。头状花序矩圆形，
生于被短柔毛的细梗上，多数头状花序集成
伞房状；总苞钟状，淡黄绿色，被疏毛或近
无毛；总苞片3层，覆瓦状排列；边花6 ~ 8，
舌片淡黄白色，极小，多少卷曲，稍超出总
苞，先端具深浅不一的3圆齿，管部翅状压
扁，有腺点；管状花白色，先端具5齿，管
部压扁，具腺点。瘦果矩圆形或宽倒披针
形，具宽的淡白色边肋，无冠毛。花期7 ~ 8
月，果期8 ~ 9月。

| 生境分布 | 生于河谷草甸、山坡路旁、灌丛。分布于吉林白山（长白、抚松）、延边（安图、和龙、汪清、龙井、珲春）、通化（辉南、通化）等。

| 资源情况 | 野生资源较丰富。药材主要来源于野生。

| 采收加工 | 6～8月采收。割下带有花序的地上部分，阴干。

| 药材性状 | 本品根茎较短。茎疏生白色柔毛及黄色的腺点，不分枝。叶无柄，条形至条状披针形，裂片边缘有不整齐的锯齿，叶轴上面疏生柔毛，两面密生黄色腺点。头状花序矩圆形，伞房状；总苞钟状，淡黄绿色，被疏毛或近无毛；总苞片外层卵形，先端稍尖，中层椭圆形，内层中间草质，淡绿色，边缘膜质，淡黄色，或有狭的淡棕色的外缘。瘦果矩圆形或宽倒披针形，具宽的淡白色边肋，无毛。气微香，味微苦。

| 功能主治 | 清热解毒，消肿止痛，活血止血，健胃。用于痈疮肿毒，瘀热出血，饮食积滞。

| 附 注 | 本种的幼苗被称为锯齿菜，可食用。

菊科 Compositae 和尚菜属 Adenocaulon

和尚菜
Adenocaulon himalaicum Edgew.

和尚菜

| 植物别名 |

腺梗菜、葫芦叶、葫芦菜。

| 药 材 名 |

和尚菜（药用部位：根茎。别名：腺梗菜）。

| 形态特征 |

多年生草本，高 0.3 ～ 1m。根茎匍匐，自节上生出多数的不定根。茎直立，中部以上分枝，分枝斜上，被蛛丝状绒毛。叶互生，基生叶和下部茎生叶为肾形或圆肾形，基部心形，基出脉 3，叶背面密生蛛丝状毛，叶柄有不等宽的翅，翅全缘或有不规则的齿；中部茎生叶三角状圆形，向上叶渐小，最上部的茎生叶无柄，全缘。头状花序排成狭或宽大的圆锥状花序，花梗短，被白色绒毛，花后花梗伸长，密被头状具柄腺毛；总苞半球形，1 层，总苞片 5 ～ 7，宽卵形，全缘，果期向外反曲；雌花白色，檐部比管部长，裂片卵状长椭圆形，花柱 2 浅裂，结实；中央花两性，淡白色，檐部短于管部 2 倍，不育。瘦果棍棒状，中部以上被多数头状具柄腺毛，无冠毛。花期 7 ～ 8 月，果期 9 ～ 10 月。

| 生境分布 |

生于林下、林缘、灌丛、路旁、河边湿地或水沟附近，常成片生长。以长白山区为主要分布区域，分布于吉林延边、白山、通化、吉林、辽源（东丰）等。

| 资源情况 |

野生资源较丰富。药材主要来源于野生。

| 采收加工 |

秋季采挖，洗净，切段，晒干。

| 功能主治 |

苦、辛，温。止咳平喘，利水散瘀。用于咳嗽气喘，水肿，产后瘀血腹痛；外用于骨折。

| 用法用量 |

内服煎汤，9 ～ 15g。外用适量，鲜品捣敷。

| 附　　注 |

本种的嫩苗可食用。

菊科 Compositae 豚草属 Ambrosia

豚草

Ambrosia artemisiifolia L.

豚草

| 植物别名 |

豕草。

| 药 材 名 |

豚草（药用部位：全草）。

| 形态特征 |

一年生草本，高 20 ～ 150cm。茎直立，稍带紫红色，上部有圆锥状分枝，有棱，密被糙毛。下部叶对生，具短叶柄，2 回羽状分裂，裂片狭小，长圆形至倒披针形，全缘，密被短糙毛，有明显的中脉；上部叶互生，无柄，羽状分裂。雄头状花序半球形或卵形，具短梗，下垂，在枝端密集成总状花序；总苞宽半球形或碟形；总苞片全部结合，无肋，边缘具波状圆齿，稍被糙伏毛；花托具刚毛状托片；每个头状花序有数朵不育的小花；花冠淡黄色，花柱不分裂，先端膨大成画笔状。雌头状花序无花序梗，在雄头状花序下面或在下部叶腋单生，或 2 ～ 3 密集成团伞状，有一无被、能育的雌花，总苞闭合，具结合的总苞片；花柱 2 深裂，丝状，伸出总苞的嘴部。瘦果倒卵形，黑褐色，无毛，先端具长尖嘴，近先端有 4 ～ 6 尖刺，种子较三裂叶豚草种子小很多。花期 8 ～ 9 月，果

期 9 ~ 10 月。

| **生境分布** | 生于荒地、空地、路边、林缘、房舍附近、田野、河边湿地等。吉林各地均有分布。

| **资源情况** | 野生资源丰富。药材主要来源于野生。

| **采收加工** | 夏、秋季采收，除去杂质，洗净泥土，鲜用或晒干。部分人群对其花粉过敏，采收时应注意防范。

| **药材性状** | 本品茎稍带紫红色，具圆锥状分枝，有棱，密被糙毛。叶长圆形至倒披针形，全缘，密被短糙毛，有明显的中脉。雄头状花序半球形或卵形，具短梗；总苞宽半球形或碟形；总苞片全部结合，边缘具波状圆齿，稍被糙伏毛。瘦果倒卵形，黑褐色，无毛。气微，味微苦。

| **功能主治** | 祛风除湿。用于风湿性关节炎。

菊科 Compositae 豚草属 Ambrosia

三裂叶豚草 *Ambrosia trifida* L.

三裂叶豚草

| 药 材 名 |

三裂叶豚草（药用部位：全草）。

| 形态特征 |

一年生高大草本，高达 200cm。茎直立，有
分枝，全株密被短糙毛。叶对生，有时互生，
具叶柄，下部叶 3 ~ 5 深裂，上部叶 3 深裂
或有时不裂，边缘有锐锯齿，有 3 基出脉。
雄头状花序多数，圆形，下垂，在枝端密
集成总状花序；总苞浅碟形；总苞片结合，
外面有 3 肋，边缘有圆齿；花托无托片，具
白色长柔毛，每个头状花序有数朵不育的小
花；小花黄色，花冠钟形，上端 5 裂，外面
有 5 紫色条纹；花药离生，卵圆形；花柱不
分裂，先端膨大成画笔状。雌头状花序在雄
头状花序下面聚作团伞状，具一无被、能育
的雌花；总苞倒卵形，先端具圆锥状短嘴，
嘴部以下有 5 ~ 7 肋，每肋先端有瘤或尖刺，
无毛，花柱 2 深裂，丝状，上伸出总苞的嘴
部之外。瘦果倒卵形，淡黄色或浅黑褐色，
无毛，先端具尖嘴，近先端有 4 ~ 6 尖刺；
种子较豚草种子大很多。花期 8 ~ 9 月，果
期 9 ~ 10 月。

| 生境分布 | 生于荒地、空地、路边、林缘、房舍附近、田野、河边湿地等，常成片生长。吉林各地均有分布。 |

| 资源情况 | 野生资源丰富。药材主要来源于野生。 |

| 采收加工 | 夏、秋季采收，除去杂质，洗净泥土，鲜用或晒干。部分人群对其花粉过敏，采收时应注意防范。 |

| 药材性状 | 本品茎有分枝，全株密被短糙毛。叶具叶柄，边缘有锐锯齿，有脉。雄头状花序圆形；总苞浅碟形，边缘有圆齿；花托无托片，具白色长柔毛；小花黄色，花冠钟形。瘦果倒卵形，淡黄色或浅黑褐色，无毛。气微，味微苦。 |

| 功能主治 | 解毒消肿，止痛。用于风湿痹证。 |

莳萝蒿

Artemisia anethoides Mattf.

| **植物别名** | 肇东蒿。

| **药 材 名** | 莳萝蒿（药用部位：幼苗）。

| **形态特征** | 一年生或二年生草本，高 30 ~ 90cm，植株有浓烈的香气。主根单一，狭纺锤形，侧根多数。茎单一，多分枝，淡红色或红色；茎、枝均被灰白色短柔毛。叶两面密被白色绒毛；基生叶与茎下部叶 3 ~ 4 回羽状全裂，有长叶柄，花期枯萎；中部叶 2 ~ 3 回羽状全裂，小裂片丝线形或毛发状，近无柄，基部裂片半抱茎；上部叶与苞片叶 3 全裂或不分裂，裂片或不分裂的苞片叶狭线形。头状花序近球形，多数，具短梗，下垂，基部有狭线形的小苞叶，在分枝上排成开展的圆锥花序；总苞片 3 ~ 4 层，外层、中层总苞片椭圆形

莳萝蒿

或披针形，背面密被白色短柔毛，具绿色中肋，边缘膜质，内层总苞片长卵形，近膜质，背面无毛；雌花 3 ~ 6，花冠狭管状，花柱线形，伸出花冠外，先端二叉；两性花 8 ~ 16，花冠管状，花药线形，花柱与花冠近等长，先端二叉。瘦果倒卵形。花期 7 ~ 8 月，果期 8 ~ 9 月。

| 生境分布 |

生于干山坡、干河谷、碱性滩地、盐渍化草原、砂质草原或固定沙丘附近等。分布于吉林白城、松原等。

| 资源情况 |

野生资源较少。药材主要来源于野生。

| 采收加工 |

春季幼苗高 6 ~ 10cm 时采收，晒干。

| 药材性状 |

本品茎呈圆柱形，多分枝，长 10 ~ 30cm，表面黄绿色或棕黄色，具纵棱线；质略硬，易折断。叶暗绿色或棕绿色，卷缩易碎，裂片及小裂片矩圆形或长椭圆形。气香特异，味微苦。

| 功能主治 |

清热利湿，利胆退黄。用于湿热黄疸，胆胀胁痛。

菊科 Compositae 蒿属 Artemisia

黄花蒿
Artemisia annua Linn.

| **植物别名** | 臭蒿、黄蒿、青蒿。

| **药 材 名** | 青蒿（药用部位：地上部分。别名：蒿子、臭蒿、苦蒿）。

| **形态特征** | 一年生草本，高 50 ~ 150cm，植株有浓烈的挥发性香气。根单生，垂直，狭纺锤形。茎单生，有纵棱，下部木质化，上部多分枝，幼时嫩绿色，后变枯黄色。叶互生，有柄；下部叶基部有半抱茎的假托叶，叶片 3 ~ 4 回羽状深裂，每侧有裂片 5 ~ 8，裂片长椭圆状卵形，再次分裂，小裂片边缘具多枚栉齿状三角形或长三角形的深裂齿；下部叶与基部叶花期枯萎；中部叶具短柄，2 ~ 3 回羽状深裂，小裂片栉齿状三角形；上部叶与苞片叶 1 ~ 2 回羽状深裂，近无柄。头状花序球形，多数，有短梗，下垂或倾斜，基部有线形

黄花蒿

的小苞叶，在分枝上排成开展、尖塔形的圆锥花序；总苞片 3 ~ 4 层，内、外层近等长，花序托凸起，半球形；花深黄色，雌花 10 ~ 18，花柱线形，伸出花冠外，先端二叉；两性花数十朵，结实或中央少数花不结实，花柱与花冠近等长。瘦果小，椭圆状卵形，略扁，无毛。花期 8 ~ 9 月，果期 9 ~ 10 月。

| 生境分布 | 生于荒地、空地、路边、山坡、林缘、房舍附近、撂荒地或砂质河岸沟地等。吉林各地均有分布。

| 资源情况 | 野生资源丰富。药材主要来源于野生。

| 采收加工 | 秋季花开时采割，除去老茎，阴干。

| 药材性状 | 本品茎呈圆柱形，上部多分枝，长 30 ~ 80cm，直径 0.2 ~ 0.6cm，表面黄绿色或棕黄色，具纵棱线；质略硬，易折断，断面中部有髓。叶互生，暗绿色或棕绿色，卷缩易碎，完整者展平后为 3 回羽状深裂，裂片和小裂片矩圆形或长椭圆形，两面被短毛。气香特异，味微苦。以质嫩、色绿、气清香者为佳。

| 功能主治 | 苦、辛，寒。归肝、胆经。清虚热，除骨蒸，解暑热，截疟，退黄。用于温邪伤阴，夜热早凉，阴虚发热，骨蒸劳热，暑邪发热，疟疾寒热，湿热黄疸。

| 用法用量 | 内服煎汤，6 ~ 12g，治疟疾可用 20 ~ 40g，不宜久煎；或鲜品加倍，水浸绞汁饮；或入丸、散。外用适量，研末调敷；或鲜品捣敷；或煎汤洗。

| 附　注 | 吉林的青蒿药材商品主产于中西部平原地区，产量较小，尚未形成规模。

菊科 Compositae 蒿属 Artemisia

艾

Artemisia argyi Lévl. et Van.

| **植物别名** | 家艾、艾蒿、五月艾。

| **药 材 名** | 艾叶（药用部位：叶。别名：艾蒿、家艾、冰台）。

| **形态特征** | 多年生草本或略呈半灌木状，高 80 ~ 150cm，植株有浓烈香气。主根明显，略粗壮，侧根多。茎单生，有明显纵棱，褐色或灰黄褐色，上部草质，有分枝，密生灰色蛛丝状柔毛。叶互生，厚纸质，上、下面密被灰白色蛛丝状密绒毛，并有白色腺点与小凹点；基生叶具长柄，下部叶羽状深裂，每侧具裂片 2 ~ 3，二者于花期萎谢；中部叶羽状深裂或浅裂，侧裂片 2 对，常楔形，中裂片又常 3 裂，边缘有钝锯齿；上部叶无柄，苞片叶羽状 3 浅裂或 3 深裂。头状花序数枚在分枝上排成小型的穗状花序或复穗状花序，再在茎上组成狭

艾

窄、尖塔形的圆锥花序；总苞片 3 ～ 4 层，覆瓦状排列；外、中层被蛛丝状绵毛，内层近无毛；雌花 6 ～ 10，紫色，花柱细长，伸出花冠外甚长，先端二叉；两性花 8 ～ 12，花柱与花冠近等长或略长于花冠，先端 2 叉，花后向外弯曲。瘦果小，无毛。花期 8 ～ 9 月，果期 9 ～ 10 月。

| 生境分布 | 生于荒地、林缘、草甸、山坡、草原、路旁。吉林各地均有分布。吉林各地均有栽培。

| 资源情况 | 野生资源较丰富。吉林广泛栽培。药材主要来源于栽培。

| 采收加工 | 夏季花未开时采摘，除去杂质，晒干。

| 药材性状 | 本品多皱缩、破碎，有短柄。完整叶片展平后呈卵状椭圆形，羽状深裂，裂片椭圆状披针形，边缘有不规则的粗锯齿，上表面灰绿色或深黄绿色，有稀疏的柔毛和腺点，下表面密生灰白色绒毛。质柔软。气清香，味苦。以下面灰白色、绒毛多、香气浓郁者为佳。

| 功能主治 | 辛、苦，温；有小毒。归肝、脾、肾经。温经止血，散寒止痛，祛湿止痒。用于吐血，衄血，崩漏，月经过多，胎漏下血，少腹冷痛，经寒不调，宫冷不孕；外用于皮肤瘙痒。醋艾炭温经止血，用于虚寒性出血。

| 用法用量 | 内服煎汤，3 ～ 10g；或入丸、散；或捣汁。外用适量，捣绒作炷；或制成艾条熏灸；或捣敷；或煎汤熏洗；或炒热温熨。

| 附 注 | 艾在吉林药用历史较久。在《吉林通志》（1891）、《吉林分巡道造送会典馆、国史馆清册》（1902）、《大中华吉林省地理志》（1921）等 30 余部地方志中均有关于"艾"的记载。

菊科 Compositae 蒿属 Artemisia

山蒿
Artemisia brachyloba Franch.

| 植物别名 |

岩蒿、骆驼蒿。

| 药 材 名 |

山蒿（药用部位：全草。别名：岩蒿）。

| 形态特征 |

半灌木状草本或为小灌木，高 30 ～ 60cm。主根粗大，木质，垂直，常扭曲，有纤维状的根皮；根茎粗壮，木质。茎多数，丛生；茎、枝幼时被短绒毛，后渐脱落。叶互生，有叶柄；叶片上面绿色无毛，背面被白色绒毛；基生叶卵形或宽卵形，2 ～ 3 回羽状全裂，花期凋谢；茎下部与中部叶宽卵形或卵形，2 回羽状全裂，每侧裂片 3 ～ 4，裂片再次羽状全裂，小裂片先端钝，边缘反卷；上部叶羽状全裂，裂片 2 ～ 4；苞片叶 3 裂或不分裂，线形。头状花序卵球形，具短梗或近无梗，略下倾，在分枝上密集或略稀疏，常排成短总状花序或为穗状花序，再在茎上组成圆锥花序；总苞片 3 层，背面有短毛，边缘宽膜质至全膜质；花筒状，黄色，外层雌性，内层两性。瘦果极小，无毛。花期 7 ～ 8 月，果期 8 ～ 9 月。

山蒿

| **生境分布** | 生于阳坡草地、砾质坡地、半荒漠草原、戈壁或岩石缝中。分布于吉林白城、松原、四平、吉林（舒兰）等。

| **资源情况** | 野生资源较少。药材主要来源于野生。

| **采收加工** | 秋季花开时采收，除去杂质，阴干。

| **药材性状** | 本品主根粗大，木质，常扭曲，有纤维状的根皮；根茎粗壮，木质，直径 3 ~ 5cm。茎长短不一，稍纤细。叶皱缩破碎或完整叶片展平后表面绿色无毛，背面被白色绒毛。头状花序卵球形或卵状钟形，直径 2.5 ~ 3.5mm，具短梗或近无梗，花冠狭管状，背面有疏腺点，花柱线形，伸出花冠外甚长，先端二叉，叉端尖锐。瘦果卵圆形。气特异，味苦、辛。

| **功能主治** | 清热燥湿，消炎，排脓，杀虫。用于偏头痛，咽喉痛，风湿关节痛。

| **用法用量** | 内服熬膏，1.5 ~ 3g。炒炭研末，3 ~ 6g。

菊科 Compositae 蒿属 *Artemisia*

茵陈蒿 *Artemisia capillaris* Thunb.

| **植物别名** | 东北茵陈蒿、吱啦蒿、白蒿子。

| **药 材 名** | 茵陈（药用部位：地上部分。别名：绵茵陈、花茵陈、绒蒿）。

| **形态特征** | 半灌木状草本，植株有浓烈的香气。主根明显木质，直生或歪斜。茎单生或基部多条分枝，光滑，红褐色或褐色，有不明显的纵条纹，茎、枝初时密生灰白色或灰黄色绢质柔毛，后渐稀疏或脱落无毛。基生叶及下部叶有柄，密集着生，幼苗期常呈莲座状；中部以上叶片2～3回羽状全裂，每裂片再3～5全裂，小裂片狭线形或丝线形，通常细直、不弧曲，先端微尖，基部裂片常半抱茎，近无叶柄。头状花序卵球形，多数，常向一侧俯垂，常排成复总状花序，总苞片3～4层，近膜质，总苞片先端不反卷，花序托小，凸起；边缘花雌性，

茵陈蒿

能育，花柱细长，伸出花冠外，先端二叉，花冠锥形，淡黄色；中央花两性，不育，花柱短，不伸出花冠外，先端不叉开。瘦果长圆形或长卵形，暗褐色。花期8～9月，果期9～10月。

| **生境分布** | 生于山坡、草地、荒地、林缘、田野、路旁或住宅附近，常成单优势的大面积群落。吉林各地均有分布。

| **资源情况** | 野生资源较丰富。药材主要来源于野生。

| **采收加工** | 春季幼苗高6～10cm时采收或秋季花蕾长成至花初开时采割，除去杂质及老茎，晒干。春季采收的习称"绵茵陈"，秋季采割的习称"花茵陈"。

| **药材性状** | 本品绵茵陈多卷曲成团状，灰白色或灰绿色，全体密被白色茸毛，绵软如绒。茎细小，长1.5～2.5cm，直径0.1～0.2cm，除去表面白色茸毛后可见明显纵纹；质脆，易折断。叶具柄；展平后叶片呈1～3回羽状分裂，叶片长1～3cm，宽约1cm；小裂片卵形或稍呈倒披针形、条形，先端锐尖。气清香，味微苦。花茵陈茎呈圆柱形，多分枝，长30～100cm，直径2～8mm；表面淡紫色或紫色，有纵条纹，被短柔毛；体轻，质脆，断面类白色。叶密集，或多脱落；下部叶2～3回羽状深裂，裂片条形或细条形，两面密被白色柔毛；茎生叶1～2回羽状全裂，基部抱茎，裂片细丝状。头状花序卵形，多数集成圆锥状，长1.2～1.5mm，直径1～1.2mm，有短梗；总苞片3～4层，卵形，苞片3裂；外层雌花6～10，可多达15，内层两性花2～10。瘦果长圆形，黄棕色。气芳香，味微苦。

| **功能主治** | 苦、辛，微寒。归脾、胃、肝、胆经。清利湿热，利胆退黄。用于黄疸尿少，湿温暑湿，湿疮瘙痒。

| **用法用量** | 内服煎汤，6～15g。外用适量，煎汤熏洗。

| **附 注** | 本种幼苗可食。

菊科 Compositae 蒿属 Artemisia

青蒿
Artemisia carvifolia Buch.-Ham. ex Roxb.

| **植物别名** | 香蒿。

| **药 材 名** | 青蒿（药用部位：地上部分。别名：蒿子、香蒿、苦蒿）。

| **形态特征** | 一年生草本，高30～150cm，植株有香气。主根单一，垂直，侧根少。茎单生，上部多分枝，幼时绿色，有纵纹，下部稍木质化。叶无毛；基生叶与茎下部叶3回羽状分裂，有长叶柄，花期叶凋谢；中部叶2回羽状分裂，第1回全裂，每侧有裂片4～6，裂片长圆形，基部楔形，中轴与裂片羽轴常有小锯齿，叶柄较短，基部有小形半抱茎的假托叶；上部叶与苞片叶1～2回羽状分裂，无柄。头状花序在分枝上排成中等开展的圆锥花序；总苞片3～4层，外层总苞片狭小，中层总苞片稍大，边缘宽膜质，内层总苞片半膜质或膜质；花序托

青蒿

球形；花淡黄色；边缘花雌性，花冠狭管状，檐部具2裂齿，花柱伸出花冠管外，先端二叉；中央花两性，花冠管状，花柱与花冠等长或略长于花冠，先端二叉，叉端截形，有睫毛。瘦果长圆形至椭圆形。花期8~9月，果期9~10月。

| 生境分布 | 生于湿润的河岸边沙地、荒地、房舍附近、草地、山谷、林缘、路旁等，常成片生长。分布于吉林白山（抚松、靖宇、长白）、通化（通化、梅河口、集安、柳河、辉南）等。

| 资源情况 | 野生资源丰富。药材主要来源于野生。

| 采收加工 | 夏季开花前，选茎叶色青者，割取地上部分，阴干。

| 药材性状 | 本品长60~90cm。茎圆柱形；表面黄绿色或绿褐色，有纵向沟纹及棱线，无毛；质轻，易折断，断面呈纤维状，黄白色，中央有白色疏松的髓。叶片部分脱落，残存者皱缩卷曲，绿褐色；质脆，易碎。气香，味微苦。

| 功能主治 | 苦、微辛，寒。清热，解暑，除蒸。用于温病，暑热，骨蒸劳热，疟疾，黄疸，疥疮，瘙痒。

| 附 注 | 青蒿在吉林药用历史较久。在《西安县乡土志》（1908）、《怀德县志》（1929）、《永吉县志》（1931）等10余部地方志中均有关于"青蒿"的记载。

菊科 Compositae 蒿属 Artemisia

冷蒿
Artemisia frigida Willd.

| **植物别名** | 小白蒿。

| **药 材 名** | 冷蒿（药用部位：带花序全草。别名：小白蒿、白蒿、小艾）。

| **形态特征** | 多年生草本，高 30 ～ 60cm，有时略呈半灌木状。主根及根茎细长或粗短、木质化。茎直立，基部木质，丛生，上部分枝，斜向上，或不分枝，被短茸毛。茎下部叶 2 ～ 3 回羽状全裂；中部叶长圆形或倒卵状长圆形，1 ～ 2 回羽状全裂，每侧裂片 3 ～ 4，中部与上半部侧裂片常再 3 ～ 5 全裂，下半部侧裂片不再分裂或有 1 ～ 2 小裂片，小裂片长椭圆状披针形，先端锐尖，基部裂片半抱茎，并呈假托叶状，无柄；上部叶与苞片叶羽状全裂或 3 ～ 5 全裂。头状花序半球形、球形；在茎上排成总状花序或为总状花序式的圆锥花序；

冷蒿

总苞球形，总苞片 3 ~ 4 层，背面密被短绒毛，边缘膜质；花序托有白色托毛；花筒状，外层雌性，内层两性。瘦果小，矩圆形，无毛。花期 7 ~ 8 月，果期 8 ~ 9 月。

| 生境分布 | 生于草原、干燥山坡、路旁、砾质旷地、固定沙丘或高山草甸上。分布于吉林白城（镇赉、通榆、洮南、大安）、松原（长岭、前郭尔罗斯、乾安）、四平（双辽）等。

| 资源情况 | 野生资源较丰富。药材主要来源于野生。

| 采收加工 | 7 ~ 8 月初采收，晒干。

| 药材性状 | 本品茎基部木质，有分枝，被短茸毛。叶长圆形或倒卵状长圆形，呈假托叶状，无柄。头状花序半球形、球形；总苞球形，背面密被短绒毛，边缘膜质。瘦果小，矩圆形，无毛。气香特异，味微苦。

| 功能主治 | 辛，温。燥湿，杀虫。用于胆囊炎，蛔虫病，蛲虫病；外用于慢性风湿性关节炎。

| 用法用量 | 内服煎汤，9 ~ 15g。

菊科 Compositae 蒿属 Artemisia

盐蒿

Artemisia halodendron Turcz. ex Bess.

| **植物别名** | 差不嘎蒿、沙蒿。

| **药 材 名** | 盐蒿（药用部位：嫩枝叶。别名：差不嘎蒿）。

| **形态特征** | 多年生草本或小灌木，高 50 ~ 80cm。根及根茎木质、侧根多。茎直立或斜向上长，多分枝，幼时被短柔毛，茎纵棱明显，上部红褐色，下部茶褐色，外皮常剥落，与营养枝共组成密丛；下部枝多匍地生长，具短枝，短枝上叶常密集成丛生状。叶片稍厚，干时质硬；茎下部叶与营养枝叶 2 回羽状全裂，小裂片先端具硬尖头，边缘通常反卷，叶柄稍长，基部有假托叶；茎中部叶 1 ~ 2 回羽状全裂，小裂片狭线形，近无柄，基部有假托叶；茎上部叶与苞片叶 3 ~ 5 全裂或不分裂，无柄。头状花序多数，卵状球形，直立，基部有小苞叶，花

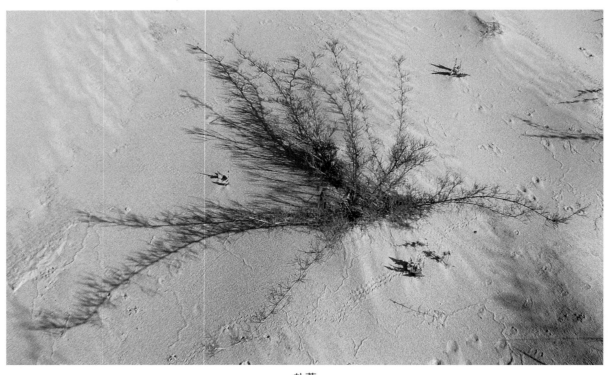

盐蒿

序在茎枝先端组成大型开展的圆锥花序；总苞片 3 ~ 4 层，覆瓦状排列；雌花花冠狭圆锥状，花柱伸出花冠外，先端二叉；两性花花冠管状，花柱短，先端近漏斗状，2 裂，不叉开。瘦果长卵形或倒卵状椭圆形，有细纵纹并含胶质物。花期 7 ~ 8 月，果期 9 ~ 10 月。

| **生境分布** | 生于荒漠草原、草原、森林草原、砾质坡地等。分布于吉林白城、松原、四平等。

| **资源情况** | 野生资源较少。药材主要来源于野生。

| **采收加工** | 夏季采收，除去杂质，晒干。

| **功能主治** | 祛痰止咳，平喘解表，祛湿。用于慢性咳嗽痰喘，感冒，风湿关节痛。

菊科 Compositae 蒿属 Artemisia

歧茎蒿
Artemisia igniaria Maxim.

| **植物别名** | 锯叶家蒿、白艾。

| **药材名** | 歧茎蒿（药用部位：叶）。

| **形态特征** | 半灌木状草本，高 60～120cm。主根稍明显，侧根多；根茎稍粗，常有营养枝。茎直立，纵棱明显，多分枝，初时被灰白色绵毛，后渐稀疏。叶稍厚，纸质，上面初时被灰白色短绒毛，后渐脱落无毛，背面密被灰白色绒毛，茎下部叶 1～2 回羽状深裂，具短柄，花期萎谢；茎中部叶 1～2 回羽状分裂，每侧裂片先端有短尖头，边缘稍反卷，基部渐狭成柄，叶柄较短；茎上部叶 3 深裂或不分裂，边缘无锯齿，近无柄或无柄；苞片叶不分裂。头状花序在茎枝先端组成中等开展的圆锥花序，小苞叶线状披针形；总苞片 3～4 层，覆

歧茎蒿

瓦状排列，外层总苞片小，中层总苞片略大，二者均被灰白色蛛丝状绵毛，内层总苞片近无毛；花序托小，凸起；雌花花冠狭管状，花柱细长，伸出花冠外，先端二叉，花后外卷；两性花多数，花冠管状，花柱与花冠近等长，先端二叉，叉端截形。瘦果长圆形。花期 8 ~ 9 月，果期 9 ~ 10 月。

| 生境分布 | 生于山坡、林缘、草地、森林草原、灌丛或路旁等。分布于吉林白城、松原、四平等。

| 资源情况 | 野生资源较少。药材主要来源于野生。

| 采收加工 | 夏、秋季采收，除去杂质，洗净，鲜用或晒干。

| 药材性状 | 本品稍厚，3 深裂或不分裂，边缘无锯齿且稍反卷，基部渐狭成柄，具短柄或无柄。体轻。气香，味微苦。

| 功能主治 | 散寒，止痛，止血。用于风寒感冒，胃寒痛，风湿痹痛，跌打损伤。

菊科 Compositae 蒿属 Artemisia

柳叶蒿
Artemisia integrifolia Linn.

| **植物别名** | 柳蒿。

| **药 材 名** | 柳叶蒿（药用部位：全草。别名：柳蒿）。

| **形态特征** | 多年生草本，高 50 ~ 120cm。主根明显，侧根稍多；根茎略粗。茎单生，紫褐色，具纵棱；茎、枝被蛛丝状毛。叶无柄，不分裂，全缘或具稀疏锯齿，上面暗绿色，初时被灰白色短柔毛，后脱落无毛或近无毛，背面除叶脉外密被灰白色密绒毛；基生叶与茎下部叶花期萎谢；茎中部叶椭圆状披针形，先端锐尖，羽状浅裂或深裂，基部楔形，渐狭成柄状，常有小型的假托叶或无假托叶；茎上部叶小，狭披针形，全缘。头状花序多数，在茎、枝先端组成圆锥花序；总苞片 3 ~ 4 层，覆瓦状排列，外层总苞片略小，卵形，中层总苞

柳叶蒿

片长卵形，背面疏被灰白色蛛丝状柔毛，中肋绿色，边缘宽膜质，褐色或红褐色；内层总苞片长卵形，半膜质，背面近无毛；花黄色，外层雌性，内层两性。瘦果倒卵形或长圆形，无毛。花期 8 ~ 9 月，果期 9 ~ 10 月。

| **生境分布** | 生于林缘、路旁、河边、草地、草甸、灌丛或沼泽地边缘等。分布于吉林通化（辉南、东昌）、延边（安图、和龙、龙井、珲春、汪清）、白山（浑江）、白城（洮北、通榆、镇赉、洮南）、松原（长岭、前郭尔罗斯）等。

| **资源情况** | 野生资源较少。药材主要来源于野生。

| **采收加工** | 夏、秋季采收，除去杂质，鲜用或切段晒干。

| **功能主治** | 苦，寒；有小毒。清热解毒。用于肺炎，扁桃体炎，丹毒，痈疽疮肿，风湿关节痛。

| **用法用量** | 内服煎汤，3 ~ 15g。

菊科 Compositae 蒿属 Artemisia

牡蒿

Artemisia japonica Thunb.

牡蒿

| 植物别名 |

牡蒿、齐头蒿、油蒿。

| 药 材 名 |

牡蒿（药用部位：地上部分。别名：齐头蒿、
土柴胡）。

| 形态特征 |

多年生草本，高 50 ~ 130cm，有香气。根
茎粗短，侧根多膨大成块根状。茎直立，常
丛生，有纵棱，紫褐色或褐色，初时被微
柔毛，后渐稀疏或无毛。叶互生，具短柄，
纸质；基生叶与茎下部叶倒卵形或宽匙形，
花期凋落；茎中部叶匙形，叶基部楔形，有
条形假托叶，上端有齿或掌状分裂；茎上部
叶小，上端 3 浅裂或不分裂。头状花序多数，
卵状球形或近球形，无梗或有短梗，基部具
线形小苞叶，再在茎及分枝上组成中等开展
的圆锥花序；总苞球形，由 3 ~ 4 层总苞片
组成，外、中层总苞片背面叶质，边缘膜质，
内层总苞片半膜质；雌花 3 ~ 8，花柱伸出
花冠外，先端二叉，叉端尖，能育；两性花
5 ~ 10，不孕育，花冠管状，花药线形，花
柱短，先端稍膨大，2 裂，不叉开。瘦果微小，
无毛。花期 8 ~ 9 月，果期 9 ~ 10 月。

| 生境分布 | 生于河岸沙地、碎石地、林间、草甸草地、山坡灌丛。分布于吉林延边、白山、通化、长春、吉林、辽源等。

| 资源情况 | 野生资源较丰富。药材主要来源于野生。

| 采收加工 | 夏、秋季采割，晒干或鲜用。

| 药材性状 | 本品茎呈圆柱形，直径 0.1 ~ 0.3cm，表面黑棕色或棕色；质坚硬，折断面纤维状，黄白色，中央有白色疏松的髓。残留叶片黄绿色至棕黑色，多破碎不全，皱缩卷曲，质脆，易脱落。花序黄绿色。种子长椭圆形，褐色。气香，味微苦。

| 功能主治 | 苦、甘，平。清热凉血，解暑。用于感冒发热，中暑，疟疾，肺痨潮热，高血压，创伤出血，疗疥肿毒。

| 用法用量 | 内服煎汤，10 ~ 15g，鲜品加倍。外用适量，煎汤洗；或鲜品捣敷。

菊科 Compositae 蒿属 *Artemisia*

菴闾
Artemisia keiskeana Miq.

| **植物别名** | 庵蒿、菴芦、臭蒿。

| **药 材 名** | 菴闾子（药用部位：果实）、菴闾（药用部位：全草。别名：庵芦、庵闾草、庵闾蒿）。

| **形态特征** | 半灌木状草本，高 30 ～ 100cm。主根略明显，侧根细而多。茎直立，常成丛，下部半木质，上部草质，绿褐色，具纵棱。叶互生，纸质；基生叶呈莲座状排列，与茎下部叶均呈倒卵形或宽楔形，先端圆，中部以上边缘有浅锯齿，基部楔形，渐狭窄成柄，花期均萎谢；茎中部叶倒卵形、卵状椭圆形或倒卵状匙形，较茎下部叶小，先端钝尖，中部以上边缘有浅裂齿，齿端尖锐，基部渐狭，楔形；茎上部叶小，卵形或椭圆形，先端钝，全缘。头状花序近球形，在茎枝上

菴闾

组成开展的圆锥花序，花后头状花序下垂；总苞球形，总苞片 3 ~ 4 层，背面绿色，无毛，边缘宽膜质；花序托小，半球形；雌花 6 ~ 10，背面具小腺点，花柱伸出花冠外，先端二叉，叉端尖，反卷；两性花 13 ~ 18，背面具小腺点，花柱略短于花冠或与花冠近等长，先端二叉，叉端钝尖。瘦果卵状椭圆形，略压扁。花期 7 ~ 8 月，果期 9 ~ 10 月。

| **生境分布** | 生于山坡、灌丛、草地或疏林下等。以长白山区为主要分布区域，分布于吉林延边、白山、通化、吉林、辽源（东丰）等。

| **资源情况** | 野生资源较少。药材主要来源于野生。

| **采收加工** | 菴闾子：秋季采收，晒干或鲜用。
菴闾：8 ~ 9 月采收，晒干。

| **药材性状** | 菴闾：本品主根略粗，侧根细而多。茎下部半木质，上部草质，绿褐色，具纵棱。茎中部叶倒卵形、卵状椭圆形或倒卵状匙形；茎上部叶小，卵形或椭圆形，先端钝，全缘，纸质。头状花序近球形；总苞球形，总苞片背面无毛，边缘宽膜质。瘦果卵状椭圆形，略压扁。气微，味苦。

| **功能主治** | 菴闾子：辛、苦，温。活血散瘀，祛风除湿。用于妇女血瘀经闭，产后瘀滞腹痛，跌打损伤，风湿痹痛。
菴闾：苦、辛，温。行瘀，祛湿。用于血瘀经闭，产后血瘀腹痛，跌打损伤，风湿痹痛。

| **用法用量** | 菴闾子：内服煎汤，5 ~ 10g；或浸酒；或捣汁；或入丸、散。
菴闾：内服煎汤，15 ~ 30g；或研末；或捣汁饮。

菊科 Compositae 蒿属 Artemisia

白山蒿 *Artemisia lagocephala* (Fisch. ex Bess.) DC.

| **植物别名** | 狭叶蒿、石艾。

| **药 材 名** | 白山蒿（药用部位：叶）。

| **形态特征** | 半灌木状草本，高 40 ~ 80cm。主根木质；根茎木质，粗，黑褐色，具多数短、木质的营养枝。营养枝上被灰褐色外皮，先端密生多数营养叶。茎多数，丛生，具纵棱，下部木质，上部有长或短的分枝；茎、枝被灰白色短柔毛。叶厚纸质，密被灰白色短柔毛；茎下部、中部及营养枝上叶匙形，茎下部叶先端通常有 3 ~ 5 浅圆裂齿；茎中部叶先端不分裂，全缘，基部渐狭楔形，无柄；茎上部叶及苞片叶披针形。头状花序大，半球形或近球形，有短梗，下垂或斜展，生于苞片叶腋内，在茎上组成狭圆锥花序；总苞片 3 ~ 4 层，外层

白山蒿

总苞片密被灰褐色柔毛，中、内层总苞片毛少；花序托凸起，半球形，具托毛；雌花 7～10，花冠狭管状，有腺点，花柱伸出花冠外；两性花极多，花冠管状，具腺点。瘦果椭圆形或倒卵形。花期 7～8 月，果期 8～9 月。

| **生境分布** | 生于山坡、山地、砾质坡地、山脊、林缘、路旁或森林草原等。分布于吉林白山（长白、抚松）、延边（安图）等。

| **资源情况** | 野生资源较少。药材主要来源于野生。

| **采收加工** | 夏季采收，阴干。

| **药材性状** | 本品呈匙形或披针形，先端通常有 3～5 浅圆裂齿或先端不分裂，全缘，基部渐狭楔形，无柄，密被灰白色短柔毛。纸质。气香，味苦。

| **功能主治** | 祛痰止咳，平喘，消炎，抗过敏。用于咳嗽，咳痰，喘息不安。

菊科 Compositae 蒿属 *Artemisia*

野艾蒿
Artemisia lavandulaefolia DC.

| **植物别名** | 荫地蒿、小叶艾、狭叶艾。

| **药 材 名** | 野艾蒿（药用部位：叶）。

| **形态特征** | 多年生草本，有时为半灌木状，有香气，高 50 ~ 120cm。主根稍明显，侧根多；根茎稍粗，常匍地。茎直立，紫红色，成丛，具纵棱；茎、枝被灰白色蛛丝状短柔毛。叶纸质，上面具密集白色腺点，背面密被灰白色密绵毛；基生叶与茎下部叶有长柄，2 回羽状全裂，花期萎谢；茎中部叶背面密被灰白色绵毛，基部渐狭成柄，有假托叶，叶片 1 ~ 2 回羽状深裂或全裂，小裂片边缘反卷；茎上部叶羽状全裂。头状花序极多，在分枝上密集着生，再在茎、枝上组成圆锥花序；总苞片 3 ~ 4 层，背面密被蛛丝状柔毛，花序托小，凸起；雌花

野艾蒿

4 ~ 9，紫红色，花柱伸出花冠外，先端二叉，叉端尖；两性花 10 ~ 20，花冠管状，檐部紫红色，花柱与花冠等长或略长于花冠，先端二叉，叉端扁，扇形。瘦果微小。花期 8 ~ 9 月，果期 9 ~ 10 月。

| **生境分布** | 生于路旁、林缘、山坡、草地、山谷、灌丛或河湖滨草地等。分布于吉林白城（通榆、镇赉、洮南、大安）、松原（长岭、前郭尔罗斯、扶余）、辽源（东辽）、吉林（桦甸、蛟河）、通化（辉南、通化）、延边（珲春、敦化、汪清）、白山（临江）等。

| **资源情况** | 野生资源较少。药材主要来源于野生。

| **采收加工** | 夏季采收，阴干。

| **药材性状** | 本品羽状深裂，上面具密集白色腺点，背面密被灰白色毛；小裂片边缘反卷。纸质。气香，味苦。

| **功能主治** | 温经散寒，止血安胎，破瘀散血。用于崩漏，先兆流产，痛经，月经不调，湿疹，皮肤瘙痒，血瘤，血瘕。

菊科 Compositae 蒿属 *Artemisia*

东北牡蒿 *Artemisia manshurica* (Komar.) Komar.

| 植物别名 | 关东牡蒿。

| 药 材 名 | 东北牡蒿（药用部位：全草）。

| 形态特征 | 多年生草本，高 40 ~ 80cm。主根不明显，侧根数枚；根茎粗，短。茎直立，单生，有纵棱，紫褐色或深褐色，分枝细，短。叶纸质，叶片匙形或楔形，浅裂，无柄；茎下部叶倒卵状匙形，5 深裂，无柄，花期凋谢；茎中部叶 1 ~ 2 回羽状全裂或深裂，每侧有裂片 1 ~ 2，裂片狭匙形或倒披针形，具 3 浅裂齿或无裂齿，叶基部有假托叶；茎上部叶宽楔形，先端常不规则 3 ~ 5 全裂或深裂。头状花序近球形或宽卵球形，具短梗及小苞叶，下垂或斜展，在分枝上排成穗状花序式的总状花序，再在茎上组成狭长的圆锥花序；总苞片

东北牡蒿

3 ~ 4 层，总苞片背面绿色，无毛，边缘宽膜质；雌花数朵，花柱长，伸出花冠外，先端二叉，叉端尖；两性花不孕育，花冠管状，花药线形，花柱短，先端稍膨大，2 裂，不叉开，退化子房不明显。瘦果倒卵形或卵形。花期 8 ~ 9 月，果期 9 ~ 10 月。

| **生境分布** | 生于山坡、灌丛、河岸沙地、碎石地、林间、草甸草地、山野、路旁、荒地或林缘等。以长白山区为主要分布区域，分布于吉林延边、白山、通化、长春、吉林、辽源（东丰）等。

| **资源情况** | 野生资源较丰富。药材主要来源于野生。

| **采收加工** | 夏、秋季采收，阴干。

| **药材性状** | 本品主根不明显，侧根数枚；根茎短粗。茎有纵棱，紫褐色或深褐色，分枝短、细。叶匙形或楔形，浅裂，无柄，纸质。头状花序近球形或宽卵球形，具短梗及小苞叶；总苞片无毛，边缘宽膜质。瘦果倒卵形或卵形。气香，味苦。

| **功能主治** | 解毒清热，止血杀虫。用于风湿骨痛，肠道寄生虫病。

菊科 Compositae 蒿属 Artemisia

黑蒿 *Artemisia palustris* Linn.

| **植物别名** | 沼泽蒿。

| **药 材 名** | 黑蒿（药用部位：全草）。

| **形态特征** | 一年生草本，高 10 ~ 40cm。根细，单一。茎单生，绿色或褐色，
自基部多分枝，枝短且细；茎、枝、叶及总苞片背面均无毛。叶薄
纸质，茎下部与中部叶 1 ~ 2 回羽状全裂，每侧有裂片 3 ~ 4，再
次羽状全裂或 3 裂，小裂片狭线形，茎下部叶的叶柄较短，茎中部
叶无柄，基部有小型假托叶；茎上部叶与苞片叶小，1 回羽状全裂。
头状花序近球形，无梗，在分枝上密生成簇，再在茎、枝上再组成
中等开展或狭窄的圆锥花序；总苞片 3 ~ 4 层；花序托凸起，圆锥
形；雌花多数，花冠狭管状或狭圆锥状，檐部具 2 裂齿或无裂齿，

黑蒿

花柱伸出花冠外，先端二叉；两性花极多，花冠管状，外面有腺点，花药线形，先端附属物尖，长三角形，基部钝，花柱与花冠近等长，上端分叉短，花后叉开，叉端有睫毛。瘦果微小，褐色，略扁，无毛。花期 8～9 月，果期 10～11 月。

| **生境分布** | 生于中、低海拔的草原、森林草原、河湖边的砂质地或低处草甸等。分布于吉林白城、松原、四平等。

| **资源情况** | 野生资源较少。药材主要来源于野生。

| **采收加工** | 夏、秋季采收，除去杂质，鲜用或切段晒干。

| **功能主治** | 清热解毒，解暑，止血。用于骨蒸劳热，中暑，吐血，衄血，皮肤瘙痒。

| **用法用量** | 内服煎汤，9～12g。

菊科 Compositae 蒿属 Artemisia

魁蒿
Artemisia princeps Pamp.

| 植物别名 | 野艾蒿。

| 药 材 名 | 魁蒿（药用部位：全草）。

| 形态特征 | 多年生草本，高 60 ~ 150cm。主根稍粗，侧根多；根茎直立或斜上长。茎少数，成丛或单生，紫褐色或褐色，纵棱明显；茎、枝初时被蛛丝状薄毛，后茎下部毛渐脱落至无毛。叶纸质，叶上面深绿色，无毛，背面密被灰白色蛛丝状绒毛；下部叶具长柄，叶片 1 ~ 2回羽状深裂，花期萎谢；中部叶有柄，叶片羽状深裂或半裂，基部有小型假托叶；上部叶小，羽状深裂或半裂，具短柄。头状花序多数，无梗，密集，下倾，苞叶细小，在茎、枝上组成开展的圆锥花序；总苞片 3 ~ 4 层，覆瓦状排列，总苞片背面绿色，微被蛛丝状毛，

魁蒿

边缘膜质，内层总苞片边缘撕裂状；花序托小，凸起；雌花 5 ~ 7，花柱伸出花冠外，先端二叉，叉端尖；两性花 4 ~ 9，黄色，花药线形，花柱与花冠近等长，先端二叉，叉端截形，具睫毛。瘦果椭圆形或倒卵状椭圆形。花期 8 ~ 9 月，果期 9 ~ 10 月。

| **生境分布** | 生于山坡、林缘、草地、灌丛或路旁等。以长白山区为主要分布区域，分布于吉林延边、白山、通化、吉林、辽源（东丰）等。

| **资源情况** | 野生资源较少。药材主要来源于野生。

| **采收加工** | 夏、秋季采收，除去杂质，鲜用或切段晒干。

| **功能主治** | 祛风消肿，止痛止痒，调经止血。用于偏头痛，感冒，咳嗽，月经不调，崩漏，胎动不安，风湿。

菊科 Compositae 蒿属 Artemisia

红足蒿 *Artemisia rubripes* Nakai

红足蒿

| 植物别名 |

大狭叶蒿。

| 药 材 名 |

红足蒿（药用部位：全草）。

| 形态特征 |

多年生草本，高 80 ~ 180cm。主根细长，侧根多；根茎细，匍地或斜向上，具营养枝。茎有细纵棱，基部通常红色，上部褐色或红色，中部以上分枝；茎、枝初时被柔毛，后脱落无毛。叶纸质，背面密被灰白色蛛丝状绒毛；营养枝叶与茎下部叶 2 回羽状全裂或深裂，具短柄，花期凋谢；茎中部叶 1 ~ 2 回羽状分裂，裂片边缘无齿、稍反卷，叶柄稍短，假托叶小型；茎上部叶羽状全裂，无柄，有小型假托叶；苞片叶小，3 ~ 5 全裂或不分裂，条形。头状花序小，多数，具小苞叶，在分枝上组成开展或中等开展的圆锥花序；总苞片 3 层；雌花数朵，花冠狭管状，檐部具 2 裂齿，花柱长，伸出花冠外，先端二叉，叉端尖；两性花多数，花冠管状或高脚杯状，檐部外卷，紫红色或黄色，花柱与花冠近等长。瘦果微小，略扁，无毛。花期 8 ~ 9 月，果期 9 ~ 10 月。

| 生境分布 | 生于低海拔的荒地、草坡、沟谷、森林草原、灌丛、林缘、路旁、河边或草甸等。以长白山区为主要分布区域，分布于吉林延边、白山、通化、吉林、辽源（东丰）等。

| 资源情况 | 野生资源较丰富。药材主要来源于野生。

| 采收加工 | 夏、秋季采收，阴干。

| 药材性状 | 本品主根细长，侧根多；根茎细。茎有细纵棱，基部通常红色，上部褐色或红色。叶背面密被灰白色蛛丝状绒毛，具短柄，纸质；苞片叶小，3 ~ 5 全裂或不分裂，条形。头状花序小，多数，具小苞叶，在分枝上组成开展或中等开展的圆锥花序。瘦果微小，略扁，无毛，气芳香，味苦。

| 功能主治 | 祛风止痒。用于皮肤瘙痒。

菊科 Compositae 蒿属 *Artemisia*

白莲蒿
Artemisia sacrorum Ledeb.

| **植物别名** | 万年蒿、铁秆蒿、柏叶蒿。

| **药 材 名** | 万年蒿（药用部位：全草。别名：白莲蒿、铁杆蒿、特儿山树）。

| **形态特征** | 半灌木状草本，高 50 ~ 100cm。根及根茎粗大，木质。茎多数，常成小丛，褐色或灰褐色，具纵棱，下部木质，皮常剥裂或脱落，分枝多而长；幼嫩茎、枝初被蛛丝状毛，后无毛，幼时有白色腺点，后脱落，留有小凹穴。茎下部叶在花期枯萎，茎下部与中部叶有柄，2 ~ 3 回栉齿状羽状分裂，具假托叶；茎上部叶略小，1 ~ 2 回栉齿状羽状分裂；苞片叶栉齿状羽状分裂或不分裂，线形或线状披针形。头状花序近球形，下垂，具短梗或近无梗，在分枝上排成穗状的总状花序，再在茎上组成密集或略开展的圆锥花序；总苞片 3 ~ 4 层，

白莲蒿

外层总苞片初时密被灰白色短柔毛，后脱落至无毛；雌花多数，外面微有小腺点，花柱线形，伸出花冠外，先端二叉，叉端锐尖；两性花极多，外面有微小腺点，花药椭圆状披针形，花柱与花冠管近等长，先端二叉，叉端有短睫毛。瘦果微小，无毛。花期 8～9 月，果期 9～10 月。

| 生境分布 | 生于山坡、荒地、林缘、草原、草地、田野、路旁或住宅附近，常成片生长。吉林各地均有分布。

| 资源情况 | 野生资源较丰富。药材主要来源于野生。

| 采收加工 | 6～8 月采收，除去杂质，阴干。

| 药材性状 | 本品茎呈圆柱形，长 30～80cm，表面呈褐色或棕褐色，有纵直棱线和沟纹，茎尖部有稀疏绒毛；体轻，质脆，易折断，断面呈黄色，中间有髓。叶片皱缩或卷曲，完整叶呈 1～2 回羽状分裂，表面黄绿色，背面灰绿色。花小，黄色。气芳香，味苦、辛。

| 功能主治 | 苦、辛，寒。归脾、胃、肝、膀胱经。清热解毒，利湿退黄。用于湿热黄疸，胁肋胀痛，臌胀，肠痈。

| 用法用量 | 内服煎汤，10～30g。外用适量，鲜品捣敷；或干品研粉撒患处。

| 附　注 | 万年蒿已被列入 2019 年版《吉林省中药材标准》第二册。

菊科 Compositae 蒿属 Artemisia

猪毛蒿
Artemisia scoparia Waldst. et Kit.

猪毛蒿

| 植物别名 |

滨蒿、灰毛蒿、毛滨蒿。

| 药材名 |

茵陈（药用部位：地上部分。别名：绵茵陈、花茵陈、绒蒿）。

| 形态特征 |

多年生草本或近一年生、二年生草本，有浓香气。主根及根茎半木质或木质。茎直立，常单生，红褐色或褐色，有纵纹，有多数开展斜生的分枝；茎、枝幼时被灰白色或灰黄色绢质柔毛，以后脱落。基生叶2～3回羽状全裂，具长柄，两面被灰白色绢质柔毛，后无毛，花期枯萎；下部叶初时两面被短柔毛，后脱落；中部叶1～2回羽状全裂，裂片不分裂或再3全裂成毛发状，多少弯曲；上部叶与分枝上叶及苞片叶3～5全裂或不分裂。头状花序小，无梗，近球形，极多数，在茎枝上再组成大型开展的圆锥花序；总苞片3～4层，花序托小，凸起；雌花5～7，能育，花柱细长，伸出花冠外，先端二叉，花冠锥状，淡黄色；中央花两性，不育，花柱短，不伸出花冠外，先端不叉开。瘦果倒卵形或长圆形，褐色。

花期 8 ~ 9 月，果期 9 ~ 10 月。

| 生境分布 |

生于路边、山野、田间地头、荒地、山坡、林缘。
吉林各地均有分布。

| 资源情况 |

野生资源丰富。药材主要来源于野生。

| 采收加工 |

同"茵陈蒿"。

| 药材性状 |

同"茵陈蒿"。

| 功能主治 |

同"茵陈蒿"。

| 用法用量 |

同"茵陈蒿"。

| 附　注 |

2020 年版《中国药典》记载本种的中文名为
滨蒿。

菊科 Compositae 蒿属 *Artemisia*

蒌蒿

Artemisia selengensis Turcz. ex Bess.

| 植物别名 | 水蒿、柳蒿、柳蒿芽。

| 药 材 名 | 蒌蒿（药用部位：全草。别名：水蒿）。

| 形态特征 | 多年生草本，高 60 ~ 150cm，有清香气味。主根不明显，具多数侧根与纤维状须根；有匍匐地下茎。茎直立，初时绿褐色，后紫红色，有明显纵棱，下部通常半木质化，上部有斜向上的花序枝。叶纸质，互生，有柄，上面无毛，背面密被灰白色蛛丝状绵毛；茎中、下部叶宽卵形，近掌状或指状，3 或 5 全裂或深裂，不分裂的叶片呈长椭圆形、椭圆状披针形或线状披针形，先端锐尖，边缘通常有锯齿，叶基部渐狭成柄，无假托叶；茎上部叶与苞片叶指状 3 深裂、2 裂或不分裂，裂片边缘具疏锯齿。头状花序多数，在茎上组

蒌蒿

成伸长的圆锥花序；总苞片 3 ～ 4 层，背面初时疏被灰白色蛛丝状短绵毛，后渐脱落，花序托小，凸起；雌花 8 ～ 12，花柱细长，伸出花冠外甚长；两性花 10 ～ 15，花冠管状，花柱与花冠近等长。瘦果微小，卵形，无毛。花期 8 ～ 9 月，果期 9 ～ 10 月。

| **生境分布** | 生于水边湿地、林缘、河岸或湿草甸等。吉林各地均有分布。

| **资源情况** | 野生资源较丰富。药材主要来源于野生。

| **采收加工** | 夏、秋季花开放时采收，除去杂质，阴干。

| **药材性状** | 本品主根不明显，具多数侧根与纤维状须根。茎紫红色，有明显纵棱，下部半木质化。茎中、下部叶宽卵形，不分裂的叶片呈长椭圆形、椭圆状披针形或线状披针形，边缘通常有锯齿，上面无毛，背面密被灰白色蛛丝状绵毛；纸质。头状花序多数；花序托小，凸起。瘦果微小，卵形，无毛。气香，味苦。

| **功能主治** | 苦、辛，温。破血通经，敛疮消肿，利膈开胃。用于黄疸，产后瘀积，胸腹胀痛，跌打损伤，瘀血肿痛，内伤出血，痈毒焮肿，食欲不振。

| **用法用量** | 内服煎汤，5 ～ 10g。

| **附　注** | 本种幼苗可食。

菊科 Compositae 蒿属 Artemisia

大籽蒿
Artemisia sieversiana Ehrhart ex Willd.

| **植物别名** | 山蒿子、大白蒿子。

| **药 材 名** | 大籽蒿（药用部位：全草。别名：大白蒿、白蒿、臭蒿子）。

| **形态特征** | 二年生草本，全株有臭味，高 50 ~ 150cm。主根单一，垂直，狭纺锤形。茎单生，直立，纵棱明显，分枝多；茎、枝、叶被灰白色微柔毛。下部与中部叶有柄，叶片 2 ~ 3 回羽状全裂，稀深裂，小裂片线形或线状披针形，基部有小型羽状分裂的假托叶；上部叶及苞片叶羽状全裂或不分裂，而呈椭圆状披针形或披针形，无柄。头状花序大，多数，半球形或近球形，具短梗，稀近无梗，基部常有线形小苞叶，在分枝上排成总状花序或复总状花序，而在茎上组成开展或略狭窄的圆锥花序；总苞片 3 ~ 4 层，近等长；花序托凸起，

大籽蒿

半球形，有白色托毛；雌花 2 层，20 ~ 30，花柱线形，略伸出花冠外，先端二叉，叉端钝尖；两性花多层，80 ~ 120，花冠管状，花药披针形或线状披针形，花柱与花冠等长，先端叉开，叉端截形，有睫毛。瘦果长圆形。花期 8 ~ 9 月，果期 9 ~ 10 月。

| **生境分布** | 生于荒地、林缘、山坡、草原、草地、田野、路旁或住宅附近，常成片生长。吉林各地均有分布。

| **资源情况** | 野生资源较丰富。药材主要来源于野生。

| **采收加工** | 夏、秋季间开花期采收，鲜用或扎把晾干。

| **药材性状** | 本品茎呈类圆柱形，长短不一，直径可达 5mm，绿色；表面有纵棱，可见互生的枝、叶或叶基；上部有较密的柔毛；质坚脆，易折断，断面纤维性，中央有白色髓。叶皱缩或破碎，完整叶片展平后 2 ~ 3 回羽状深裂，裂片线形，两面均被柔毛。头状花序较多，半球形，直径 3 ~ 6mm，总花梗细瘦，总苞叶线形，总苞片 2 ~ 3 列，边缘有白色宽膜片，背面被短柔毛；花托卵形；边缘花雌性，内层花两性，均为管状。成熟花序上可见倒卵形的瘦果。气浓香，味微苦。

| **功能主治** | 甘，平。清热解毒。用于风寒湿痹，黄疸，热痢，疥癞恶疮。

| **用法用量** | 内服煎汤，10 ~ 15g，鲜品加倍；或捣汁；或研末。

菊科 Compositae 蒿属 Artemisia

宽叶山蒿

Artemisia stolonifera (Maxim.) Komar.

宽叶山蒿

| 植物别名 |

野艾、艾叶。

| 药 材 名 |

宽叶山蒿（药用部位：全草）。

| 形态特征 |

多年生草本，高 50 ～ 120cm。主根明显，侧根多，密生纤维根；根茎横卧，细长。茎单生，紫褐色，有纵棱，上半部花序枝贴向茎生长；茎、枝初时被灰白色蛛丝状薄毛，后渐稀疏或无毛。叶互生，有柄，叶厚纸质，上面暗绿色，背面密生灰白色蛛丝状绒毛；基生叶、茎下部叶花期均枯萎；茎中部叶椭圆状倒卵形，羽状浅裂或羽状深裂，叶下半部楔形，渐狭成短柄状；茎上部叶小，卵形，全缘或有稀疏的粗锯齿，无柄，基部有小型假托叶；苞片叶椭圆形，全缘。头状花序多数，具短梗或近无梗，下倾，小苞叶细尖，在短的分枝上密集成总状花序，再在茎上组成圆锥花序；总苞钟状，总苞片 3 ～ 4 层，背面深褐色，被蛛丝状绒毛，边缘宽膜质；花序托圆锥形，凸起；花淡黄色，外层雌花 10 ～ 12，内层两性花 12 ～ 15。瘦果卵形或椭圆形，略扁，无毛。花期 8 ～ 9 月，果期

9 ~ 10 月。

| 生境分布 |

生于林缘、林下、山坡、路旁、荒地或沟谷等。以长白山区为主要分布区域，分布于吉林延边、白山、通化、吉林、辽源（东丰）等。

| 资源情况 |

野生资源较丰富。药材主要来源于野生。

| 采收加工 |

夏、秋季花开时采收，除去杂质，阴干。

| 药材性状 |

本品主根粗壮，侧根多，密生纤维根，根茎细长。茎紫褐色，有纵棱。茎中部叶椭圆状倒卵形，羽状浅裂或羽状深裂；茎上部叶小，卵形，全缘或有稀疏的粗锯齿，无柄；苞片叶椭圆形，全缘；叶上面暗绿色，背面密生灰白色蛛丝状绒毛，厚纸质。头状花序具短梗或近无梗，小苞叶细尖；总苞钟状，总苞片背面深褐色，被蛛丝状绒毛，边缘宽膜质；花淡黄色。瘦果卵形或椭圆形，略扁，无毛。气浓香，味微苦。

| 功能主治 |

止痒。用于皮肤瘙痒，黄疸性肝炎，小便不利。

菊科 Compositae 蒿属 *Artemisia*

阴地蒿
Artemisia sylvatica Maxim.

阴地蒿

| 植物别名 |

林下艾、林地蒿、火绒蒿。

| 药 材 名 |

阴地蒿（药用部位：全草。别名：林地蒿）。

| 形态特征 |

多年生草本，高 80 ~ 130cm，植株有香气。主根稍明显，侧根细；根茎稍粗短。茎直立，有纵纹，分枝，开展，细长。叶薄纸质，上面绿色，背面被灰白色蛛丝状薄绒毛或近无毛；茎下部叶具长柄，叶片 2 回羽状深裂，花期凋谢；茎中部叶具柄，叶片 1 ~ 2 回羽状深裂，裂片再次 3 ~ 5 深裂或浅裂或不分裂，小裂片边缘常有疏锯齿或无锯齿，基部有小型假托叶；茎上部叶小，有短柄，羽状深裂或近全裂，中央裂片最长；苞片叶 3 ~ 5 深裂或不分裂。头状花序多数，在茎、枝上常组成疏松、开展、具多级分枝的圆锥花序；总苞片 3 ~ 4 层；雌花少数，花冠狭管状或狭圆锥状，花柱伸出花冠外；两性花多数，花冠管状，外面有腺点，花药线形，先端附属物尖，长三角形，基部圆钝，花柱与花冠近等长，先端二叉，叉端截形，有睫毛。瘦果小，狭卵形或狭倒卵形。花期 7 ~ 8 月，

果期 9 ~ 10 月。

| 生境分布 | 生于湿润地区的林下、林缘或灌丛下荫蔽处。以长白山区为主要分布区域，分布于吉林延边、白山、通化、吉林、辽源（东丰）等。

| 资源情况 | 野生资源较少。药材主要来源于野生。

| 采收加工 | 夏、秋季花开时采收，除去杂质，鲜用或阴干。

| 药材性状 | 本品主根较粗，侧根细；根茎稍粗短。茎有纵纹，分枝，细长。叶上面绿色，背面被灰白色蛛丝状薄绒毛或近无毛；薄纸质。头状花序花冠狭管状或狭圆锥状。瘦果小，狭卵形或狭倒卵形。气芳香，味苦。

| 功能主治 | 苦、辛，温。温经散寒，破瘀散血，止血，安胎，止痒。用于崩漏，带下，经闭，腹痛。

菊科 Compositae 蒿属 Artemisia

裂叶蒿
Artemisia tanacetifolia Linn.

| **植物别名** | 深山菊蒿、镰刀叶蒿、条蒿。

| **药 材 名** | 裂叶蒿（药用部位：全草。别名：镰刀叶蒿）。

| **形态特征** | 多年生草本，高 50 ~ 70cm。主根细；根茎匍地或斜向上。茎单生，具纵棱，上部具分枝，有短柔毛，下部不分枝。叶互生，有柄，叶片质薄，有凹点，背面初时被毛；茎下部与中部叶 2 ~ 3 回羽状分裂，第 1 回全裂，每侧有裂片 6 ~ 8，中部裂片与中轴成直角叉开，裂片基部在叶轴与叶柄上端均下延成狭翅状，裂片常再次羽状深裂，基部有假托叶；茎上部叶 1 ~ 2 回羽状全裂，无柄；苞片叶羽状分裂成线形或线状披针形。头状花序球形，下垂，在茎上组成扫帚形的圆锥花序；总苞片 3 层；花序托半球形，凸起；雌花 8 ~ 15，

裂叶蒿

花冠背面有腺点和短柔毛，花柱略伸出花冠外，先端二叉；两性花 30 ~ 40，花冠背面有腺点和短柔毛，花药披针形，花柱与花冠近等长，先端二叉，花后叉开，叉端有睫毛。瘦果椭圆状倒卵形，略扁，有纵纹，暗褐色。花期 7 ~ 8 月，果期 8 ~ 9 月。

| **生境分布** | 生于林缘、林下、河边沙地、草原、草甸、疏林或灌丛等。分布于吉林白城（通榆、镇赉、洮南）、松原（长岭）、通化（柳河）、延边（延吉、和龙）等。

| **资源情况** | 野生资源较少。药材主要来源于野生。

| **采收加工** | 夏、秋季花开时采收，除去杂质，阴干。

| **药材性状** | 本品主根细。茎有纵棱和分枝，表面具短柔毛。叶有柄，表面有凹点，背面初时被毛。头状花序球形。瘦果椭圆状倒卵形，略扁，有纵纹，暗褐色。气芳香，味苦。

| **功能主治** | 清肝利胆，消肿解毒。用于胆胀胁痛，热毒痈肿。

菊科 Compositae 蒿属 *Artemisia*

毛莲蒿

Artemisia vestita Wall. ex Bess.

毛莲蒿

| 药 材 名 |

毛莲蒿（药用部位：全草。别名：结白蒿、山蒿、白蒿）。

| 形态特征 |

半灌木状草本或小灌木，高 50 ~ 120cm，植株有浓烈香气。根木质，侧根多；根茎粗短，木质。茎直立，丛生，多分枝；茎、枝紫红色或红褐色，被蛛丝状柔毛。叶有短柄，叶片有凹点，两面被灰白色密绒毛；茎下部与中部叶卵形、椭圆状卵形，2 ~ 3 回羽状分裂，基部常有小型假托叶；茎上部叶小，羽状深裂或浅裂；苞片叶分裂或不分裂，而呈披针形。头状花序多数，有短梗，下垂，在分枝上排成总状花序，再在茎上组成开展的圆锥花序；总苞片 3 ~ 4 层，背面被灰白色短柔毛，中肋明显，绿色，膜质；花序托小，凸起；雌花 6 ~ 10，花柱伸出花冠外，先端二叉，外弯；两性花 13 ~ 20，花冠管状，花柱与花冠管近等长，先端二叉，叉端截形。瘦果长圆形或倒卵状椭圆形。花期 8 ~ 9 月，果期 9 ~ 10 月。

| 生境分布 |

生于山坡、草地、灌丛或林缘等。分布于吉

林长春（榆树）、延边（延吉）、白山（长白）等。

| **资源情况** | 野生资源较少。药材主要来源于野生。

| **采收加工** | 夏、秋季花开时采收，除去杂质，切段，晒干。

| **功能主治** | 苦，寒。清虚热，解毒，健胃，利湿，祛风止痒。用于瘟疫内热，四肢酸痛，骨蒸发热，饮食积滞，皮肤瘙痒。

菊科 Compositae 蒿属 *Artemisia*

林艾蒿
Artemisia viridissima (Komar.) Pamp.

林艾蒿

| **植物别名** |

阴地蒿、一枝蒿、绿蒿。

| **药 材 名** |

林艾蒿（药用部位：全草）。

| **形态特征** |

多年生草本，高 80 ~ 140cm。根细；根茎短。茎单生，具细纵棱，不分枝或上部有着生头状花序的短分枝；茎、枝无毛。叶无柄或具极短柄，纸质，叶片幼时疏生短柔毛，后无毛；下部叶与中部叶椭圆状披针形或披针形，不分裂，先端长渐尖，边缘具细而密的锯齿，基部渐狭小，有假托叶；上部叶与苞片叶小，椭圆状披针形或线状披针形。头状花序具短梗及小苞叶，下垂，在短的花序分枝上排成穗状花序式的总状花序，再在茎上组成狭窄的圆锥花序；总苞片 3 层，外层总苞片略短小，外层、中层总苞片卵形或长卵形，背面无毛，淡黄绿色，具绿色中肋，边缘宽膜质，内层总苞片长卵形或长卵状倒披针形，半膜质；雌花 3 ~ 5，花柱伸出花冠外，先端二叉，叉端尖；两性花 8 ~ 12，花冠管状，花药线形，花柱与花冠近等长，先端二叉，叉端截形，具睫毛。瘦果小，倒卵形或卵形。花

期 7 ～ 8 月，果期 9 ～ 10 月。

| 生境分布 |

生于林缘、路边、林下、山坡等。分布于吉林白山（长白、抚松、临江）、延边（安图、和龙）等。

| 资源情况 |

野生资源较少。药材主要来源于野生。

| 采收加工 |

夏、秋季采收，除去杂质，切段，阴干。

| 药材性状 |

本品根较细，根茎较短。茎具细纵棱，不分枝或短分枝；茎、枝无毛。叶无柄或具极短柄，叶片疏生短柔毛或无毛；纸质。头状花序具短梗及小苞叶；总苞片卵形或长卵形，背面无毛，淡黄绿色。瘦果小，倒卵形或卵形。气微香，味稍苦。

| 功能主治 |

甘，平。清热解毒，祛风止痛，健胃，利水。用于水肿，饮食积滞。

菊科 Compositae 紫菀属 Aster

三脉紫菀 *Aster ageratoides* Turcz.

三脉紫菀

植物别名

三脉叶马兰、三脉褶马兰、三褶脉紫菀。

药材名

山白菊（药用部位：全草。别名：野白菊、山马兰、三脉叶马兰）。

形态特征

多年生草本，高 40 ~ 100cm。根茎粗壮。茎直立，有棱及沟，被柔毛或粗毛，上部有时屈折，有上升或开展的分枝。下部叶在花期枯落，叶片宽卵圆形，急狭成长柄；中部叶椭圆形或长圆状披针形，中部以上叶急狭成楔形、具宽翅的柄，先端渐尖，边缘有浅或深锯齿；上部叶渐小，全缘或有浅齿；全部叶纸质，上面被短糙毛，下面色浅，被短柔毛，常有腺点，或两面被短茸毛而下面沿脉有粗毛，有离基三出脉，侧脉 3 ~ 4 对，网脉常明显。头状花序排列成伞房状或圆锥伞房状，花序梗稍长；总苞倒锥状或半球状，总苞片 3 层，覆瓦状排列，线状长圆形，下部近革质或干膜质，上部绿色或紫褐色，有短缘毛；舌状花的舌片线状长圆形，紫色、浅红色或白色；管状花黄色；冠毛浅红褐色或污白色。瘦果倒卵状长圆形，灰褐色，有边肋，1 面常有肋，被短粗毛。花期 8 ~ 9 月，果期 9 ~ 10 月。

| 生境分布 | 生于荒地、林缘、路边、山坡、草原、田间地头、林下、灌丛或山谷湿地等。以长白山区为主要分布区域，分布于吉林延边、白山、通化、吉林、辽源（东丰）等。

| 资源情况 | 野生资源较丰富。药材主要来源于野生。

| 采收加工 | 夏、秋季采收，鲜用或晒干。

| 药材性状 | 本品根茎较粗壮，有多数棕黄色须根。茎呈圆柱形，直径 1 ~ 4mm，基部光滑或略有毛，有时稍带淡褐色，下部茎呈暗紫色，上部茎多分枝，呈暗绿色；质脆，易折断，断面不整齐，中央有髓，黄白色。单叶互生，叶片多皱缩或破碎，完整叶展平后呈长椭圆状披针形，长 2 ~ 12cm，宽 2 ~ 5cm，灰绿色，边缘具疏锯齿，表面粗糙。头状花序顶生，排列成伞房状或圆形；冠毛灰白色或褐色。气微香，味稍苦。

| 功能主治 | 苦、辛，凉。清热解毒，止咳化痰，利尿止血。用于咽喉肿痛，咳嗽痰喘，乳蛾，痄腮，乳痈，小便淋痛，痈疖肿毒，外伤出血，蛇咬伤，蜂螫。

| 用法用量 | 内服煎汤，15 ~ 30g。外用鲜品捣敷。

| 附　注 | （1）在 FOC 中，本种的拉丁学名被修订为 *Aster trinervius* subsp. *ageratoides* (Turczaninow) Grierson。
（2）本种与三基脉紫菀 *Aster trinervius* D. Don 的形态相似，但本种的叶具明显的离基三出脉，基部渐狭，侧脉在渐狭部分以上发出，可以以此区别。

菊科 Compositae 紫菀属 Aster

圆苞紫菀 *Aster maackii* Regel

圆苞紫菀

| 植物别名 |

肥后紫菀、马氏紫菀、麻氏紫菀。

| 药 材 名 |

圆苞紫菀（药用部位：全草）。

| 形态特征 |

多年生草本，高 40 ~ 85cm。根茎粗壮。茎直立，基部为纤维状枯叶残片所围裹。下部叶在花期枯萎，中部叶及上部叶长椭圆状披针形，基部渐狭，无柄或有短柄，先端尖或渐尖，边缘有小尖头状浅锯齿；上部叶渐小，长圆状披针形，全缘，尖或稍钝；全部叶纸质，两面被密或疏的短糙毛，离基三出脉在下面凸起，侧脉及网脉多少明显。头状花序 2 或少数在茎或枝端排成疏散伞房状，有时单生；花序梗稍长，先端有长圆形或卵圆形苞叶；总苞半球形，总苞片 3 层，疏覆瓦状排列，上部草质，下部革质，边缘膜质，有暗色中脉；舌状花数十，有微毛，舌片紫红色；管状花黄色；冠毛白色或基部稍红色，约与管状花花冠等长，有多数微糙毛。瘦果倒卵圆形，2 面或 1 面有肋，被短密毛。花期 8 ~ 9 月，果期 9 ~ 10 月。

| **生境分布** | 生于水边湿地、灌丛草甸、阴湿坡地、杂木林林缘、积水草地或沼泽地等。分布于吉林延边（敦化、汪清、珲春、龙井、安图、延吉）、白山（抚松、临江）、通化（通化）等。 |

| **资源情况** | 野生资源较少。药材主要来源于野生。 |

| **采收加工** | 夏、秋季采收，鲜用或晒干。 |

| **药材性状** | 本品根茎粗壮。茎基部包裹纤维状枯叶残片。叶呈长椭圆状披针形，基部渐狭，无柄或有短柄，边缘有小尖头状浅锯齿，全缘，两面被密或疏的短糙毛；纸质。头状花序长圆形或卵圆形。瘦果倒卵圆形，2 面或 1 面有肋，被短密毛。气微香，味甘、微苦。 |

| **功能主治** | 祛风除湿，止痛。用于风湿关节痛，牙痛。 |

菊科 Compositae 紫菀属 Aster

紫菀 *Aster tataricus* L. f.

紫菀

| 植物别名 |

青菀、驴夹板菜、夹板菜。

| 药 材 名 |

紫菀（药用部位：根及根茎。别名：青菀、紫菀、返魂草根）。

| 形态特征 |

多年生草本，高 40 ~ 150cm。根茎斜升。茎直立，粗壮，有棱及沟，被糙毛，基部有枯叶残片和不定根。基生叶长圆状或椭圆状匙形，两面被糙毛，下半部渐狭成长柄，叶片常在花期枯落；下部叶匙状长圆形，常较小，下部渐狭或急狭成具宽翅的柄，渐尖，边缘除顶部外有密锯齿；中部叶长圆形或长圆状披针形，无柄，全缘或有浅齿；上部叶狭小；全部叶厚纸质，两面被短糙毛，中脉粗壮，侧脉 5 ~ 10 对，网脉明显。头状花序多数，在茎和枝端排列成复伞房状；花序梗长，有线形苞叶；总苞半球形，总苞片 3 层，线形或线状披针形，全部或上部草质，被密短毛，边缘宽膜质且带紫红色，有草质中脉；舌状花 20 余朵，舌片蓝紫色，有 4 至多脉；管状花稍有毛。瘦果倒卵状长圆形，紫褐色；冠毛污白色或带红色，

有多数不等长的糙毛。花期8～9月，果期9～10月。

| 生境分布 | 生于荒地、路边、山坡林缘、草地、草甸或河边草地等。吉林各地均有分布。

| 资源情况 | 野生资源较丰富。药材主要来源于野生。

| 采收加工 | 春、秋季采挖根，除去有节的根茎（习称"母根"）和泥沙，编成辫状晒干，或直接晒干。

| 药材性状 | 本品根茎呈不规则块状，大小不一，先端有茎、叶的残基，簇生多数细根；质稍硬。根长3～15cm，直径0.1～0.3cm，多编成辫状；表面紫红色或灰红色，有纵皱纹；质较柔韧。气微香，味甜、微苦。

| 功能主治 | 甘、苦，温。归肺经。润肺下气，消痰止咳，利尿。用于痰多喘咳，新久咳嗽，劳嗽咯血。

| 用法用量 | 内服煎汤，5～9g；或入丸、散。

| 附　　注 | 本种在吉林药用历史较久。在《长白汇征录》（1910）、《永吉县志》（1931）中均有关于本种的记载。

菊科 Compositae 苍术属 Atractylodes

朝鲜苍术 *Atractylodes coreana* (Nakai) Kitam.

朝鲜苍术

| **植物别名** |

枪头菜。

| **药 材 名** |

朝鲜苍术（药用部位：根茎）。

| **形态特征** |

多年生草本，高 25 ~ 50cm。根茎粗而长，横走，生近等粗的不定根。茎直立，单生或簇生，不分枝或上部分枝，全部茎枝光滑无毛。基部茎生叶花期枯萎或脱落；中下部茎生叶椭圆形或长椭圆形，基部圆形，无柄，半抱茎或贴茎；接头状花序下部的叶与中下部茎生叶同形，较小；全部叶质薄，纸质或稍厚纸质，两面近同色，呈绿色，无毛，先端短渐尖或近急尖，边缘有针刺状缘毛；苞叶绿色，刺齿状羽状深裂似鱼骨刺，稍短于头状花序。头状花序单生茎端或有少数单生茎枝先端，但并不成明显的花序式排列；总苞钟状或楔状钟形，总苞片 6 ~ 7 层，全部苞片先端钝或圆形，边缘有稀疏的蛛丝状毛或无毛，最内层苞片先端常红紫色；小花白色。瘦果倒卵圆形，被稠密的顺向贴伏的长直毛，有时变稀毛；冠毛刚毛褐色，羽毛状，基部结合成环。

花期 8～9 月，果期 9～10 月。

| **生境分布** | 生于林缘、林下、干山坡、灌丛。分布于吉林白山（长白）、吉林（蛟河）、延边（龙井、珲春、汪清）、通化（集安、通化、柳河）、辽源（东辽）等。

| **资源情况** | 野生资源较丰富。药材主要来源于野生。

| **采收加工** | 春、秋季采挖根，除去杂质，晒干，撞去须根。

| **药材性状** | 本品呈不规则结节状，粗而长。表面深棕色，有根痕及细小须根，并残留茎痕。质较轻，折断面不平坦，纤维性。有浓郁的特异香气，味辛、微苦。

| **功能主治** | 辛、苦，温。健脾燥湿，解郁辟秽。用于湿盛困脾，倦怠嗜卧，脘痞腹胀，食欲不振，呕吐，泄泻，痢疾，疟疾，痰饮，水肿，四时感冒，风寒湿痹，足痿，夜盲。

| **附　　注** | 本种为吉林省 **Ⅲ** 级重点保护野生植物。

关苍术

菊科 Compositae 苍术属 Atractylodes

关苍术 *Atractylodes japonica* Koidz. ex Kitam.

| 植物别名 |

东苍术、异叶苍术、枪头菜。

| 药 材 名 |

朝白术（药用部位：根茎。别名：关苍术、枪头菜）。

| 形态特征 |

多年生草本，高 40 ~ 80cm。根茎结节状，肥大。茎单生或少数成簇生，不分枝或分枝；全部茎枝无毛。基部茎生叶花期枯萎脱落；中下部茎生叶有长柄，3 ~ 5 羽状全裂，侧裂片 1 ~ 2 对，椭圆形、倒卵形、长倒卵形或倒披针形，先端急尖或短渐尖或圆形，顶裂片较大或与侧裂片等大，椭圆形、长椭圆形或倒卵形；全部叶薄纸质或稍厚而为厚纸质，两面同色，呈绿色，无毛，边缘有平伏或内弯的针刺状缘毛或刺齿，中下部茎生叶有稍长的叶柄，但接头状花序下部的叶几无柄。头状花序生于茎、枝先端，苞叶 2 列，苞叶针刺状羽状全裂，与花序近等长；总苞钟状，总苞片 7 ~ 8 层，全部苞片先端钝，边缘有蛛丝状毛，内层苞片先端紫红色；花小，黄色或白色。瘦果倒卵形，被稠密的顺向贴伏的白色长直毛；冠毛刚毛褐色，

羽毛状，基部联合成环。花期 8 ~ 9 月，果期 9 ~ 10 月。

| 生境分布 | 生于干山坡、林下、灌丛或林缘等。以长白山区为主要分布区域，分布于吉林延边、白山、通化、长春、吉林、辽源（东丰）、白城（洮南）等。吉林通化、白山、吉林、延边等地有小规模栽培。

| 资源情况 | 野生资源较丰富。本种常年被采挖，野生资源遭到破坏。吉林通化、白山、吉林、延边等地有栽培。药材主要来源于栽培。

| 采收加工 | 春、秋季采挖根，以秋季采收者为佳，除去杂质和残茎，晒干后用木棒打掉或置于滚筒中撞去须根及毛。

| 药材性状 | 本品呈不规则块状，具瘤状突起，长 2 ~ 6cm，直径 1 ~ 3cm。表面灰棕色或灰黄色，粗糙不平，上部有类圆形茎痕，下部有较多的须根痕。质坚硬，不易折断，断面不平整，有裂隙，类白色，散有黄棕色油点。具有特异的香气，味辛、微甜。

| 功能主治 | 辛、苦，温。归脾、胃经。健脾益气，燥湿利水，止汗止泻，安胎。用于脾虚食少，腹胀泄泻，痰饮眩悸，失眠头痛，水肿，自汗，食欲不振，胎动不安。

| 用法用量 | 内服煎汤，10 ~ 15g；或入丸、散。

| 附 注 | （1）朝白术已被列入 2019 年版《吉林省中药材标准》第一册。
（2）作为苍术的习用品，本种药用用量不大，主要是作为食品添加剂的原料出口韩国、日本等地。近年来，由于出口形势严峻，本种商品开始流向药材市场，导致其价格明显低于苍术。吉林是本种的主产区，年产量超过 100t，本种市场价格随着苍术价格的涨落而波动。目前本种销量走势尚可，无商品积压。
（3）本种嫩苗可作山野菜食用。

菊科 Compositae 鬼针草属 Bidens

婆婆针
Bidens bipinnata L.

| **植物别名** | 鬼针草、刺针草、鬼钗草。

| **药 材 名** | 婆婆针（药用部位：地上部分）。

| **形态特征** | 一年生草本，高 30 ～ 120cm。茎直立，较粗壮，下部略具 4 棱，无毛或上部被稀疏柔毛。叶对生，柄较长，叶片 2 回羽状分裂，第 1 分裂深达中肋，裂片再次羽状分裂，小裂片三角状或菱状披针形，具 1 ～ 2 对缺刻或深裂，顶生裂片狭，先端渐尖，边缘有稀疏不规整的粗齿，两面均被疏柔毛。头状花序花序梗花期短于果期；总苞杯形，基部有柔毛，外层苞片 5 ～ 7，条形，花期短于果期，草质，先端钝，被稍密的短柔毛，内层苞片膜质，椭圆形，花期短于果期，花后伸长成狭披针形，背面褐色，被短柔毛，具黄色边缘；托片狭

婆婆针

披针形，花期短于果期；舌状花通常 1 ~ 3，不育，舌片黄色，椭圆形或倒卵状披针形，先端全缘或具 2 ~ 3 齿；盘花筒状，黄色，冠檐 5 齿裂。瘦果条形，略扁，具 3 ~ 4 棱，具瘤状突起及小刚毛，先端芒刺 3 ~ 4，很少 2，具倒刺毛。花期 8 ~ 9 月，果期 9 ~ 10 月。

| **生境分布** | 生于路边、荒地、山坡、田间、海边、湿地等。以长白山区为主要分布区域，分布于吉林延边、白山、通化、吉林、辽源（东丰）等。

| **资源情况** | 野生资源较少。药材主要来源于野生。

| **采收加工** | 夏、秋季开花期采割，拣去杂草，鲜用或晒干。

| **药材性状** | 本品茎略呈方形，无毛或被稀疏柔毛。叶多皱缩，常脱落；纸质而脆。茎顶常有扁平盘状花托，着生 10 余呈针束状、有 3 ~ 4 棱的果实，有时带头状花序。气微，味淡。以色绿、叶多者为佳。

| **功能主治** | 苦，平。清热解毒，活血祛风，消肿。用于咽喉痛，痢疾，肠痈，病毒性肝炎，肾炎，吐泻，消化不良，风湿关节痛，疟疾，疮疖，毒蛇咬伤，跌仆肿痛，乳痈，骨鲠咽喉。

| **用法用量** | 内服煎汤，15 ~ 30g，鲜品加倍；或捣汁。外用适量，捣敷；或取汁涂；或煎汤熏洗。

菊科 Compositae 鬼针草属 *Bidens*

金盏银盘
Bidens biternata (Lour.) Merr. et Sherff

| 植物别名 | 虾钳草、粘身草、锅叉草。

| 药 材 名 | 金盏银盘（药用部位：全草。别名：千条针、金盘银盏）。

| 形态特征 | 一年生草本，高 30 ~ 150cm。茎直立，略具 4 棱，无毛或被短柔毛。叶为一回羽状复叶，先端渐尖，基部楔形，边缘有锯齿，有时一侧深裂为 1 小裂片，两面均被柔毛，侧生小叶 1 ~ 2 对，通常不分裂，基部下延，无柄或具短柄，下部 1 对小叶约与顶生小叶相等，具明显的柄，三出复叶状分裂或仅一侧具 1 裂片，裂片椭圆形，边缘有锯齿；总叶柄无毛或被疏柔毛。头状花序有花序梗，花期短，果期延长；总苞基部有短柔毛，外层苞片 8 ~ 10，草质，条形，先端锐尖，背面密被短柔毛，内层苞片长椭圆形或长圆状披针形，背面褐色，

金盏银盘

有深色纵条纹，被短柔毛；舌状花通常 3 ～ 5，不育，舌片淡黄色，长椭圆形，先端 3 齿裂，或有时无舌状花；盘花筒状，冠檐 5 齿裂。瘦果条形，黑色，具 4 棱，两端稍狭，多少被小刚毛，先端芒刺 3 ～ 4，具倒刺毛。花期 8 ～ 9 月，果期 9 ～ 10 月。

| **生境分布** | 生于山坡、草地、林缘、田野、路边、村旁或荒地中。分布于吉林白山（浑江、江源、长白）、延边（汪清）、通化（通化、集安）等。

| **资源情况** | 野生资源较少。药材主要来源于野生。

| **采收加工** | 8 ～ 9 月采收，除去杂质，晒干。

| **药材性状** | 本品茎具 4 棱，略呈方形，长 30 ～ 140cm，直径 0.5 ～ 2cm。表面黄绿色、淡棕黄色至棕褐色，具细纵纹或纵沟槽，节稍膨大；质脆，易折断，断面有髓或中空。叶皱缩，多破碎，完整叶片展平后为卵形至长圆状卵形或卵状披针形，两面被疏毛，边缘具锯齿。茎顶或枝端可见扁平盘状花托，有时可见头状花序，边缘为黄色舌状花，中央为管状花。有的着生 10 余个针束状果实，瘦果条形，易脱落，具 3 ～ 4 棱，先端 3 ～ 4 具芒刺。气微，味淡、微苦。

| **功能主治** | 甘、微苦，凉。归肺、心、胃经。疏散风热，清热解毒。用于风热感冒，乳蛾，心烦不寐，肠痈，湿热泻痢，黄疸；外用于痈疮肿毒，痔疮，毒蛇咬伤。

| **用法用量** | 内服煎汤，15 ～ 30g。外用适量，捣敷或熏洗。

| **附　　注** | 金盏银盘已被列入 2019 年版《吉林省中药材标准》第一册。

菊科 Compositae 鬼针草属 *Bidens*

柳叶鬼针草 *Bidens cernua* L.

| 药 材 名 | 柳叶鬼针草（药用部位：地上部分）。

| 形态特征 | 一年生草本，高 10～90cm。生于岸上者有明显的主茎，节间较长；生于水中者主茎不明显，节间短。茎直立，近圆柱形，麦秆色或带紫色，无毛或嫩枝上有疏毛。叶对生，通常无柄，不分裂，披针形至条状披针形，先端渐尖，中部以下渐狭，基部半抱茎，边缘具疏锯齿，两面稍粗糙，无毛。头状花序单生茎、枝先端，开花时下垂，有较长的花序梗；总苞盘状，外层苞片 5～8，叶状，条状披针形，内层苞片膜质，长椭圆形或倒卵形，先端锐尖或钝，背面有黑色条纹，具黄色薄膜质边缘，无毛；托片条状披针形，约与瘦果等长，膜质，透明，先端带黄色，背面有数条褐色纵条纹；舌状花中性，舌片黄色，卵状椭圆形，先端锐尖或有 2～3 小齿；盘花两性，筒状，花冠管

柳叶鬼针草

细窄，冠檐扩大成壶状，先端 5 齿裂。瘦果狭楔形，具 4 棱，棱上有倒刺毛，先端芒刺 4，有倒刺毛。花期 8 ～ 9 月，果期 9 ～ 10 月。

| 生境分布 |

生于河岸、河套湿地、湖泊、沟边或水甸边等，常成片生长。以长白山区为主要分布区域，分布于吉林延边、白山、通化、吉林、辽源（东丰）等。

| 资源情况 |

野生资源较丰富。药材主要来源于野生。

| 采收加工 |

夏、秋季采割，鲜用或晒干。

| 药材性状 |

本品茎呈圆柱形；表面麦秆色或带紫色。单叶对生，披针形至条状披针形，长 3 ～ 14cm，宽 0.5 ～ 3cm，基部半抱茎，叶缘具疏锯齿，两面稍粗糙，无毛。头状花序单生茎、枝先端；苞片叶状；托片条状披针形，膜质，透明；花冠先端 5 齿裂。气微，味淡。

| 功能主治 |

苦，凉。清热解毒，散瘀消肿，祛风活血，止痒。用于瘀血肿痛，皮肤瘙痒，肾炎，风疹。

| 用法用量 |

内服煎汤，6 ～ 15g。外用适量，捣敷。

菊科 Compositae 鬼针草属 Bidens

大狼杷草
Bidens frondosa L.

大狼杷草

| 植物别名 |

接力草。

| 药 材 名 |

大狼杷草（药用部位：全草）。

| 形态特征 |

一年生草本，高20～120cm。茎直立，分枝，被疏毛或无毛，常带紫色。叶对生，具柄，为一回羽状复叶，小叶3～5，披针形，先端渐尖，边缘有粗锯齿，通常背面被稀疏短柔毛，至少顶生者具明显的柄。头状花序单生茎、枝先端；总苞钟状或半球形，外层苞片5～10，通常8，披针形或匙状倒披针形，叶状，边缘有缘毛，内层苞片长圆形，膜质，具淡黄色边缘；无舌状花；筒状花两性，冠檐5裂。瘦果扁平，狭楔形，近无毛或具糙伏毛，先端芒刺2，有倒刺毛。花期8～9月，果期9～10月。

| 生境分布 |

生于路边、荒野或水边湿地。以长白山区为主要分布区域，分布于吉林延边、白山、通化、吉林、辽源（东丰）等。

| 资源情况 | 野生资源较少。药材主要来源于野生。

| 采收加工 | 6 ~ 9 月采收，洗净，晒干。

| 药材性状 | 本品茎暗紫色。叶对生，完整叶展开为一回羽状复叶，小叶披针形，叶缘具粗锯齿。头状花序单生茎、枝先端；总苞钟状或半球形，苞片叶状，边缘具缘毛；花冠先端 5 裂。气微，味苦。

| 功能主治 | 苦，平。补虚，清热解毒。用于体虚乏力，盗汗，咯血，痢疾，疳积，丹毒。

| 用法用量 | 内服煎汤，15 ~ 30g。

菊科 Compositae 鬼针草属 Bidens

羽叶鬼针草
Bidens maximovicziana Oett.

| **植物别名** | 鬼针草。

| **药 材 名** | 羽叶鬼针草（药用部位：全草）。

| **形态特征** | 一年生草本，高 15～70cm。茎直立，略具 4 棱或呈近圆柱形，无毛或上部有稀疏粗短柔毛。茎中部叶互生，有柄，具极狭的翅，基部边缘有稀疏缘毛，叶片三出复叶状羽裂或羽状分裂，两面无毛，侧生裂片 1～3 对，疏离，通常条形至条状披针形，先端渐尖，边缘具稀疏内弯的粗锯齿，顶生裂片较大，狭披针形。头状花序单生茎、枝先端；总苞片 2 层，外层总苞片叶状，8～10，条状披针形，边缘具疏齿及缘毛，内层总苞片膜质，披针形，先端短渐尖，淡褐色，具黄色边缘；托片条形，边缘透明；舌状花缺；盘花两性，花冠管

羽叶鬼针草

细窄，冠檐壶状，4 齿裂；花药基部 2 裂，略钝，先端有椭圆形附器。瘦果扁，倒卵形至楔形，边缘浅波状，具瘤状小突起或有时呈啮齿状，具倒刺毛，先端芒刺 2。花期 8 ~ 9 月，果期 9 ~ 10 月。

| **生境分布** | 生于沟边、路旁或河边湿地等。以长白山区为主要分布区域，分布于吉林延边、白山、通化、长春、吉林、辽源（东丰）、松原（宁江、长岭、扶余）等。

| **资源情况** | 野生资源较少。药材主要来源于野生。

| **采收加工** | 夏、秋季开花期采收，拣去杂草，鲜用或晒干。

| **功能主治** | 行气止痛，止血，止汗。用于气滞疼痛，出血，牙痛。

菊科 Compositae 鬼针草属 Bidens

小花鬼针草 *Bidens parviflora* Willd.

| **植物别名** | 鬼针草、细叶刺针草、细叶鬼针草。

| **药 材 名** | 小鬼钗（药用部位：地上部分。别名：鹿角草、山黄连、土黄连）。

| **形态特征** | 一年生草本，高 20 ~ 90cm。茎下部圆柱形，有纵条纹，中上部常钝四方形，无毛或被稀疏短柔毛。叶对生，具柄，背面微凸或扁平，腹面有沟槽，槽内及边缘有疏柔毛，叶片 2 ~ 3 回羽状分裂，第 1次分裂深达中肋，裂片再次羽状分裂，小裂片具 1 ~ 2 粗齿或再作第 3 回羽裂，最后 1 回裂片条形或条状披针形，先端锐尖，边缘稍向上反卷，上面被短柔毛，下面无毛或沿叶脉被稀疏柔毛，上部叶互生，1 或 2 回羽状分裂。头状花序有长梗，单生茎、枝先端；总苞筒状，基部被柔毛，外层苞片 4 ~ 5，草质，条状披针形，边缘

小花鬼针草

被疏柔毛，内层苞片仅 1，托片状；托片长椭圆状披针形，膜质；无舌状花；盘花两性，6 ～ 12，花冠筒状，冠檐 4 齿裂。瘦果条形，略具 4 棱，两端渐狭，有小刚毛，先端芒刺 2，有倒刺毛。花期 8 ～ 9 月，果期 9 ～ 10 月。

| 生境分布 | 生于山坡、湿草地、沟边、林缘、耕田边、荒地。以长白山区为主要分布区域，分布于吉林延边、白山、通化、长春、吉林、辽源（东丰）、白城（镇赉、洮北）、松原（宁江）等。

| 资源情况 | 野生资源较丰富。药材主要来源于野生。

| 采收加工 | 夏、秋季采收，鲜用或切段晒干。

| 药材性状 | 本品长 30 ～ 50cm。茎下部圆柱形，有纵条纹，中上部常钝四方形；表面暗褐色。单叶对生，完整叶展平后为 2 ～ 3 回羽状分裂，小叶片条状披针形，全缘，稍向上反卷，上面被短柔毛，下面无毛或沿中脉被稀疏柔毛；上部叶互生，1 ～ 2 回羽裂。头状花序单生茎、枝先端；花黄棕色。气微，味微苦。

| 功能主治 | 苦，凉。清热解毒，活血散瘀。用于感冒发热，咽喉痛，吐泻，肠痈，痔疮，跌打损伤，冻疮，毒蛇咬伤。

| 用法用量 | 内服煎汤，9 ～ 15g。外用适量，鲜品捣敷。

菊科 Compositae 鬼针草属 Bidens

狼杷草
Bidens tripartita L.

狼杷草

植物别名

狼把草、鬼针、锅叉子草。

药材名

狼杷草（药用部位：全草。别名：乌杷、郎耶草）。

形态特征

一年生草本。主、侧根明显。茎高 20 ~ 150cm，圆柱状或钝四棱形，无毛，绿色或带紫色，多分枝。叶对生，下部叶较小，不分裂，边缘有锯齿，通常在花期枯萎；中部叶具有狭翅的叶柄，叶片无毛，不分裂或近基部浅裂成 1 对小裂片，通常 3 ~ 5 深裂，裂深几达中肋，顶生裂片较大，披针形或长椭圆状披针形，与侧生裂片边缘均具疏锯齿；上部叶较小，披针形，3 裂或不分裂。头状花序有长梗，单生茎、枝先端；总苞盘状，外层苞片 5 ~ 9，条形或匙状倒披针形，具缘毛，叶状，内层苞片长椭圆形，膜质，褐色，有纵条纹，具透明或淡黄色的边缘；托片条状披针形，约与瘦果等长，背面有褐色条纹，边缘透明；无舌状花；全为筒状两性花，花冠冠檐 4 裂。瘦果扁，楔形或倒卵状楔形，边缘有倒刺毛，先端芒刺通常 2，两侧有倒刺毛。花期 8 ~ 9 月，果期 9 ~ 10 月。

| 生境分布 | 生于湿草地、河岸或浅水滩等，常成片生长。以长白山区为主要分布区域，分布于吉林延边、白山、通化、长春、吉林、辽源（东丰）、松原（长岭）等。

| 资源情况 | 野生资源较丰富。药材主要来源于野生。

| 采收加工 | 8 ~ 9 月采收，晒干或鲜用。

| 药材性状 | 本品茎略呈方形，由基部分枝，节上生根；表面绿色或带紫红色。叶对生，叶柄具狭翅；中部叶常羽状分裂，裂片椭圆形或矩圆状披针形，边缘有锯齿；上部叶 3 裂或不分裂。头状花序顶生或腋生；总苞片披针形，叶状，有睫毛；花黄棕色；无舌状花。气微，味微苦。

| 功能主治 | 苦、甘，平。清热解毒，养阴敛汗，透汗发表，利尿。用于感冒，乳蛾，咽喉痛，泄泻，痢疾，肝炎，小便淋痛，肺痨，疖肿，湿疹，丹毒。此外，根用于泄泻，盗汗，丹毒。

| 用法用量 | 内服煎汤，15 ~ 30g。外用适量，鲜品捣敷；或绞汁搽。

菊科 Compositae 短星菊属 Brachyactis

短星菊 *Brachyactis ciliata* Ledeb.

短星菊

| 药 材 名 |

短星菊（药用部位：全草）。

| 形态特征 |

一年生草本，高 20 ~ 60cm。茎直立，自基部分枝，少有不分枝，下部常紫红色，无毛或近无毛，上部及分枝被疏短糙毛。叶较密集，基生叶花期常凋落，叶无柄，线形或线状披针形，先端尖，基部半抱茎，全缘，上面被疏短毛或几无毛，边缘有糙缘毛；上部叶渐小而逐渐变成总苞片。头状花序多数，在茎枝端排成总状圆锥花序，具短花序梗；总苞半球状钟形，总苞片 2 ~ 3 层，线形，不等长，短于花盘，先端尖，外层总苞片绿色，草质，有时反折，先端及边缘有缘毛，内层总苞片下部边缘膜质，上部草质；雌花多数，花冠细管状，无色，上端斜切，斜切口被微毛；两性花花冠管状，管部上端被微毛，无色或裂片淡粉色，花柱分枝披针形，花全部结实。瘦果长圆形，基部缩小，红褐色，被密短软毛；冠毛白色，2 层，外层刚毛状，极短，内层糙毛状。花期 8 ~ 9 月，果期 9 ~ 10 月。

| 生境分布 |

生于山坡荒野、山谷河滩、农田、河边、沼泽、沙滩或盐碱湿地。分布于吉林白城、松原等。

| 资源情况 |

野生资源较少。药材主要来源于野生。

| 采收加工 |

夏、秋季采收，以花开时晴天露水干后采收为宜，除去杂质，晒干。

| 药材性状 |

本品茎多分枝，下部常紫红色，无毛或近无毛；上部及分枝被疏短糙毛。叶无柄，线形或线状披针形，全缘，上面被疏短毛或几无毛，边缘有糙缘毛；上部叶渐小而逐渐变成总苞片。头状花序成总状圆锥花序，具短花序梗；总苞半球状钟形，总苞片线形，外层绿色。瘦果长圆形，基部缩小，红褐色，被密短软毛。气微，味微苦。

| 功能主治 |

止痒。用于皮肤瘙痒。

金盏花
Calendula officinalis L.

| 药 材 名 | 金盏菊（药用部位：全草）。

| 形态特征 | 一年生草本，高 20 ～ 75cm，通常自茎基部分枝，绿色或多少被腺状柔毛。基生叶长圆状倒卵形或匙形，长 15 ～ 20cm，全缘或具疏细齿，具柄；茎生叶长圆状披针形或长圆状倒卵形，无柄，长 5 ～ 15cm，宽 1 ～ 3cm，先端钝，稀急尖，边缘波状、具不明显的细齿，基部多少抱茎。头状花序单生茎枝端，直径 4 ～ 5cm；总苞片 1 ～ 2 层，披针形或长圆状披针形，外层稍长于内层，先端渐尖；小花黄色或橙黄色，长于总苞 2 倍，舌片宽达 4 ～ 5mm；管状花檐部具三角状披针形裂片。瘦果全部弯曲，淡黄色或淡褐色，外层的

金盏花

瘦果大半内弯，外面常具小针刺，先端具喙，两侧翅脊部具规则的横折皱。花期4～9月，果期6～10月。

| **生境分布** | 生于庭院、公园等。吉林无野生分布。吉林各地公园均有栽培。

| **资源情况** | 吉林有栽培。药材主要来源于栽培。

| **采收加工** | 春、夏季采收，鲜用或切段晒干。

| **功能主治** | 苦，寒。清热解毒，活血调经。用于中耳炎，月经不调。

| **用法用量** | 内服煎汤，5～15g。外用适量，鲜品取汁滴耳。

菊科 Compositae 翠菊属 Callistephus

翠菊 *Callistephus chinensis* (L.) Nees

| 植物别名 | 江西腊。

| 药 材 名 | 翠菊（药用部位：叶、花序）。

| 形态特征 | 一年生或二年生草本，高 30 ~ 100cm。茎直立，单生，有纵棱，被白色糙毛，分枝斜升或不分枝。下部茎生叶花期脱落或生存；中部茎生叶卵形、菱状卵形、匙形或近圆形，先端渐尖，基部截形、楔形或圆形，边缘有不规则的粗锯齿，两面被稀疏的短硬毛，叶柄较长，被白色短硬毛，有狭翼；上部茎生叶渐小，菱状披针形、长椭圆形或倒披针形，边缘有 1 ~ 2 锯齿，或线形而全缘。头状花序有长梗，单生茎、枝先端；总苞半球形，总苞片 3 层，近等长，外层长椭圆状披针形，叶质，先端钝，边缘有白色长睫毛，中层匙形，质地较薄，

翠菊

染紫色，内层膜质，半透明，先端钝；雌花 1 层，在园艺栽培时可为多层，红色、淡红色、蓝色、黄色或淡蓝紫色；两性花花冠黄色。瘦果长椭圆状倒披针形，稍扁，中部以上被柔毛；外层冠毛宿存，内层冠毛雪白色，不等长，易脱落。花期 8 ~ 9 月，果期 9 ~ 10 月。

| **生境分布** | 生于干燥石质山坡、疏林阴处、撂荒地、山坡草丛、水边或灌丛等。以长白山区为主要分布区域，分布于吉林延边、白山、通化、吉林、辽源（东丰）等。

| **资源情况** | 野生资源较少。药材主要来源于野生。

| **采收加工** | 夏季采收叶，鲜用或晒干。夏、秋季花开时采摘花序，阴干。

| **药材性状** | 本品叶呈卵形、匙形或近圆形，两面被稀疏的短硬毛；叶柄较长，被白色短硬毛。头状花序有长梗，单生茎、枝先端；总苞半球形，总苞片近等长，外层长椭圆状披针形，叶质，先端钝，边缘有白色长睫毛，中层匙形，质地较薄，紫色，内层膜质，半透明，先端钝。气微，味微苦。

| **功能主治** | 叶，清热凉血。外用于疔疮，烂疮。花序，清热凉血。

菊科 Compositae 飞廉属 Carduus

丝毛飞廉 Carduus crispus L.

| **植物别名** | 老牛锉、老牛错、飞廉。

| **药 材 名** | 飞廉（药用部位：全草）。

| **形态特征** | 二年生或多年生草本，高 40 ~ 150cm。茎直立，有条棱，不分枝或
具较长分枝，头状花序下部被蛛丝状绵毛。下部茎生叶羽状深裂或
半裂，侧裂片 7 ~ 12 对，边缘有大小不等的浅褐色或淡黄色针刺，
或下部茎生叶不为羽状分裂，边缘具大锯齿或重锯齿；中部茎生叶
与下部茎生叶同形，渐小，最上部茎生叶线状倒披针形或宽线形；
全部茎生叶两面明显异色，被蛛丝状薄绵毛，基部渐狭，两侧沿茎
下延成茎翼；茎翼边缘齿裂，齿顶及齿缘有黄白色或浅褐色的针刺，
上部或接头状花序下部的茎翼常呈针刺状。头状花序集生于茎、枝

丝毛飞廉

先端；总苞卵圆形，总苞片多层，覆瓦状排列，外中层先端针刺状，最内层无针刺，全部苞片无毛或被稀疏的蛛丝毛；小花红色或紫色，5 深裂，裂片线形。瘦果稍压扁，楔状椭圆形，有明显的横皱纹；冠毛多层，白色或污白色，不等长，冠毛刚毛锯齿状。花期 8 ~ 9 月，果期 9 ~ 10 月。

| 生境分布 | 生于田间、路旁、山坡、荒地或河岸等，常成片生长。吉林各地均有分布。

| 资源情况 | 野生资源较丰富。药材主要来源于野生。

| 采收加工 | 夏、秋季花开时采收，除去杂质，鲜用或晒干。

| 药材性状 | 本品茎有条棱，不分枝，上部被蛛丝状绵毛。叶具浅褐色或淡黄色的针刺，边缘具大锯齿或重锯齿；两面异色，被蛛丝状薄绵毛。头状花序；总苞卵圆形，总苞片无毛或被稀疏的蛛丝毛。瘦果稍压扁，楔状椭圆形，有明显的横皱纹。气微，味微苦。

| 功能主治 | 微苦，凉。祛风，清热，利湿，凉血散瘀。用于风热感冒，头风眩晕，风热痹痛，皮肤刺痒，尿路感染，乳糜尿，尿血，带下，跌仆瘀肿，疔疮肿毒，烫伤。

| 用法用量 | 内服煎汤，9 ~ 30g，鲜品30 ~ 60g；或入丸、散；或浸酒。外用适量，煎汤洗；或鲜品捣敷；或烧存性，研末掺。

菊科 Compositae 天名精属 *Carpesium*

烟管头草 *Carpesium cernuum* L.

| 植物别名 | 挖耳草、烟袋草。

| 药 材 名 | 挖耳草（药用部位：全草。别名：朴地菊、劳伤草、野烟）。

| 形态特征 | 多年生草本，高 50 ~ 100cm。须根多数。茎直立，多分枝，下部密被白色卷曲的柔毛，基部及叶腋尤密，上部被疏柔毛，纵条纹明显。基生叶于开花前凋萎；茎下部叶的叶柄长约为叶片的 2/3 或与叶片近等长，下部具狭翅，向叶基渐宽，叶片长椭圆形或匙状长椭圆形，两面被柔毛，在中肋及叶柄上常密集成绒毛状，并有腺点；茎中部叶椭圆形至长椭圆形，基部楔形，具短柄；茎上部叶渐小，椭圆形至椭圆状披针形，近全缘。头状花序单生茎、枝先端，开花时下垂；苞叶多枚，大小不等，其中 2 ~ 3 较大，具短柄，密被柔毛及腺点，

烟管头草

其余较小，条状披针形或条状匙形，稍长于总苞；总苞壳斗状，苞片 4 层，外层苞片叶状，密被长柔毛，先端钝，通常反折，中层及内层苞片干膜质，狭矩圆形至条形，先端钝，有不规整的微齿；雌花狭筒状；两性花筒状，冠檐 5 齿裂。瘦果条形，有细纵棱，先端有短喙和腺点。花期 7～8 月，果期 8～9 月。

| 生境分布 | 生于阔叶林林下、路旁、林缘、山坡或草地等。以长白山区为主要分布区域，分布于吉林延边、白山、通化、吉林、辽源（东丰）等。

| 资源情况 | 野生资源较少。药材主要来源于野生。

| 采收加工 | 夏、秋季采收，除去杂质，晒干。

| 药材性状 | 本品茎具细纵纹；表面绿色或黑棕色，被白色茸毛；折断面粗糙，皮部纤维性强，髓部疏松，最外 1 层表皮易剥落。叶多破碎不全，两面均被茸毛。头状花序，花黄棕色。气香，味苦、微辣。以新鲜、色绿、无老茎者为佳。

| 功能主治 | 苦、辛，寒；有小毒。清热解毒，消肿止痛，止血杀虫。用于感冒发热，咽喉痛，牙痛，泄泻，痢疾，小便淋痛，瘰疬，疮疖肿毒，乳痈，痄腮，毒蛇咬伤，带状疱疹，阴挺，脱肛。

| 用法用量 | 内服煎汤，15～30g。外用适量，捣汁滴耳。

| 附　　注 | 本种与尼泊尔天名精 *Carpesium nepalense* Less. 的形态相似，区别在于后者苞片先端锐尖，下部茎生叶基部圆形或心形，骤然渐狭下延。

菊科 Compositae 天名精属 Carpesium

金挖耳
Carpesium divaricatum Sieb. et Zucc.

| **植物别名** | 除州鹤虱。

| **药 材 名** | 挖耳草（药用部位：全草。别名：朴地菊、劳伤草、野烟）。

| **形态特征** | 多年生草本。茎直立，高 25 ～ 150cm，被白色柔毛，初时较密，后渐稀疏，中部以上分枝，枝通常近平展。基生叶于开花前凋萎；下部叶卵形或卵状长圆形，叶片稍粗糙，先端锐尖或钝，基部圆形或稍呈心形，有时呈阔楔形，边缘具粗大牙齿，上面深绿色，下面淡绿色，被白色短柔毛，沿中肋较密，叶柄较叶片短或与叶片近等长，与叶片连接处有狭翅，下部无翅；中部叶长椭圆形，先端渐尖，基部楔形，叶柄较短，无翅；上部叶渐变小，长椭圆形，两端渐狭，几无柄。头状花序单生茎、枝先端；苞叶 3 ～ 5，披针形至椭圆形，

金挖耳

其中 2 较大，较总苞长 2 ～ 5 倍，密被柔毛和腺点；总苞卵状球形，苞片 4 层，覆瓦状排列，外层短，背面被柔毛，中层狭长椭圆形，内层条形；雌花狭筒状，冠檐 4 ～ 5 齿裂；两性花筒状，冠檐 5 齿裂。瘦果条形，先端有短喙和腺点。花期 7 ～ 8 月，果期 8 ～ 9 月。

| **生境分布** | 生于荒地、林缘、路边、山坡。以长白山区为主要分布区域，分布于吉林延边、白山、通化、吉林、辽源（东丰）等。

| **资源情况** | 野生资源较少。药材主要来源于野生。

| **采收加工** | 8 ～ 9 月采收，晒干。

| **药材性状** | 本品茎具细纵纹；表面绿色或黑棕色，被白色茸毛；折断面粗糙，皮部纤维性强，髓部疏松，最外 1 层表皮易剥离。叶多破碎不全，两面均被茸毛。头状花序着生于分枝的先端，花梗向下弯曲，近倒悬状，花梗上附有叶片。气香，味苦、微辣。

| **功能主治** | 同"烟管头草"。

| **用法用量** | 同"烟管头草"。

菊科 Compositae 天名精属 *Carpesium*

大花金挖耳 *Carpesium macrocephalum* Franch. et Sav.

| **植物别名** | 大花天名精、大烟袋锅草、大烟锅草。

| **药 材 名** | 大烟锅草（药用部位：全草）。

| **形态特征** | 多年生草本。茎直立，高 60 ~ 140cm，多分枝，有纵条纹，密被卷曲短柔毛。茎生叶于花前枯萎；基生叶大，具长柄，两侧具狭翅，向叶基部渐宽，叶片广卵形至椭圆形，较叶柄长或近等长，两面均被短柔毛，沿叶脉较密；中部叶椭圆形至倒卵状椭圆形，先端锐尖，中部以下收缩渐狭，无柄，基部略呈耳状，半抱茎；上部叶长圆状披针形，两端渐狭。头状花序单生茎、枝先端，开花时下垂；苞叶多枚，叶状，椭圆形至披针形，边缘有锯齿；总苞盘状，外层苞片叶状，披针形，先端锐尖，两面密被短柔毛，中层长圆状条形，

大花金挖耳

较外层稍短，先端草质，锐尖，被柔毛，下部
干膜质，无毛，内层匙状条形，干膜质；两性
花筒状，向上稍宽，冠檐 5 齿裂，花药基部箭
形，具撕裂状的长尾；雌花较短。瘦果稍弯，
圆柱形，先端有短喙和腺点。花期 7 ~ 8 月，
果期 9 ~ 10 月。

| 生境分布 |

生于山下林缘、林下、山坡、草地、路边、沟边。
以长白山区为主要分布区域，分布于吉林延
边、白山、通化、吉林、辽源（东丰）等。

| 资源情况 |

野生资源较丰富。药材主要来源于野生。

| 采收加工 |

夏季采收，鲜用或晒干。

| 药材性状 |

本品茎多分枝，有纵条纹，密被卷曲短柔毛。
叶片广卵形至椭圆形，较叶柄长或近等长，两
面均被短柔毛。头状花序苞叶多枚，叶状，椭
圆形至披针形，边缘有锯齿，两面密被短柔毛。
瘦果稍弯，圆柱形，先端有短喙和腺点。气芳
香，味苦。

| 功能主治 |

苦，微寒。凉血，散瘀，止血。用于跌打损伤，
外伤出血，吐血，衄血。

| 用法用量 |

外用适量，鲜品捣敷；或干品研末撒敷。

菊科 Compositae 天名精属 *Carpesium*

暗花金挖耳

Carpesium triste Maxim.

| **植物别名** | 烟袋草、旱莲草。

| **药 材 名** | 暗花金挖耳（药用部位：全草）。

| **形态特征** | 多年生草本。茎直立，高 30 ~ 100cm，分枝，疏生柔毛。基生叶宿存或于开花前枯萎，具长柄，柄与叶片等长或更长，上部具宽翅，向下渐狭，叶片卵状长圆形，先端锐尖或短渐尖，基部近圆形，边缘有不规整的粗齿，上面深绿色，被柔毛，下面淡绿色，被白色长柔毛；茎下部叶与基生叶相似；茎中部叶较狭，先端长渐尖，叶柄较短，上部叶渐变小，披针形至条状披针形，几无柄。头状花序生于茎、枝先端，呈圆锥花序式排列，开花时下垂；苞叶多枚，其中 1 ~ 3 较大，条状披针形，被稀疏柔毛，其余约与总苞等长；总苞

暗花金挖耳

钟状，苞片约 4 层，近等长，外层长圆状披针形，内层条状披针形；两性花筒
状，向上稍宽，冠檐 5 齿裂，无毛，雌花狭筒形。瘦果先端有短喙和腺点。花
期 7 ~ 8 月，果期 9 ~ 10 月。

| 生境分布 | 生于林下、林缘、溪边等。分布于吉林通化（辉南、集安）、延边（和龙、汪清、安图、延吉、珲春）、白山（临江、抚松、长白、江源）、吉林（丰满）等。

| 资源情况 | 野生资源较丰富。药材主要来源于野生。

| 采收加工 | 夏、秋季采收，除去杂质，晒干。

| 药材性状 | 本品茎分枝，疏生柔毛。叶片卵状长圆形，先端锐尖或短渐尖，基部近圆形，边缘有不规整的粗齿；上面深绿色，被柔毛；下面淡绿色，被白色长柔毛。头状花序呈圆锥花序式排列；苞叶多枚，条状披针形，被稀疏柔毛。瘦果先端有短喙和腺点。气芳香，味苦。

| 功能主治 | 清热解毒，消肿止痛。用于咽喉肿痛，感冒发热，牙痛，小便淋痛，瘰疬，疮疖肿毒，乳痈，蛇咬伤，缠腰火丹。

菊科 Compositae 红花属 *Carthamus*

红花

Carthamus tinctorius L.

| **植物别名** | 刺红花、红蓝花、草红花。

| **药材名** | 红花（药用部位：花。别名：草红花）。

| **形态特征** | 一年生草本，高 50 ~ 100cm。茎直立，上部有分枝，全部茎、枝光滑，无毛。中下部茎生叶披针形或长椭圆形，边缘具大锯齿、重锯齿、小锯齿以至无锯齿而全缘，极少有羽状深裂的，齿顶有针刺，向上的叶渐小，齿顶针刺较长；全部叶质地坚硬，革质，两面无毛，无腺点，有光泽，基部无柄，半抱茎。头状花序在茎、枝先端排成伞房花序，为苞叶所围绕，苞片椭圆形或卵状披针形，边缘有针刺或无针刺，先端渐长，有篦齿状针刺；总苞卵形，4 层苞片，外层卵状披针形，绿色，边缘无针刺或有针刺，中、内层硬膜质，倒披针

红花

状椭圆形至长倒披针形，先端渐尖，全部苞片无毛，无腺点。小花红色、橘红色，全部为两性管状花，花冠裂片几达檐部基部。瘦果倒卵形，乳白色，有 4 棱，棱在果实顶部伸出，无冠毛或冠毛鳞片状。花期 7 ~ 8 月，果期 8 ~ 9 月。

| **生境分布** | 生于农田、菜园等。分布于吉林长春（农安、榆树、德惠）、白城（洮南）、四平（双辽）等。吉林东部、中部部分地区有栽培。

| **资源情况** | 野生资源稀少。吉林有栽培。药材主要来源于栽培。

| **采收加工** | 7 ~ 8 月花开时采收，花冠先端由黄色转变为红色时采摘。过早花冠呈金黄色或深黄色，尚未变红，不宜采收。过晚花冠呈深红色至紫红色，干后无油性，也不宜采收。一般花开后 2 ~ 3 天进入盛花期，要在盛花期采收，每隔 2 ~ 3 天采收 1 次。早晨日出露水未干前，此时苞片刺软，不扎手，易采摘；但也不能太早，露水过多时，采摘下的红花易粘在一起，不便于干燥。采花时，用一只手扶住花托，另一只手的拇指、食指、中指轻捏花冠向上提。采摘时不要损伤基部子房，以便继续结实。采收后不宜暴晒，也不能堆放，应立即于弱阳光下晒干或阴干或低温烘干，否则易发霉变黑，影响品质。①弱阳光下晒干：薄摊于苇席上晒干，阳光太强时应用布遮盖，以保持颜色鲜艳，否则易变黄褐色；晾晒时要以竹筷等工具轻轻翻动，但不可用手直接翻动，否则易变色。②阴干：摊在阴凉通风处阴干，阴干质量较好。③低温烘干：40℃ ~ 60℃烘干，温度不得过高，否则易泛油，颜色变黑。

| **药材性状** | 本品为不带子房的管状花，长 1 ~ 2cm。表面红黄色或红色。花冠筒细长，先端 5 裂，裂片呈狭条形，长 5 ~ 8mm；雄蕊 5，花药聚合成筒状，黄白色；柱头长圆柱形，先端微分叉。质柔软。气微香，味微苦。以花冠长、色红、鲜艳、质柔软、无枝刺者为佳。

| **功能主治** | 辛，温。归心、肝经。活血通经，散瘀止痛。用于经闭，痛经，恶露不行，癥瘕痞块，胸痹心痛，瘀滞腹痛，胸胁刺痛，跌打损伤，疮疡肿痛。

| **用法用量** | 内服煎汤，3 ~ 10g。养血和血宜少用，活血祛瘀宜多用。

| **附　注** | （1）红花在吉林药用历史较久。在《大中华吉林省地理志》（1921）、《双山县乡土志略》（1930）、《梨树县志》（1934）等多部地方志中均有关于红花的记载。
（2）红花为常用大宗药材，年用量过万吨。目前国内市场上的红花药材商品大部分产自新疆。吉林部分地区虽有少量种植，但因产量较低，多为自产自销。

菊科 Compositae 矢车菊属 Centaurea

矢车菊
Centaurea cyanus L.

矢车菊

| 植物别名 |

蓝芙蓉。

| 药 材 名 |

矢车菊（药用部位：全草或花）。

| 形态特征 |

一年生或二年生草本，高 30 ~ 70cm。茎直立，自中部以上有分枝；全部茎、枝被灰白色蛛丝状毛。基生叶及下部茎生叶倒披针形或披针形，不分裂或提琴状羽状分裂，有柄，侧裂片 1 ~ 3 对，边缘有小锯齿；中、上部茎生叶线形，先端渐尖，基部楔状，无叶柄，全缘；全部茎生叶两面异色，被稀疏蛛丝毛或脱毛。头状花序在茎、枝先端排成伞房花序或圆锥花序；总苞椭圆状，被稀疏蛛丝毛；总苞片约 7 层，全部总苞片由外向内为椭圆形、长椭圆形，先端有浅褐色或白色的附属物，边缘篦齿状；边花增大，近舌状，多裂，远长于中央盘花，蓝色、白色、淡红色或紫色，檐部 5 ~ 8 裂；盘花浅蓝色或红色。瘦果椭圆形，有细条纹，被稀疏的白色柔毛；冠毛白色或淡红色，2 列，刺毛状。花期 6 ~ 7 月，果期 7 ~ 8 月。

| **生境分布** | 生于农田、菜园或庭院等。吉林无野生分布。吉林部分地区庭院有栽培。

| **资源情况** | 吉林有栽培。药材主要来源于栽培。

| **采收加工** | 夏、秋季分批采收全草，夏、秋季花开时采收花，选晴天露水干后或午后采收为好，阴干。

| **药材性状** | 本品茎有分枝，被灰白色蛛丝状毛。叶倒披针形或披针形，有柄，全缘，两面异色，被稀疏蛛丝毛或脱毛。头状花序、伞房花序或圆锥花序；总苞椭圆状，被稀疏蛛丝毛，总苞片椭圆形、长椭圆形，先端有浅褐色或白色附属物，边缘篦齿状。瘦果椭圆形，有细条纹，被稀疏的白色柔毛；冠毛白色或淡红色，2 列，刺毛状。气微香，味微苦。

| **功能主治** | 全草，清热解毒，消肿活血。用于瘀血肿痛。花，利尿，解热。用于淋证，热毒。

菊科 Compositae　石胡荽属 Centipeda

石胡荽

Centipeda minima (L.) A. Br. et Aschers.

| **植物别名** | 鹅不食草、地胡椒、球子草。

| **药 材 名** | 鹅不食草（药用部位：全草）。

| **形态特征** | 一年生匍匐状柔弱小草本，高 5 ~ 20cm。须根纤细，淡黄色。茎多分枝，广展，匍匐状，微被蛛丝状毛或无毛。叶小，互生，楔状倒披针形，先端钝，基部楔形，边缘有少数锯齿，无毛或背面微被蛛丝状毛。头状花序小，扁球形，单生于叶腋，无花序梗或极短；总苞半球形；总苞片 2 层，椭圆状披针形，绿色，边缘透明膜质，外层较大；边缘花雌性，多层，花冠细管状，淡绿黄色，先端 2 ~ 3 微裂；盘花两性，花冠管状，先端 4 深裂，淡紫红色，下部有明显的狭管。瘦果椭圆形，具 4 棱，棱上有长毛，无冠毛。花期 8 ~ 9 月，

石胡荽

果期 9 ~ 10 月。

| 生境分布 | 生于杂草地、耕地、庭院、潮湿地（如池塘边、路旁和荒野湿地）、水稻田及大豆田的田边或路埂上。以长白山区为主要分布区域，分布于吉林延边、白山、通化、吉林、辽源（东丰）等。

| 资源情况 | 野生资源较丰富，为常见杂草。药材主要来源于野生。

| 采收加工 | 夏、秋季花开时采收，除去杂质，晒干。

| 药材性状 | 本品缠结成团。须根纤细，淡黄色。茎细，多分枝；质脆，易折断，断面黄白色。叶小，近无柄，叶片多皱缩、破碎，完整者展平后呈匙形，表面灰绿色或棕褐色，边缘有 3 ~ 5 锯齿。头状花序黄色或黄褐色。气微香，久嗅有刺激感，味苦、微辛。以色灰绿、有花序、无杂质、嗅之打喷嚏者为佳。

| 功能主治 | 辛，温。归肺、肝经。祛风通络，消肿止痛，通鼻窍，散寒，胜湿，祛翳。用于感冒，喉痹，慢性支气管炎，百日咳，顿咳，风湿性腰腿痛，疝气腹痛，鼻炎，鼻息肉，目翳涩痒，小儿疳积，蛔虫病，小儿麻痹后遗症，疟疾，黄疸性肝炎，阿米巴痢疾，骨折，跌打损伤，疥疮，皮癣，毒蛇咬伤。

| 用法用量 | 内服煎汤，6 ~ 9g；或捣汁。外用适量，捣敷；或捣烂塞鼻；或研末嗅鼻。

菊科 Compositae 茼蒿属 Chrysanthemum

蒿子杆
Chrysanthemum carinatum Scbousb.

| 药 材 名 | 蒿子杆（药用部位：嫩茎、叶）。

| 形态特征 | 一年生草本，高 20 ~ 70cm。茎直立，光滑无毛或几光滑无毛，自中上部有分枝。基生叶花期枯萎；中下部茎生叶倒卵形至长椭圆形，2 回羽状分裂，1 回深裂或几全裂，侧裂片 3 ~ 8 对，2 回为深裂或浅裂，裂片披针形、斜三角形或线形。头状花序单生茎顶或 2 ~ 8 生于茎、枝先端，形成不明显伞房花序，花梗长；总苞片 4 层，内层稍长。舌状花瘦果三棱形，有 3 翅肋，腹面的 1 翅肋伸长，于瘦果先端成 1 芒尖；管状花瘦果两侧压扁，有 2 翅肋。

| 生境分布 | 生于农田。分布于吉林吉林（丰满）等。

蒿子杆

| **资源情况** | 野生资源较少。药材主要来源于野生。 |

| **采收加工** | 春、夏季采收，鲜用。 |

| **功能主治** | 利肠胃。用于饮食积滞。 |

| **用法用量** | 内服煎汤，鲜品 60 ~ 90g。 |

菊科 Compositae 菊苣属 Cichorium

菊苣
Cichorium intybus L.

| **植物别名** | 苦苣、苦马草、小头草。

| **药 材 名** | 菊苣（药用部位：地上部分。别名：蓝菊）、菊苣根（药用部位：根）。

| **形态特征** | 多年生草本，高40～100cm。茎直立，单生，分枝开展或极开展，全部茎枝绿色，有条棱。全部叶质地薄；基生叶莲座状，叶片倒向羽状分裂或不分裂而边缘有稀疏的尖锯齿，侧裂片3～6对或更多，顶侧裂片较大，向下侧裂片渐小，叶基渐狭成翼柄；茎生叶少数，较小，卵状倒披针形至披针形，无柄，基部圆形或戟形扩大半抱茎。头状花序多数，单生或数个在中上部叶腋簇生，沿花枝排列成穗状花序；总苞圆柱状，总苞片2层，外层总苞片披针形，上半部绿色，草质，有长缘毛，下半部淡黄白色，质地坚硬，

菊苣

革质，内层总苞片线状披针形，下部稍坚硬，上部边缘有单毛；舌状小花蓝色，有色斑。瘦果倒卵形、椭圆形或倒楔形，外层瘦果压扁，紧贴内层总苞片，具 3 ～ 5 棱，先端截形，向下收窄，褐色，有棕黑色色斑；冠毛极短，2 ～ 3 层，鳞片状。花期 8 ～ 9 月，果期 9 ～ 10 月。

| 生境分布 | 生于荒地、河边、水边或山坡旁等。分布于吉林长春（榆树）、通化等。

| 资源情况 | 野生资源较少。药材主要来源于野生。

| 采收加工 | 菊苣：夏、秋季采割，晒干。
菊苣根：秋末采挖，除去杂质，洗净，晒干。

| 药材性状 | 菊苣：本品茎表面近光滑。茎生叶少，长圆状披针形。头状花序少数，簇生；苞片外短内长，无毛或先端被稀毛。瘦果鳞片状，冠毛短，长 0.2 ～ 0.3mm。气微，味微苦、咸。
菊苣根：本品根先端有 2 ～ 3 分枝。表面灰棕色至褐色，粗糙，具深纵纹，外皮常脱落，脱落后呈棕色至棕褐色，有少数侧根和须根。嚼之有韧性。气微，味微苦。

| 功能主治 | 菊苣：微苦、咸，凉。清肝利胆，健胃消食，利尿消肿。用于湿热黄疸，胃痛食少，水肿尿少。
菊苣根：微苦，凉。清热，健胃。用于消化不良，饱腹胀闷。

| 用法用量 | 菊苣：内服煎汤，9 ～ 18g。外用适量，煎汤洗。
菊苣根：内服研末，3 ～ 6g。

| 附　　注 | 本种叶可生食；根含菊糖及芳香族化合物，可作咖啡替代品，能促消化。

菊科 Compositae 蓟属 Cirsium

大刺儿菜

Cirsium arvense (L.) Scop. var. *setosum* (Willd.) Ledeb.

大刺儿菜

| 植物别名 |

大蓟、刺蓟、刺儿菜。

| 药 材 名 |

小蓟（药用部位：地上部分。别名：猫蓟、青刺蓟、刺蓟菜）。

| 形态特征 |

多年生草本，高达 2m。茎粗壮，具条棱，上部多分枝。基生叶莲座状，花期枯萎，具短柄或无柄；叶片长圆状披针形或披针形，边缘具羽状缺刻状大牙齿，先端有尖刺。头状花序多数密集成伞房状，异型，雌雄异株；总苞钟形，总苞片多层，外层短，卵状披针形，内层较长，线状披针形，带紫色，花冠紫红色；雄头状花序较小，雌头状花序下筒部长为上筒部长的 4 ~ 5 倍。瘦果倒卵形或长圆形，冠毛白色，花后伸长。花期 7 ~ 8 月，果期 8 ~ 9 月。

| 生境分布 |

生于山坡、河旁或荒地、田间。吉林各地均有分布。

| **资源情况** | 野生资源较丰富。药材主要来源于野生。

| **采收加工** | 秋季采挖，切段晒干。

| **功能主治** | 凉血止血，祛瘀消肿。用于衄血，吐血，尿血，便血，崩漏下血，外伤出血，痈肿疮毒。

| **用法用量** | 内服煎汤，5 ~ 10g。

菊科 Compositae 蓟属 Cirsium

野蓟
Cirsium maackii Maxim.

| **植物别名** | 大蓟、老牛锉、老牛错。

| **药 材 名** | 野蓟(药用部位:全草)。

| **形态特征** | 多年生草本,高 40 ~ 150cm。块根圆柱状。茎直立,分枝或不分枝,被长或短节毛,上部接头状花序,有稠密的绒毛。基生叶和下部茎生叶有翼柄,叶柄基部扩大半抱茎,柄翼边缘具三角形刺齿或针刺,叶片羽状半裂、深裂或几全裂,全部侧裂片边缘具刺齿及缘毛状针刺,刺齿先端有针刺,齿缘针刺及缘毛状针刺较短;向上的叶渐小,与下部茎生叶及基生叶同形;全部叶两面异色。头状花序在茎枝先端排成伞房花序;总苞钟状,总苞片 5 层,覆瓦状排列,外层及中层长三角状披针形至披针形,先端急尖成短针刺,有缘毛,内层披

野蓟

针形至线状披针形，全部苞片背面有黑色粘腺；小花紫红色，檐部与细管部等长。瘦果淡黄色，偏斜倒披针状，压扁，先端截形；冠毛多层，白色，基部联合成环，整体脱落；冠毛刚毛长羽毛状，内层先端纺锤状扩大。花期 7 ~ 8 月，果期 8 ~ 9 月。

| 生境分布 | 生于山坡林中、林缘、林下或路旁河边、湿地等。以长白山区为主要分布区域，分布于吉林延边、白山、通化、吉林、辽源（东丰）等。

| 资源情况 | 野生资源较少。药材主要来源于野生。

| 采收加工 | 夏、秋季花开时采收，除去杂质，晒干。

| 药材性状 | 本品块根呈圆柱状。茎偶见分枝，被稠密的绒毛。叶片羽状半裂、深裂或几全裂，边缘具刺齿及缘毛状针刺，两面异色。头状花序总苞钟状，总苞片长三角状披针形至披针形，有缘毛；小花紫红色，檐部与细管部等长。瘦果淡黄色，偏斜倒披针状，压扁，先端截形。气微，味微苦。

| 功能主治 | 甘，凉。行瘀消肿，凉血止血，破血。用于咯血，衄血，尿血，便血，呕吐，疮毒。

| 用法用量 | 内服煎汤，15 ~ 30g。外用适量，捣敷。

菊科 Compositae 蓟属 Cirsium

烟管蓟
Cirsium pendulum Fisch. ex DC.

| 植物别名 | 老牛锉、老牛错、大蓟。

| 药 材 名 | 烟管蓟（药用部位：地上部分。别名：大蓟）。

| 形态特征 | 多年生草本，高 1 ~ 3m。茎直立，粗壮，中空，上部分枝，全部茎、枝有条棱，被极稀疏的蛛丝状毛，上部花序分枝上的蛛丝状毛稍稠密。基生叶及下部茎生叶 2 回羽状分裂，一回为深裂，一回侧裂片 5 ~ 7对，中部侧裂片较大，向上、向下的侧裂片渐小，全部一回侧裂片仅一侧深裂或半裂，而另一侧不裂，边缘有针刺状缘毛或兼有少数小型刺齿，二回侧裂片斜三角形，二回顶裂片长披针形或宽线形，全部二回裂片边缘及先端有针刺；向上的叶渐小，无柄或扩大耳状抱茎；全部叶两面同色，绿色或下面色稍淡，无毛。头状花序下垂，

烟管蓟

在茎、枝先端排成圆锥花序；总苞钟状，无毛，总苞片约 10 层，覆瓦状排列，外层与中层向外反折或开展；小花紫色或红色，花冠管部细丝状，檐部短，5 浅裂。瘦果偏斜楔状倒披针形，先端斜截形，稍压扁；冠毛污白色，多层，基部联合成环，整体脱落；冠毛长羽毛状。花期 7 ~ 8 月，果期 8 ~ 9 月。

| **生境分布** | 生于河岸、湿草甸、草地、山坡或林缘等。吉林各地均有分布。

| **资源情况** | 野生资源较丰富。药材主要来源于野生。

| **采收加工** | 春、夏季采收，除去杂质，鲜用或晒干。

| **药材性状** | 本品茎粗壮，中空，上部分枝，全部茎、枝有条棱，蛛丝毛稍稠密。叶两面同色，绿色或下面色稍淡，无毛。头状花序排列成圆锥花序；总苞钟状，无毛。瘦果偏斜楔状倒披针形，先端斜截形，稍压扁。气微，味苦。

| **功能主治** | 苦，凉。凉血止血，祛瘀消肿，止痛。用于衄血，咯血，吐血，尿血，功能失调性子宫出血，产后出血，肝炎，肾炎，乳腺炎，跌打损伤；外用于外伤出血，痈疖肿毒。

| **用法用量** | 内服煎汤，4.5 ~ 9g，鲜品可用至 30 ~ 60g；或加酒煨服；或鲜品捣汁。外用适量，鲜品捣敷。

菊科 Compositae 蓟属 Cirsium

林蓟
Cirsium schantarense Trautv. et Mey.

林蓟

| 植物别名 |

齐头蒿、嫩青蒿。

| 药 材 名 |

林蓟（药用部位：全草）。

| 形态特征 |

多年生草本，高 70 ~ 120cm。茎直立，上部分枝。基生叶花期脱落，中下部茎生叶羽状浅裂、半裂、深裂或几全裂，向下渐狭有长或短翼柄，翼柄边缘有针刺或小刺齿，柄基扩大耳状半抱茎，中部侧裂片较大，全部侧裂片斜三角形或宽线形，边缘有针刺状缘毛或有少数锯齿；向上的叶渐小，羽状浅裂，基部扩大抱茎，无叶柄；上部及最上部的叶通常不裂，线形或披针形，基部耳状扩大半抱茎；全部茎生叶质地薄，两面同色，绿色。头状花序下垂，生于茎、枝先端，花序梗长，裸露，无叶；总苞宽钟状，总苞片约 6 层，覆瓦状排列，外层与中层先端渐尖成针刺，内层及最内层先端膜质渐尖或渐尖成软针刺状；小花紫红色，花冠不等 5 浅裂。瘦果淡黄色，倒披针状长椭圆形，先端斜截形；冠毛淡褐色，多层，基部联合成环，整体脱落；冠毛刚毛长羽

毛状。花期6～7月，果期8～9月。

| **生境分布** | 生于林下、林缘、草甸、山坡、路旁或河边湿地等。以长白山区为主要分布区域，分布于吉林延边、白山、通化、吉林、辽源（东丰）等。

| **资源情况** | 野生资源较少。药材主要来源于野生。

| **采收加工** | 夏、秋季花期采收，除去杂质，晒干。

| **药材性状** | 本品茎有分枝。茎生叶两面均为绿色，质地薄。头状花序花序梗长，无叶；总苞宽钟状，总苞片覆瓦状排列，渐尖成软针刺状；小花紫红色，花冠不等5浅裂。瘦果淡黄色，倒披针状长椭圆形，先端斜截形。气微，味苦。

| **功能主治** | 祛风活血，凉血止血。用于血热出血。

菊科 Compositae 蓟属 Cirsium

刺儿菜
Cirsium setosum (Willd.) MB.

| 植物别名 | 小蓟、小蓟草、枪头菜。

| 药 材 名 | 小蓟（药用部位：地上部分。别名：猫蓟、青刺蓟、刺蓟菜）。

| 形态特征 | 多年生高大草本，高 30 ~ 120cm。茎直立，上部有分枝。基生叶和中部茎生叶椭圆形，先端钝或圆形，基部楔形，有时有极短的叶柄，通常无叶柄；上部茎生叶渐小或全部茎生叶不分裂，有紧贴叶缘的细密且大小不等的针刺或大部分茎生叶羽状浅裂或半裂或边缘具粗大圆锯齿，齿顶及裂片先端有较长的针刺，齿缘及裂片边缘的针刺较短且伏贴；全部茎生叶两面同色，绿色或下面色淡，两面无毛，极少两面异色，上面绿色，无毛，下面被稀疏或稠密的绒毛而呈灰色，亦极少两面同色，呈灰绿色，两面被薄绒毛。头状花序单生茎端，

刺儿菜

或少数或多数头状花序在茎、枝先端排成伞房花序；总苞卵形，总苞片约 6 层，覆瓦状排列，总苞片先端有短针刺；小花紫红色或白色，雌花花冠较两性花花冠长。瘦果淡黄色，椭圆形，压扁，先端斜截形；冠毛污白色，多层，冠毛刚毛长羽毛状。花期 7 ~ 8 月，果期 8 ~ 9 月。

| 生境分布 | 生于林缘、草甸、山坡、田间、荒地、林间、路旁等，常成片生长。吉林各地均有分布。

| 资源情况 | 野生资源丰富。药材主要来源于野生。

| 采收加工 | 夏、秋季花开时采割，除去杂质，晒干。

| 药材性状 | 本品茎呈圆柱形，长 5 ~ 45cm，直径 2 ~ 5mm；表面灰绿色或微带紫色，有纵棱和柔毛；质脆，易折断，断面中空。叶互生，无柄或有短柄，叶片多皱缩或破碎，完整者展平后呈长椭圆形或长圆状披针形，长 3 ~ 12cm，宽 0.5 ~ 3cm，全缘或微齿裂至羽状深裂，齿尖具细密的针刺；上表面绿褐色，下表面灰绿色，两面均有白色柔毛。头状花序单个或数个顶生；总苞钟状，苞片黄绿色，6 层；花紫红色。气微，味微苦。以色绿、叶多者为佳。

| 功能主治 | 苦，凉。归肝、脾经。凉血止血，解毒消痈，散瘀。用于衄血，吐血，尿血，血淋，便血，崩漏，外伤出血，痈肿疮毒。

| 用法用量 | 内服煎汤，5 ~ 12g，鲜品可用至 30 ~ 60g；或捣汁。外用适量，捣敷。

| 附　　注 | 在 FOC 中，本种的拉丁学名被修订为 *Cirsium arvense* (Linnaeus) Scopoli var. *integrifolium* Wimmer & Grabowski。

菊科 Compositae 蓟属 Cirsium

绒背蓟

Cirsium vlassovianum Fisch. ex DC.

绒背蓟

| 植物别名 |

绒毛蓟、牛锉、枪头菜。

| 药 材 名 |

绒背蓟（药用部位：块根。别名：猫腿姑）。

| 形态特征 |

多年生草本，高 25 ~ 90cm，有块根。茎直立，有条棱，单生，不分枝或上部分枝，全部茎枝被稀疏混生绒毛。全部茎生叶披针形或椭圆状披针形，先端渐尖、急尖或钝，中部叶较大，上部叶较小，全部叶不分裂，边缘有针刺状缘毛，两面异色，上面绿色，下面密被灰白色绒毛，下部叶有短或长的叶柄，中部及上部叶耳状扩大或圆形扩大，半抱茎。头状花序单生茎顶或花序枝端；总苞长卵形，直立，总苞片约 7 层，覆瓦状紧密排列，最外层长三角形，先端急尖成短针刺，中、内层披针形，先端急尖成短针刺，最内层宽线形，先端膜质，长渐尖，全部苞片外面有黑色粘腺；小花紫色，花冠不等 5 深裂。瘦果褐色，稍压扁，倒披针状或偏斜倒披针状，先端截形或斜截形，有棕色色纹；冠毛浅褐色，多层，基部联合成环，整体脱落；冠毛刚毛长羽毛状。花期 7 ~ 8 月，果期 8 ~ 9 月。

生境分布	生于山坡、林中、林缘、草甸、荒地、河边或湿地等。以长白山区为主要分布区域，分布于吉林延边、白山、通化、长春、吉林、辽源（东丰）等。
资源情况	野生资源较少。药材主要来源于野生。
采收加工	春、秋季采挖，洗净，鲜用或晒干。
药材性状	本品肥大，呈脚趾状互相重叠。表面黑棕色或黄棕色。气特异，味微苦。
功能主治	微辛，温。祛风除湿，温经通络，止痛。用于风湿性关节炎，四肢麻木，腰痛。
用法用量	内服煎汤，2 ~ 6g。

菊科 Compositae 白酒草属 *Conyza*

小蓬草
Conyza canadensis (L.) Cronq.

| **植物别名** | 小飞蓬、加拿大飞蓬、牛尾巴蒿。

| **药 材 名** | 小飞蓬（药用部位：全草。别名：祁州一枝蒿、小白酒草）。

| **形态特征** | 一年生草本，高50～100cm。具锥形直根，纤维状根多数。茎直立，圆柱状，有细条纹，被疏长糙毛，上部多分枝。叶密集，基部叶花期常枯萎；下部叶倒披针形，基部渐狭成柄，全缘或具疏锯齿；中部和上部叶较小，线状披针形或线形，近无柄或无柄，全缘或少有具1～2齿，两面或仅上面被疏短毛，边缘常被上弯的硬缘毛。头状花序小，多数，排成大圆锥花序，花序梗细，多分枝；总苞近圆柱状，总苞片2～3层，淡绿色，线状披针形或线形，先端渐尖，外层约短于内层之半，背面被疏毛，边缘干膜质，无毛；花托平，

小蓬草

具不明显的突起；雌花多数，舌状，白色，舌片小，稍超出花盘，线形，先端具2钝小齿；两性花淡黄色，花冠管状，上端4或5齿裂，管部上部被疏微毛。瘦果线状披针形，稍扁压，被贴微毛；冠毛污白色，1层，刚毛状。花期7~8月，果期8~9月。

| 生境分布 | 生于林间、草地、林缘、荒坡、荒地、山坡、田野、路旁或住宅附近，常成大面积生长。吉林各地均有分布。

| 资源情况 | 野生资源较丰富。药材主要来源于野生。

| 采收加工 | 夏、秋季采收，洗净，鲜用或晒干。

| 药材性状 | 本品茎直立，表面黄绿色或绿色，具细棱及粗糙毛。单叶互生，叶片展平后线状披针形，基部狭，先端渐尖，全缘或疏锯齿缘，有长缘毛。多数小头状花序集成圆锥花序状；花黄棕色。气香特异，味微苦。

| 功能主治 | 苦，凉。清热解毒，祛风止痒。用于口腔破溃，中耳炎，目赤，结膜炎，风火牙痛，风湿骨痛，尿血，铜钱癣，大头瘟，肾囊风。

| 用法用量 | 内服煎汤，15~30g。外用适量，鲜品捣敷。

| 附 注 | 在 FOC 中，本种的拉丁学名被修订为 *Erigeron canadensis* Linnaeus。

菊科 Compositae 秋英属 Cosmos

秋英
Cosmos bipinnata Cav.

秋英

| 植物别名 |

波斯菊、格桑花、扫地梅。

| 药 材 名 |

秋英（药用部位：全草。别名：波斯菊）。

| 形态特征 |

一年生或多年生草本，高 100 ～ 200cm。根纺锤状，多须根，或近茎基部有不定根。茎无毛或稍被柔毛。叶 2 回羽状深裂，裂片线形或丝状线形。头状花序单生；花序梗很长；外层总苞片披针形或线状披针形，近革质，淡绿色，具深紫色条纹，上端长狭尖，与内层等长，内层总苞片椭圆状卵形，膜质；托片平展，上端呈丝状，与瘦果近等长；舌状花紫红色、粉红色或白色，舌片椭圆状倒卵形，有 3 ～ 5 钝齿；管状花黄色，管部短，上部圆柱形，有披针状裂片；花柱具短突尖的附器。瘦果黑紫色，无毛，上端具长喙，有 2 ～ 3 尖刺。花期 6 ～ 8 月，果期 9 ～ 10 月。

| 生境分布 |

生于田埂、林缘、溪岸等。吉林各地均有分布。吉林各地均有栽培，用于花海景观建设、乡村环境美化、城市园林绿化。长春九台有

大规模的育苗基地。

| **资源情况** | 野生资源较少。吉林广泛栽培，栽培资源非常丰富。药材主要来源于栽培。

| **采收加工** | 夏、秋季采收，除去杂质，晒干。

| **药材性状** | 本品根呈纺锤状，多须根及不定根。茎无毛或稍被柔毛。叶线形或丝状线形。头状花序花序梗很长；外层总苞片披针形或线状披针形，近革质，淡绿色，具深紫色条纹。瘦果黑紫色，无毛，上端具长喙，有 2 ~ 3 尖刺。气香特异，味微苦。

| **功能主治** | 清热解毒，明目化湿。用于目赤肿痛；外用于痈疮肿毒。

菊科 Compositae 还阳参属 *Crepis*

屋根草 *Crepis tectorum* L.

| **植物别名** | 还阳参、驴打滚儿草、苦菜儿。

| **药 材 名** | 屋根草（药用部位：全草。别名：北苦菜草、还阳参）。

| **形态特征** | 一年生或二年生草本，高 30 ~ 90cm。根长倒圆锥状，须根多。茎直立，有纵棱，多分枝，全部茎枝被白色的蛛丝状短柔毛，上部粗糙。基生叶及下部茎生叶披针状线形、披针形或倒披针形，先端急尖，基部楔形，渐窄成短翼柄，边缘有稀疏的锯齿或凹缺状锯齿至羽状全裂，羽片披针形或线形；中部茎生叶与基生叶及下部茎生叶同形，但无柄，基部尖耳状或圆耳状抱茎；上部茎生叶线状披针形或线形，无柄，基部亦不抱茎，全缘。头状花序多数或少数，在茎枝先端排成伞房花序或伞房圆锥花序；总苞钟状，总苞片 3 ~ 4 层，外层及

屋根草

最外层短，不等长，线形，内层及最内层长，等长，长椭圆状披针形，全部总苞片外面被稀疏的蛛丝状毛及头状具柄的长或短腺毛；舌状小花黄色，花冠管外面被白色短柔毛。瘦果纺锤形，向先端渐狭，先端无喙，有 10 等粗的纵肋，沿肋有小刺毛；冠毛白色。花期 6 ~ 7 月，果期 8 ~ 9 月。

| 生境分布 | 生于荒地、林缘、路边、山坡、田间地头、房前屋后，为田间杂草，常成片生长。以长白山区为主要分布区域，分布于吉林延边、白山、通化、吉林、辽源（东丰）等。

| 资源情况 | 野生资源丰富。药材主要来源于野生。

| 采收加工 | 夏、秋季采收，除去杂质及泥沙，鲜用或晒干。

| 药材性状 | 本品根呈长倒圆锥状，生多数须根。茎分枝，多数，被白色的蛛丝状短柔毛，上部粗糙。叶披针状线形、披针形或倒披针形，边缘有稀疏的锯齿或凹缺状锯齿。头状花序在茎枝先端排成伞房花序或伞房圆锥花序；总苞钟状，总苞片 3 ~ 4 层；舌状小花黄色，花冠管外面被白色短柔毛。瘦果纺锤形。气香特异，味微苦。

| 功能主治 | 清热解毒，泻火，凉血止血，调经活血，去腐排脓生肌。用于老年咳嗽痰喘，血热出血，月经不调，痈疮肿毒，溃疡不敛。

| 附　　注 | 本种的幼苗可食。

菊科 Compositae 菜蓟属 Cynara

菜蓟
Cynara scolymus L.

| **植物别名** | 食托菜蓟。

| **药 材 名** | 菜蓟（药用部位：叶）。

| **形态特征** | 多年生草本，高达 2m。茎粗壮，直立，有条棱，上部有分枝，全部茎枝被稠密的蛛丝毛或毛变稀疏。叶大型，基生叶莲座状；下部茎生叶长椭圆形或宽披针形，长约 100cm，宽约 50cm，2 回羽状全裂，下部渐窄，有长叶柄；中部及上部茎生叶渐小，无柄或沿茎稍下延；最上部茎生叶及接头状花序下部的叶长椭圆形或线形，长达 5cm；全部叶质地薄，草质，上面绿色，无毛，下面灰白色，被稠密或稀疏的绒毛，二回裂片先端或叶先端无长硬针刺。头状花序极大，生于分枝先端，植株含多数头状花序；总苞多层，几无毛，覆瓦状排

菜蓟

列，硬革质，中外层苞片先端渐尖，但不形成长硬针刺，内层苞片先端有附片，附片硬膜质，圆形、卵形、三角形或尾状，先端有小尖头伸出；小花紫红色，花冠长 4.5cm，细管部长 2.8cm，檐部长 1.7cm，花冠裂片长 9mm。瘦果长椭圆形，具 4 棱，先端截形，无果缘；冠毛白色，多层，长 3.6cm，冠毛刚毛羽毛状，向先端渐细，基部联合成环，整体脱落。花果期 7 月。

| 生境分布 | 生于植物园、药园等。吉林无野生分布。吉林植物园、药园有栽培，作研究用。

| 资源情况 | 吉林偶见栽培。药材主要来源于栽培。

| 采收加工 | 夏季采收，洗净，晒干。

| 功能主治 | 甘，平。舒肝利胆，清泻湿热。用于黄疸，胸胁胀痛，湿热泻痢，肝炎。

| 用法用量 | 内服煎汤，6 ~ 15g。

菊科 Compositae 大丽花属 Dahlia

大丽花 *Dahlia pinnata* Cav.

大丽花

植物别名

苦地丁、大理花、大丽菊。

药 材 名

大理菊（药用部位：块根。别名：天竺牡丹、大理花、西番莲）。

形态特征

多年生草本，高 150 ~ 200cm。块根多数，棒状，大型。茎直立，多分枝，粗壮。叶 1 ~ 3 回羽状全裂，上部叶有时不分裂，裂片卵形或长圆状卵形，下面灰绿色，两面无毛。头状花序大，有长花序梗，常下垂；总苞片 2 层，外层约 5，较内层小，卵状椭圆形，叶质，内层膜质，椭圆状披针形；舌状花 1 层，白色、红色或紫色，常卵形，先端有不明显的 3 齿或全缘；管状花黄色，栽培种有时全部为舌状花。瘦果长圆形，黑色，扁平，无翅，无冠毛，有 2 不明显的齿。花期 6 ~ 12 月，果期 9 ~ 10 月。

生境分布

生于山坡、田间地头，常成片生长。吉林各地均有分布。吉林各地均有栽培，多种植于庭院。

| 资源情况 | 野生资源较丰富。吉林有栽培。药材主要来源于栽培。

| 采收加工 | 春、秋季采挖，除去泥沙及杂质，晒干。

| 药材性状 | 本品呈长纺锤形，微弯，有的已压扁，有的切成 2 瓣，长 6 ~ 10cm，直径 3 ~ 4.5cm。表面灰白色或类白色，未去皮者黄棕色，有明显而不规则的纵沟纹，先端有茎基痕，先端及尾部均呈纤维状。质硬，不易折断，断面类白色，角质化。气微，味淡。

| 功能主治 | 辛、甘，平。清热解毒，消炎消肿止痛。用于头风，脾虚食滞，疟腮，龋齿牙痛，跌打损伤，肿痛，无名肿毒。

| 用法用量 | 内服煎汤，6 ~ 15g。外用适量，捣敷。

菊科 Compositae 菊属 Dendranthema

小红菊

Dendranthema chanetii (Lévl.) Shih

| **药 材 名** | 小红菊（药用部位：花序）。

| **形态特征** | 多年生草本，高 15 ~ 60cm。有地下匍匐根茎。茎直立，自基部或中部分枝；全部茎枝有稀疏的毛，茎顶及接头状花序处的毛稍多。中部茎生叶通常 3 ~ 5 掌状或羽状浅裂或半裂，少有深裂的，侧裂片椭圆形，顶裂片较大，全部裂片边缘具钝齿、尖齿或芒状尖齿；根生叶及下部茎生叶与中部茎生叶同形，但较小，上部茎生叶椭圆形或长椭圆形，接花序下部的叶长椭圆形或宽线形，羽裂、齿裂或不裂，全部中下部茎生叶基部稍心形或截形，有较长的叶柄，两面几同形。头状花序在茎枝先端排成疏松伞房花序，少有头状花序单生茎端；总苞碟形，总苞片 4 ~ 5 层，外层宽线形，边缘撕裂，外

小红菊

面有稀疏的长柔毛，中内层渐短，宽倒披针形，全部苞片边缘白色或褐色，膜质；舌状花白色、粉红色或紫色，舌片先端 2 ~ 3 齿裂。瘦果先端斜截，下部收窄，具 4 ~ 6 脉棱。花期 7 ~ 8 月，果期 9 ~ 10 月。

| 生境分布 | 生于林下、石质荒地、山坡、林缘、灌丛或河滩、沟边。分布于吉林通化、延边（安图）等。

| 资源情况 | 野生资源较少。药材主要来源于野生。

| 采收加工 | 7 ~ 8 月花开时采摘，晒干或蒸后晒干。

| 药材性状 | 本品为头状花序。总苞碟形；总苞片 4 ~ 5 层，外层宽线形，边缘撕裂，外面有稀疏的长柔毛，中内层渐短，宽倒披针形；全部苞片边缘白色或褐色，膜质。舌状花白色、粉红色或紫色，舌片先端齿裂。气芳香，味苦。

| 功能主治 | 苦，凉。清热解毒，消肿。用于风热感冒，咽喉痛，疮疡肿毒。

| 附　　注 | 在 FOC 中，本种的拉丁学名被修订为 *Chrysanthemum chanetii* H. Léveillé。

菊科 Compositae 菊属 Dendranthema .

野菊
Dendranthema indicum (L.) Des Moul.

| **植物别名** | 少花野菊、甘菊花。

| **药 材 名** | 野菊花（药用部位：花序。别名：土菊花、草菊、黄菊仔）。

| **形态特征** | 多年生草本，高 25 ~ 100cm。根茎粗厚，有分枝，有地下长或短的匍匐枝。茎直立或基部铺展，分枝或仅在茎顶有伞房状花序分枝；茎枝被稀疏的毛，上部及花序枝上的毛稍多或较多。基生叶和下部叶花期脱落；中部叶卵形、长卵形或椭圆状卵形，羽状半裂、浅裂或分裂不明显而边缘有浅锯齿。基部截形或稍心形或宽楔形，叶柄基部无耳或有分裂的叶耳，两面同色或几同色，淡绿色，或干后两面成榄绿色，有稀疏的短柔毛，或下面的毛稍多。头状花序在茎枝先端排成疏松的伞房圆锥花序或少数在茎顶排成伞房花序；总苞片

野菊

约 5 层，外层卵形或卵状三角形，中层卵形，内层长椭圆形，全部苞片边缘白色或褐色，宽膜质，先端钝或圆；舌状花黄色，先端全缘或具 2 ~ 3 齿。瘦果同型，有 5 纵肋，无冠毛。花期 8 ~ 9 月，果期 9 ~ 10 月。

| **生境分布** | 生于山坡草地、灌丛、河边水湿地、田边或路旁。分布于吉林通化（通化、集安）、白山（临江）等。

| **资源情况** | 野生资源较少。药材主要来源于野生。

| **采收加工** | 春、夏季花初开时采摘，晒干或蒸后晒干。

| **药材性状** | 本品呈类球形，直径 0.3 ~ 1cm，棕黄色。总苞由 4 ~ 5 层苞片组成，外层苞片卵形或条形，外表面中部灰绿色或浅棕色，通常被白毛，边缘膜质，内层苞片长椭圆形，膜质，外表面无毛，总苞基部有的残留总花梗。舌状花 1 轮，黄色至棕黄色，皱缩卷曲。管状花多数，深黄色。体轻。气芳香，味苦。

| **功能主治** | 苦、辛，寒。归肝、心经。清热解毒，泻火平肝。用于疔疮痈肿，目赤肿痛，头痛眩晕。

| **用法用量** | 内服煎汤，10 ~ 15g，鲜品可用至 30 ~ 60g。外用适量，捣敷；或煎汤漱口；或淋洗。

| **附　注** | 在 FOC 中，本种的拉丁学名被修订为 *Chrysanthemum indicum* Linnaeus。

菊科 Compositae 菊属 *Dendranthema*

甘菊
Dendranthema lavandulifolium (Fisch. ex Trautv.) Ling et Shih

| **植物别名** | 岩香菊、香叶菊、野菊花。

| **药 材 名** | 甘菊（药用部位：全草或花序。别名：甘野菊）。

| **形态特征** | 多年生草本，高 30 ~ 150cm，有地下匍匐茎。茎直立，自中部以上多分枝或仅上部伞房状花序分枝；茎枝有稀疏的柔毛，但上部及花序梗上的毛稍多。基生叶和下部叶花期脱落；中部叶卵形、宽卵形或椭圆状卵形，2 回羽状分裂，一回全裂或几全裂，二回半裂或浅裂，一回侧裂片 2 ~ 3 对；最上部叶或接花序下部的叶羽裂、3 裂或不裂；全部叶两面同色或几同色，被稀疏或稍多的柔毛；中部叶叶柄短，柄基有分裂的叶耳或无耳。头状花序通常多数在茎枝先端排成疏松或稍紧密的复伞房花序；总苞碟形，总苞片约 5 层，外层线形或线

甘菊

状长圆形，无毛或有稀柔毛，中内层卵形、长椭圆形至倒披针形，全部苞片先端圆形，边缘白色或浅褐色，膜质；舌状花黄色，舌片椭圆形，先端全缘或 2 ~ 3 不明显齿裂。瘦果。花期 8 ~ 9 月，果期 9 ~ 10 月。

| **生境分布** | 生于山坡、岩石上、河谷、河岸、荒地、路旁、灌丛中等。分布于吉林通化（集安）等。

| **资源情况** | 野生资源稀少。药材主要来源于野生。

| **采收加工** | 夏季采收全草，晒干。夏、秋季花开时采摘花序，除去杂质，阴干。

| **功能主治** | 全草，清热解毒。用于咳嗽痰喘。花序，甘、苦，微寒。清热解毒，凉血降压。用于痈肿疔疮，目赤，瘰疬，天疱疮，湿疹。

| **附　注** | 在 FOC 中，本种的拉丁学名被修订为 *Chrysanthemum lavandulifolium* (Fischer ex Trautvetter) Makino。

菊科 Compositae 菊属 Dendranthema

菊花 *Dendranthema morifolium* (Ramat.) Tzvel.

| 植物别名 | 秋菊。

| 药 材 名 | 菊花（药用部位：花序。别名：簪头菊、甜菊花、药菊）。

| 形态特征 | 多年生草本，高 60 ~ 150cm。根茎多少木质化。茎直立，基部有时木质化，分枝或不分枝，被柔毛。叶卵形至披针形，羽状浅裂或半裂，基部楔形，有短柄；叶片下面被白色短柔毛。头状花序大小不一，单生或数个集生于茎枝先端；总苞片多层，外层总苞片绿色，条形，边缘膜质，外面被柔毛；舌状花白色、红色、紫色或黄色等；管状花黄色。瘦果。花期 8 ~ 9 月，果期 9 ~ 10 月。

菊花

| **生境分布** | 生于农田、路旁等。吉林无野生分布。吉林部分地区庭院、绿化带有栽培。

| **资源情况** | 吉林有栽培。药材主要来源于栽培。

| **采收加工** | 9 ~ 11 月花开时分批采收，阴干或焙干，或熏、蒸后晒干。

| **药材性状** | 本品为干燥头状花序。外层为数层舌状花，呈扁平花瓣状，白色或黄色，中心由多数管状花聚合而成，基部有总苞。总苞由 3 ~ 4 层苞片组成。气清香，味淡、微苦。以花朵完整不散瓣、色白（黄）、香气浓郁、无杂质者为佳。

| **功能主治** | 甘、苦，微寒。归肺、肝经。清热解毒，疏风解表，平肝明目。用于风热感冒，头痛，头晕，咽喉肿痛，目赤耳鸣，疔疮肿毒。

| **用法用量** | 内服煎汤，5 ~ 10g；或入丸、散；或泡茶。外用适量，煎汤洗；或捣敷。

| **附 注** | 2020 年版《中国药典》记载本种的拉丁学名为 *Chrysanthemum morifolium* Ramat.。

菊科 Compositae 菊属 Dendranthema

小山菊 Dendranthema oreastrum (Hance) Ling

| 植物别名 | 毛山菊。

| 药 材 名 | 小山菊（药用部位：全草）。

| 形态特征 | 多年生草本，高 30 ~ 45cm。有地下匍匐根茎。茎直立，单生，
不分枝，极少 1 ~ 2 分枝，被稠密的长或短柔毛，但下部毛变稀疏
至无毛。基生叶及中部叶菱形、扇形或近肾形，2 回掌状或掌式羽
状分裂，一、二回全部全裂；上部与中部叶同形，但较小；最上部
叶及接花序下部的叶羽裂或 3 裂，末回裂片线形或宽线形；全部叶
有柄，叶下面被稠密或较多的膨松的长柔毛至稀毛而几无毛。头状
花序单生茎顶，极少茎生 2 ~ 3 头状花序；总苞浅碟状，总苞片 4 层，
外层线形、长椭圆形或卵形，中内层长卵形、倒披针形，中外层外

小山菊

面被稀疏的长柔毛，全部苞片边缘棕褐色或黑褐色，宽膜质；舌状花白色、粉红色，舌片先端具 3 齿或微凹。瘦果。花期 7 ~ 8 月，果期 8 ~ 9 月。

| 生境分布 | 生于高山冻原、亚高山草地和高山苔原多砾石地上。分布于吉林白山（长白、抚松）、延边（安图）等。

| 资源情况 | 野生资源稀少。药材主要来源于野生。

| 采收加工 | 夏、秋季采收，除去杂质，晒干。

| 药材性状 | 本品根茎细长。茎不分枝，被稠密的柔毛。叶有柄，菱形、扇形或近肾形。头状花序总苞浅碟状，总苞片 4 层，外层线形、长椭圆形或卵形，中内层长卵形、倒披针形，中外层外面被稀疏的长柔毛，全部苞片边缘棕褐色或黑褐色，宽膜质；舌状花白色、粉红色，舌片先端具 3 齿或微凹。瘦果。气香，味苦。

| 功能主治 | 苦，凉。清热解毒。用于风热表证，咽喉红肿疼痛。

| 附　　注 | 在 FOC 中，本种的拉丁学名被修订为 *Chrysanthemum oreastrum* Hance。

菊科 Compositae 菊属 Dendranthema

紫花野菊

Dendranthema zawadskii (Herb.) Tzvel.

| **植物别名** | 山菊。

| **药 材 名** | 紫花野菊（药用部位：叶、花序）。

| **形态特征** | 多年生草本，高 15 ～ 50cm，有地下匍匐茎。茎直立，分枝斜升，开展，通常仅上部有少数伞房状花序分枝，或几不分枝；全部茎枝中下部紫红色，有稀疏短柔毛，上部及接花序处的毛稍多，或全部几无毛至光滑。中下部茎生叶 2 回羽状分裂，一回为几全裂，侧裂片 2 ～ 3 对，二回为深裂或半裂，二回裂片三角形或斜三角形，先端短尖；上部茎生叶小，长椭圆形，羽状深裂或宽线形而不裂；中下部茎生叶叶柄稍长；全部叶两面同色或几同色，有稀疏的短柔毛至无毛。头状花序少数，在茎枝先端排成疏松伞房花序；总苞浅

紫花野菊

碟状，总苞片 4 层，外层线形或线状披针形，先端圆形，膜质，扩大，中内层椭圆形或长椭圆形，全部苞片边缘白色或褐色，膜质，仅外层外面有稀疏短柔毛，中外层几无毛；舌状花白色或紫红色，舌片先端全缘或微凹。瘦果。花期 7 ~ 8 月，果期 9 ~ 10 月。

| **生境分布** | 生于草原、荒地、林间草地、林下、林缘。分布于吉林白山（临江、长白）、通化（通化、集安）等。

| **资源情况** | 野生资源较少。药材主要来源于野生。

| **采收加工** | 夏季采叶，除去杂质，鲜用或晒干。夏、秋季花开时采摘花序，除去杂质，阴干。

| **药材性状** | 本品叶呈长椭圆形，有稀疏的短柔毛至无毛。头状花序总苞浅碟状，总苞片 4 层，外层线形或线状披针形，先端圆形，膜质，扩大，中内层椭圆形或长椭圆形，全部苞片边缘白色或褐色，膜质；舌状花白色或紫红色，舌片先端全缘或微凹。气香，味苦。

| **功能主治** | 苦，凉。清热解毒，降血压。用于外感表证，咽喉肿痛，头痛眩晕。

| **附　　注** | 在 FOC 中，本种的拉丁学名被修订为 *Chrysanthemum zawadskii* Herbich。

菊科 Compositae 东风菜属 Doellingeria

东风菜 *Doellingeria scaber* (Thunb.) Nees

| **植物别名** | 山白菜、大耳毛、铧子尖菜。

| **药 材 名** | 东风菜（药用部位：全草。别名：盘龙草、山蛤芦、白云草）。

| **形态特征** | 多年生草本。根茎粗壮。茎直立，高 100 ~ 150cm，上部有斜升的
分枝，被微毛。基部叶在花期枯萎，叶片心形，边缘有具小尖头的齿，
先端尖，基部急狭成被微毛的柄；中部叶较小，卵状三角形，基部
圆形或稍截形，有具翅的短柄；上部叶小，矩圆状披针形或条形；
全部叶两面被微糙毛，下面色浅，有 3 或 5 出脉，网脉明显。头状
花序花序梗长，排成圆锥伞房状；总苞半球形，总苞片约 3 层，无毛，
边缘宽膜质，有微缘毛，先端尖或钝，覆瓦状排列；舌状花约 10，
舌片白色，条状矩圆形；管状花檐部钟状，有线状披针形裂片，管

东风菜

部急狭。瘦果倒卵圆形或椭圆形，有 5 厚肋，无毛；冠毛污黄白色。花期 7 ～ 8 月，果期 8 ～ 9 月。

| **生境分布** | 生于林缘、灌丛或蒙古栎林下、林间湿草地等。以长白山区为主要分布区域，分布于吉林延边、白山、通化、长春、吉林、辽源（东丰）等。

| **资源情况** | 野生资源较丰富。药材主要来源于野生。

| **采收加工** | 夏、秋季采收，洗净，鲜用或晒干。

| **药材性状** | 本品茎呈圆柱形，稍有分枝，长 80 ～ 120cm，直径 0.6 ～ 1.2cm；表面黄棕色，有多条细纵纹，下部光滑，上部有白色柔毛；质脆，易折断，断面中空。叶多皱缩破碎，展开后完整叶呈卵状三角形，质厚，长 9 ～ 22cm，宽 6 ～ 16cm，绿褐色，叶柄有窄翼，边缘有锯齿或重锯齿，表面粗糙，两面有细毛。有时可见多数黄色的头状花序；总苞半球形，总苞片边缘干膜质；质脆，易碎。气微，味微苦。

| **功能主治** | 甘，凉。清热解毒，消肿止痛，祛风明目。用于肝炎，小儿消化不良，小儿感冒高热，头痛，咽喉肿痛，风热咳嗽，泄泻，痢疾，牙痛，目赤肿痛，胃痛，夜盲症，胃腹疼痛，疮疡，虫蛇咬伤，跌打损伤，扭伤腰痛。

| **用法用量** | 内服煎汤，15 ～ 30g。外用适量，鲜品捣敷。

| **附　　注** | 本种的苗可作山野菜。

菊科 Compositae 蓝刺头属 Echinops

砂蓝刺头

Echinops gmelini Turcz.

砂蓝刺头

| 植物别名 |

和尚头、刺头、刺甲盖。

| 药 材 名 |

砂漏芦（药用部位：全草）、砂漏芦根（药用部位：根）。

| 形态特征 |

一年生草本，高 10 ~ 90cm。根直伸，细圆锥形。茎单生，淡黄色，有腺毛。叶互生，无柄，下部茎生叶线形或线状披针形，叶基扩大，抱茎，边缘具刺齿；中上部茎生叶与下部茎生叶同形，渐小；全部叶质地薄，纸质，被稀疏蛛丝状毛。复头状花序单生茎枝先端；头状花序基毛白色，不等长；全部苞片 16 ~ 20；外层苞片上部扩大，浅褐色，上部外面被稠密的短糙毛，边缘具短缘毛，缘毛细密羽毛状，先端刺芒状长渐尖，爪部基部有长蛛丝状毛，中部有长缘毛，缘毛上部稍扁平扩大；中层苞片上部外面被短糙毛，下部外面被长蛛丝状毛，自中部以上边缘具短缘毛，缘毛扁毛状，边缘糙毛状或细密羽毛状，自最宽处向上渐尖成刺芒状长渐尖；内层苞片比中层苞片稍短，先端芒刺裂，但中间的芒刺裂较长，外面被较多的长蛛丝状

毛；小花蓝色或白色，花冠 5 深裂。瘦果倒圆锥形，密生绒毛，遮盖冠毛。花期 7 ~ 8 月，果期 8 ~ 9 月。

| 生境分布 | 生于山坡、砾石地、荒漠、黄土丘陵、草原或河滩沙地。分布于吉林白城（通榆、镇赉）等。

| 资源情况 | 野生资源较少。药材主要来源于野生。

| 采收加工 | 砂漏芦：夏、秋季采收，洗净，晒干。
砂漏芦根：秋季采挖，洗净，晒干。

| 药材性状 | 砂漏芦：本品根呈细圆锥形。茎淡黄色。叶无柄，线形或线状披针形，质地薄，纸质，被稀疏蛛丝状毛。复头状花序；头状花序基毛白色，不等长；全部苞片 16 ~ 20，外层苞片上部扩大，浅褐色，上部外面被稠密的短糙毛，边缘具短缘毛，缘毛细密羽毛状；小花蓝色或白色，花冠 5 深裂。瘦果倒圆锥形，密生绒毛，遮盖冠毛。气微，味微涩。
砂漏芦根：本品呈倒圆锥形，较细小，完整者长 15 ~ 25cm，直径 4 ~ 8mm；根头部无纤维状叶柄维管束，但有少数白色绵毛。表面土红色或淡黄色，有细纵皱纹，下部常有支根。质坚硬，不易折断，断面黄白色，呈裂片状，无黄黑相间的菊花纹。气微，味淡。

| 功能主治 | 砂漏芦：安胎，止血，镇静。用于先兆流产，产后出血。
砂漏芦根：清热解毒，排脓，通乳。用于疮痈肿痛，乳痈，乳汁不通，瘰疬，痔漏。

| 用法用量 | 砂漏芦：内服煎汤，6 ~ 15g。
砂漏芦根：内服煎汤，6 ~ 12g。

菊科 Compositae 蓝刺头属 Echinops

驴欺口

Echinops latifolius Tausch.

驴欺口

| 植物别名 |

蓝刺儿。

| 药 材 名 |

禹州漏芦（药用部位：根。别名：蓝刺儿）。

| 形态特征 |

多年生草本，高 30 ~ 60cm。茎直立，被蛛丝状绵毛或无毛，基部有残存的纤维状撕裂的褐色叶柄。基生叶与下部茎生叶大型，有长叶柄，柄基扩大贴茎或半抱茎，2回羽状分裂，中部侧裂片较大，向上渐小，先端针刺状或通常无刺齿；中上部茎生叶与基生叶及下部茎生叶同形并近等样分裂；上部茎生叶羽状半裂或浅裂，无柄，基部扩大抱茎；全部茎生叶质地薄，纸质，两面异色，下面灰白色，被密厚的蛛丝状绵毛。复头状花序生于茎顶；总苞片 14 ~ 17，外层苞片稍长于基毛，边缘有长缘毛，先端短渐尖，中层倒披针形，自最宽处向上突然收窄成针刺状长渐尖，边缘有稀疏短缘毛，内层长椭圆形，上部边缘有短缘毛，先端刺芒状渐尖，全部苞片外面无毛；小花蓝色，花冠管上部有腺点。瘦果圆柱形，密被淡黄色长直毛，遮盖冠毛；冠毛量杯状。

花期 7 ～ 8 月，果期 8 ～ 9 月。

| 生境分布 | 生于林缘、干燥山坡、山间路旁、高山草甸或山地阳坡。分布于吉林白城（通榆、洮北、镇赉、洮南）、松原（乾安、长岭、前郭尔罗斯）、白山（靖宇、江源、临江）等。

| 资源情况 | 野生资源较少。药材主要来源于野生。

| 采收加工 | 春、秋季采挖，除去须根和泥沙，晒干。

| 药材性状 | 本品呈类圆柱形，稍扭曲，长 10 ～ 25cm，直径 0.5 ～ 1.5cm。表面灰黄色或灰褐色，具纵皱纹，先端有纤维状棕色硬毛。质硬，不易折断，断面皮部褐色，木部呈黄黑相间的放射状纹理。气微，味微涩。以枝条粗长、表面土棕色、质坚实、长短整齐者为佳。

| 功能主治 | 苦，寒。归胃、大肠、肝经。清热解毒，消痈下乳，舒筋通脉。用于乳痈肿痛，痈疽发背，瘰疬疮毒，乳汁不通，湿痹拘挛。

| 用法用量 | 内服煎汤，9 ～ 15g。外用适量，研末醋调敷；或鲜品捣敷。

| 附 注 | 在 FOC 中，本种的拉丁学名被修订为 *Echinops davuricus* Fischer ex Hornemann。

菊科 Compositae 鳢肠属 *Eclipta*

鳢肠 *Eclipta prostrata* (L.) L.

鳢肠

植物别名

墨旱莲、旱莲草、墨汁草。

药 材 名

墨旱莲（药用部位：地上部分。别名：旱莲草、水旱莲、莲子草）。

形态特征

一年生草本，高达 60cm。茎直立，斜升或平卧，通常自基部分枝，被贴生糙毛。叶长圆状披针形或披针形，无柄或有极短的柄，先端尖或渐尖，边缘有细锯齿或有时仅呈波状，两面被密硬糙毛。头状花序花序梗细且稍长；总苞球状钟形，总苞片 2 层，绿色，草质，长圆形或长圆状披针形，外层较内层稍短，背面及边缘被白色短伏毛；外围雌花 2 层，舌状，舌片短，先端 2 浅裂或全缘；中央两性花多数，花冠管状，白色，先端 4 齿裂；花柱有分枝，乳头状凸起；花托凸，有披针形或线形托片，托片中部以上有微毛。瘦果暗褐色，雌花的瘦果三棱形，两性花的瘦果扁四棱形，先端截形，具 1 ~ 3 细齿，基部稍缩小，边缘具白色的肋，表面有小瘤状突起，无毛。花期 7 ~ 8 月，果期 8 ~ 9 月。

| 生境分布 | 生于田边或路旁、河边，常见于田埂、沟溪边或湿地。分布于吉林吉林（磐石）、通化（辉南、梅河口、集安）等。

| 资源情况 | 野生资源较丰富。药材主要来源于野生。

| 采收加工 | 花开时采割，晒干。

| 药材性状 | 本品全体被白色茸毛。茎呈圆柱形，有纵棱，直径 2 ～ 5mm；表面绿褐色或墨绿色。叶对生，近无柄，叶片皱缩卷曲或破碎，完整者展平后呈长披针形，全缘或具浅齿，墨绿色。头状花序直径 2 ～ 6mm。瘦果椭圆形而扁，长 2 ～ 3mm，棕色或浅褐色。气微，味微咸。以色墨绿、叶多者为佳。

| 功能主治 | 甘、酸，寒。归肾、肝经。滋补肝肾，凉血止血。用于肝肾阴虚，牙齿松动，须发早白，眩晕耳鸣，腰膝酸软，阴虚血热吐血，衄血，尿血，血痢，崩漏下血，外伤出血。

| 用法用量 | 内服煎汤，6 ～ 12g；或熬膏；或捣汁；或入丸、散。外用适量，捣敷；或捣绒塞鼻；或研末敷。

菊科 Compositae 飞蓬属 Erigeron

飞蓬
Erigeron acer L.

飞蓬

| 植物别名 |

北飞蓬、蓬草。

| 药 材 名 |

飞蓬（药用部位：全草）。

| 形态特征 |

二年生草本，高 5 ~ 60cm。茎单生，直立，绿色或有时紫色，具明显的条纹，被较密而开展的硬长毛，杂有疏贴短毛，在头状花序下部常被具柄腺毛，或有时近无毛。基部叶较密集，花期常生存，倒披针形，先端钝或尖，基部渐狭成长柄，全缘或极少具 1 至数个小尖齿，具不明显的 3 脉；中部和上部叶披针形，无柄，先端急尖；最上部和枝上的叶极小，线形，具 1 脉；全部叶两面被较密或疏开展的硬长毛。头状花序多数，在茎枝端排列成圆锥花序；总苞半球形，总苞片 3 层，线状披针形，绿色，稀紫色，先端尖，背面被密或较密开展的长硬毛，杂有具柄的腺毛，内层常短于花盘，边缘膜质，外层几短于内层的 1/2；外层雌花舌状，舌片淡红紫色，少有白色；较内层雌花细管状，无色，花柱与舌片同色，伸出管部；中央两性花管状，

黄色，上部被疏贴微毛，檐部圆柱形，裂片无毛。瘦果长圆状披针形，扁压，被疏贴短毛；冠毛 2 层，白色，刚毛状，外层极短。花期 7 ～ 8 月，果期 8 ～ 9 月。

| **生境分布** | 生于碎石坡、沙地、林缘、田边、山坡、草地、路旁等，常成大面积生长。以长白山区为主要分布区域，分布于吉林延边、白山、通化、长春、吉林、辽源（东丰）、白城（洮南、大安、通榆）、松原（扶余）等。

| **资源情况** | 野生资源较丰富。药材主要来源于野生。

| **采收加工** | 夏、秋季采收，晒干。

| **药材性状** | 本品茎呈绿色或有时紫色，具明显的条纹，被较密而开展的硬长毛，有疏贴短毛。叶倒披针形、披针形、线形，无柄，两面被较密或疏开展的硬长毛。头状花序排列成圆锥花序；总苞半球形，总苞片线状披针形，绿色，稀紫色。瘦果长圆状披针形，扁压。气微，味苦。

| **功能主治** | 苦、辛，凉。祛风利湿，散瘀消肿。用于风湿关节痛。

菊科 Compositae 飞蓬属 Erigeron

一年蓬
Erigeron annuus (L.) Pers.

| 植物别名 | 治疟草、野蒿。

| 药 材 名 | 一年蓬（药用部位：全草。别名：女菀、野蒿、牙肿消）。

| 形态特征 | 一年生或二年生草本，高 30 ~ 100cm。茎粗壮，直立，具长或短硬毛，上部有分枝，绿色。叶互生，基部叶花期枯萎，基部狭成具翅的长柄，边缘具粗齿；下部叶与基部叶同形，但叶柄较短；中部和上部叶较小，长圆状披针形或披针形，先端尖，具短柄或无柄，近全缘或有不规则的齿；最上部叶线形，被短硬毛或有时近无毛。头状花序多数，排列成圆锥花序；总苞半球形，总苞片 3 层，草质，披针形，近等长或外层稍短，淡绿色或多少褐色，背面密被腺毛和疏长节毛；外围的雌花舌状，2 层，上部被疏微毛，舌片平展，白

一年蓬

色或有时淡天蓝色，线形，先端具 2 小齿，花柱分枝线形；中央的两性花管状，黄色，檐部近倒锥形，裂片无毛。瘦果披针形，扁压，被疏贴柔毛；冠毛异形，雌花的冠毛极短，两性花的冠毛 2 层，外层鳞片状，内层为 10 ~ 15 刚毛。花期 7 ~ 8 月，果期 8 ~ 9 月。

| **生境分布** | 生于荒地、林缘、路边、山坡，常成片生长。吉林各地均有分布。

| **资源情况** | 野生资源丰富。药材主要来源于野生。

| **采收加工** | 夏、秋季采收，洗净，鲜用或晒干。

| **药材性状** | 本品全体疏被粗毛。根呈圆锥形，有分枝，黄棕色，具多数须根。茎呈圆柱形，长 40 ~ 80cm，直径 2 ~ 4mm；表面黄绿色，有纵棱线；质脆，易折断，断面有大型白色的髓。单叶互生，叶片皱缩或已破碎，完整者展平后呈披针形，黄绿色。头状花序排列成伞房状或圆锥状花序，花淡棕色。气微，味微苦。

| **功能主治** | 淡，平。归胃、大肠经。清热解毒，助消化，抗疟。用于消化不良，肠炎，泄泻，病毒性肝炎，瘰疬，尿血，疟疾；外用于龈炎，蛇咬伤。

| **用法用量** | 内服煎汤，30 ~ 60g。外用适量，捣敷。

菊科 Compositae 飞蓬属 Erigeron

长茎飞蓬 *Erigeron elongatus* Ledeb.

长茎飞蓬

植物别名

紫苞飞蓬。

药材名

长茎飞蓬（药用部位：地上部分）。

形态特征

二年生或多年生草本，高 10 ~ 50cm。根茎木质，斜升，有分枝，茎部有叶柄残基。茎数个，直立或基部略弯曲，紫色或少有绿色，密被贴短毛。叶全缘，质较硬，绿色，或叶柄紫色；基生叶密集，莲座状，花期常枯萎；基部及下部叶倒披针形或长圆形，先端钝，基部狭成长叶柄；中部和上部叶无柄，长圆形或披针形，先端尖或稍钝。头状花序在茎、枝先端排列成伞房状或伞房状圆锥花序；总苞半球形，总苞片 3 层，紫红色，稀绿色，背面密被腺毛，内层具狭膜质边缘，外层短于内层之半；外层雌花舌状，不超出花盘或与花盘等长，舌片淡红色或淡紫色，花柱伸出管部，与舌片同色，有时具缩短的舌片；两性花管状，黄色，管部上部被疏微毛，裂片暗紫色。瘦果长圆状披针形，扁压，密被多少贴生的短毛；冠毛白色，2 层，刚毛状，外层极短，内层长。花期 7 ~ 8 月，果期 8 ~ 9 月。

| **生境分布** | 生于草原、草甸、开旷山坡草地、沟边或林缘等。分布于吉林白山（抚松）、延边（安图）等。

| **资源情况** | 野生资源较少。药材主要来源于野生。

| **采收加工** | 夏、秋季采收，除去杂质，晒干。

| **药材性状** | 本品茎略弯曲，紫色或少有绿色，密被贴短毛。叶长圆形或披针形，表面绿色，全缘，叶柄紫色，质较硬。头状花序组成圆锥花序；总苞半球形，总苞片紫红色，背面密被毛。瘦果长圆状披针形，扁压；冠毛白色。气微，味微苦。

| **功能主治** | 甘、微苦，平。消肿解毒，活血，燥湿。用于结核样型麻风，瘤型麻风，视物模糊。

| **用法用量** | 内服煎汤，9 ~ 15g；或炖肉服。外用适量，煎汤洗。

| **附　注** | 在 FOC 中，本种的拉丁学名被修订为 *Erigeron acris* Linnaeus subsp. *politus* (Fries) H. Lindberg。

菊科 Compositae 飞蓬属 Erigeron

山飞蓬
Erigeron komarovii Botsch.

| **药 材 名** | 山飞蓬（药用部位：全草）。

| **形态特征** | 多年生草本，高 10 ～ 35cm。根茎斜升，常分枝，具纤维状根，密被残存的叶基。茎数个，直立，不分枝，绿色，具条纹，被疏开展的长节毛，上部毛较密。基部叶密集，莲座状，倒卵形、匙形或倒披针形，全缘，先端钝，基部渐狭成具翅的长柄，具明显的 3 脉，两面和边缘被疏长节毛，有时近无毛；下部叶倒披针形，具短柄；中部和上部叶披针形或线状披针形，无柄，先端尖。头状花序单生茎端；总苞半球形，总苞片 3 层，线状披针形，与花盘等长或稍长于花盘，外层较内层稍短，背面被较密的或疏长节毛；外围的雌花 2 层，舌状，被疏贴微毛，舌片平，淡紫色，稀白色，先端具 3 细齿；中央的两性花管状，黄色，管部短，檐部漏斗状，中部被疏贴微毛，

山飞蓬

裂片无毛；花药伸出花冠。瘦果倒披针形，扁压，被较密的短贴毛；冠毛污白色，2 层，刚毛状，外层极短。花期 7～8 月，果期 8～9 月。

| **生境分布** | 生于高山冻原、高山草地或高山苔原。分布于吉林白山（长白、抚松）、延边（安图）等。

| **资源情况** | 野生资源稀少。药材主要来源于野生。

| **采收加工** | 夏、秋季采收，除去杂质，晒干。

| **药材性状** | 本品根茎分枝，具纤维状根，密被残存的叶基。茎不分枝，绿色，具条纹，被疏开展的长节毛。叶密集，莲座状，倒卵形、匙形或倒披针形，全缘。头状花序；总苞半球形，总苞片线状披针形。瘦果倒披针形，扁压，被较密的短贴毛；冠毛污白色，刚毛状，外层极短。气微，味微苦。

| **功能主治** | 解表散寒，舒筋活血。用于风寒表证，出血。

| **附　　注** | 在 FOC 中，本种的拉丁学名被修订为 *Erigeron alpicola* Makino。

菊科 Compositae 泽兰属 Eupatorium

白头婆
Eupatorium japonicum Thunb.

白头婆

| 植物别名 |

泽兰、细叶泽兰、孩儿菊。

| 药材名 |

白头婆（药用部位：全草）。

| 形态特征 |

多年生草本，高 50 ~ 200cm。根茎短，有多数细长侧根。茎直立，下部或至中部或全部淡紫红色，全部茎枝被白色短柔毛。叶对生，有叶柄，质地稍厚；中部茎生叶椭圆形、长椭圆形、卵状长椭圆形或披针形，基部宽或狭楔形，先端渐尖，羽状脉，侧脉约 7 对，在下面凸起；自中部向上及向下的叶渐小，与中部茎生叶同形，基部茎生叶花期枯萎；全部茎生叶两面粗涩，被短柔毛及黄色腺点，下面脉上及叶柄上的毛较密，边缘有粗或重粗锯齿。头状花序多数在茎、枝先端排成紧密的伞房花序；总苞钟状，含 5 小花，总苞片覆瓦状排列，3 层，外层苞片极短，披针形，中层及内层苞片渐长，长椭圆形或长椭圆状披针形，全部苞片绿色或带紫红色；花白色或带红紫色或粉红色，外面有较稠密的黄色腺点。瘦果淡黑褐色，椭圆状，具 5 棱，被多数黄色腺点；冠毛白色。花期 8 ~ 9 月，

果期 9 ~ 10 月。

| **生境分布** | 生于山野、路旁、林缘、林下、灌丛中、山坡草地、水湿地或河岸水旁。分布于吉林通化（通化、辉南、梅河口）、白山（靖宇、抚松、长白）、延边（安图、珲春、敦化）、吉林等。

| **资源情况** | 野生资源较少。药材主要来源于野生。

| **采收加工** | 夏、秋季采收，洗净，鲜用或晒干。

| **药材性状** | 本品茎呈圆柱形，长 40 ~ 80cm；表面棕色或暗紫红色，具纵皱纹及散在的紫色斑点，被白色茸毛；质坚硬，折断面黄白色，纤维状，中央具白色疏松的髓。叶对生，多破碎，皱缩卷曲，完整叶片展平后常 3 裂，裂片呈卵状长椭圆形，先端渐尖或锐尖，基部楔形，边缘具粗锯齿，上面深绿色，下面淡绿色，膜质，易脱落。花序着生于枝端，管状花多存在，外有膜质总苞残存，有的还带有瘦果。气芳香，味微涩。以色绿、叶多、质嫩、香气浓者为佳。

| **功能主治** | 苦，温。发表，散寒，透疹。用于脱肛，麻疹不透，寒湿腰痛，风寒咳嗽，疟疾，肠道寄生虫病。

| **用法用量** | 内服煎汤，9 ~ 15g；或研末，6 ~ 9g，每日 2 次。外用适量，捣敷。

菊科 Compositae 泽兰属 Eupatorium

林泽兰
Eupatorium lindleyanum DC.

林泽兰

| 植物别名 |

轮叶泽兰、毛泽兰、野马追。

| 药 材 名 |

林泽兰（药用部位：全草。别名：轮叶泽兰、毛泽兰、尖佩兰）。

| 形态特征 |

多年生草本，高 30 ~ 150cm。根茎短，有多数细根。茎直立，单一，有时中上部有分枝，中下部红色或淡紫红色，上部有紫红色斑点，全部茎枝被稠密的白色长或短柔毛。叶互生，无柄或几无柄，叶片不分裂或 3 全裂，质厚，基部楔形，先端急尖，基出脉 3，两面粗糙，被白色长或短粗毛及黄色腺点，背面及沿脉的毛密，边缘有深或浅犬齿。头状花序多数在茎、枝先端排成紧密的伞房花序或排成大型的复伞房花序；花序枝及花梗紫红色或绿色，被白色密集的短柔毛；总苞钟状，含 5 小花，总苞片覆瓦状排列，约 3 层，外层苞片短，披针形或宽披针形，中层及内层苞片渐长，长椭圆形或长椭圆状披针形，全部苞片绿色或紫红色，先端急尖；花白色、粉红色或淡紫红色，外面散生黄色腺点。瘦果黑

褐色，椭圆状，具 5 棱，散生黄色腺点；冠毛白色，与花冠等长或稍长。花期 8 ～ 9 月，果期 9 ～ 10 月。

| 生境分布 | 生于荒地、林缘、路边、山坡、草原、草甸、河边湿草地等。以长白山区为主要分布区域，分布于吉林延边、白山、通化、长春、吉林、辽源（东丰）、白城（大安）、松原（前郭尔罗斯）等。

| 资源情况 | 野生资源较丰富。药材主要来源于野生。

| 采收加工 | 秋季采收，洗净，晒干。

| 药材性状 | 本品茎呈圆柱形，长 3 ～ 90cm，直径可达 0.5cm；表面黄绿色或紫褐色，具纵棱，密被灰白色茸毛，嫩枝尤甚；质硬，易折断，断面纤维性，髓部白色，有的老枝中空。叶对生，无柄，叶片皱缩，完整叶片展平后 3 全裂，似轮生，裂片条状披针形，中间裂片较长，边缘具疏锯齿；上表面绿褐色，下表面黄绿色，两面被毛，具黄色腺点。花序顶生，常再排成紧密的伞房花序或大型的复伞房花序。气微，味微苦、涩。

| 功能主治 | 苦，平。清肺止咳，祛痰定喘，降血压。用于咳嗽痰喘，高血压，慢性支气管炎。

| 用法用量 | 内服煎汤，30 ～ 60g。

菊科 Compositae 线叶菊属 Filifolium

线叶菊 *Filifolium sibiricum* (L.) Kitam.

线叶菊

| 植物别名 |

西伯利亚艾菊、兔毛蒿。

| 药材名 |

兔毛蒿（药用部位：全草）。

| 形态特征 |

多年生草本，高 20～60cm。根粗壮，直伸，木质化。茎丛生，密集，基部具密厚的纤维鞘，不分枝或上部伞房状分枝；分枝斜升，无毛，有条纹。基生叶有长柄，倒卵形或矩圆形；茎生叶较小，互生；全部叶 2～3 回羽状全裂，末次裂片丝形，无毛，有白色乳头状小突起。头状花序在茎、枝先端排成伞房花序；总苞球形或半球形，无毛，总苞片 3 层，卵形至宽卵形，边缘膜质，先端圆形，背部厚硬，黄褐色；边花约 6，花冠筒状，压扁，先端稍狭，具 2～4 齿，有腺点；盘花多数，花冠管状，黄色，先端 5 齿裂，下部无狭管。瘦果倒卵形或椭圆形，稍压扁，黑色，无毛，腹面有 2 条纹。花期 7～8 月，果期 8～9 月。

| 生境分布 |

生于干山坡、多石质地、草原、固定沙丘、

盐碱地、山坡砾石地、碎石坡、荒漠。分布于吉林白城（通榆、镇赉、大安、洮南）、松原（长岭、前郭尔罗斯、乾安）、四平（双辽、梨树、公主岭）、长春（九台、榆树、德惠）、吉林（永吉）、延边（延吉、龙井）、白山（浑江）等。

| **资源情况** | 野生资源较少。药材主要来源于野生。

| **采收加工** | 夏、秋季采收，除去杂质，阴干。

| **药材性状** | 本品根粗壮，木质化。茎具密厚的纤维鞘，分枝无毛，有条纹。叶有长柄，倒卵形或矩圆形，较小。头状花序；总苞球形或半球形，无毛，总苞片卵形至宽卵形，边缘膜质，先端圆形，背部厚硬，黄褐色。瘦果倒卵形或椭圆形，稍压扁，黑色，无毛，腹面有 2 条纹。气微，味微苦。

| **功能主治** | 苦，寒。清热解毒，抗菌消炎，调经止血，安神镇惊。用于传染病引起的高热，心悸，失眠，神经衰弱，肾虚，带下，月经不调，中耳炎，肿痛，臁疮，其他化脓性感染。

| **用法用量** | 内服煎汤，9 ~ 15g。外用适量，熬膏敷。

菊科 Compositae 乳菀属 Galatella

兴安乳菀 *Galatella dahurica* DC.

| **植物别名** | 乳菀、新疆乳菀、宽叶新疆乳菀。

| **药材名** | 兴安乳菀（药用部位：全草）。

| **形态特征** | 多年生草本，高 30 ~ 80cm。根茎较细长，被褐色鳞片。茎直立，单生，坚硬，黄绿色，基部紫红色，具条纹，全株被密短毛。叶密集，下部叶在花期常枯萎；中部叶线状披针形或线形，边缘稍粗糙，具 3 脉；上部叶和枝上的叶渐小，线形。头状花序在茎和枝先端排列成疏伞房花序，花序梗细弱，稍弯曲，具 1 ~ 2 线形苞片；总苞近半球形，总苞片 3 ~ 4 层，黄绿色，背面被短毛，外层小，狭披针形或披针形，叶质，先端急尖，具 1 脉，内层大，长圆状披针形，近膜质，先端钝或稍尖，有时紫红色，具 3 脉，具白色狭膜质边缘；

兴安乳菀

边花舌状，淡紫红色或紫蓝色；中央花为两性花，多数，花冠管状，黄色或有时带淡紫红色，檐部有 5 长圆状披针形裂片。瘦果长圆形，被白色长柔毛；冠毛白色或污黄色，糙毛状。花期 7 ~ 8 月，果期 8 ~ 9 月。

| **生境分布** | 生于草原、草地、山坡、盐碱地。分布于吉林松原（乾安）、白城（洮南）等。

| **资源情况** | 野生资源较少。药材主要来源于野生。

| **采收加工** | 夏、秋季采收，除去杂质，晒干。

| **药材性状** | 本品根茎较细长，被褐色鳞片。茎黄绿色，基部紫红色，具条纹，全株被密短毛，质坚硬。叶线状披针形或线形，边缘稍粗糙，具脉。头状花序花序梗细弱，稍弯曲，具线形苞片；总苞近半球形，总苞片黄绿色，背面被短毛，外层小，狭披针形或披针形，叶质。瘦果长圆形，被白色长柔毛；冠毛白色或污黄色，糙毛状。气微，味微苦。

| **功能主治** | 祛风，解毒。用于痈疮肿毒。

菊科 Compositae 牛膝菊属 Galinsoga

牛膝菊 *Galinsoga parviflora* Cav.

| **植物别名** | 辣子草、兔耳草。

| **药 材 名** | 牛膝菊（药用部位：全草或花序）。

| **形态特征** | 一年生草本，高 10 ~ 80cm。茎纤细或粗壮，不分枝或自基部分枝，分枝斜升，全部茎枝被短柔毛。叶对生，卵形或长椭圆状卵形，基部圆形、宽或狭楔形，先端渐尖或钝，基出脉 3 或具不明显五出脉，有叶柄；向上的叶及花序下部的叶渐小；全部茎生叶两面粗涩，被白色短柔毛，沿脉和叶柄上的毛较密，边缘具浅钝锯齿或波状浅锯齿，花序下部的叶有时全缘或近全缘。头状花序半球形，有长花梗，多数在茎、枝先端排成伞房花序；总苞半球形或宽钟状，总苞片 1 ~ 2 层，约 5，外层短，内层卵形或卵圆形，先端圆钝，白色，膜质；

牛膝菊

舌状花 4 ~ 5，舌片白色，先端 3 齿裂，筒部细管状，外面被稠密白色短柔毛；管状花花冠黄色，下部被稠密的白色短柔毛。瘦果具 3 棱或中央的瘦果具 4 ~ 5 棱，黑色或黑褐色，常压扁，被白色微毛。花期 7 ~ 8 月，果期 8 ~ 9 月。

| 生境分布 | 生于林缘、路边、田间地头、荒地、草地、山坡或住宅附近等，常成片生长。以长白山区为主要分布区域，分布于吉林延边、白山、通化、吉林、辽源（东丰）、松原（乾安）、白城（大安）等。

| 资源情况 | 野生资源丰富。药材主要来源于野生。

| 采收加工 | 夏、秋季采收全草，除去杂质，晒干。花盛开时采摘花序，除去杂质，阴干。

| 药材性状 | 本品茎纤细或粗壮，偶见分枝，被短柔毛。叶卵形或长椭圆状卵形，基部圆形，有叶柄；两面被白色短柔毛。头状花序半球形，有长花梗；总苞半球形或宽钟状，总苞片外层短，内层卵形或卵圆形，先端圆钝，白色，膜质。瘦果具 3 棱或中央的瘦果具 4 ~ 5 棱，黑色或黑褐色，常压扁，被白色微毛。气微，味微苦。

| 功能主治 | 全草，消炎，消肿，止血。用于乳蛾，咽喉痛，扁桃体炎，急性黄疸性肝炎，外伤出血。花序，清肝明目。用于夜盲症，视力模糊及其他眼疾。

| 用法用量 | 花序，内服煎汤，15 ~ 25g。

菊科 Compositae 大丁草属 Gerbera

大丁草 *Gerbera anandria* (Linn.) Sch.-Bip.

大丁草

| 植物别名 |

小头草、和尚头花、大丁黄。

| 药材名 |

大丁草（药用部位：全草。别名：小火草、臁草）。

| 形态特征 |

多年生草本，植株具春、秋二型之别。春型者高 5 ~ 10cm。春型者根茎短，根颈多少为枯残的叶柄所围裹；根簇生，粗而略带肉质。叶基生，莲座状，于花期全部发育，叶片形状多变异，通常为倒披针形，先端钝圆，常具短尖头，基部渐狭、钝、截平或有时为浅心形，边缘具齿或深波状或琴状羽裂，上面被蛛丝状毛或脱落近无毛，下面密被蛛丝状绵毛；有叶柄，被白色绵毛。花葶单生或数个丛生，直立或弯垂，纤细，棒状，被蛛丝状毛，毛愈向先端愈密；苞叶疏生，通常被毛；头状花序有管状花和舌状花，单生花葶之顶，倒锥形；总苞略短于冠毛，总苞片约3层，内、外层先端均钝，且带紫红色，背部被绵毛；花托平，无毛。瘦果纺锤形，具纵棱，被白色粗毛；冠毛粗糙，污白色。秋型者较春型者高，叶片大，花葶很长，头状花序仅有管状花，二唇形，无舌状花。春型者花期 4 ~ 5 月，果期 5 ~ 6 月；秋型者花期 7 ~ 8 月，果期 8 ~ 9 月。

| 生境分布 | 生于林缘草地、林下、草甸、山坡、灌丛、路旁。吉林各地均有分布。

| 资源情况 | 野生资源较丰富。药材主要来源于野生。

| 采收加工 | 夏季采收，洗净，晒干或鲜用。

| 药材性状 | 本品卷缩成团，枯绿色，有大小之分。根茎短，下生多数细须根。基生叶丛生，莲座状；叶片椭圆状宽卵形，长 2 ~ 5.5cm，先端钝圆，基部心形，边缘浅齿状。花葶长 8 ~ 19cm，有的具白色蛛丝毛，有条形苞叶；头状花序单生，直径 2cm，小植株花序边缘为舌状花，淡紫红色，中央为管状花，黄色，大植株仅有管状花。瘦果纺锤形，两端收缩。气微，味辛辣、苦。

| 功能主治 | 苦、涩，寒。清热利湿，解毒消肿，止咳止血。用于风湿关节痛，肢体麻木，肺热咳嗽痰喘，小儿疳积，肠炎，痢疾，尿路感染，乳腺炎，疔疮，痈疖肿毒，烫火伤，外伤出血。

| 用法用量 | 内服煎汤，15 ~ 30g；或浸酒。外用适量，捣敷。

| 附   注 | 在 FOC 中，本种的拉丁学名被修订为 *Leibnitzia anandria* (Linnaeus) Turczaninow。

菊科 Compositae 鼠麹草属 Gnaphalium

东北鼠麹草
Gnaphalium mandshuricum Kirp.

| **药 材 名** | 东北鼠麹草（药用部位：全草）。

| **形态特征** | 一年生细弱草本，高 12 ～ 18cm。茎直立或斜升，有较多纤细的枝，灰绿色或浅绿色，下半部无毛或多少被白色丛卷毛，上部密被白色丛卷绒毛，节间较长或上部的更长。基生叶在花期凋萎；茎中部和上部的叶线状披针形，基部长渐狭，先端短尖、突尖或稀有钝头，两面被白色绒毛，上面通常较稀疏，叶脉 1，明显；花序下面有大小不等且长于花序的叶。头状花序近杯状，在茎枝先端密集成球状，有时单生，不开展；花序梗细弱，被蛛丝状绒毛；总苞近杯状；总苞片 2 层，草质，黄色或淡黄色，外层卵形，背面被白色绒毛，内层卵状披针形，与外层近等长；花托短小；在正常发育的头状花序

东北鼠麹草

内，雌花极多，花冠丝状，黄色，上部有腺点；两性花 4 ~ 6，黄褐色，约与雌花等长，花冠管向上扩大成狭漏斗状。瘦果卵状圆柱形，具乳头状突起；冠毛白色，糙毛状。花期 7 ~ 8 月，果期 8 ~ 9 月。

| 生境分布 | 生于水边湿地上或落叶松林下。分布于吉林吉林（蛟河）、延边（珲春、敦化、安图、延吉、汪清）等。

| 资源情况 | 野生资源较少。药材主要来源于野生。

| 采收加工 | 夏季开花期采收，鲜用或晒干。

| 功能主治 | 止咳化痰。用于咳嗽咳痰，风湿痛，胃痛，痢疾；外用于痈肿，烫火伤，外伤出血，溃疡。

菊科 Compositae 鼠麹草属 *Gnaphalium*

湿生鼠麹草 *Gnaphalium tranzschelii Kirp.*

湿生鼠麹草

植物别名

贝加尔鼠麹草、天山鼠麹草。

药 材 名

湿鼠曲草（药用部位：全草。别名：臁疮草、无心草）。

形态特征

一年生草本，高 20 ～ 40cm 或更高。茎直立，多少木质，常丛生弧曲或斜升小枝，被丛卷的白色密绒毛，上部的毛更密，下部的毛罕脱落变稀疏，节间短。基生叶在花期凋萎；中部和上部的叶长圆状线形或线状披针形，中部向下渐狭，无明显叶柄，全缘，两面被丛卷白色绒毛，中脉明显；先端叶密集于花序下面，较花序长 2 至数倍。头状花序在茎、枝先端密集成近球状的复式花序；总苞近杯状，稍长于小花；总苞片 2 ～ 3 层，多少透明，外层宽卵形，黄褐色，先端钝，被蛛丝状绒毛，内层长圆形，淡黄色或麦秆黄色，先端尖，无毛；头状花序有极多的雌花，雌花花冠丝状；两性花通常 7 ～ 8，约与雌花等长或稍短，花冠淡黄色，向上渐扩大，檐部 5 浅裂，裂片三角形，先端变褐色。瘦果纺锤形，有多数乳头状突起；冠毛白色，糙毛状，易脱落。花期 7 ~ 8 月，果期 8 ~ 9 月。

| **生境分布** | 生于山坡、灌丛或田边等。分布于吉林通化（通化、辉南、梅河口）、白山（靖宇、抚松、长白）、延边（安图、敦化、珲春）等。

| **资源情况** | 野生资源较少。药材主要来源于野生。

| **采收加工** | 夏、秋季开花时采收，晒干。

| **功能主治** | 甘，平。止咳平喘，理气止痛，降血压。用于咳嗽痰喘，支气管炎，风湿关节痛，胃痛，胃溃疡，高血压。

| **用法用量** | 内服煎汤，3 ~ 15g；或浸酒。外用适量，捣敷。

| **附　　注** | 在 FOC 中，本种的拉丁学名被修订为 *Gnaphalium uliginosum* Linnaeus。

菊科 Compositae 菊三七属 Gynura

红凤菜 *Gynura bicolor* (Willd.) DC.

红凤菜

| 植物别名 |

紫背菜、白背三七、金枇杷。

| 药 材 名 |

红凤菜（药用部位：全草或根）。

| 形态特征 |

多年生草本，高 50 ～ 100cm，全株无毛。茎直立，柔软，基部稍木质，上部有伞房状分枝，干时有条棱。叶具柄或近无柄，叶片倒卵形或倒披针形，稀长圆状披针形，长 5 ～ 10cm，宽 2.5 ～ 4cm，先端尖或渐尖，基部楔状渐狭成具翅的叶柄，或近无柄而多少扩大，但不形成叶耳，边缘有不规则的波状齿或小尖齿，稀近基部羽状浅裂，侧脉 7 ～ 9 对，弧状上弯，上面绿色，下面干时变紫色，两面无毛；上部叶和分枝上的叶小，披针形至线状披针形，具短柄或近无柄。头状花序多数直径 10mm，在茎、枝先端排列成疏伞房状；花序梗细，长 3 ～ 4cm，有 1 ～ 2（～ 3）丝状苞片；总苞狭钟状，长 11 ～ 15mm，宽 8 ～ 10mm，基部有 7 ～ 9 线形小苞片，总苞片 1 层，约 13，线状披针形或线形，长 11 ～ 15mm，宽 0.9 ～ 1.5（～ 2）mm，先端尖或渐尖，边缘干膜质，

背面具 3 明显的肋，无毛；小花橙黄色至红色，花冠明显伸出总苞，长
13 ～ 15mm，管部细，长 10 ～ 12mm；裂片卵状三角形；花药基部圆形，或稍尖；
花柱分枝钻形，被乳头状毛。瘦果圆柱形，淡褐色，长约 4mm，具 10 ～ 15 肋，
无毛；冠毛丰富，白色，绢毛状，易脱落。花果期 5 ～ 10 月。

| 生境分布 | 生于海拔 600 ～ 1500m 的山坡林下、岩石上或河边湿处。吉林无野生分布。吉林部分地区有栽培。

| 资源情况 | 吉林有栽培。药材主要来源于栽培。

| 采收加工 | 夏、秋季采收全草，除去杂质，晒干。秋季采挖根，除去杂质，洗净，晒干。

| 功能主治 | 全草，清热解毒，凉血止血，活血消肿。用于痛经，血崩，盆腔炎，咯血，支气管炎，中暑，阿米巴痢疾，创伤出血，溃疡久不收口，疔疮痈肿，甲沟炎。根，行气，活血，截疟。用于产后瘀血，腹痛，血崩，疟疾。

菊科 Compositae 菊三七属 Gynura

菊三七 *Gynura japonica* (Thunb.) Juel.

菊三七

| 植物别名 |

三七草、土三七、散血草。

| 药 材 名 |

土三七（药用部位：全草或根。别名：天青地红）。

| 形态特征 |

多年生高大草本，高 60 ～ 150cm。根呈块状，上生纤维状不定根；根茎直立，中空，木质，有沟棱，幼时被卷柔毛，后变无毛。基部叶小，椭圆形，不分裂至呈大头羽状，在花期常枯萎；中部叶大，具长或短柄，叶柄基部圆形，具齿或羽状裂的叶耳，多少抱茎，叶片椭圆形或长圆状椭圆形，羽状深裂，顶裂片大，侧裂片 3 ～ 6 对，边缘有大小不等的齿，稀全缘，绿色或变紫色；上部叶较小，羽状分裂，渐变成苞叶。头状花序在茎、枝先端排成伞房状圆锥花序；花序梗细，被短柔毛，有 1 ～ 3 线形的苞片；总苞基部有 9 ～ 11 线形小苞片，总苞片 1 层，13，线状披针形，先端渐尖，边缘干膜质，背面无毛或被疏毛；花小，极多，花冠黄色或橙黄色，管部细，上部扩大。瘦果圆柱形，棕褐色，具 10 肋；冠

毛白色，绢毛状，易脱落。花期 8 ~ 9 月，果期 9 ~ 10 月。

| **生境分布** | 生于山谷、山坡草地、林下或林缘。吉林无野生分布。吉林部分地区有栽培。

| **资源情况** | 吉林有栽培。药材主要来源于栽培。

| **采收加工** | 夏、秋季采收，除去杂质，晒干。

| **药材性状** | 本品根呈拳形肥厚的圆块状，长 3 ~ 6cm，直径约 3cm；表面灰棕色或棕黄色，全体多有瘤状突起及断续的弧状沟纹，在突起先端常有茎基或芽痕，下部有须根或已折断；质坚实，不易折断，断面不平，新鲜时白色，干后呈淡黄色，有菊花心。气无，味甘、淡、微苦。根茎呈块状，具疣状突起及须根。茎单一或上部分枝，具纵沟及细柔毛；表面黄绿色或略带紫色。叶互生，多皱缩，长可达 20cm，叶柄长约 2cm，茎上部叶近无柄；完整叶片羽状深裂，边缘具不规则锯齿，膜质。头状花序排成圆锥状生于枝顶，花全为两性花，筒状，黄色。气无，味微苦。

| **功能主治** | 甘、微苦，温。散瘀止血，解毒消肿。用于吐血，衄血，尿血，便血，功能失调性子宫出血，产后瘀血腹痛，大骨节病；外用于跌打损伤，痈疖疮疡，外伤出血，毒蛇咬伤。

| **用法用量** | 内服煎汤，10 ~ 30g。外用适量，鲜品捣敷；或研末敷。

菊科 Compositae 向日葵属 Helianthus

向日葵 *Helianthus annuus* L.

向日葵

| 植物别名 |

丈菊。

| 药 材 名 |

向日葵子（药用部位：种子。别名：天葵子、葵子）、向日葵根（药用部位：根。别名：葵花根、向阳花根、朝阳花根）、向日葵茎髓（药用部位：茎髓。别名：向日葵茎心、向日葵瓤、葵花茎髓）、向日葵叶（药用部位：叶）、向日葵花（药用部位：花序。别名：葵花）、葵花盘（药用部位：花托。别名：向日葵花盘、向日葵饼）、向日葵壳（药用部位：果壳）。

| 形态特征 |

一年生高大草本，高 100 ~ 300cm。茎直立，粗壮，被白色粗硬毛，不分枝或有时上部分枝。叶互生，心状卵圆形或卵圆形，先端急尖或渐尖，基出脉 3，边缘有粗锯齿，两面被短糙毛，有长柄。头状花序极大，单生茎端或枝端，常下倾；总苞片多层，叶质，覆瓦状排列，卵形至卵状披针形，先端尾状渐尖，被长硬毛或纤毛；花托平或稍凸，有半膜质托片；舌状花多数，黄色，舌片开展，长圆状卵形或长圆形，不结实；管状花极多数，棕色或紫色，有披针形裂片，结实。瘦果倒卵形或卵状长圆形，稍扁压，有细肋，常被白色短柔毛，上端有 2 膜片状早落的冠毛。花期 7 ~ 9 月，果期 8 ~ 9 月。

| 生境分布 | 生于农田、菜园等。吉林无野生分布。吉林西部平原地区有栽培，是主要经济作物之一，东部山区、半山区多见庭院栽培，吉林为向日葵主产区之一。

| 资源情况 | 吉林西部地区广泛栽培。药材主要来源于栽培。

| 采收加工 | 向日葵子：秋季果实成熟时采收，割取花盘，晒干，打下果实，再晒干。

向日葵根：秋季采挖，洗净，晒干。

向日葵茎髓：秋季采收地上茎，纵向剖开，取出髓部，晒干。

向日葵叶：夏季采集，晒干。

向日葵花：夏季开花时采收，晒干。

葵花盘：秋季果实成熟时采收，除去果实，及时干燥。

向日葵壳：秋季果实成熟时采收果实，晒干，用木棒或机器打下果实，用去壳机将果壳与种子分离，收集果壳，晒干。

| 药材性状 | 向日葵子：本品呈浅灰色或黑色，扁长卵形或椭圆形，内藏种子 1，淡黄色，稍扁压，有细肋，常被白色短柔毛，上端有 2 膜片状早落的冠毛。气微，味淡。

向日葵根：本品粗壮，不分枝，被白色粗硬毛。气微，味淡。

向日葵叶：本品多皱缩破碎，有的向一侧卷曲。完整叶片展平后呈广卵圆形，长 10 ~ 30cm，宽 8 ~ 25cm，先端急尖或渐尖。上表面绿褐色，下表面暗绿色，均被粗毛，边缘具粗锯齿，基部截形或心形，有 3 脉，叶柄长 10 ~ 25cm。质脆，易碎。气微，味微苦、涩。

向日葵花：本品极大；总苞片多层，叶质，覆瓦状排列，卵形至卵状披针形，先端尾状渐尖，被长硬毛或纤毛。花托平或稍凸，有半膜质托片；舌状花多数，黄色，长圆状卵形或长圆形，不结实；管状花极多数，棕色或紫色，有披针形裂片，结实。气微，味淡。

葵花盘：本品完整者呈四周隆起的圆盘状，直径 10 ~ 35cm，盘内具干膜质托片和未成熟的瘦果，背部浅黄色至黄棕色，基部有花梗残基。总苞具苞片多数，卵圆形或卵状披针形，覆瓦状排列，黄棕色或灰绿色。质疏松，断面呈海绵样。气微，味甘。

| 功能主治 | 向日葵子：淡，平。滋阴，止痢，透疹。用于血痢，麻疹不透，痈肿。

向日葵根、向日葵茎髓：淡，平。归胃、膀胱经。清热利尿，止咳平喘，止痛，润肠。用于胸胁胃脘作痛，二便不利，跌打损伤，血淋，石淋，小便淋痛。

向日葵叶：淡，平。清热解毒，截疟，降血压。用于高血压。

向日葵花：祛风，明目，催生。用于头昏，面肿。

葵花盘：甘，微寒。归肝经。清热凉血，平肝止痛。用于头痛头晕，脘腹痛，痛经，崩漏，疮疹。

向日葵壳：滋养。用于耳鸣。

| 用法用量 | 向日葵子：内服煎汤，15 ～ 30g，捣碎；或开水炖。外用适量，捣敷；或榨油涂。

向日葵根、向日葵茎髓：内服煎汤，9 ～ 15g，鲜品加倍；或研末。外用适量，捣敷。

向日葵叶：内服煎汤，25 ～ 30g，鲜品加倍。外用适量，捣敷。

向日葵花：内服煎汤，15 ～ 30g。

葵花盘：内服煎汤，40 ～ 50g。外用适量，捣敷；或研末敷。

向日葵壳：内服煎汤，9 ～ 15g。

| 附　　注 | 葵花盘已被列入 2019 年版《吉林省中药材标准》第二册。

菊科 Compositae 向日葵属 Helianthus

菊芋

Helianthus tuberosus L.

菊芋

| 植物别名 |

洋大头、洋姜、鬼子姜。

| 药 材 名 |

菊芋（药用部位：全草。别名：洋姜、番羌）。

| 形态特征 |

多年生高大草本，高 1 ~ 3m，有块状的地下茎及纤维状根。茎直立，有分枝，被白色短糙毛或刚毛。叶通常对生，但上部叶互生，有长柄；下部叶卵圆形或卵状椭圆形，基部宽楔形或圆形，有时微心形，先端渐细尖，边缘有粗锯齿，有离基三出脉，上面被白色短粗毛，下面被柔毛，叶脉上有短硬毛，上部叶长椭圆形至阔披针形，基部渐狭，下延成短翅状，先端渐尖，短尾状。头状花序较大，少数或多数，单生枝端，有 1 ~ 2 线状披针形的苞叶，直立；总苞片多层，披针形，先端长渐尖，背面被短伏毛，边缘被开展的缘毛；托片长圆形，背面有肋，上端不等 3 浅裂；舌状花通常 12 ~ 20，舌片黄色，开展，长椭圆形；管状花花冠黄色。瘦果小，楔形，上端有 2 ~ 4 有毛的锥状扁芒。花期 8 ~ 9 月，果期 9 ~ 10 月。

| 生境分布 | 生于山地、荒地、林缘、路边、山坡、农田或住宅附近等，常成片生长。吉林各地均有分布，作为新的归化植物，常成单一优势的大面积群落。农户庭院有少量栽培。 |

| 资源情况 | 野生资源丰富。吉林有栽培。药材主要来源于野生。 |

| 采收加工 | 夏、秋季采收，鲜用或晒干。 |

| 药材性状 | 本品根茎呈块状。茎上部分枝，被短糙毛或刚毛。基部叶对生，上部叶互生，长卵形至卵状椭圆形，长 10 ~ 15cm，宽 3 ~ 9cm，具 3 脉，上表面粗糙，下表面有柔毛，叶缘具锯齿，先端急尖或渐尖，基部宽楔形，叶柄具狭翅。气微，味甘、微苦。 |

| 功能主治 | 甘、微苦，凉。清热凉血，活血消肿，利尿，接骨。用于热病，肠热下血，跌打损伤，骨折，消渴。 |

| 用法用量 | 内服煎汤，10 ~ 15g；或块根 1，生品嚼服。 |

| 附　　注 | 本种的块茎可食用。 |

菊科 Compositae 泥胡菜属 *Hemistepta*

泥胡菜
Hemistepta lyrata (Bunge) Bunge

| 植物别名 | 苦马、剪刀菜、野苦麻。

| 药 材 名 | 泥胡菜（药用部位：地上部分。别名：剪刀草、石灰菜、绒球）。

| 形态特征 | 一年生草本，高 30 ~ 100cm。茎单生，被稀疏蛛丝毛，上部常分枝。基生叶有长叶柄，花期通常枯萎；中下部茎生叶与基生叶同形，全部叶大头羽状深裂或几全裂，侧裂片 2 ~ 6 对，有时全部茎生叶不裂或下部茎生叶不裂，边缘有锯齿或无锯齿；全部茎生叶质地薄，两面异色，上面绿色，无毛，下面灰白色，被厚或薄绒毛；上部茎生叶的叶柄渐短；最上部茎生叶无柄。头状花序在茎、枝先端排成疏松伞房花序；总苞宽钟状或半球形，总苞片多层，覆瓦状排列，全部苞片质地薄，草质，中、外层苞片有鸡冠状凸起的附片，附片

泥胡菜

紫红色，但内层苞片无鸡冠状凸起的附片；小花紫色或红色，花冠檐部深 5 裂，花冠裂片线形，细管部为细丝状。瘦果小，楔形或偏斜楔形，深褐色，压扁，有 13 ~ 16 粗细不等的纵肋；冠毛异型，白色，2 层，外层羽状，内层鳞片状，宿存。花期 5 ~ 6 月，果期 7 ~ 8 月。

| **生境分布** | 生于山坡林下、林缘、草地、田间、荒地、河边、路旁或住宅附近等。吉林各地均有分布。

| **资源情况** | 野生资源较丰富。药材主要来源于野生。

| **采收加工** | 夏、秋季采割，洗净，鲜用或晒干。

| **药材性状** | 本品长 30 ~ 80cm。茎具纵棱，光滑或略被绵毛。叶互生，多卷曲皱缩，完整叶片呈倒披针状卵圆形或倒披针形，羽状深裂。常有头状花序或球形总苞。瘦果圆柱形，长 2.5mm，具纵肋及白色冠毛。气微，味微苦。

| **功能主治** | 辛、苦，寒。清热解毒，利尿，消肿祛瘀，止咳，止血。用于痔漏，痈肿疔疮，外伤出血，骨折，阴虚咯血，慢性支气管炎。

| **用法用量** | 内服煎汤，9 ~ 15g。外用适量，捣敷；或煎汤洗。

菊科 Compositae 狗娃花属 Heteropappus

阿尔泰狗娃花
Heteropappus altaicus (Willd.) Novopokr.

阿尔泰狗娃花

| 植物别名 |

阿尔泰紫菀。

| 药 材 名 |

阿尔泰紫菀（药用部位：花序、根）。

| 形态特征 |

多年生草本，高 20～60cm。有横走或垂直的根。茎直立，被上曲或有时开展的毛，上部常有腺，上部或全部有分枝。基部叶在花期枯萎；下部叶条形、矩圆状披针形、倒披针形或近匙形，全缘或有疏浅齿；上部叶渐狭小，条形；全部叶两面或下面被粗毛或细毛，常有腺点，中脉在下面稍凸起。头状花序单生枝端或排成伞房状；总苞半球形，总苞片 2～3 层，近等长或外层稍短，矩圆状披针形或条形，先端渐尖，背面或外层全部草质，被毛，常有腺，边缘膜质；舌状花约 20，管部有微毛；舌片浅蓝紫色，矩圆状条形；管状花管部短，裂片不等大。瘦果扁，有疏毛，倒卵状矩圆形，灰绿色或浅褐色，被绢毛，上部有腺；冠毛污白色或红褐色，有不等长的微糙毛。花期 7～8月，果期 8～9月。

| 生境分布 | 生于草地、林下、山坡、林缘、荒地、路旁等，常成片生长。分布于吉林白山（抚松）、延边（安图、和龙）、吉林（蛟河）、白城（洮北、通榆）等。 |

| 资源情况 | 野生资源较丰富。药材主要来源于野生。 |

| 采收加工 | 夏、秋季花开时采摘花序，除去杂质，阴干。春、秋季采挖根，除去杂质，晒干。 |

| 药材性状 | 本品根粗壮。茎有毛，有分枝。下部叶条形、矩圆状披针形、倒披针形或近匙形，全缘或有疏浅齿，上部叶渐狭小，条形，全部叶两面或下面被粗毛或细毛，常有腺点，中脉在下面稍凸起。头状花序；总苞半球形，总苞片近等长或外层稍短，矩圆状披针形或条形，边缘膜质。气微，味微苦。 |

| 功能主治 | 花序，微苦，凉。清热降火，降血压，排脓。用于热病，高血压，肝胆火旺，疱疹疮疖。根，苦，温。散寒润肺，降气化痰，止咳利尿。用于阴虚咯血，咳嗽痰喘，慢性支气管炎。 |

| 用法用量 | 根，内服煎汤，4.5 ~ 9g。 |

| 附　　注 | 在 FOC 中，本种的拉丁学名被修订为 *Aster altaicus* Willdenow。 |

菊科 Compositae 狗娃花属 Heteropappus

狗娃花 *Heteropappus hispidus* (Thunb.) Less.

| **植物别名** | 粗毛紫菀、野菊花。

| **药 材 名** | 狗娃花（药用部位：根。别名：狗哇花、斩龙戟）。

| **形态特征** | 一年生或二年生草本，高 30 ~ 50cm，有时高达 150cm，有垂直的纺锤状根。茎单生，有时数个丛生，被上曲或开展的粗毛，下部常脱毛，有分枝。基部及下部叶在花期枯萎，倒卵形，渐狭成长柄，先端钝或圆形，全缘或有疏齿；中部叶矩圆状披针形或条形，常全缘；上部叶小，条形；全部叶质薄，两面被疏毛或无毛，边缘有疏毛，中脉及侧脉明显。头状花序单生茎、枝先端，排列成伞房状；总苞半球形，总苞片 2 层，近等长，条状披针形，草质，常有腺点；舌状花数个，舌片浅红色或白色；管状花有 5 裂片，其中 1 裂片较长。

狗娃花

瘦果倒卵形，扁，有细边肋，被密毛；舌状花冠毛极短，白色，膜片状，或部分带红色，长，糙毛状，管状花冠毛糙毛状，初白色，后带红色，与花冠近等长。花期 7 ~ 8 月，果期 8 ~ 9 月。

| **生境分布** | 生于山坡、林下、荒地、路旁、林缘或草地等。分布于吉林延边（延吉、龙井、汪清、敦化）、白城（通榆、镇赉、洮南）、松原（长岭、前郭尔罗斯）等。

| **资源情况** | 野生资源较丰富。药材主要来源于野生。

| **采收加工** | 夏、秋季采挖，洗净，晒干或鲜用。

| **功能主治** | 苦，凉。解毒消肿。用于疮疖，毒蛇咬伤。

| **用法用量** | 外用适量，捣敷。

| **附　　注** | 在 FOC 中，本种的拉丁学名被修订为 *Aster hispidus* Thunberg。

菊科 Compositae 狗娃花属 *Heteropappus*

砂狗娃花
Heteropappus meyendorffii (Reg. et Maack) Komar. et Klob.-Alis.

| 药 材 名 | 砂狗娃花（药用部位：根）。

| 形态特征 | 一年生草本，高 35 ～ 50cm。茎直立，有纵条纹，被上曲或开展的粗长毛。基部及下部叶在花期枯萎，叶片卵形或倒卵状矩圆形，先端钝或急尖，基部狭成长柄，边缘有粗圆齿，具 3 脉；中部叶狭矩圆形，先端钝或急尖，基部稍渐狭，无柄，全缘或上部有粗齿，两面被短硬毛，中脉及侧脉在两面均较明显；上部叶渐小，披针形至条状披针形，在小枝上的叶全缘，具 1 脉。头状花序单生枝端，基部有苞片状小叶；总苞半球形，总苞片 2 ～ 3 层，草质；舌状花管部极短；舌片蓝紫色，条状矩圆形，先端 3 裂或全缘；管状花黄色，

砂狗娃花

管部极短，疏生小硬毛，裂片 5，不等大，花柱附属物三角形。仅管状花瘦果能育，倒卵形，扁，有边肋，被短硬毛，舌状花瘦果狭长，不育；冠毛淡红褐色，有不等长的糙毛，舌状花冠毛少数或较短或有时无冠毛。花期 7 ~ 8 月，果期 8 ~ 9 月。

| **生境分布** | 生于河岸沙地或山坡草地等。分布于吉林白山（长白、抚松）、延边（安图）等。

| **资源情况** | 野生资源较少。药材主要来源于野生。

| **采收加工** | 夏、秋季采挖根，洗净，鲜用或晒干。

| **功能主治** | 止咳，化痰，利水。用于咳嗽，咳痰，水肿。

| **附　　注** | 在 FOC 中，本种的拉丁学名被修订为 *Aster meyendorffii* (Regel & Maack) Voss。

菊科 Compositae 山柳菊属 *Hieracium*

宽叶山柳菊

Hieracium coreanum Nakai

| **药 材 名** | 宽叶山柳菊（药用部位：全草）。

| **形态特征** | 多年生草本，高 25 ~ 55cm。根茎短。茎直立，单生，少分枝，全部茎枝光滑无毛，仅花序梗接头状花序处被蛛丝状柔毛。基生叶花期生存，匙形或椭圆形，基部楔形收窄成短的狭翼柄；下部茎生叶椭圆形，有狭或宽翼柄，柄基不抱茎或稍抱茎；中部茎生叶椭圆形，基部无柄，心形半抱茎；上部茎生叶渐小，披针形或线形，无柄，基部心形半抱茎；全部茎生叶不裂，边缘有齿状尖齿，下面无毛，上面被稠密的长单毛。头状花序 1 ~ 3 在茎枝先端排成伞房花序；总苞钟状，黑色或黑绿色，总苞片 4 层，向内层渐长，中外层长三

宽叶山柳菊

角形，先端急尖，最内层线状披针形，先端急尖，全部苞片外面无毛或外面沿中脉有 1 行黑色长单毛；舌状小花黄色。瘦果圆柱状，大部分青灰色，上部淡黄色，先端截形，无喙，有 14 高起等粗的细肋；冠毛白色。花期 7 ～ 8 月，果期 8 ～ 9 月。

| 生境分布 | 生于高山草原、岳桦林带、林缘、疏林下、路旁、荒地或沟谷等。以长白山区为主要分布区域，分布于吉林延边、白山、通化、吉林、辽源（东丰）等。

| 资源情况 | 野生资源较少。药材主要来源于野生。

| 采收加工 | 夏、秋季采收，除去杂质，鲜用或晒干。

| 药材性状 | 本品根茎短。茎少分枝，光滑无毛。叶匙形或椭圆形，边缘有齿状尖齿，下面无毛，上面被稠密的长单毛。头状花序；总苞钟状，黑色或黑绿色，总苞片外面无毛或外面沿中脉有 1 行黑色长单毛；舌状小花黄色。瘦果圆柱状，先端截形，无喙，有 14 高起等粗的细肋；冠毛白色。气微，味微苦。

| 功能主治 | 清热解毒，利湿消积。用于痈肿疮疡，尿路感染，痢疾，腹痛，积块；外用于肿毒。

菊科 Compositae 山柳菊属 Hieracium

全光菊
Hieracium hololeion Maxim.

| **药 材 名** | 全光菊（药用部位：全草）。

| **形态特征** | 多年生草本，有根茎。茎直立，单生，高 60 ~ 100cm，上部伞房状或伞房圆锥状花序分枝，全部茎枝光滑无毛。基生叶花期生存或不存在，线形、线状长椭圆形或宽线形，基部狭楔形收窄成长或短的翼柄，连翼柄长 22 ~ 32cm，宽 1.5 ~ 2.5cm，先端急尖或渐尖，柄基稍扩大；中下部茎生叶与基生叶同形，柄基不扩大；花序分叉处的叶最小，线状钻形；全部叶两面光滑无毛，全缘。头状花序 12 ~ 25 在茎枝先端排成疏松的伞房状或伞房圆锥花序。总苞宽圆柱状，长 10 ~ 13mm，总苞片约 4 层，向内层渐长，外层及最外层

全光菊

卵形、椭圆状披针形，长 2.8 ～ 4mm，宽 1.5 ～ 1.8mm，先端钝，中内层椭圆形或长椭圆形，长 6 ～ 13mm，宽约 2mm，先端钝或急尖，全部苞片外面光滑无毛；舌状小花淡黄色。瘦果圆柱状，褐色，长 6.3mm，先端截形，无喙，有15 高起等粗的细肋；冠毛污黄色，长 7mm，微粗糙。花果期 7 ～ 9 月。

| **生境分布** | 生于草甸、近溪流低湿地。分布于吉林吉林等。

| **资源情况** | 野生资源较少。药材主要来源于野生。

| **采收加工** | 夏、秋季采收，除去泥土，晒干。

| **功能主治** | 利尿除湿，活血止血。用于湿热内蕴，面身俱黄，小便短赤，胸腹胀满，产后出血不止。

菊科 Compositae 山柳菊属 Hieracium

山柳菊 *Hieracium umbellatum* L.

山柳菊

| 植物别名 |

伞花山柳菊、柳叶蒲公英。

| 药 材 名 |

山柳菊（药用部位：全草。别名：九里明、黄花母）。

| 形态特征 |

多年生草本，高 30 ～ 100cm。茎直立，下部尤其是基部常淡红紫色。基生叶及下部茎生叶花期脱落不存在；中上部茎生叶多数或极多数，互生，无柄，披针形至狭线形，基部狭楔形，先端急尖或短渐尖，全缘、几全缘或有稀疏的尖犬齿，上面无毛或被稀疏的蛛丝状柔毛，下面沿脉及边缘被短硬毛；向上的叶渐小，与中上部茎生叶同形并具有相似的毛被。头状花序少数或多数，在茎、枝先端排成伞房花序或伞房圆锥花序，花序梗被稠密或稀疏的星状毛及较硬的短单毛；总苞黑绿色，钟状，总苞之下有或无小苞片，总苞片 3 ～ 4 层，向内层渐长，全部总苞片先端急尖，外面无毛，有时基部被星状毛；舌状小花黄色。瘦果黑紫色，圆柱形，向基部收窄，先端截形，有 10 细肋，无毛；冠毛淡黄色，糙毛状。

花期 7 ~ 8 月，果期 8 ~ 9 月。

| **生境分布** | 生于山坡、林缘、林下、荒地或湿草地等。以长白山区为主要分布区域，分布于吉林延边、白山、通化、吉林、辽源（东丰）等。

| **资源情况** | 野生资源较丰富。药材主要来源于野生。

| **采收加工** | 夏、秋季采收，洗净泥土，多鲜用，或晒干。

| **药材性状** | 本品茎基部常淡红紫色。叶无柄，披针形至狭线形，上面无毛或被稀疏的蛛丝状柔毛，下面沿脉及边缘被短硬毛。头状花序排列成圆锥花序，花序梗被稠密或稀疏的星状毛及较硬的短单毛；总苞黑绿色，钟状。瘦果黑紫色，圆柱形；冠毛淡黄色，糙毛状。气微，味微苦。

| **功能主治** | 苦，凉。清热解毒，利湿消积。用于痈肿疮疖，尿路感染，小便淋痛，痢疾，腹痛积块，气喘。

| **用法用量** | 内服煎汤，9 ~ 15g。外用适量，捣敷。

猫儿菊 *Hypochaeris ciliata* (Thunb.) Makino

| **植物别名** | 黄金菊、猫儿黄金菊。

| **药 材 名** | 黄金菊（药用部位：根。别名：大黄菊）。

| **形态特征** | 多年生草本，高 20 ~ 60cm。根垂直直伸。茎直立，有纵沟棱，不分枝，全部或仅下半部被稠密或稀疏的硬刺毛或光滑无毛，基部被黑褐色干枯叶柄。基生叶椭圆形、长椭圆形或倒披针形，基部渐狭成长或短翼柄，先端急尖或圆形，边缘有尖锯齿；下部茎生叶与基生叶同形，等大或较小；向上的茎生叶椭圆形、长椭圆形、卵形或长卵形，但较小；全部茎生叶基部平截或圆形，无柄，半抱茎；全部叶两面粗糙，被稠密的硬刺毛。头状花序单生茎端；总苞宽钟状或半球形，总苞片 3 ~ 4 层，覆瓦状排列，外层总苞片卵形或长椭

猫儿菊

圆状卵形，先端钝或渐尖，边缘有缘毛，中内层总苞片披针形，边缘无缘毛，先端急尖，全部总苞片或中外层总苞片外面沿中脉被白色卷毛；舌状小花多数，金黄色。瘦果圆柱状，浅褐色，先端截形，无喙，有 15 ～ 16 稍高起的细纵肋；冠毛浅褐色，羽毛状，1 层。花期 7 ～ 8 月，果期 8 ～ 9 月。

| 生境分布 |　生于向阳山坡或草甸子等。以长白山区为主要分布区域，分布于吉林延边、白山、通化、长春、吉林、辽源（东丰）、松原（前郭尔罗斯、扶余）、白城（镇赉、通榆、洮南）等。

| 资源情况 |　野生资源较丰富。药材主要来源于野生。

| 采收加工 |　夏季采挖，除去泥土，晒干。

| 药材性状 |　本品呈柱状或圆锥状，长 5 ～ 15cm，直径 0.5 ～ 1.5cm，略弯曲，偶见分枝。表面黄棕色或棕褐色，表皮易脱落。质脆，易折断。气微，味微苦。

| 功能主治 |　利水消肿。用于臌胀。

| 用法用量 |　内服煎汤，10 ～ 15g。

菊科 Compositae 旋覆花属 Inula

欧亚旋覆花 *Inula britanica* L.

| **植物别名** | 大花旋覆花、旋覆花、驴儿菜。

| **药 材 名** | 旋覆花（药用部位：花序。别名：六月菊、鼓子花、滴滴金）、旋覆花根（药用部位：根）。

| **形态特征** | 多年生草本，高 20 ～ 70cm。根茎短，横走或斜升。茎单生或 2 ～ 3 簇生，基部常有不定根，上部有伞房状分枝，被长柔毛，全部有叶；节间较长。基部叶在花期常枯萎，长椭圆形或披针形，下部渐狭成长柄；中部叶长椭圆形，基部宽大，无柄，心形或有耳，半抱茎，先端尖或稍尖，有浅或疏齿，稀近全缘，上面无毛或被疏伏毛，下面被密伏柔毛，有腺点，中脉和侧脉被较密的长柔毛；上部叶渐小。头状花序生于茎、枝先端，花序梗较长；总苞半球形，总苞片 4 ～ 5

欧亚旋覆花

层，外层线状披针形，基部稍宽，上部草质，被长柔毛，有腺点和缘毛，但最外层全部草质，且常较长，常反折，内层披针状线形，除中脉外干膜质；舌状花舌片线形，黄色；管状花花冠上部稍宽大，有三角状披针形裂片；冠毛1层，白色，与管状花花冠约等长，有微糙毛。瘦果圆柱形，有浅沟，被短毛。花期7～9月，果期8～10月。

| 生境分布 | 生于河流沿岸、湿润坡地、山沟旁湿地、湿草甸子、河滩、田边、路旁湿地、林缘或盐碱地。以长白山区为主要分布区域，分布于吉林延边、白山、通化、吉林、辽源（东丰）等。

| 资源情况 | 野生资源较丰富。药材主要来源于野生。

| 采收加工 | 旋覆花：夏、秋季花开时采收，除去杂质，阴干或晒干。
旋覆花根：秋季采挖，除去杂质，洗净，晒干。

| 药材性状 | 旋覆花：本品呈扁球形或类球形，直径1～2cm。总苞由多数苞片组成，呈覆瓦状排列，苞片披针形或条形，灰黄色，长4～11mm；总苞基部有时残留花梗，苞片及花梗表面被白色茸毛。舌状花1列，黄色，长约1cm，多卷曲，常脱落，先端3齿裂。管状花多数，棕黄色，长约5mm，先端5齿裂；子房先端有多数白色冠毛，长5～6mm。有的可见椭圆形小瘦果。体轻，易散碎。气微，味微苦。以朵大、色金黄、有白色绒毛、无枝梗者为佳。

| 功能主治 | 旋覆花：苦、辛、咸，微温。归肺、脾、胃、大肠经。降气，消痰，行水，止呕。用于风寒咳嗽，痰饮蓄结，胸膈痞闷，喘咳痰多，呕吐噫气，心下痞硬。
旋覆花根：咸，温。祛风湿，平喘咳，解毒生肌。用于风湿痹痛，喘咳，疔疮。

| 用法用量 | 旋覆花：内服煎汤，3～9g，纱布包煎或滤去毛。
旋覆花根：内服煎汤，9～15g。
外用适量，捣敷。

菊科 Compositae 旋覆花属 Inula

土木香 *Inula helenium* L.

土木香

| 植物别名 |

青木香、总状青木香、祁木香。

| 药 材 名 |

土木香（药用部位：根。别名：青木香、祁木香、藏木香）。

| 形态特征 |

多年生草本，高 60 ~ 150cm。根茎块状，有分枝。茎直立，粗壮，被开展的长毛，节间长，下部有较疏的叶。基生叶有长柄，叶柄具狭翅，叶片椭圆状披针形，边缘有不规则的齿或重齿，先端尖，上面被基部疣状的糙毛，下面被黄绿色密茸毛，中脉和近 20 对侧脉在下面稍高起，网脉明显；基部叶和下部叶在花期常生存；中部叶无柄，叶片卵圆状披针形或长圆形，基部心形，半抱茎；上部叶较小，披针形。头状花序少，大型，排列成伞房状花序；花序梗长，为多数苞叶所围裹；总苞半球形，总苞片 5 ~ 6 层，外层草质，反折，被茸毛，内层较外层长达 3 倍，先端扩大成卵圆状三角形，干膜质，背面有疏毛，有缘毛，最内层线形；舌状花黄色，雌性，舌片线形；管状花黄色，两性；冠毛多，污白色，有极多数具细齿的毛。瘦果四

面体形或五面体形，有棱和细沟，无毛。花期 7 ~ 8 月，果期 8 ~ 9 月。

| **生境分布** | 生于山坡、路旁或林缘等。以长白山区为主要分布区域，分布于吉林延边、白山、通化、吉林、辽源（东丰）等。在吉林长白已从人工栽培逸为野生，成为新的归化植物。

| **资源情况** | 野生资源较丰富。药材主要来源于野生。

| **采收加工** | 秋季采挖，除去泥沙，晒干。

| **药材性状** | 本品呈圆锥形，略弯曲，长 5 ~ 20cm。表面黄棕色或暗棕色，有纵皱纹及须根痕。根头粗大，先端有凹陷的茎痕及叶鞘残基，周围有圆柱形支根。质坚硬，不易折断，断面略平坦，黄白色至浅灰黄色，有凹点状油室。气微香，味苦、辛。以根粗壮、质坚实、香气浓者为佳。

| **功能主治** | 辛、苦，温。归肝、脾经。健脾和胃，行气止痛，安胎。用于胸胁、脘腹胀痛，呕吐泻痢，胸胁挫伤，岔气作痛，胎动不安。

| **用法用量** | 内服煎汤，3 ~ 9g；或入丸、散。

旋覆花 *Inula japonica* Thunb.

| **植物别名** | 日本旋覆花、金佛草、百日草。

| **药 材 名** | 旋覆花（药用部位：花序。别名：六月菊、鼓子花、滴滴金）、旋覆花根（药用部位：根）、金沸草（药用部位：地上部分。别名：金佛草、白芷胡、旋复梗）。

| **形态特征** | 多年生草本，高 30 ～ 80cm。根茎短，横走或斜升，有多少粗壮的须根。茎直立，有长伏毛，具纵棱，下部带紫红色，上部有上升或开展的绿色分枝。基部叶常较小，在花期枯萎；中部叶无柄，长圆形、长圆状披针形，半抱茎，有小耳，上面有疏毛或近无毛；上部叶渐狭小，线状披针形。头状花序排列成疏散的伞房花序；总苞半球形，总苞片约 6 层，线状披针形，近等长，外层基部革质，上部叶质，内层

旋覆花

除绿色中脉外干膜质；舌状花黄色，较总苞长；管状花花冠裂片三角状披针形；冠毛 1 层，白色，与管状花近等长。瘦果圆柱形，有 10 沟，先端截形，被疏短毛。花期 8 ~ 9 月，果期 9 ~ 10 月。

| 生境分布 | 生于路边、沟边、林缘、山坡、湿草地、河岸或田埂上。吉林各地均有分布。

| 资源情况 | 野生资源较丰富。药材主要来源于野生。

| 采收加工 | 旋覆花、旋覆花根：同"欧亚旋覆花"。
金沸草：夏、秋季采割，晒干。

| 药材性状 | 旋覆花：同"欧亚旋覆花"。
金沸草：本品茎呈圆柱形，上部分枝，长 30 ~ 70cm，直径 0.2 ~ 0.5cm；表面绿褐色或棕褐色，疏被短柔毛，有多数细纵纹；质脆，断面黄白色，髓部中空。叶互生，叶片椭圆状披针形，长 5 ~ 10cm，宽 1 ~ 2.5cm，先端尖，基部抱茎，全缘且不反卷，上表面近无毛，下表面被短柔毛。头状花序较大，顶生，直径 1 ~ 2cm；冠毛白色，长约 0.5cm。气微，味微苦。

| 功能主治 | 旋覆花、旋覆花根：同"欧亚旋覆花"。
金沸草：苦、辛、咸，温。归肺、大肠经。降气，消痰，行水。用于风寒咳嗽，痰饮蓄结，痰壅气逆，胸膈痞满，喘咳痰多；外用于疔疮肿毒。

| 用法用量 | 旋覆花、旋覆花根：同"欧亚旋覆花"。
金沸草：内服煎汤，4.5 ~ 9g。外用适量，鲜品捣汁涂患处。

| 附　　注 | （1）旋覆花在吉林药用历史较久。在《吉林外记》(1827)、《吉林通志》(1891)、《大中华吉林省地理志》（1921）等多部地方志中均有关于"旋覆花"的记载。
（2）吉林旋覆花野生资源较丰富，分布广泛。但因长期以来药材市场价格低廉，难以调动人们的采收积极性，故吉林虽有少量产出，均为自产自销，无药材商品供市。今后应该重点加强旋覆花的开发和利用，避免资源浪费。

菊科 Compositae 旋覆花属 Inula

线叶旋覆花 *Inula linariifolia* Turcz.

线叶旋覆花

| 植物别名 |

窄叶旋覆花、条叶旋覆花、细叶旋覆花。

| 药 材 名 |

金沸草（药用部位：地上部分。别名：线叶
旋复花）。

| 形态特征 |

多年生草本，高 30 ~ 80cm。茎直立，基
部常有不定根，有细沟，被短柔毛，上部
常被长毛，中部以上或上部有多数细长直
立的分枝，节间稍短，全部叶稍密集。基
部叶和下部叶在花期常生存，线状披针形，
有时椭圆状披针形，下部渐狭成长柄，边
缘常反卷，有不明显的小锯齿，先端渐尖，
质较厚，上面无毛，下面有腺点，被蛛丝
状短柔毛或长伏毛，中脉在上面稍下陷，
网脉有时明显；中部叶渐无柄；上部叶渐
狭小，线状披针形至线形。头状花序在枝
端单生或 3 ~ 5 排列成伞房状；花序梗短
或细长；总苞半球形，总苞片约 4 层，多少
等长，线状披针形，上部叶质，被短柔毛，下
部革质；舌状花较总苞长 2 倍，舌片黄色；
管状花黄色；冠毛 1 层，白色，与管状花
花冠等长。瘦果圆柱形，有细沟，被短粗毛。

花期 7 ~ 8 月，果期 8 ~ 9 月。

| **生境分布** | 生于林下、林缘湿地、山沟、草甸、山坡、路旁或河岸等。以长白山区为主要分布区域，分布于吉林延边、白山、通化、长春、吉林、辽源（东丰）、松原（前郭尔罗斯、长岭）、四平（双辽）、白城（洮北）等。

| **资源情况** | 野生资源较丰富。药材主要来源于野生。

| **采收加工** | 同"旋覆花"。

| **药材性状** | 本品茎呈圆柱形，上部分枝，长 30 ~ 70cm，直径 0.2 ~ 0.5cm；表面绿褐色或棕褐色，疏被短柔毛，有多数细纵纹；质脆，断面黄白色，髓部中空。叶互生，叶片条形或条状披针形，长 5 ~ 10cm，宽 0.5 ~ 1cm，先端尖，基部抱茎，全缘，边缘反卷，上表面近无毛，下表面被短柔毛。头状花序顶生，直径 0.5 ~ 1cm，冠毛白色，长约 0.2cm。气微，味微苦。

| **功能主治** | 同"旋覆花"。

| **用法用量** | 同"旋覆花"。

菊科 Compositae 旋覆花属 Inula

柳叶旋覆花
Inula salicina L.

| 植物别名 | 歌仙草。

| 药 材 名 | 柳叶旋覆花（药用部位：花序。别名：歌仙草）。

| 形态特征 | 多年生草本，高 30 ～ 70cm。地下茎细长。茎从膝曲的基部直立，不分枝或上部稍分枝，有深或浅沟，下部有疏或密或有时脱落的短硬毛。全部叶着生于较密的节间上；下部叶长圆状匙形，在花期常凋落；中部叶较大，稍直立，椭圆形或长圆状披针形，基部稍狭，心形或有圆形小耳，半抱茎，两面无毛或仅下面中脉有短硬毛，边缘有密糙毛，侧脉 5 ～ 6 对，与网脉在两面稍凸起；上部叶较小。头状花序单生茎、枝先端，常为密集的苞状叶所围绕；总苞半球形，总苞片 4 ～ 5 层，外层稍短，披针形或匙状长圆形，下部革质，上

柳叶旋覆花

部稍红色，背面有密短毛，常有缘毛，内层线状披针形，渐尖，上部背面有密毛；舌状花较总苞长达2倍，舌片黄色，线形；管状花黄色，有尖裂片；冠毛1层，白色或下部稍红色，与花冠等长。瘦果有细沟及棱，无毛。花期7～9月，果期9～10月。

| **生境分布** | 生于山坡、林缘、草原、荒地或湿草地等。以长白山区为主要分布区域，分布于吉林延边、白山、通化、吉林、辽源（东丰）等。

| **资源情况** | 野生资源较丰富。药材主要来源于野生。

| **采收加工** | 夏、秋季花开时采收，除去杂质，阴干或晒干。

| **药材性状** | 本品呈扁球形或类球形，直径2.5～4cm。总苞半球形，呈覆瓦状排列，苞片披针形或匙状长圆形；总苞基部有时残留花梗，苞片及花梗表面被白色茸毛；舌状花黄色，长约14mm，多卷曲，常脱落，先端3齿裂；管状花黄色，有尖裂片；冠毛1层，白色或下部稍红色，与花冠等长。瘦果有细沟及棱，无毛。体轻，易散碎。气微，味微苦。

| **功能主治** | 降气平逆，祛痰止咳，健胃。用于咳喘痰黏，胁下胀满，胸闷胁痛，呃逆，呕吐，唾如胶漆，嗳气，大腹水肿。

菊科 Compositae 小苦荬属 Ixeridium

中华小苦荬 *Ixeridium chinense* (Thunb.) Tzvel.

| **植物别名** | 山苦菜、东北苦菜、光叶苦荬菜。

| **药 材 名** | 山苦荬（药用部位：全草。别名：苦菜、败酱、隐血丹）。

| **形态特征** | 多年生草本，高5～47cm。根垂直直伸，通常不分枝；根茎极短缩。茎直立，单生或少数簇生，基部直径1～3mm，上部伞房花序状分枝。基生叶长椭圆形、倒披针形、线形或舌形，连叶柄长2.5～15cm，宽2～5.5cm，先端钝或急尖或向上渐窄，基部渐狭成有翼的短或长柄，全缘，不分裂且无锯齿，或有尖齿或凹齿，或羽状浅裂、半裂或深裂，侧裂片2～7对，长三角形、线状三角形或线形，自中部向上或向下的侧裂片渐小，向基部的侧裂片常呈锯齿状，有时呈

中华小苦荬

半圆形；茎生叶 2 ~ 4，极少 1 或无，长披针形或长椭圆状披针形，不裂，全缘，先端渐狭，基部扩大，耳状抱茎或至少基部茎生叶的基部明显的耳状抱茎；全部叶两面无毛。头状花序通常在茎枝先端排成伞房花序，含舌状小花 21 ~ 25；总苞圆柱状，长 8 ~ 9mm，总苞片 3 ~ 4 层，外层及最外层宽卵形，长 1.5mm，宽 0.8mm，先端急尖，内层长椭圆状倒披针形，长 8 ~ 9mm，宽 1 ~ 1.5mm，先端急尖；舌状小花黄色，干时带红色。瘦果褐色，长椭圆形，长 2.2mm，宽 0.3mm，有 10 高起的钝肋，肋上有上指的小刺毛，先端急尖成细喙；喙细，细丝状，长 2.8mm；冠毛白色，微糙，长 5mm。花果期 1 ~ 10 月。

| 生境分布 | 生于山区路旁、荒野、草地。分布于吉林吉林（舒兰、永吉、磐石、桦甸、蛟河）、延边（敦化、汪清、珲春、延吉、图们、龙井、安图）、白山（抚松、靖宇、长白）、通化（通化）等。

| 资源情况 | 野生资源较少。药材主要来源于野生。

| 采收加工 | 夏、秋季采收，鲜用或晒干。

| 药材性状 | 本品茎多数，光滑无毛，基部簇状分枝。叶多皱缩，完整基生叶展平后线状披针形或倒披针形，长 7 ~ 15cm，宽 1 ~ 4cm，先端尖锐，基部下延成窄叶柄，边缘具疏小齿或不规则羽裂，有时全缘；茎生叶无叶柄。头状花序排列成疏伞房状聚伞花序，未开放的总苞呈圆筒状，长 7 ~ 9mm，总苞片 2 层，外层极小，卵形，内层线状披针形，边缘薄膜质。瘦果狭披针形，稍扁平，红棕色，具长喙，冠毛白色。气微，味苦。

| 功能主治 | 苦，寒。归心、脾、胃、大肠经。清热解毒，泻火，凉血止血，活血调经，去腐排脓生肌。用于无名肿毒，阴囊湿疹，风热咳嗽，泄泻，痢疾，吐血，衄血，黄水疮，跌打损伤，骨折。

| 用法用量 | 内服煎汤，15 ~ 30g。外用适量，鲜品捣敷；或煎汤熏洗；或取汁涂搽。

| 附 注 | 本种的幼苗可食。

菊科 Compositae 小苦荬属 Ixeridium

窄叶小苦荬 Ixeridium gramineum (Fisch.) Tzvel.

| **植物别名** | 山苦菜、剪刀甲、飞天台。

| **药 材 名** | 东北苦菜（药用部位：全草。别名：北败酱）。

| **形态特征** | 多年生草本，高 6 ~ 30cm。根垂直或弯曲，不分枝或有分枝，生多数或少数须根。茎低矮，主茎不明显，自基部多分枝，全部茎枝无毛。基生叶匙状长椭圆形、长椭圆形、长椭圆状倒披针形、披针形、倒披针形或线形，包括叶柄长 3.5 ~ 7.5cm，宽 0.2 ~ 6cm，不分裂或至少含有不分裂的基生叶，全缘或有尖齿或羽状浅裂或深裂或至少基生叶中含有羽状分裂的叶，基部渐狭成长或短柄，侧裂片 1 ~ 7对，集中在叶的中下部，中裂片较大，长椭圆形、镰形或狭线形，

窄叶小苦荬

向两侧的侧裂片渐小，最上部或最下部的侧裂片常尖齿状；茎生叶少数，1～2，通常不裂，较小，与基生叶同形，基部无柄，稍抱茎；全部叶两面无毛。头状花序多数，在茎枝先端排成伞房花序或伞房圆锥花序，含 15～27 舌状小花；总苞圆柱状，长 7～8mm，总苞片 2～3 层，外层及最外层小，宽卵形，长 0.8mm，宽 0.5～0.6mm，先端急尖，内层长，线状长椭圆形，长 7～8mm，宽 1～2mm，先端钝；舌状小花黄色，极少白色或红色。瘦果红褐色，稍压扁，长椭圆形，长 2.5mm，宽 0.7mm，有 10 高起的钝肋，沿肋有上指的小刺毛，向上渐狭成细喙，喙细丝状，长 2.5mm；冠毛白色，微粗糙，长近 4mm。花果期 3～9 月。

| 生境分布 | 生于海拔 100～4000m 的山坡草地、林缘、林下、河边、沟边、荒地或沙地上。吉林各地均有分布。

| 资源情况 | 野生资源较丰富。药材主要来源于野生。

| 采收加工 | 5～6 月采收，除去杂质，晒干。

| 药材性状 | 本品根呈长圆锥形，长 2～6cm，直径 0.2～0.4cm；表面棕黄色至棕褐色，具纵皱纹；质脆，易断，断面黄白色，有黄色木心。基生叶多卷曲或破碎，完整者呈长椭圆状倒披针形，边缘有尖齿，基部渐狭，两面无毛。花序梗细长，呈圆柱形或类圆柱形，灰绿色，具纵纹，断面类白色，有髓或中空。头状花序排成伞房花序，舌状花黄色、白色或粉红色。瘦果狭披针形，红棕色至棕褐色，具纵纹，先端具细软的白色冠毛。气微，味苦。

| 功能主治 | 苦，寒。归肝、胃、大肠经。清热解毒，化瘀排脓。用于肺热咳嗽，痈肿疮毒，肺痨咯血，癥瘕积聚。

| 用法用量 | 内服煎汤，5～15g。外用适量，鲜品捣敷；或煎汤熏洗；或取汁涂搽。

| 附　　注 | （1）东北苦荬已被列入 2019 年版《吉林省中药材标准》第一册。
（2）本种的幼苗可食用。

菊科 Compositae 小苦荬属 Ixeridium

丝叶小苦荬

Ixeridium graminifolium (Ledeb.) Tzvel.

| **植物别名** | 丝叶苦荬。

| **药 材 名** | 丝叶小苦荬（药用部位：全草）。

| **形态特征** | 多年生草本，高 10 ~ 20cm。根垂直直伸。茎直立，自基部多分枝，分枝弯曲斜升，全部茎枝无毛。基生叶丝形或线状丝形；茎生叶极少，与基生叶同形；全部叶两面无毛，全缘，无锯齿。头状花序多数或少数，在茎、枝先端排成伞房状花序，或单生枝端；总苞圆柱状，总苞片 2 ~ 3 层，外层及最外层短，卵形，先端急尖，内层长，线状长椭圆形，先端急尖，全部苞片外面无毛；舌状花小，通常 15 ~ 25，黄色，很少白色。瘦果褐色，长椭圆形，有 10 高起的钝

丝叶小苦荬

肋，肋上部有小刺毛，向先端渐尖成细喙，喙细丝状；冠毛白色，纤细，糙毛状。花期 6 ~ 7 月，果期 7 ~ 8 月。

| **生境分布** | 生于路旁、田野、河岸、沙丘或草甸。分布于吉林白城、松原、四平等。

| **资源情况** | 野生资源较丰富。药材主要来源于野生。

| **采收加工** | 春季采收，除去杂质，晒干。

| **药材性状** | 本品根粗壮，有螺纹，皱缩。茎有分枝，略弯，无毛。完整叶丝形或线状丝形；两面无毛，全缘，无锯齿。头状花序排成伞房状花序；总苞圆柱状，总苞片卵形或线状长椭圆形，外面无毛。瘦果褐色，长椭圆形，有 10 高起的钝肋，肋上部有小刺毛；冠毛白色，纤细，糙毛状。气微，味微苦。

| **功能主治** | 清热解毒，凉血消肿。用于疮痈肿毒。

菊科 Compositae 小苦荬属 Ixeridium

抱茎小苦荬 Ixeridium sonchifolium (Maxim.) Shih

| **植物别名** | 抱茎苦荬菜、苦碟子、小苦菜。

| **药 材 名** | 苦碟子（药用部位：地上部分。别名：苦荬菜、秋苦荬菜）。

| **形态特征** | 多年生草本，高 15 ~ 60cm，有白色乳汁。根直，生须根；根茎极短。茎单生，直立，全部茎、枝无毛。基生叶莲座状，匙形、长倒披针形或长椭圆形，基部渐狭下延成有宽翼的柄，边缘有锯齿或大头羽状深裂；中下部茎生叶长椭圆形、匙状椭圆形、倒披针形或披针形，与基生叶等大或较小，羽状浅裂或半裂，向基部扩大，心形或耳状抱茎；上部茎生叶及接花序分枝处的叶心状披针形，全缘，先端渐尖，向基部成心形或圆耳状扩大抱茎；全部叶两面无毛。头状花序在茎

抱茎小苦荬

枝先端排成伞房花序或伞房圆锥花序；总苞圆柱形，总苞片 3 层，外层及最外层短，卵形或长卵形，先端急尖，内层长披针形，先端急尖，全部总苞片外面无毛；舌状花约 17，黄色。瘦果黑色，纺锤形，有 10 高起的钝肋，上部沿肋有小刺毛，向上渐尖成细丝状的短喙；冠毛白色。花期 7 ~ 8 月，果期 8 ~ 9 月。

| 生境分布 | 生于荒地、林缘、路边、山坡、撂荒地、杂草地或村屯附近，常成片生长。吉林各地均有分布。

| 资源情况 | 野生资源丰富。药材主要来源于野生。

| 采收加工 | 夏季茎叶茂盛时采收，阴干或晒干。

| 药材性状 | 本品茎呈圆柱形，直径 1.5 ~ 4mm；表面绿色、深绿色至黄棕色，有纵棱，无毛，节明显；质脆，易折断，折断时有粉尘飞出，断面略呈纤维性，髓部白色。叶互生，多皱缩、破碎，完整叶卵状矩圆形，长 2 ~ 5cm，宽 0.5 ~ 2cm，先端急尖，基部耳状，抱茎。头状花序有细梗；总苞片 2 层，外层总苞片 5，极小，内层总苞片 8，披针形；舌状花黄色，先端截形，5 齿裂；冠毛白色。气微，味微甘、苦。

| 功能主治 | 苦，寒。清热解毒，止泻痢，活血止痛，清热祛瘀。用于瘀血闭阻之胸痹，胸闷，心痛，肠痛，痢疾，各种化脓性炎症，吐血，衄血。

| 附　　注 | 本种的幼苗为优质山野菜，可生食或加工成焆拌菜。

菊科 Compositae 马兰属 Kalimeris

裂叶马兰 *Kalimeris incisa* (Fisch.) DC.

裂叶马兰

| 植物别名 |

马兰、鸡儿肠、马兰菊。

| 药材名 |

裂叶马兰（药用部位：全草）。

| 形态特征 |

多年生草本，高 60 ~ 120cm。有根茎。茎直立，有沟棱，无毛或疏生向上的白色短毛，上部分枝。叶纸质，下部叶在花期枯萎；中部叶长椭圆状披针形或披针形，先端渐尖，基部渐狭，无柄，边缘疏生缺刻状锯齿或间有羽状披针形尖裂片，上面无毛，边缘粗糙或有向上弯的短刚毛，下面近光滑，脉在下面凸起；上部分枝上的叶小，条状披针形，全缘。头状花序单生茎、枝先端且排成伞房状；总苞半球形，总苞片 3 层，覆瓦状排列，有微毛，外层较短，长椭圆状披针形，急尖，内层先端钝尖，边缘膜质；舌状花淡蓝紫色；管状花黄色。瘦果倒卵形，淡绿褐色，扁而有浅色边肋或偶见 3 肋而果实呈三棱形，被白色短毛；冠毛淡红色。花期 8 ~ 9月，果期 9 ~ 10月。

| **生境分布** | 生于河岸、水边、灌丛、山坡、草地、林间、空地等。以长白山区为主要分布区域，分布于吉林延边、白山、通化、吉林、辽源（东丰）等。 |

| **资源情况** | 野生资源较丰富。药材主要来源于野生。 |

| **采收加工** | 夏、秋季采收，鲜用或晒干。 |

| **药材性状** | 本品根茎大小不一。茎有沟棱，无毛或有白色短毛，上部分枝。叶纸质，椭圆状披针形或披针形，无柄，上面无毛，边缘粗糙或有向上弯的短刚毛，下面近光滑。头状花序排成伞房状；总苞半球形，总苞片覆瓦状排列，有微毛，边缘膜质。瘦果倒卵形，淡绿褐色，被白色短毛；冠毛淡红色。气微，味微甘、苦。 |

| **功能主治** | 辛，凉。清热解毒，凉血利湿，消食，利小便。用于湿热中阻，血热出血，饮食积滞，小便不利。 |

| **附　注** | 在 FOC 中，本种的拉丁学名被修订为 *Aster incisus* Fischer。 |

菊科 Compositae 马兰属 Kalimeris

全叶马兰 *Kalimeris integrifolia* Turcz. ex DC.

| **植物别名** | 扫帚鸡儿肠、全叶鸡儿肠、扫帚花。

| **药 材 名** | 全叶马兰（药用部位：全草。别名：全缘叶马兰）。

| **形态特征** | 多年生草本，高 30 ~ 70cm。有长纺锤形直根。茎直立，单生或数个丛生，被细硬毛，中部以上有近直立的帚状分枝。下部叶在花期枯萎；中部叶多而密，条状披针形、倒披针形或矩圆形，先端钝或渐尖，常有小尖头，基部渐狭无柄，全缘，边缘稍反卷；上部叶较小，条形；全部叶下面灰绿色，两面密被粉状短绒毛，中脉在下面凸起。头状花序单生枝端且排成疏伞房状；总苞半球形，总苞片 3 层，覆瓦状排列，外层近条形，内层矩圆状披针形，先端尖，上部革质，

全叶马兰

有短粗毛及腺点；舌状花1层，20或更多，有毛，舌片淡紫色；管状花有毛。瘦果倒卵形，浅褐色，扁，有浅色边肋，或一面有肋而果实呈三棱形，上部有短毛及腺；冠毛带褐色，不等长，弱而易脱落。花期7~8月，果期8~9月。

| 生境分布 | 生于荒地、林缘、路边、山坡。以长白山区为主要分布区域，分布于吉林延边、白山、通化、吉林、辽源（东丰）等。

| 资源情况 | 野生资源丰富。药材主要来源于野生。

| 采收加工 | 8~9月采收，除去杂质及泥沙，晒干。

| 药材性状 | 本品根稍弯曲，褐色，主根明显，须根多，长10~15cm。茎长40~50cm，直径0.4~0.9cm；表面被细毛，浅绿色，中部以上有帚状分枝；不易折断，断面白绿色。叶互生，条状披针形，无柄，全缘，中部叶多而密，叶片长2.5~4cm，宽0.4~0.6cm，先端钝或渐尖，边缘稍反卷，两面密被短绒毛，中脉凸起。花浅紫色，单生枝端并排成伞房状，头状花序多破碎。气微，味微甘、苦。

| 功能主治 | 辛，凉。清热解毒，理气消食，止血消肿，利湿。用于气滞疼痛，饮食积滞，瘀血肿痛。

| 用法用量 | 内服煎汤，15~30g。

| 附　注 | 在FOC中，本种的拉丁学名被修订为 *Aster pekinensis* (Hance) F. H. Chen。

菊科 Compositae 马兰属 Kalimeris

山马兰
Kalimeris lautureana (Debx.) Kitam.

山马兰

| 植物别名 |

北鸡儿肠、山北鸡儿肠、马兰头。

| 药 材 名 |

山马兰(药用部位:全草。别名:山鸡儿肠)。

| 形态特征 |

多年生草本,高 50 ~ 100cm。茎直立,单生或 2 ~ 3 簇生,具沟纹,被白色向上的糙毛,上部分枝。叶厚或近革质,下部叶花期枯萎;中部叶披针形或矩圆状披针形,先端渐尖或钝,基部渐狭,无柄,有疏齿或羽状浅裂;分枝上的叶条状披针形,全缘;全部叶两面疏生短糙毛或无毛,边缘均有短糙毛。头状花序单生茎、枝先端并排成伞房状;总苞半球形,总苞片 3 层,覆瓦状排列,上部绿色,无毛,外层较短,长椭圆形,先端微尖,内层倒披针状长椭圆形,先端钝,有膜质边缘;舌状花淡蓝色;管状花黄色。瘦果倒卵形,扁平,淡褐色,疏生短柔毛,有浅色边肋或偶见 3 肋而果实呈三棱形;冠毛淡红色。花期 8 ~ 9 月,果期 9 ~ 10 月。

| 生境分布 |

生于山坡、林缘、荒地或路旁等。分布于吉

林白山（临江、抚松）、延边（安图、敦化）、通化（通化）、吉林（蛟河）等。

| **资源情况** | 野生资源较少。药材主要来源于野生。

| **采收加工** | 8～9月采收，洗净，鲜用或晒干。

| **药材性状** | 本品茎具沟纹，被白色向上的糙毛，上部分枝。叶厚或近革质；中部叶披针形或矩圆状披针形，先端渐尖或钝，基部渐狭，无柄，有疏齿或羽状浅裂；分枝上的叶条状披针形，全缘；全部叶两面疏生短糙毛或无毛，边缘均有短糙毛。头状花序单生分枝先端且排成伞房状；总苞半球形，总苞片3层，覆瓦状排列，上部绿色，无毛，外层较短，长椭圆形，先端微尖，内层倒披针状长椭圆形，先端钝，有膜质边缘；舌状花淡蓝色；管状花黄色。瘦果倒卵形，扁平，淡褐色，疏生短柔毛；冠毛淡红色。气微，味微甘、苦。

| **功能主治** | 辛，凉。清热解毒，凉血止血，清利湿热，理气消食。用于血热出血，湿热中阻，气滞腹痛，饮食积滞。

| **用法用量** | 内服煎汤，10～15g。外用适量，捣敷。

| **附　注** | 在 FOC 中，本种的拉丁学名被修订为 *Aster lautureanus* (Debeaux) Franchet。

菊科 Compositae 马兰属 Kalimeris

蒙古马兰

Kalimeris mongolica (Franch.) Kitam.

蒙古马兰

| 植物别名 |

北方马兰、裂叶马兰、马兰菊。

| 药 材 名 |

蒙古马兰（药用部位：全草。别名：北方马兰、羽叶马兰）。

| 形态特征 |

多年生草本，高 60 ~ 100cm。茎直立，有沟纹，被向上的糙伏毛，上部分枝。叶纸质或近膜质，最下部叶花期枯萎；中部及下部叶倒披针形或狭矩圆形，羽状中裂，两面疏生短硬毛或近无毛，边缘具较密的短硬毛，裂片条状矩圆形，先端钝，全缘；上部分枝上的叶条状披针形。头状花序单生长短不等的分枝先端；总苞半球形，总苞片 3 层，覆瓦状排列，无毛，椭圆形至倒卵形，先端钝，有白色或带紫红色的膜质边缘，背面上部绿色；舌状花淡蓝紫色、淡蓝色或白色，舌片稍长；管状花黄色。瘦果倒卵形，黄褐色，有黄绿色边肋，扁或有时有 3 肋而果实呈三棱形，边缘及表面疏生细短毛；冠毛淡红色，不等长，舌状花瘦果冠毛短于管状花瘦果冠毛。花期 8 ~ 9 月，果期 9 ~ 10 月。

| **生境分布** | 生于山坡、田边、河岸、水边、灌丛。分布于吉林白山（长白、临江、抚松）、延边（安图、延吉）、通化（二道江）等。

| **资源情况** | 野生资源较丰富。药材主要来源于野生。

| **采收加工** | 夏、秋季采收，洗净，鲜用或晒干。

| **药材性状** | 本品茎有沟纹，有糙伏毛。叶纸质或近膜质，倒披针形或狭矩圆形，羽状中裂，两面疏生短硬毛或近无毛，边缘具较密的短硬毛。总苞半球形，总苞片覆瓦状排列，无毛，椭圆形至倒卵形，有白色或带紫红色膜质边缘，背面上部绿色。瘦果倒卵形，黄褐色，有黄绿色边肋，边缘及表面疏生细短毛；冠毛淡红色，不等长。气微，味微甘、苦。

| **功能主治** | 辛，凉。归肺、肝、胃、大肠经。清热解毒，凉血止血，理气消食，利湿。用于吐血，衄血，血痢，创伤出血，疟疾，黄疸，水肿，淋浊，咽喉痛，痔疮，丹毒，蛇咬伤。

| **用法用量** | 内服煎汤，10 ～ 30g，鲜品 30 ～ 60g；或捣汁。外用适量，捣敷；或煎汤熏洗。

| **附　　注** | 在 FOC 中，本种的拉丁学名被修订为 *Aster mongolicus* Franchet。

菊科 Compositae 山莴苣属 Lagedium

山莴苣 *Lagedium sibiricum* (L.) Sojak

山莴苣

| 植物别名 |

北山莴苣、山苦菜、山生菜。

| 药 材 名 |

山莴苣（药用部位：全草。别名：北山莴苣、山苦菜、野生菜）。

| 形态特征 |

多年生草本，高 50 ~ 130cm。根垂直直伸。茎直立，通常单生，常淡红紫色，上部分枝，全部茎枝光滑无毛。中下部茎生叶披针形、长披针形，先端渐尖或急尖，基部收窄，无柄，心形、心状耳形或箭头状半抱茎，全缘、几全缘、具小尖头状微锯齿或小尖头，极少边缘缺刻状或羽状浅裂；向上的叶渐小，与中下部茎生叶同形。头状花序含舌状小花约 20，在茎、枝先端排成伞房圆锥花序；总苞片 3 ~ 4 层，不明显覆瓦状排列，通常淡紫红色，全部苞片外面无毛；舌状小花蓝色或蓝紫色。瘦果长椭圆形或椭圆形，褐色或榄绿色，压扁，中部有 4 ~ 7 线形或线状椭圆形、不等粗的小肋，先端短，收窄，边缘加宽加厚成厚翅；冠毛白色，2 层，刚毛纤细，锯齿状，不脱落。花期 7 ~ 8 月，果期 8 ~ 9 月。

| 生境分布 | 生于荒地、林缘、林下、山坡、砂质地、草甸、河岸或沼泽地等，常成片生长。吉林各地均有分布。

| 资源情况 | 野生资源较丰富。药材主要来源于野生。

| 采收加工 | 夏、秋季花开时采收，除去杂质，晒干。

| 药材性状 | 本品根呈类圆柱形。茎通常单生，常淡红紫色，上部分枝，全部茎枝光滑无毛。叶互生，无柄，叶形多变，叶缘不分裂、深裂或全裂，基部扩大成戟形半抱茎。有的可见头状花序或果序。果实黑色，有灰白色长冠毛。气微，味微甜而后苦。

| 功能主治 | 清热解毒，理气，止血消肿。用于气滞，肿痛。

| 附　注 | 在 FOC 中，本种的拉丁学名被修订为 *Lactuca sibirica* (L.) Bentham ex Maximowicz.

菊科 Compositae 火绒草属 Leontopodium

火绒草
Leontopodium leontopodioides (Willd.) Beauv.

| 植物别名 | 薄雪草、老头草、白蒿。

| 药材名 | 火绒草(药用部位:地上部分。别名:小矛香艾、老头草、薄雪草)。

| 形态特征 | 多年生草本,高 5 ~ 45cm。地下茎粗壮,分枝短,为枯萎的短叶鞘所包裹,有多数簇生的花茎和根出条,无莲座状叶丛。下部叶在花期枯萎宿存,叶直立,线形,基部稍宽,无鞘,无柄,上面被柔毛,下面被白色或灰白色密绵毛;苞叶少数,较上部叶稍短,两面或下面被白色或灰白色厚茸毛,与花序等长或较花序长 1.5 ~ 2 倍,在雄株多少开展成苞叶群,在雌株多少直立,不排列成明显的苞叶群。花葶较细,被灰白色长柔毛或白色近绢状毛,不分枝或有时上部有

火绒草

伞房状或近总状花序枝。头状花序大，雌株常 3 ~ 7 密集，花序梗较长，排列成伞房状；总苞半球形，被白色绵毛；总苞片约 4 层，无色或褐色；小花雌雄异株，稀同株；雄花花冠狭漏斗状；雌花花冠丝状，花后生长。冠毛白色；雄花冠毛有锯齿或毛状齿；雌花冠毛细丝状，有微齿。瘦果有乳头状突起或密绵毛。花期 7 ~ 8 月，果期 8 ~ 9 月。

| 生境分布 | 生于荒地、干山坡、沙地、干草地、山坡砾质地及河岸沙地等。吉林各地均有分布。

| 资源情况 | 野生资源较少。药材主要来源于野生。

| 采收加工 | 夏、秋季间采收，洗净，晾干。

| 药材性状 | 本品茎呈类圆柱形，长 20 ~ 40cm，直径 1 ~ 2.5mm；表面密被灰白色绵毛，有纵棱。叶互生，多皱缩破碎，完整者条形或条状披针形，中、上部叶长 1 ~ 3cm，宽 0.2 ~ 0.4cm，先端尖，基部稍狭；上表面绿色，被柔毛，下表面灰白色，被白色或灰白色绵毛，苞叶 3 ~ 6，矩圆形或条形，两面被灰白色厚绵毛，有的呈星状苞叶群，有的散生，不排列成苞叶群。头状花序 3 ~ 7 密集；总苞半球形，直径 4 ~ 6mm，总苞片约 4 层；花多皱缩，雄花花冠狭漏斗状，褐色，雌花花冠丝状，棕色或棕绿色，柱头超出花冠，2 裂。瘦果矩圆形，具白色冠毛。气微，味苦。

| 功能主治 | 微苦，寒。清热解毒，凉血止血，益肾利水，利尿。用于急、慢性肾炎，水肿，尿血，淋浊，蛋白尿。

| 用法用量 | 内服煎汤，9 ~ 15g。

菊科 Compositae 火绒草属 Leontopodium

长叶火绒草
Leontopodium longifolium Ling

长叶火绒草

| 植物别名 |

兔耳子草、狭叶长叶火绒草。

| 药 材 名 |

长叶火绒草（药用部位：全草）。

| 形态特征 |

多年生草本。根茎短，有顶生的莲座状叶丛，或分枝长、平卧，有叶鞘和多数近顶生的花茎，或分枝细长成匍枝状，有短节间和细根及散生的莲座状叶丛。花茎直立或斜升，不分枝，被白色柔毛或密茸毛，全部有密集或疏生的叶，节间短，上部节间较长。茎基部叶或莲座状叶狭长匙形，渐狭成宽柄状，近基部又扩大成紫红色无毛的长鞘部；茎中部叶直立，线形、宽线形或舌状线形，两面被疏或密的白色茸毛，上面不久脱毛或无毛；苞叶多数，较茎上部叶短，但较宽，卵圆状披针形或线状披针形，上面或两面被白色长柔毛状茸毛，较花序长 1.5 ~ 3 倍，开展成苞叶群，或有长花序梗而成复苞叶群。头状花序 3 ~ 30 密集；总苞被长柔毛，总苞片约 3 层；小花雌雄异株；雄花花冠管状漏斗状，雌花花冠丝状管状；冠毛白色。瘦果有乳突或短粗毛。花期 7 ~ 8 月，果期 8 ~ 9 月。

| **生境分布** | 生于高山和亚高山的湿润草地、洼地、灌丛或岩石上。分布于吉林白城（洮南）等。 |

| **资源情况** | 野生资源较少。药材主要来源于野生。 |

| **采收加工** | 夏季采收，洗净，晾干。 |

| **功能主治** | 辛，凉。清热解毒，清肺解表，化痰止咳。用于外感风寒，发热，头痛，咳嗽，咳黄痰，疫疬。 |

| **用法用量** | 内服煎汤，6 ~ 15g。 |

| **附　注** | 在 FOC 中，本种的拉丁学名被修订为 *Leontopodium junpeianum* Kitamura。 |

菊科 Compositae 小滨菊属 Leucanthemella

小滨菊 *Leucanthemella linearis* (Matsum.) Tzvel.

小滨菊

| 植物别名 |

西洋滨菊。

| 药 材 名 |

小滨菊（药用部位：花序。别名：小白菊）。

| 形态特征 |

多年生沼生植物，高 25 ～ 90cm，有长地下匍匐茎。茎直立，常簇生，不分枝或自中部分枝，有短柔毛或无毛。基生叶和下部茎生叶花期枯落，椭圆形或披针形，自中部以下羽状深裂，侧裂片 3 对、2 对或 1 对，全部侧裂片和顶裂片线形或狭线形，全缘；上部茎生叶通常不分裂；全部叶无柄，两面绿色，但下面色淡，上面及边缘粗涩，有皮刺状乳突，无腺点，下面有明显腺点。头状花序单生茎顶或 2 ～ 8 头状花序在茎枝先端排成不规则的伞房花序；总苞碟状，外层总苞片线状披针形，内层总苞片长椭圆形，全部苞片边缘褐色或暗褐色，膜质，无毛或几无毛；舌状花白色，舌片先端有 2 ～ 3 齿。瘦果先端有钝冠齿。花期 8 ～ 9 月，果期 9 ～ 10 月。

| 生境分布 | 生于湿地、水甸子或沼泽地。分布于吉林通化（柳河）、吉林（蛟河）等。

| 资源情况 | 野生资源较少。药材主要来源于野生。

| 采收加工 | 夏、秋季花开时采摘，除去杂质，阴干。

| 药材性状 | 本品为头状花序。总苞碟状；外层总苞片线状披针形，内层总苞片长椭圆形；全部苞片边缘褐色或暗褐色，膜质，无毛或几无毛。舌状花白色，舌片先端有齿。气微，味微苦。

| 功能主治 | 解热，消肿，散瘀。用于瘀热肿痛。

菊科 Compositae 橐吾属 Ligularia

蹄叶橐吾
Ligularia fischeri (Ledeb.) Turcz.

| **植物别名** | 肾叶橐吾、马蹄叶、山紫菀。

| **药 材 名** | 山紫菀（药用部位：根及根茎。别名：荷叶七、马蹄紫菀、土紫菀）。

| **形态特征** | 多年生高大草本，高 80 ~ 200cm。根茎短粗，生多数肉质黑色须根。
茎直立，上部被黄褐色有节短柔毛，下部光滑，基部被褐色枯叶柄
纤维包围。基生叶与茎下部叶具长柄，叶柄光滑，基部鞘状，叶片
肾形，先端圆形，有时具尖头，边缘有整齐的锯齿，基部弯缺宽，
上面绿色，下面淡绿色，两面光滑，叶脉掌状，主脉 5 ~ 7，明显
凸起；茎中上部叶具短柄，鞘膨大，叶片肾形。总状花序很长；苞
片草质，卵形或卵状披针形，下部者长，向上渐小，先端具短尖，

蹄叶橐吾

边缘有齿；花序梗细，下部者长，向上渐短；头状花序多数，辐射状；小苞片狭披针形至线形；总苞钟形，总苞片2层，8～9，长圆形，先端急尖，背部光滑，内层具宽膜质边缘；舌状花5～6，黄色，舌片长圆形，先端钝圆；管状花多数，冠毛红褐色，短于管部。瘦果圆柱形，光滑。花期7～8月，果期8～9月。

| **生境分布** | 生于湿地、沼泽地、湿草甸、水边、山坡、灌丛、林缘或林下等，常成片生长。以长白山区为主要分布区域，分布于吉林延边、白山、通化、吉林、辽源（东丰）等。吉林白山、延边、通化有少量田园栽培。

| **资源情况** | 野生资源较丰富。吉林偶见栽培。药材主要来源于野生。

| **采收加工** | 夏、秋季采收，除去杂质，晒干。

| **药材性状** | 本品根呈不规则块状，先端具残留茎基痕及叶柄干枯后的纤维，簇生多数细长的根，长8～20cm，直径约0.1cm，呈马尾状或扭曲成团状。表面黄棕色至棕褐色，有细纵纹，下端密生金黄色短绒毛。体轻，质脆，易折断，断面中央有浅黄色木心。有特殊香气，味微辛。

| **功能主治** | 辛，微温。归肺经。止咳祛痰，活血止痛。用于咳嗽痰多，腰痛劳损，跌打损伤。

| **用法用量** | 内服煎汤，5～15g；或研粉。

| **附　　注** | （1）山紫菀已被列入2019年版《吉林省中药材标准》第一册。
（2）本种的嫩叶及叶柄为优质山野菜，白山、延边、通化地区民间称其为"马蹄叶"，采摘其嫩叶食用。

菊科 Compositae 橐吾属 Ligularia

狭苞橐吾
Ligularia intermedia Nakai

| **植物别名** | 马掌菜、马蹄叶子、光紫菀。

| **药 材 名** | 狭苞橐吾（药用部位：根及根茎）。

| **形态特征** | 多年生草本，高达 100cm。根茎短，生多数肉质须根。茎直立，上部被白色蛛丝状柔毛，下部光滑。基生叶与茎下部叶具光滑的长叶柄，且叶柄基部具狭鞘，叶片肾形或心形，先端钝或有尖头，边缘具整齐的有小尖头的三角状齿或小齿，基部弯缺宽，长为叶片的 1/3，两面光滑，叶脉掌状；茎中上部叶与茎下部叶同形，较小，具短柄或无柄，鞘略膨大；茎最上部叶卵状披针形，苞叶状。总状花序很长；苞片线形或线状披针形，下部者长，向上渐短；花序梗较短，

狭苞橐吾

近光滑；头状花序多数，辐射状；小苞片线形；总苞钟形，总苞片 6 ~ 8，长圆形，先端三角状，急尖，背部光滑，边缘膜质；舌状花 4 ~ 6，舌片长圆形，黄色；管状花 7 ~ 12，伸出总苞，基部稍粗；冠毛紫褐色，有时白色，比花冠管部短。瘦果圆柱形，稍扁，有纵沟，具 4 ~ 5 纵肋。花期 7 ~ 8 月，果期 8 ~ 9 月。

| **生境分布** | 生于湿地、湿草甸、水边、山坡、林缘、林下或亚高山草地，常成单优势的大面积群落。分布于吉林白山（长白、抚松、临江）、延边（安图、延吉、珲春、龙井）等。

| **资源情况** | 野生资源较少。药材主要来源于野生。

| **采收加工** | 秋季采挖，除去泥土及杂质，晒干。

| **药材性状** | 本品根茎呈圆锥形，长 2 ~ 4cm，直径 1 ~ 3cm，节上生多数肉质须根。体轻，质脆，易折断，断面类白色或灰黄色，皮部宽，木部有木心，淡黄色。有特异香气，味淡、微辛。

| **功能主治** | 苦，温。温肺下气，消炎，祛痰止咳，平喘，滋阴。用于风寒感冒，咳嗽气喘，虚劳，吐脓血，喉痹，小便不利。

菊科 Compositae 橐吾属 Ligularia

复序橐吾 *Ligularia jaluensis* Kom.

复序橐吾

| 植物别名 |

三角叶橐吾、马掌菜、马蹄叶。

| 药材名 |

复序橐吾（药用部位：根茎）。

| 形态特征 |

多年生草本，高达 150cm。根茎短，生多数肉质须根。茎直立，被白色蛛丝状毛和褐色有节短柔毛。基生叶及茎下部叶具长柄，柄被有节短毛，翅狭窄，全缘，基部鞘状，叶片三角形或卵状三角形，先端急尖，边缘具浅三角状齿，齿间被有节短毛，基部心形或近平截，上面光滑，下面尤其在脉上有乳突状短毛，叶脉羽状，主脉粗，侧脉网状，在下面明显凸起；茎中上部叶较小，具短的翅状柄，基部鞘状抱茎，叶片三角形或长圆形。圆锥状总状花序，花序轴很长，小花序梗分枝多、长，且密被有节短毛；苞片线形；头状花序多数，辐射状；小苞片钻形或无；总苞钟形或杯状，总苞片 2 层，8 ~ 12，长圆形，先端急尖，背部黑绿色，光滑，内层具宽膜质边缘；舌状花 5 ~ 7，黄色，舌片椭圆形，先端急尖；管状花多数，黄色；冠毛白色，与花冠等长。瘦果圆柱形，光滑。花期 7 ~ 8

月，果期 8 ～ 9 月。

| **生境分布** | 生于林缘、湿地、草甸、林间空地。分布于吉林白山（长白、抚松、靖宇、临江）、延边（安图、敦化、汪清）、通化（柳河、通化）等。

| **资源情况** | 野生资源较少。药材主要来源于野生。

| **采收加工** | 秋季采挖，除去泥土及杂质，晒干。

| **功能主治** | 苦，温。止咳祛痰，温肺散寒，下气。用于外感表证，咳痰清稀。

菊科 Compositae 橐吾属 Ligularia

长白山橐吾
Ligularia jamesii (Hemsl.) Kom.

| **植物别名** | 单花橐吾、单头橐吾。

| **药 材 名** | 长白山橐吾（药用部位：根茎）。

| **形态特征** | 多年生草本，高 30 ~ 60cm。根茎短，生多数肉质细长须根。茎直立，上部被白色蛛丝状柔毛，下部光滑，被褐色枯叶柄纤维包围。基生叶与茎下部叶具长柄，柄细瘦，光滑，基部有窄鞘，叶片三角状戟形，先端急尖或渐尖，边缘有尖锯齿，基部弯缺宽，长为叶片的 1/2，两侧裂片外展，披针形，全缘或 2 ~ 3 深裂，小裂片长，上面及边缘被黄色短毛，下面光滑，主脉 1，掌状羽状；茎中部叶具短柄，鞘膨大，抱茎，叶片卵状箭形，较小；茎上部叶无柄，披针形，苞

长白山橐吾

叶状，多数，近全缘。头状花序辐射状，单生；小苞片线状披针形；总苞宽钟形，总苞片约13，披针形，先端渐尖，背部被白色蛛丝状毛，具褐色膜质边缘；舌状花多数，黄色，舌片线状披针形，先端渐尖，2～3浅裂；管状花多数，黄色；冠毛淡黄色，与花冠等长。瘦果圆柱形，光滑。花期7～8月，果期8～9月。

| **生境分布** | 生于高山冻原、亚高山草地、高山山坡及高山苔原，常成单优势的大面积群落。分布于吉林白山（长白、抚松）、延边（安图）等。

| **资源情况** | 野生资源较少。药材主要来源于野生。

| **采收加工** | 秋季采挖，除去泥土及杂质，晒干。

| **功能主治** | 苦，温。宣肺利气，镇咳祛痰。用于风寒感冒，支气管炎，咳嗽气喘，咳痰不爽，肺结核，肺虚久咳，痰中带血。

| **附　　注** | 本种为吉林省Ⅱ级重点保护野生植物。

菊科 Compositae 橐吾属 Ligularia

全缘橐吾 *Ligularia mongolica* (Turcz.) DC.

全缘橐吾

| 植物别名 |

蒙古橐吾。

| 药 材 名 |

全缘橐吾（药用部位：根茎）。

| 形态特征 |

多年生灰绿色或蓝绿色草本，高 30 ~ 110cm，全株光滑。根茎短，生肉质细长须根。茎直立，基部被枯叶柄纤维包围。基生叶与茎下部叶具很长的柄，叶柄截面半圆形，光滑，基部具狭鞘，叶片卵形、长圆形或椭圆形，先端钝，全缘，基部楔形，下延，叶脉羽状；茎中上部叶无柄，长圆形或卵状披针形，稀为哑铃形，近直立，贴生，基部半抱茎。总状花序密集或下部疏离；苞片和小苞片线状钻形；花序梗细，较短；头状花序多数，辐射状；总苞狭钟形或筒形，总苞片 2 层，5 ~ 6，长圆形，先端钝或急尖，内层边缘膜质；舌状花 1 ~ 4，黄色，舌片长圆形，先端钝圆；管状花檐部楔形，基部渐狭；冠毛红褐色，与花冠管部等长。瘦果圆柱形，褐色，光滑。花期 7 ~ 8 月，果期8 ~ 9 月。

| 生境分布 |

生于林缘、湿地、沼泽、草甸、山坡、林间或灌丛等。分布于吉林通化（柳河、辉南、集安）、白山（靖宇、临江）、延边（汪清）等。

| 资源情况 |

野生资源较少。药材主要来源于野生。

| 采收加工 |

秋季采挖，除去泥土及杂质，晒干。

| 功能主治 |

宣肺利气，疏风散寒，发表，镇咳祛痰，除湿利水。用于外感风寒，发热恶寒，无汗，咳嗽痰多，支气管炎。

| 附　　注 |

本种的嫩叶为优质山野菜。

菊科 Compositae 橐吾属 Ligularia

合苞橐吾
Ligularia schmidtii (Maxim.) Makino

合苞橐吾

| 植物别名 |

合苞山紫菀。

| 药 材 名 |

合苞橐吾（药用部位：根茎）。

| 形态特征 |

多年生灰绿色草本，高 50 ~ 200cm。根茎短，生肉质细长须根。茎直立，光滑。丛生叶与茎下部叶具柄，叶片大型，长圆形或宽卵形，先端钝或急尖，边缘具不整齐的波状浅齿，基部圆形或钝，两面光滑，叶脉羽状；茎中上部叶具短柄或无柄，叶片长圆形或卵状长圆形，向上渐小。总状花序较长；苞片和小苞片极小，不显；花序梗稍短；头状花序多数，辐射状；总苞钟状，总苞片合生，先端具 2 ~ 5 齿，齿先端急尖或圆形，背部光滑；舌状花少数，黄色，舌片长圆形，先端急尖，管部短；管状花多数，管部极短；冠毛红褐色，与花冠管部等长。瘦果圆柱形，光滑。花期 7 ~ 8 月，果期 9 ~ 10 月。

| 生境分布 |

生于山坡草地、灌丛或林下等。分布于吉林延边（汪清、和龙）等。

| **资源情况** | 野生资源稀少。药材主要来源于野生。

| **采收加工** | 秋季采挖，除去泥土及杂质，晒干。

| **功能主治** | 温肺下气，消痰止咳。用于外感表证，咳痰清稀。

| **附　　注** | 本种的嫩叶为优质山野菜。

菊科 Compositae 橐吾属 *Ligularia*

橐吾

Ligularia sibirica (L.) Cass.

| **植物别名** | 西伯利亚橐吾、北橐吾。

| **药 材 名** | 橐吾（药用部位：根茎）。

| **形态特征** | 多年生草本，高 52 ～ 110cm。根茎短，生肉质、细而多的须根。茎直立，最上部及花序被白色蛛丝状毛和黄褐色有节短柔毛，下部光滑，被枯叶柄纤维包围。基生叶和茎下部叶具长而光滑的叶柄，叶柄基部呈鞘状，叶片卵状心形、三角状心形、肾状心形，先端圆形或钝，边缘具整齐的细齿，基部心形，弯缺长为叶片的 1/4 ～ 1/3，两侧裂片长圆形或近圆形，有时具大齿，两面光滑，叶脉掌状；茎中部叶与茎下部叶同形，具短柄，但鞘膨大；茎最上部叶仅有叶鞘，

橐吾

鞘缘有时具齿。总状花序长，常密集；苞片卵形或卵状披针形，向上渐小，全缘或有齿；头状花序多数，辐射状；小苞片狭披针形，全缘，光滑；总苞宽钟形、钟形或钟状陀螺形，基部圆形，总苞片2层，7~10，有时紫红色；舌状花6~10，黄色；管状花多数，黄色；冠毛白色，与花冠等长。瘦果长圆形，光滑。花期7~8月，果期8~9月。

| **生境分布** | 生于林缘、湿草甸、沼泽地、湿草地、河边、山坡等。分布于吉林白山（长白、靖宇、抚松、江源、临江）、延边（安图、和龙、珲春）、通化（柳河、通化）等。

| **资源情况** | 野生资源较少。药材主要来源于野生。

| **采收加工** | 秋季采挖，除去泥土及杂质，晒干。

| **功能主治** | 润肺，化痰，定喘，止咳，止血，止痛。用于肺痨，肝炎，高血压，痔疮。

菊科 Compositae 母菊属 Matricaria

同花母菊 *Matricaria matricarioides* (Less.) Porter ex Britton

| **植物别名** | 香甘菊。

| **药 材 名** | 同花母菊（药用部位：花序、种子）。

| **形态特征** | 一年生草本，高5～30cm。茎单一或基部有多数花枝和细小的不育枝，直立或斜升，无毛，上部分枝，有时在花序下被疏短柔毛。叶矩圆形或倒披针形，2回羽状全裂，无叶柄，基部稍抱茎，两面无毛，裂片多数，条形，末回裂片短条形。头状花序同形，生于茎枝先端，有花梗；总苞片3层，近等长，矩圆形，有白色透明的膜质边缘，先端钝；花托卵状圆锥形；全部小花管状，淡绿色，冠檐4裂。瘦果矩圆形，淡褐色，光滑，略弯，先端斜截形，基部收狭，背部凸起，

同花母菊

腹面有 2 ～ 3 白色细肋，两侧面各有 1 红色条纹；冠毛极短，冠状，有微齿，白色。花期 7 ～ 8 月，果期 8 ～ 9 月。

| 生境分布 | 生于旷野、山坡、林缘、路旁或住宅附近，常成片生长。以长白山区为主要分布区域，分布于吉林延边、白山、通化、长春、吉林、辽源（东丰）、白城（大安、镇赉、洮北、洮南、通榆）等。

| 资源情况 | 野生资源较丰富。药材主要来源于野生。

| 采收加工 | 夏、秋季花开时分批采摘花序，以晴天露水干后或午后采收为宜，阴干。秋季果实成熟时采割植株，晒干，打下种子，除去杂质，再晒干。

| 功能主治 | 花序，驱虫，解表。用于感冒，咳嗽气喘，咽喉痛，支气管炎，蚊虫叮咬。种子，驱风解表，消肿止痛。用于发热，胃痛，消化不良；外用于疖疮。

菊科 Compositae 乳苣属 Mulgedium

乳苣

Mulgedium tataricum (L.) DC.

乳苣

| 植物别名 |

蒙山莴苣。

| 药 材 名 |

乳苣（药用部位：全草。别名：蒙山莴苣）。

| 形态特征 |

多年生草本，高 15 ~ 60cm。根垂直直伸。茎直立，有细条棱或条纹，全部茎枝光滑无毛。中下部茎生叶长椭圆形或线状长椭圆形或线形，基部渐狭成短柄，叶片羽状浅裂或半裂或边缘有多数或少数大锯齿，先端钝或急尖，侧裂片 2 ~ 5 对，中部侧裂片较大，侧裂片向两端渐小，全部侧裂片半椭圆形或偏斜的宽或狭三角形，全缘或有稀疏的小尖头或多锯齿；向上的叶与中部茎生叶同形或宽线形，但渐小；全部叶质地稍厚，两面光滑无毛。头状花序约含 20 小花，多数，在茎、枝先端排成狭或宽圆锥花序；总苞圆柱状或楔形，果期不为卵球形，总苞片 4 层，不明显覆瓦状排列，全部苞片外面光滑无毛，带紫红色，先端渐尖或钝；舌状小花紫色或紫蓝色，管部有白色短柔毛。瘦果长圆状披针形，稍压扁，灰黑色，每面有 5 ~ 7 纵肋，中肋稍粗厚，先端渐尖成喙；冠毛 2 层，纤

细，白色。花期 6 ~ 7 月，果期 8 ~ 9 月。

| 生境分布 | 生于河滩、湖边、草甸、田边、固定沙丘、砾石地。分布于吉林松原（长岭）、白城（通榆）等。

| 资源情况 | 野生资源较少。药材主要来源于野生。

| 采收加工 | 夏、秋季采收，除去泥土，晒干。

| 药材性状 | 本品根呈纺锤形，灰褐色，有多数须根。茎呈圆柱形，上部呈压扁状，长 10 ~ 40cm，直径 4 ~ 8mm；表面黄绿色，茎基部略带淡紫色，具纵棱，上部有暗褐色腺毛；质脆，易折断，断面中空。叶互生，皱缩破碎，完整叶展平后呈椭圆状广披针形，琴状羽裂，裂片边缘有不整齐的短刺状齿。头状花序，舌状花紫色或紫蓝色。气微，味微咸。

| 功能主治 | 清热解毒，活血祛瘀，排脓。用于痢疾，肠炎，阑尾炎，吐血，衄血，疮疖，痈肿，肺脓疡。

| 附　注 | 在 FOC 中，本种的拉丁学名被修订为 *Lactuca tatarica* (Linnaeus) C. A. Meyer。

菊科 Compositae 栉叶蒿属 *Neopallasia*

栉叶蒿
Neopallasia pectinata (Pall.) Poljak.

| 药 材 名 | 栉叶蒿（药用部位：全草。别名：篦齿蒿、恶臭蒿、粘蒿）。

| 形态特征 | 一年生或多年生草本。茎自基部分枝或不分枝，直立，高 12 ~ 40cm，常带淡紫色，多少被稠密的白色绢毛。叶长圆状椭圆形，栉齿状羽状全裂，裂片线状钻形，单一或有 1 ~ 2 同形的小齿，无毛，有时具腺点，无柄，羽轴向基部逐渐膨大；下部和中部茎生叶长 1.5 ~ 3cm，宽 0.5 ~ 1cm，或更小，长 0.3 ~ 0.5（~ 1）cm；上部和花序下的叶变短小。头状花序无梗或几无梗，卵形或狭卵形，长 3 ~ 4（~ 5）mm，单生或数个集生于叶腋，多数头状花序在小枝或茎中上部排成多少紧密的穗状或狭圆锥状花序；总苞片宽卵

栉叶蒿

形，无毛，草质，有宽膜质边缘，外层稍短，有时上半部叶质化，内层较狭；边缘的雌花 3 ~ 4，能育，花冠狭管状，全缘；中心花两性，9 ~ 16，有 4 ~ 8 着生于花托下部，能育，其余着生于花托顶部，不育，全部两性花花冠 5 裂，有时带粉红色。瘦果椭圆形，长 1.2 ~ 1.5mm，深褐色，具细沟纹，在花托下部排成 1 圈。花果期 7 ~ 9 月。

| **生境分布** | 生于荒漠、河谷砾石地或山坡荒地。分布于吉林白城、松原、四平等。

| **资源情况** | 野生资源较少。药材主要来源于野生。

| **采收加工** | 夏、秋季采收，洗净，鲜用或晒干。

| **功能主治** | 微苦、涩，寒。清肝利胆，消肿止痛。用于急性黄疸性肝炎，头痛，头晕。

| **用法用量** | 内服煎汤，3 ~ 4.5g；或研末冲服。

菊科 Compositae 蝟菊属 Olgaea

火媒草

Olgaea leucophylla (Turcz.) Iljin

| 植物别名 | 白背火杆、火草疙瘩。

| 药 材 名 | 鳍蓟（药用部位：全草）。

| 形态特征 | 多年生草本，高 15 ~ 80cm，全株密被灰白色蛛丝状绒毛。根粗壮，直伸。茎直立，粗壮。基生叶长椭圆形或稍明显羽状浅裂，边缘具大刺齿或浅波状刺齿，全部裂片及刺齿先端及边缘有褐色或淡黄色针刺；茎生叶与基生叶同形，但较小；上部及接头状花序下部的叶更小；全部茎生叶花期上面脱毛而至无毛；基生叶有短柄，短柄粗厚，外面灰白色，被密厚绒毛；茎生叶沿茎下延成茎翼，两面异色，边缘有大小不等的刺齿，齿顶有长针刺，齿缘有短针刺。头状花序多数；总苞钟状，总苞片多层，多数，不等长，向内层渐长，全部

火媒草

苞片先端渐尖成针刺，外层全部或上部向下反折；小花紫色或白色，外面有腺点。瘦果长椭圆形，稍压扁，浅黄色，有棕黑色色斑，约有 10 高起的肋棱及多数肋间细条纹，果实边缘尖齿状；冠毛浅褐色，多层，不等长，刚毛细糙毛状。花期 7 ～ 8 月，果期 9 ～ 10 月。

| 生境分布 | 生于农田、水渠边、山坡、固定沙丘或干草地等。分布于吉林白城（通榆、镇赉）等。

| 资源情况 | 野生资源较少。药材主要来源于野生。

| 采收加工 | 夏、秋季采收，洗净，鲜用或晒干。

| 药材性状 | 本品根粗壮，圆锥形，长短不一。茎粗壮，全株密被灰白色蛛丝状绒毛。叶长椭圆形，有短柄，短柄粗厚，两面异色。头状花序，总苞钟状。瘦果长椭圆形，稍压扁，浅黄色，有棕黑色色斑，约有 10 高起的肋棱及多数肋间细条纹，果实边缘尖齿状；冠毛浅褐色，多层，不等长，刚毛细糙毛状。气微，味淡。

| 功能主治 | 破血行瘀，凉血止血。用于痈疮肿毒，各种出血（外伤出血、鼻出血、功能性子宫出血、吐血）。

| 用法用量 | 内服煎汤，9 ～ 15g。外用适量，鲜品捣敷。

菊科 Compositae 蝟菊属 Olgaea

蝟菊
Olgaea lomonosowii (Trautv.) Iljin

| **植物别名** | 猬菊。

| **药 材 名** | 蝟菊（药用部位：全草。别名：猬菊）。

| **形态特征** | 多年生草本。根直伸，粗壮。茎高 15 ~ 60cm，单生，被棕褐色残存的叶柄，通常自基部或下部分枝，全部茎枝有条棱，灰白色，被密厚绒毛或变稀毛。基生叶羽状浅裂或深裂，向基部渐狭成长或短叶柄，柄基扩大，侧裂片 4 ~ 7 对，全部裂片边缘及先端有浅褐色针刺；下部茎生叶与基生叶同形并等样分裂，向下渐狭成长或短翼柄；向上及接头状花序下部的叶渐小，无叶柄，边缘有斜三角形锯齿；茎生叶全部沿茎下延成茎翼，茎翼狭窄，翼缘有稀疏针刺；全部叶质地薄，草质或纸质，两面异色，上面绿色，无毛，下面灰白

蝟菊

色，被密厚的绒毛。头状花序少数或多数，生于茎先端；总苞大，钟状或半球形，总苞片多层，多数，不等长，向内层渐长，外层被稠密微糙毛，全部苞片质地坚硬，先端针刺状长渐尖；小花紫色。瘦果楔状倒卵形，先端截形；冠毛多层，褐色，向内层渐长，基部联合成环，整体脱落。花期 7 ~ 8 月，果期 9 ~ 10 月。

| 生境分布 | 生于山谷、沙窝、河槽地、草甸、山坡阳处、草原等。分布于吉林白城（洮南、镇赉）等。

| 资源情况 | 野生资源较少。药材主要来源于野生。

| 采收加工 | 春、夏季采收，鲜用或晒干。

| 药材性状 | 本品茎呈圆柱形，直径约 1cm；表面灰褐色，有纵棱，被白色绵毛，髓部白色。叶皱缩破碎，完整者呈矩圆状披针形，羽裂或齿裂，边缘有小刺尖，基部狭成柄；茎生叶渐小，基部向茎下延成翼，上面灰褐色，无毛。头状花序单生枝端；总苞广卵形，直径 2 ~ 4cm，总苞片多层，针刺状；冠毛灰黄色或白色，刺毛状。气微，味淡。

| 功能主治 | 凉血止血，散瘀消肿。用于衄血，咯血，吐血，尿血，便血，崩漏下血，功能性子宫出血，产后出血，外伤出血，跌打损伤，痈疖肿毒。

| 用法用量 | 内服煎汤，9 ~ 15g。外用适量，鲜品捣敷。

菊科 Compositae 黄瓜菜属 *Paraixeris*

少花黄瓜菜

Paraixeris chelidonifolia (Makino) Nakai

| 药 材 名 | 少花黄瓜菜（药用部位：全草）。

| 形态特征 | 一年生草本，高 12 ~ 19cm。根垂直直伸。茎直立，单生，基部直径 1.5mm，自基部分枝，分枝斜升，全部茎枝无毛。基生叶花期枯萎脱落；中下部茎生叶长椭圆形，长 3.5 ~ 5cm，宽 1 ~ 2cm，羽状全裂，羽轴纤细，无翼，叶柄纤细，柄基扩大成椭圆形的小耳，有时小耳 2 浅裂，侧裂片 2 ~ 4 对，卵状或椭圆形，长 5 ~ 6mm，宽 3 ~ 4mm，一侧有一大锯齿，极少边缘 3 浅裂或 3 深裂，向基部叶柄状收缩，顶裂片与侧裂片等大，同形；上部茎生叶与中下部茎生叶同形并等样分裂；全部叶裂片极小，两面无毛。头状花序多数，在茎枝先端排成伞房状花序，含舌状小花 5；总苞圆柱状，长

少花黄瓜菜

5.5 ～ 6mm，总苞片 2 层，外层极小，卵形，长 0.5mm，宽不足 0.5mm，先端钝或急尖，内层长，长椭圆状线形，长 5.5 ～ 6mm，宽 1mm，先端急尖或钝；舌状小花黄色。瘦果黑色，长 3.4mm，宽 0.7mm，纺锤形，微压扁，有 10 高起的钝肋，先端收窄成粗喙，喙长 0.7mm；冠毛白色，长 4.5mm，糙毛状。花果期 9 ～ 10 月。

| **生境分布** | 生于林缘、林下、溪边、沟旁等。以长白山区为主要分布区域，分布于吉林延边、白山、通化、吉林、辽源（东丰）等。

| **资源情况** | 野生资源较少。药材主要来源于野生。

| **采收加工** | 春、夏季花开前采收，洗净，鲜用或晒干。

| **功能主治** | 清热解毒，排脓止痛。用于疮痈肿毒，疼痛。

菊科 Compositae 黄瓜菜属 Paraixeris

黄瓜菜 *Paraixeris denticulata* (Houtt.) Nakai

黄瓜菜

| 植物别名 |

苦荬菜、秋抱茎苦荬菜、苦菜。

| 药 材 名 |

黄瓜菜（药用部位：全草。别名：苦荬菜、秋抱茎苦荬菜）。

| 形态特征 |

一年生或二年生草本，高 30 ~ 120cm。根垂直直伸，生多数须根。茎单生，直立，全部茎枝无毛。基生叶及下部茎生叶花期枯萎脱落；中下部茎生叶卵形、琴状卵形、长椭圆形，不分裂，先端急尖或钝，有宽翼柄，基部圆形，耳部圆耳状扩大抱茎，或无柄，向基部稍收窄而基部突然扩大成圆耳状抱茎，或向基部渐窄成长或短的不明显的叶柄，基部稍扩大，耳状抱茎，全缘或具大锯齿或重锯齿；上部及最上部茎生叶与中下部茎生叶同形，但渐小，全缘或具大锯齿或重锯齿，无柄，向基部渐宽，基部耳状扩大抱茎；全部叶两面无毛。头状花序在茎枝先端排成伞房花序或伞房圆锥状花序；总苞圆柱状，总苞片 2 层，外层极小，先端急尖，内层长，先端钝，全部总苞片外面无毛；舌状小花黄色。瘦果长椭圆形，压扁，黑色或黑褐色，

有高起的钝肋，具粗喙；冠毛白色，糙毛状。花期 8 ~ 9 月，果期 9 ~ 10 月。

| **生境分布** | 生于山坡、林缘、林下、田边、岩石上及缝隙中、撂荒地、杂草地或村屯附近，常成片生长。以长白山区为主要分布区域，分布于吉林延边、白山、通化、吉林、辽源（东丰）等。

| **资源情况** | 野生资源丰富。药材主要来源于野生。

| **采收加工** | 春、夏季花开前采收，洗净，鲜用或晒干。

| **药材性状** | 本品根粗壮，圆锥形，形态不一，多须根。茎单生，无毛。叶卵形至长椭圆形，不分裂，两面无毛。头状花序组成圆锥状花序；总苞圆柱状，总苞片小，外面无毛。瘦果长椭圆形，压扁，黑色或黑褐色，有高起的钝肋，具粗喙；冠毛白色，糙毛状。气微，味苦。

| **功能主治** | 苦，凉。清热解毒，消痈散结，祛瘀消肿，止痛，止血，止带。用于肺痈，乳痈，血淋，疔肿，跌打损伤，无名肿毒，毒蛇咬伤。

| **附　　注** | （1）黄瓜菜复方配伍用量很小，但药厂用其提取物制作中药注射剂时用量较大，因此黄瓜菜价格一路走高。吉林黄瓜菜药材商品年产量最高时可达 60t 左右。
（2）本种的幼苗可食用。

菊科 Compositae 蟹甲草属 Parasenecio

耳叶蟹甲草

Parasenecio auriculatus (DC.) H. Koyama

耳叶蟹甲草

| 植物别名 |

耳叶兔儿伞。

| 药 材 名 |

耳叶蟹甲草（药用部位：全草）。

| 形态特征 |

多年生草本，高 30 ～ 100cm。根茎平卧，短斜升，有多数纤维状须根。茎单生，直立或常弯曲，具纵槽棱，无毛。基部茎生叶在花期常枯萎；下部茎生叶 1 ～ 2，叶片肾形，叶柄细，长为叶片的 1.5 ～ 2 倍，仅基部扩大，但不形成耳；中部茎生叶肾形至三角状肾形，基部深凹或微凹，常具角，叶柄与叶片等长或短于叶片的 2 ～ 4 倍，通常基部扩大成小叶耳；上部茎生叶与中部茎生叶同形，但较小，具短叶柄；最上部茎生叶披针形。头状花序在茎端排列成狭总状花序，花序梗纤细，下垂，被头状腺毛及短柔毛，具刚毛状或披针形小苞片；总苞圆柱形，紫色、紫绿色至绿色，总苞片 5，长圆形，先端稍尖，外面近无毛；小花 4 ～ 7；花冠黄色，管部与檐部等长或稍短；花药伸出花冠，基部戟形；花柱分枝先端截形，被乳头状微毛。瘦果圆柱形，淡黄色，无毛，具肋；冠毛白色。

花期 7 ~ 8 月，果期 9 月。

| **生境分布** | 生于山坡林下、林缘、沟谷。分布于吉林延边（安图、和龙、延吉、珲春、汪清、敦化）、白山（长白、抚松）、通化（通化、柳河）等。

| **资源情况** | 野生资源较丰富。药材主要来源于野生。

| **采收加工** | 夏、秋季采收，除去泥土及杂质，晒干。

| **药材性状** | 本品根茎细长，长短不一，有纤维状须根。茎表面具纵槽棱，无毛。叶片肾形、披针形，叶柄细，较小。头状花序，花序梗纤细，被柔毛；总苞圆柱形，紫色、紫绿色至绿色，总苞片 5，长圆形，外面近无毛。瘦果圆柱形，淡黄色，无毛；冠毛白色。气微，味苦。

| **功能主治** | 祛风除湿，舒筋活血。用于风湿痹证，筋脉拘挛。

菊科 Compositae 蟹甲草属 Parasenecio

大叶蟹甲草 *Parasenecio firmus* (Komar.) Y. L. Chen

| 植物别名 | 疗毒草。

| 药 材 名 | 大叶蟹甲草（药用部位：全草。别名：疗毒草）。

| 形态特征 | 多年生草本，高达 2m。茎粗壮，直立，圆柱形，具明显纵条棱，无毛。基生叶大型，具长柄，叶片圆形、圆心形，先端尖，基部心形，掌状中裂，裂片 11 ~ 15，三角状卵形，急尖，边缘具不规则的具小尖的锯齿，上面绿色，无毛，下面淡绿色，叶脉网状，沿脉被细柔毛，叶柄粗，被卷柔毛；茎生叶小或较小，卵状三角形或卵状长圆形，具短柄，叶柄基部扩大而抱茎。头状花序多数在茎端排列成宽总状圆锥花序；花序梗短粗，基部有线形苞片，花序轴和花序梗被黄褐色短柔毛；总苞圆柱形，总苞片 5，线状披针形，先端钝或

大叶蟹甲草

稍尖，边缘干膜质，外面被疏短微毛或近无毛；花冠黄色，管部细，檐部狭筒状，裂片披针形；花药伸出花冠，基部尾状尖；花柱分枝外卷，先端截形，有毛笔状乳头状毛。瘦果圆柱形，黄褐色，无毛，具肋；冠毛白色或污白色。花期 8 ~ 9 月，果期 10 月。

| 生境分布 | 生于密林下、林缘或林中空地，常成片生长。分布于吉林通化（通化）、白山（抚松、临江、靖宇）等。

| 资源情况 | 野生资源较丰富。药材主要来源于野生。

| 采收加工 | 夏、秋季采收，除去泥土及杂质，晒干。

| 功能主治 | 解毒，消肿，利水。用于伤口化脓，小便不利。

山尖子

Parasenecio hastatus (L.) H. Koyama

山尖子

| 植物别名 |

戟叶兔儿伞、山尖菜、铧尖子。

| 药 材 名 |

山尖菜（药用部位：全草）。

| 形态特征 |

多年生草本，高 40 ～ 150cm。根茎平卧，有多数纤维状须根。茎直立，不分枝，具纵沟棱，下部无毛或近无毛，上部密被腺状短柔毛。下部叶在花期枯萎凋落；中部叶三角状戟形，先端急尖或渐尖，基部戟形或微心形，沿叶柄下延成具狭翅的叶柄，叶柄较长，基部不扩大，边缘具不规则的细尖齿；上部叶渐小；最上部叶和苞片披针形至线形。头状花序多数，下垂，在茎端和上部叶腋排列成塔状狭圆锥花序；花序梗被密腺状短柔毛；总苞圆柱形，总苞片 7 ～ 8，线形或披针形，先端尖，外面被密腺状短毛，基部有 2 ～ 4 钻形小苞片；小花多数，花冠淡白色，管部短，檐部窄钟状，裂片披针形，渐尖；花药伸出花冠，基部具长尾，花柱分枝细长，外弯，先端截形，被乳头状微毛。瘦果圆柱形，淡褐色，无毛，具肋；冠毛白色，与瘦果等长或短

于瘦果。花期 7 ~ 8 月，果期 8 ~ 9 月。

| **生境分布** | 生于山坡、林下、林缘、草地、灌丛中。以长白山区为主要分布区域，分布于吉林延边、白山、通化、吉林、辽源（东丰）等。

| **资源情况** | 野生资源较丰富。药材主要来源于野生。

| **采收加工** | 夏、秋季采收，鲜用或切段阴干。

| **药材性状** | 本品茎粗壮，上部密生腺状短柔毛。下部叶枯萎，上部、中部叶三角状戟形，基部截形或微心形，下延成上部有狭翅的叶柄；基生叶不抱茎，叶缘具不规则的尖齿。总苞筒状，总苞片狭长圆形或披针形，密生腺状短毛；花筒状，淡白色。气微，味淡。

| **功能主治** | 辛，温。解毒，消肿，利水。用于伤口化脓，小便不利。

| **用法用量** | 内服煎汤，5 ~ 10g。外用适量，煎汤洗；或捣敷。

| **附　　注** | 本种在长白山区山野菜市场有售。民间认为本种有毒，食用时需谨慎。

菊科 Compositae 蜂斗菜属 Petasites

蜂斗菜

Petasites japonicus (Sieb. et Zucc.) Maxim.

| **植物别名** | 蛇头草、水钟流头、蜂斗叶。

| **药 材 名** | 蜂斗菜（药用部位：根茎）。

| **形态特征** | 多年生草本。根茎平卧，有地下匍枝，具膜质卵形鳞片，颈部有多数纤维状根，雌雄异株。雄株花茎在花后高 10 ~ 30cm，不分枝，被密或疏褐色短柔毛，基部直径达 7 ~ 10mm。基生叶具长柄，叶片圆形或肾状圆形，长、宽均为 15 ~ 30cm，不分裂，边缘有细齿，基部深心形，上面绿色，幼时被卷柔毛，下面被蛛丝状毛，后脱落，纸质；苞叶长圆形或卵状长圆形，长 3 ~ 8cm，钝而具平行脉，薄质，紧贴花葶。头状花序多数（25 ~ 30），在上端密集成密伞房状，有同形小花；总苞筒状，长 6mm，宽 7 ~ 8（~ 10）mm，基部有披

蜂斗菜

针形苞片，总苞片 2 层，近等长，狭长圆形，先端圆钝，无毛；全部小花管状，两性，不结实；花冠白色，长 7 ～ 7.5mm，管部长 4.5mm；花药基部钝，有宽长圆形的附片；花柱棒状增粗，近上端具小环，先端锥状 2 浅裂。雌性花葶高 15 ～ 20cm，有密苞片，在花后常伸长，高近 70cm；密伞房状花序花后排成总状，稀下部有分枝；头状花序具异形小花；雌花多数，花冠丝状，长 6.5mm，先端斜截形；花柱明显伸出花冠，先端头状，2 浅裂，被乳头状毛。瘦果圆柱形，长 3.5mm，无毛；冠毛白色，长约 12mm，细糙毛状。花期 4 ～ 5 月，果期 6 月。

| **生境分布** | 生于向阳山坡林下、草地、溪谷旁、潮湿草丛中。分布于吉林延边、白山、通化等。

| **资源情况** | 野生资源较少。药材主要来源于野生。

| **采收加工** | 夏、秋季采挖，洗净，鲜用或晒干。

| **功能主治** | 苦、辛，凉。清热解毒，散瘀消肿。用于咽喉肿痛，痈肿疔毒，毒蛇咬伤，跌打损伤。

| **用法用量** | 内服煎汤，9 ～ 15g。外用适量，鲜品捣敷；或煎汤含漱。

菊科 Compositae 蜂斗菜属 Petasites

长白蜂斗菜 Petasites rubellus (J. F. Gemel.) Toman

长白蜂斗菜

| 植物别名 |

长白蜂斗叶。

| 药 材 名 |

长白蜂斗菜（药用部位：全草）。

| 形态特征 |

多年生草本，高 5 ~ 25cm。根茎细长，平卧，有长纤维状根。茎单生，直立，不分枝，上部被蛛丝状毛。基生叶小，叶片肾形或肾状心形，先端圆形，基部微心形，边缘有具小尖头的波状粗齿，上面及沿脉被短粗毛，下面沿脉疏被卷柔毛，厚纸质，叶柄较长，密被卷柔毛，基部稍扩大；茎生叶鳞片状，抱茎，卵状披针形，具平行脉，无毛，边缘具白色短缘毛；向上部叶渐小。头状花序排成伞房状，具较长、纤细的花序梗，具线形小苞片；总苞倒锥状，总苞片 2 层，近等长；雌花花冠白色，线形，先端具短舌片与 2 ~ 3 细齿；两性花少数，不结果，花冠黄色，管部短，无毛，檐部钟状，5 齿裂，裂片卵状长圆形，尖；花柱基部 2 浅裂，钝，花柱分枝棒状，先端尖，被微毛。瘦果长圆形，先端截形，基部收缩，无毛；冠毛白色。花期 5 ~ 6 月，果期 6 ~ 7 月。

| **生境分布** | 生于山坡、长白山高山苔原带或亚高山岳桦林、针叶林、针阔叶混交林林下、林缘等。分布于吉林白山（长白、抚松）、延边（安图）等。 |

| **资源情况** | 野生资源较少。药材主要来源于野生。 |

| **采收加工** | 夏、秋季采收，除去泥土及杂质，晒干。 |

| **药材性状** | 本品根茎细长，有长纤维状根。茎单生，不分枝，被蛛丝状毛。叶片肾形或肾状心形，先端圆形，基部微心形，厚纸质，无毛，边缘具白色短缘毛，向上部叶渐小。头状花序排成伞房状，具较长、纤细的花序梗，具线形小苞片；总苞倒锥状，总苞片2层，近等长。瘦果长圆形，先端截形，基部收缩，无毛；冠毛白色。气微，味微苦。 |

| **功能主治** | 祛风，除湿，止痛。用于风湿腰腿痛。 |

菊科 Compositae 毛连菜属 Picris

日本毛连菜 *Picris japonica* Thunb.

日本毛连菜

| 植物别名 |

兴安毛连菜、山黄烟、黏叶草。

| 药 材 名 |

日本毛连菜（药用部位：全草）。

| 形态特征 |

多年生草本，高 30 ～ 120cm。根直伸，侧根少。茎直立，有纵沟纹，基部有时稍带紫红色，全部茎枝被稠密或稀疏的黑绿色钩状硬毛。基生叶花期枯萎，脱落；下部茎生叶椭圆状披针形或椭圆状倒披针形，先端钝、急尖或渐尖，基部渐狭成有翼的长或短柄，边缘有细尖齿、钝齿或呈浅波状，两面被分叉的钩状硬毛；中部茎生叶披针形，无柄，基部稍抱茎，两面被分叉的钩状硬毛；上部茎生叶渐小，线状披针形，具与中下部茎生叶相同的钩状硬毛。头状花序多数，在茎枝先端排成伞房花序或伞房圆锥花序，有线形苞叶；总苞圆柱状钟形，总苞片 3 层，黑绿色，全部总苞片外面被黑色或近黑色的硬毛；舌状小花黄色，舌片基部被稀疏的短柔毛。瘦果椭圆状，棕褐色，有高起的纵肋，肋上及肋间有横皱纹；冠毛污白色，外层极短，糙毛状，内层长，

羽毛状。花期 7 ~ 8 月,果期 8 ~ 9 月。

| **生境分布** | 生于灌丛、山坡、草地、沟边、河边、林缘、林下、林间荒地、田边或高山草甸、河岸、路旁、村屯附近,常成片生长。吉林各地均有分布。

| **资源情况** | 野生资源较丰富。药材主要来源于野生。

| **采收加工** | 夏、秋季节采收,除去杂质,晒干。

| **药材性状** | 本品根粗壮,圆锥形,侧根少。茎有纵沟纹。叶椭圆状披针形或椭圆状倒披针形,两面被分叉的钩状硬毛。头状花序呈伞房圆锥形,有线形苞叶;总苞圆柱状钟形,总苞片黑绿色。瘦果椭圆状,棕褐色,有高起的纵肋,肋上及肋间有横皱纹;冠毛污白色。气微,味微苦。

| **功能主治** | 苦、涩,寒。收敛止泻,清热,消肿,止痛。用于流行性感冒,乳痈,肠炎,痢疾,久泻不止。

菊科 Compositae 福王草属 Prenanthes

福王草 *Prenanthes tatarinowii* Maxim.

福王草

| 植物别名 |

盘果菊。

| 药 材 名 |

盘果菊（药用部位：全草）。

| 形态特征 |

多年生草本，高 50 ~ 150cm。茎直立，单生，下部稍带紫色，上部绿色，多不分枝，无毛。中下部茎生叶不裂，叶片心形或卵状心形，有长柄，全缘或有不等大的三角状锯齿，齿顶及齿缘有小尖头；或呈大头羽状全裂，有长柄，顶裂片卵状心形、心形、戟状心形或三角状戟形，先端长或短渐尖，基部心形、几心形或戟形，边缘有不等大的三角状锯齿，齿顶及齿缘有小尖头，侧裂片通常 1 对，少为 2 ~ 3 对，椭圆形、卵状披针形、偏斜卵形或耳状，边缘有小尖头。向上的茎生叶渐小，与中下部茎生叶同形并等样分裂或呈宽三角状卵形、线状披针形、几菱形等，但不裂，有短柄。全部叶两面被短刚毛。头状花序多数，沿茎枝排成圆锥状花序；总苞狭圆柱状，总苞片 3 层，内层最长，5，外面被短卷毛；舌状小花紫色、粉红色，极少为白色或黄色。瘦果紫褐色，先端截形，无喙，有

5 高起的纵肋；冠毛 2 ~ 3 层。花期 8 ~ 9 月，果期 9 ~ 10 月。

│ 生境分布 │

生于山谷、山坡林缘、林下、草地或水旁潮湿地。以长白山区为主要分布区域，分布于吉林延边、白山、通化、吉林、辽源（东丰）等。

│ 资源情况 │

野生资源较丰富。药材主要来源于野生。

│ 采收加工 │

夏、秋季采收，除去杂质，晒干。

│ 药材性状 │

本品茎单生，无毛。叶片心形或卵状心形，有长柄，全缘，两面被短刚毛。头状花序排成圆锥状花序；总苞狭圆柱状，总苞片 3 层，外面被短卷毛；舌状小花紫色、粉红色。瘦果紫褐色，先端截形，无喙，有 5 高起的纵肋。味苦。

│ 功能主治 │

解毒，止血。用于出血。

菊科 Compositae 翅果菊属 Pterocypsela

翅果菊
Pterocypsela indica (L.) Shih

翅果菊

| 植物别名 |

山莴苣、山苦荬、燕尾菜。

| 药材名 |

翅果菊（药用部位：全草）。

| 形态特征 |

一年生或二年生草本，高 40～200cm。根垂直直伸，生多数须根。茎直立，单生，上部圆锥状或总状圆锥状分枝，全部茎枝无毛。全部茎生叶线形，中部茎生叶大部全缘或仅基部或中部以下两侧边缘有小尖头、稀疏细锯齿或尖齿；或全部茎生叶线状长椭圆形、长椭圆形或倒披针状长椭圆形，中下部茎生叶几全缘或有稀疏的尖齿；或全部茎生叶椭圆形，中上部茎生叶边缘有三角形锯齿或偏斜卵状大齿；全部茎生叶先端长渐急尖或渐尖，基部楔形渐狭，无柄，两面无毛。头状花序果期卵球形，多数沿茎枝先端排成圆锥花序或总状圆锥花序；总苞片 4 层，外层卵形或长卵形，先端急尖或钝，中内层长披针形或线状披针形，先端钝或圆形，全部苞片边缘染紫红色；舌状小花数十枚，黄色。瘦果椭圆形，黑色，压扁，边缘有宽翅，先端急尖或渐尖成喙，每面有 1 细纵脉纹；冠毛

2 层，白色，几单毛状。花期 7 ～ 8 月，果期 8 ～ 9 月。

| **生境分布** | 生于林缘、荒地、山坡、灌丛、田间或路旁草丛中。吉林各地均有分布。

| **资源情况** | 野生资源较丰富。药材主要来源于野生。

| **采收加工** | 7 ～ 9 月采收，除去杂质，晒干。

| **药材性状** | 本品根粗壮，圆锥形，多须根。茎单生，分枝，无毛。叶线形、线状长椭圆形、长椭圆形或倒披针状长椭圆形，无柄，两面无毛。头状花序，外层总苞片卵形或长卵形，苞片边缘紫红色。瘦果椭圆形，黑色，压扁，边缘有宽翅，先端急尖或渐尖成喙，每面有 1 细纵脉纹；冠毛 2 层，白色。气微，味微苦。

| **功能主治** | 微苦，寒；有小毒。清热解毒，活血祛瘀，利湿排脓。用于阑尾炎，痢疾，肠炎，肝炎，结膜炎，产后瘀血腹痛，痈肿疔疮。

| **用法用量** | 内服煎汤，9 ～ 15g。外用适量，鲜品捣敷。

| **附　　注** | （1）在 FOC 中，本种的拉丁学名被修订为 *Lactuca indica* Linnaeus。
（2）本种的幼苗可生食或加工成炝拌菜。

菊科 Compositae 翅果菊属 Pterocypsela

毛脉翅果菊

Pterocypsela raddeana (Maxim.) Shih

毛脉翅果菊

| 植物别名 |

毛脉山莴苣、苦菜。

| 药 材 名 |

山苦菜（药用部位：全草。别名：野苦麻、高莴苣、剪刀划）。

| 形态特征 |

二年生草本，高 65 ~ 120cm，全株具乳汁。茎淡红色，常密被狭膜片状毛，上部无毛。叶互生，茎下部叶叶柄长，上部叶叶柄渐短，有翅；叶片卵形、椭圆形或三角状长卵形，大头羽状全裂或深裂，边缘有不等大齿缺，下面沿脉有较多的膜片状毛。头状花序圆柱状，直径约 1cm，有 9 ~ 10 小花，多个头状花序在茎枝先端排成窄圆锥花序，全为舌状花，黄色；总苞片 3 ~ 4 层。瘦果倒卵形，压扁，每面有 5 ~ 6 高起的纵肋，有宽边，果颈喙部极短；冠毛白色，粗糙。花果期 8 ~ 11 月。

| 生境分布 |

生于林下、灌丛或平原草地。分布于吉林延边（汪清）等。

| **资源情况** | 野生资源较少。药材主要来源于野生。

| **采收加工** | 夏、秋季采收，切段，鲜用或晒干。

| **功能主治** | 苦，寒。清热解毒，祛风除湿，镇痛。用于风湿关节痛，疮疡肿毒，毒蛇咬伤。

| **用法用量** | 内服煎汤，15 ～ 30g。外用适量，捣膏。

| **附　注** | 在 FOC 中，本种的拉丁学名被修订为 *Lactuca raddeana* Maximowicz。

菊科 Compositae 翅果菊属 Pterocypsela

翼柄翅果菊

Pterocypsela triangulata (Maxim.) Shih

翼柄翅果菊

| 植物别名 |

翼柄山莴苣。

| 药 材 名 |

翼柄翅果菊（药用部位：根）。

| 形态特征 |

二年生或多年生草本，高 60 ～ 120cm。根有粗壮分枝。茎直立，单生，通常紫红色，上部多分枝，无毛。叶上面绿色，下面淡绿色，下部茎生叶早落；中部茎生叶三角状戟形、宽卵形、宽卵状心形，边缘有大小不等的三角形锯齿，叶柄有狭或宽翼，柄基扩大或稍扩大，耳状半抱茎；向上的茎生叶渐小，与中下部茎生叶同形或呈椭圆形、菱形，基部楔形或宽楔形渐狭成短翼柄，柄基耳状或箭头状扩大半抱茎；全部叶两面无毛。头状花序多数，在茎、枝先端排列成圆锥花序；总苞果期卵球形，总苞片 4 层，外层长三角形或三角状披针形，先端急尖，中内层披针形或线状披针形，先端钝或急尖，通常染红紫色或边缘染红紫色；舌状小花 16，黄色。瘦果黑色或黑棕色，椭圆形，压扁，边缘有宽翅，每面有 1 高起的细脉纹，先端急尖成粗短的喙；冠毛 2 层，几单毛状，白色。

花期 8 ~ 9 月，果期 9 ~ 10 月。

| **生境分布** | 生于林缘、荒地、山坡、灌丛、田间、路旁草丛中。以长白山区为主要分布区域，分布于吉林延边、白山、通化、长春、吉林、辽源（东丰）等。

| **资源情况** | 野生资源较丰富。药材主要来源于野生。

| **采收加工** | 夏、秋季采挖，除去杂质，晒干。

| **功能主治** | 苦，寒。清热解毒，活血祛瘀，消炎止血，健脾和胃，润肠通便。用于宫颈炎，子宫出血，痈肿疮毒，疣，脾胃不和，脘腹不适，食减纳呆，大便溏稀，津枯肠燥，便秘。

| **附   注** | （1）在 FOC 中，本种的拉丁学名被修订为 *Lactuca triangulata* Maximowicz。
（2）本种的幼苗可生食或加工成炝拌菜。

菊科 Compositae 金光菊属 Rudbeckia

黑心金光菊 *Rudbeckia hirta* L.

| **植物别名** | 黑心菊、黑眼菊。

| **药 材 名** | 黑心金光菊（药用部位：花序）。

| **形态特征** | 一年生或二年生草本，高 30 ~ 100cm。茎不分枝或上部分枝，全
株被粗刺毛。下部叶长卵圆形、长圆形或匙形，先端尖或渐尖，基
部楔状下延，有三出脉，边缘有细锯齿，有具翅的柄；上部叶长圆
状披针形，先端渐尖，全缘或有细至粗疏锯齿，无柄或具短柄，两
面被白色密刺毛。头状花序，有长花序梗；总苞片 2 层，外层长圆
形，内层较短，披针状线形，先端钝，全部被白色刺毛；花托圆锥
形；托片线形，对折成龙骨瓣状，边缘有纤毛；边花 1 层，雌性，
花冠舌状，鲜黄色，舌片长圆形，先端有 2 ~ 3 不整齐短齿；中央

黑心金光菊

花多数，管状，两性，暗褐色或暗紫色。瘦果四棱形，黑褐色，无冠毛。花期7～8月，果期8～9月。

| 生境分布 | 生于林缘、路旁、荒地、农田或住宅附近，常成片生长。吉林各地均有分布。已从人工种植逸为野生，成为新的归化植物。吉林各地均有栽培，用于庭园栽培供观赏、乡村环境美化、园林花海建设。

| 资源情况 | 野生资源较少。吉林广泛栽培。药材主要来源于栽培。

| 采收加工 | 夏、秋季花开时采摘，阴干。

| 药材性状 | 本品为头状花序，有长花序梗。总苞片2层，外层长圆形；内层较短，披针状线形，先端钝，全部被白色刺毛。花托圆锥形；托片线形，对折成龙骨瓣状，边缘有纤毛。边花1层，雌性，花冠舌状，鲜黄色；舌片长圆形，先端有2～3不整齐短齿。中央管状花多数，暗褐色或暗紫色。气微，味淡。

| 功能主治 | 清热解毒。用于痈肿疮毒。

菊科 Compositae 金光菊属 Rudbeckia

金光菊 *Rudbeckia laciniata* L.

金光菊

| 植物别名 |

黑眼菊。

| 药 材 名 |

金光菊（药用部位：根、叶、花序。别名：太阳菊）。

| 形态特征 |

多年生草本，高 50 ～ 200cm。茎上部有分枝，无毛或稍有短糙毛。叶互生，无毛或被疏短毛；下部叶具叶柄，不分裂或羽状 5 ～ 7 深裂，裂片长圆状披针形，先端尖，边缘浅裂或具不等的疏锯齿；中部叶 3 ～ 5 深裂；上部叶不分裂，卵形，先端尖，全缘或有少数粗齿，背面边缘被短糙毛。头状花序单生枝端，具长花序梗；总苞半球形，总苞片 2 层，长圆形，上端尖，稍弯曲，被短毛；花托球形；托片先端截形，被毛，与瘦果等长；舌状花金黄色，舌片倒披针形，长约为总苞片的 2 倍，先端具 2 短齿；管状花黄色或黄绿色。瘦果无毛，压扁，稍有 4 棱，先端有具 4 齿的小冠。花期 8 ～ 9 月，果期 9 ～ 10 月。

| **生境分布** | 生于山林路旁、房前屋后、农田等。分布于吉林松原（前郭尔罗斯）等。吉林各地栽培于庭院、园林、街道。

| **资源情况** | 野生资源稀少。吉林广泛栽培。药材主要来源于栽培。

| **采收加工** | 春、秋季采挖根，除去残茎及须根，洗净泥土，晒干。夏季采摘叶，鲜用或晒干。夏、秋季花开时采摘花序，除去杂质，阴干。

| **功能主治** | 根、叶，清热解毒。用于跌打损伤，痈疮，急性胃肠炎，吐泻，腹痛，里急后重。花序，调经止血，消肿止痛。用于带下，感冒咳嗽，头痛，目赤红痛，咽喉痛，疔疮。

| **用法用量** | 根、叶，内服煎汤，9 ~ 12g。外用适量，鲜叶捣敷。花序，内服煎汤，3 ~ 6g。

菊科 Compositae 风毛菊属 Saussurea

草地风毛菊 *Saussurea amara* (L.) DC.

草地风毛菊

| 植物别名 |

驴耳风毛菊。

| 药 材 名 |

驴耳风毛菊（药用部位：全草。别名：狗舌头、驴耳朵、风毛菊）。

| 形态特征 |

多年生草本，高 15 ~ 60cm。根茎粗壮。茎直立，无翼，被白色稀疏的短柔毛或通常无毛，分枝或不分枝。基生叶与下部茎生叶有长或短柄，叶片披针状长椭圆形或椭圆形，先端渐尖，基部楔形，通常全缘或有波状齿；中上部茎生叶渐小，有短柄或无柄，椭圆形或披针形，基部有时有小耳；全部叶两面绿色，下面色淡，有金黄色腺点。头状花序在茎、枝先端排成伞房状或伞房圆锥花序；总苞钟状或圆柱形，总苞片 4 层，外层披针形或卵状披针形，先端急尖，有时黑绿色，有细齿或 3 裂，被稀疏的短柔毛，中层与内层线状长椭圆形或线形，先端有淡紫红色而边缘有小锯齿的扩大的圆形附片，全部苞片外面绿色或淡绿色，有金黄色腺点或无腺点；小花淡紫色。瘦果有 4 肋；冠毛白色，2 层，外层短，糙毛状，内层长，

羽毛状。花期 8 ~ 9 月，果期 9 ~ 10 月。

| **生境分布** | 生于湿地、沙地、草原、田间地头、荒地、路边、山坡、河堤、水边等。分布于吉林白城（镇赉、通榆）、松原（扶余、长岭）、四平（双辽）、吉林（蛟河）、延边（和龙）、长春、白山等。

| **资源情况** | 野生资源较丰富。药材主要来源于野生。

| **采收加工** | 夏、秋季采收，鲜用或晒干。

| **药材性状** | 本品皱缩，呈浅绿色。茎无翼，被白色稀疏的短柔毛或通常无毛。叶破碎不全，完整者呈披针状长椭圆形或椭圆形，先端渐尖，基部楔形，通常全缘或有波状齿；中上部茎生叶渐小，椭圆形或披针形；全部叶两面绿色，下面色淡，有金黄色腺点。头状花序残留于枝端；总苞钟状或圆柱形，外层披针形或卵状披针形，先端急尖，有细齿或 3 裂，被稀疏的短柔毛，中层与内层线状长椭圆形或线形，全部苞片外面绿色或淡绿色；小花淡紫色。气微，味淡。

| **功能主治** | 苦，寒。清热解毒，消肿。外用于淋巴结结核，腮腺炎，疖肿。

| **用法用量** | 外用适量，捣敷；或熬膏敷。

菊科 Compositae 风毛菊属 Saussurea

龙江风毛菊 *Saussurea amurensis* Turcz.

| **植物别名** | 东北燕尾风毛菊。

| **药 材 名** | 龙江风毛菊（药用部位：根、花序）。

| **形态特征** | 多年生草本，高 40 ~ 100cm。根茎细长。茎直立，被蛛丝毛或几
无毛。叶沿茎下延成狭翼，基生叶基部楔形渐狭，有长柄，叶片宽
披针形、长椭圆形或卵形，先端渐尖，边缘有稀疏的细齿；下部与
中部茎生叶基部楔形渐狭成短柄，叶片披针形或线状披针形，先端
渐尖，边缘有细锯齿；上部茎生叶无柄，渐小，线状披针形或线形，
全缘；全部叶上面绿色，无毛，下面白色，被稠密的白色蛛丝状绵毛。
头状花序多数，在茎枝先端排列成紧密的伞房花序；总苞钟状，总
苞片 4 ~ 5 层，被绵状长柔毛，外层卵形，暗紫色，先端渐尖或急尖，

龙江风毛菊

中层长椭圆形，先端急尖或稍钝，内层披针形或长圆状披针形，先端稍钝；小花粉紫色，管部细、短。瘦果圆柱状，褐色，无毛；冠毛 2 层，污白色，外层短，糙毛状，内层长，羽毛状。花期 7 ~ 8 月，果期 8 ~ 9 月。

| **生境分布** | 生于草甸等。分布于吉林白山（长白、抚松、靖宇、临江）、延边（安图、敦化、汪清）、吉林（蛟河）、通化（柳河、辉南）、白城（洮南）等。

| **资源情况** | 野生资源稀少。药材主要来源于野生。

| **采收加工** | 秋季采挖根，除去杂质，洗净，晒干。夏、秋季花盛开时采摘花序，除去杂质，阴干。

| **功能主治** | 苦，寒。清热燥湿，泻火解毒，杀虫。用于湿热带下，口舌生疮，牙龈肿痛。

| **用法用量** | 内服煎汤，6 ~ 15g。外用适量，煎汤含漱。

菊科 Compositae 风毛菊属 Saussurea

风毛菊 *Saussurea japonica* (Thunb.) DC.

| **植物别名** | 日本风毛菊。

| **药 材 名** | 风毛菊（药用部位：全草）。

| **形态特征** | 二年生草本，高 50 ~ 150cm。根倒圆锥状或纺锤形，黑褐色，须根多数。茎直立，通常无翼，被稀疏的短柔毛及金黄色的小腺点。基生叶与下部茎生叶有叶柄，柄上有狭翼，叶片羽状深裂，侧裂片 7 ~ 8 对，中部的侧裂片较大，两端的侧裂片较小；中部茎生叶与基生叶及下部茎生叶同形并等样分裂，但渐小，有短柄；上部茎生叶与花序分枝上的叶更小，羽状浅裂或不裂，无柄；全部叶两面同色，绿色，下面色淡，两面有稠密的凹陷性的淡黄色小腺点。头状花序多数，在茎枝先端排成伞房状或伞房圆锥花序，有小花梗；总苞圆柱

风毛菊

状，被白色稀疏的蛛丝状毛，总苞片 6 层，外层长卵形，先端微扩大，紫红色，中层与内层倒披针形或线形，先端有扁圆形的紫红色膜质附片，附片边缘有锯齿；小花紫色。瘦果深褐色，圆柱形；冠毛白色，2 层，外层短，糙毛状，内层长，羽毛状。花期 8 ~ 9 月，果期 9 ~ 10 月。

| 生境分布 |　生于林缘、荒地、山坡、路旁，常成片生长。以长白山区为主要分布区域，分布于吉林延边、白山、通化、长春、吉林、辽源（东丰）、白城（洮北、洮南）等。

| 资源情况 |　野生资源较少。药材主要来源于野生。

| 采收加工 |　夏、秋季采收，除去杂质，切段，鲜用或晒干。

| 功能主治 |　苦、辛，温。祛风活血，散瘀止痛。用于风湿痹痛，关节炎，腰腿痛，跌打损伤，麻风，人工流产。

| 用法用量 |　内服煎汤，9 ~ 15g；或泡酒服。

菊科 Compositae 风毛菊属 Saussurea

东北风毛菊 *Saussurea manshurica* Kom.

东北风毛菊

| 药材名 |

东北风毛菊（药用部位：全草）。

| 形态特征 |

多年生草本，高 50 ~ 100cm。根茎匍匐。茎直立，有细条纹，无毛，上部有圆锥花序状分枝。基生叶花期脱落，叶片三角状戟形，少为卵形或长圆形，基部心形或楔形，少为截形，先端渐尖或急尖，边缘具波状浅锯齿或带小尖头的锯齿，两面绿色，无毛，有长叶柄；中下部茎生叶与基生叶同形，但渐小；上部茎生叶更小，无柄，披针形或长圆形；全部叶质地薄，纸质。头状花序多数，在茎枝先端排成圆锥状花序；总苞圆柱状，总苞片 5 ~ 7 层，无毛，外层宽卵形或卵形，中层宽披针形至长椭圆形，内层长圆形，全部苞片先端暗紫色、钝，不反折；小花紫色。瘦果圆柱状，褐色，无毛；冠毛淡褐色，2 层，外层短，糙毛状，内层长，羽毛状。花期 7 ~ 8 月，果期 8 ~ 9 月。

| 生境分布 |

生于山坡、林下、山顶草甸、针阔叶混交林、杂木林及岩石上等。以长白山区为主要分布区域，分布于吉林延边、白山、通化、吉林、辽源（东丰）等。

| **资源情况** | 野生资源较丰富。药材主要来源于野生。

| **采收加工** | 夏、秋季采收，鲜用或晒干。

| **药材性状** | 本品皱缩，呈浅绿色。茎有细条纹，无毛，上部有圆锥花序状分枝。叶破碎不全，完整者叶片三角状戟形，基部心形或楔形，少为截形，先端渐尖或急尖，边缘具波状浅锯齿或带小尖头的锯齿，两面绿色，无毛，有长叶柄；上部茎生叶更小，无柄，披针形或长圆形。头状花序残留于枝端，总苞先端暗紫色。气微，味淡。

| **功能主治** | 祛风湿，止痹痛。用于风湿痹痛。

菊科 Compositae 风毛菊属 *Saussurea*

羽叶风毛菊 *Saussurea maximowiczii* Herd.

| **药 材 名** | 羽叶风毛菊（药用部位：全草）。

| **形态特征** | 多年生草本，高 50 ~ 100cm。根茎粗厚，密生须根。茎直立，单生，基部直径达 7mm，上部伞房花序状分枝，全部茎枝无毛。基生叶与下部茎生叶有长叶柄，柄长 5 ~ 13cm，叶片长圆形，长 15 ~ 22cm，宽 7 ~ 10cm，羽状全裂或深裂，侧裂片 4 ~ 6 对，倒披针形、长椭圆形或宽线形，先端急尖或渐尖，有小尖头，几全缘或有稀疏的小锯齿或基部仅一侧边缘有 1 偏斜三角形大锯齿，全部锯齿先端有软骨质小尖头，顶裂片线状披针形或椭圆形，全缘或少锯齿，先端急尖或渐尖，有小尖头；中部茎生叶与基生叶及下部茎生叶同形并等样分裂，但渐小；上部茎生叶更小，无柄，线形，不裂；

羽叶风毛菊

全部叶质地厚，两面绿色，无毛。头状花序多数，在茎枝先端排成伞房状花序；总苞圆柱状，直径 6mm，总苞片 7 层，外层卵形，长 3.5mm，宽 2mm，先端急尖，有小尖头，中层长圆形，长 7mm，宽 2mm，先端稍钝，有小尖头，内层长椭圆形，长 9 ~ 11mm，宽 1.5mm，先端钝，全部总苞片上部外面及先端被白色微柔毛；小花紫色，长 1.1cm，细管部长 6mm，檐部长 5mm。瘦果长倒圆锥状，长 7mm，淡黄色，无毛，有钝肋；冠毛白色，2 层，外层短，糙毛状，长 2mm，内层长，羽毛状，长 1cm。花果期 8 ~ 10 月。

| 生境分布 | 生于林缘、林下等。分布于吉林延边、白山、通化等。

| 资源情况 | 野生资源较丰富。药材主要来源于野生。

| 采收加工 | 夏、秋季采收，晒干。

| 功能主治 | 祛风湿，止痹痛。用于风湿痹痛。

菊科 Compositae 风毛菊属 Saussurea

齿叶风毛菊
Saussurea neoserrata Nakai

齿叶风毛菊

| 植物别名 |

东北燕尾风毛菊。

| 药 材 名 |

齿叶风毛菊（药用部位：全草）。

| 形态特征 |

多年生草本，高 30 ~ 100cm。根茎横走。茎直立，有棱，具狭翼，下部被稀疏长柔毛，单生，上部有伞房状分枝。基生叶花期凋落；中下部茎生叶椭圆形或椭圆状披针形，先端渐尖，基部渐狭成翼柄，边缘有锯齿，齿顶有小尖头，上面绿色，无毛，下面浅绿色，被稀疏乳头状柔毛，边缘有糙硬毛；上部茎生叶披针形或线状披针形。头状花序多数，在茎枝先端密集排列成伞房花序，有短花序梗；总苞钟状，总苞片 4 ~ 5 层，绿色或先端稍带黑紫色，无毛或被微毛，外层卵形，先端钝，内层线状长圆形，先端钝；小花紫色或淡紫色，细管部短，檐部短。瘦果圆柱形，有棱；冠毛 2 层，淡褐色，外层短，糙毛状，内层长，羽毛状。花期 8 ~ 9 月，果期 9 ~ 10 月。

| 生境分布 | 生于林下、灌丛、落叶松林林缘及林间草甸。以长白山区为主要分布区域，分布于吉林延边、白山、通化、吉林、辽源（东丰）等。 |

| 资源情况 | 野生资源较丰富。药材主要来源于野生。 |

| 采收加工 | 夏、秋季采收，鲜用或晒干。 |

| 药材性状 | 本品皱缩，呈灰绿色。茎棱形，具狭翼，下部被稀疏长柔毛，单生，上部有伞房状分枝。叶破碎不全，完整中下部茎生叶椭圆形或椭圆状披针形，先端渐尖，基部渐狭成翼柄，边缘有锯齿，齿顶有小尖头，上面绿色，无毛，下面浅绿色，被稀疏乳头状柔毛，边缘有糙硬毛；上部茎生叶披针形或线状披针形。头状花序残留于枝端，总苞灰绿色或先端稍带黑紫色。气微，味淡。 |

| 功能主治 | 祛风活络，散瘀止痛。用于感冒，头痛，风湿痹痛，腰痛，跌打损伤。 |

齿苞风毛菊 *Saussurea odontolepis* Sch.-Bip. ex Herd.

| 药 材 名 | 齿苞风毛菊（药用部位：全草）。

| 形态特征 | 多年生草本，高 70cm。茎直立，单生，基部有淡褐色纤维状撕裂的叶柄残迹。基生叶及下部茎生叶花期脱落；中部茎生叶有长柄，叶片卵形、披针形或长椭圆形，羽状深裂或几全裂，侧裂片约 7 对，椭圆形或线状长椭圆形，先端急尖，有小尖头，全缘，顶裂片三角形，先端急尖；上部及最上部茎生叶与中部茎生叶同形并等样分裂，有叶柄；全部茎生叶两面绿色，上面粗糙，被稠密的短糙毛，下面无毛。头状花序小，在茎枝先端排成伞房花序；总苞卵状或卵状钟形，总苞片 4 ~ 5 层，外层草质，长椭圆形，先端急尖，有小尖头，边缘有栉齿，中层披针形或披针状椭圆形，先端急尖，有小尖头，

齿苞风毛菊

全缘或有栉齿，内层椭圆形，先端钝，全部苞片边缘及先端有绵毛；小花紫色，细管部短，檐部短。瘦果圆柱状，无毛；冠毛 2 层，白色，外层短，糙毛状，内层长，羽毛状。花期 8 月，果期 9 月。

| **生境分布** | 生于山坡、林下、林缘、灌丛、草地。分布于吉林长春（九台）、吉林（桦甸、蛟河）、通化（柳河）、白山（浑江、江源）等。

| **资源情况** | 野生资源较丰富。药材主要来源于野生。

| **采收加工** | 夏、秋季采收，鲜用或晒干。

| **药材性状** | 本品皱缩，呈淡绿色。茎有皱纹，基部有淡褐色纤维状撕裂的叶柄残迹。叶破碎不全，完整叶片卵形、披针形或长椭圆形，羽状深裂或几全裂，侧裂片约 7 对，椭圆形或线状长椭圆形，先端急尖，有小尖头，全缘，顶裂片三角形，先端急尖；叶两面绿色，上面粗糙，被稠密的短糙毛，下面无毛。头状花序小，残留于枝端；总苞卵状或卵状钟形，枯黄色。气微，味淡。

| **功能主治** | 祛风湿，止痹痛。用于风湿痹痛。

菊科 Compositae 风毛菊属 Saussurea

卵叶风毛菊 *Saussurea ovatifolia* Y. L. Chen et S. Y. Liang

| **植物别名** | 青藏风毛菊。

| **药材名** | 卵叶风毛菊（药用部位：全草）。

| **形态特征** | 多年生草本，高 35 ～ 120cm。根茎匍匐，粗厚。茎直立，被稀疏糙毛或几无毛，上部伞房花序状或圆锥花序状分枝。基生叶花期脱落；下部及中部茎生叶有叶柄，柄长 3 ～ 9cm，叶片心状卵形或三角形，长 8 ～ 20cm，宽 4 ～ 13cm，先端渐尖，基部浅心形或平截，边缘有粗锯齿，齿顶有小尖头；上部茎生叶渐小，有短叶柄或几无叶柄，叶片卵状三角形、卵状菱形或披针形，先端渐尖，基部楔形；全部叶质地坚硬，两面绿色，粗糙，被稀疏短糙毛。头状花序 3 ～ 18，在茎枝先端排列成伞房花序或圆锥花序；总苞钟状，直径 1.5cm，

卵叶风毛菊

总苞片 5 ~ 6 层，质地薄，外层及中层椭圆形，长 5 ~ 6mm，宽 2mm，先端钝或急尖，先端及边缘被白色蛛丝毛，内层线形，长 9mm，宽 1mm，先端急尖、有白色蛛丝毛；小花暗红色，长 1.3cm，细管部长 6mm，檐部长 7mm。瘦果稍弯曲，长 5mm；冠毛 2 层，白色，外层短，糙毛状，长 2mm，内层长，羽毛状，长 1cm。花果期 8 ~ 9 月。

| **生境分布** | 生于山坡、林下、林缘、山谷、草地。以长白山区为主要分布区域，分布于吉林延边、白山、通化、吉林、辽源（东丰）等。

| **资源情况** | 野生资源较丰富。药材主要来源于野生。

| **采收加工** | 夏、秋季采收，鲜用或晒干。

| **药材性状** | 本品皱缩，呈灰绿色。茎被稀疏糙毛或几无毛，上部伞房花序状或圆锥花序状分枝。叶破碎不全，完整者基生叶心状卵形或三角形，长 8 ~ 20cm，宽 4 ~ 13cm，先端渐尖，基部浅心形或平截，边缘有粗锯齿，齿顶有小尖头；上部茎生叶渐小，有短叶柄或无叶柄，叶片卵状三角形、卵状菱形或披针形，先端渐尖，基部楔形；全部叶质地坚硬，两面绿色，粗糙，被稀疏短糙毛。头状花序残留于枝端，总苞枯黄色。气微，味淡。

| **功能主治** | 祛风湿，止痹痛。用于风湿痹痛。

菊科 Compositae 风毛菊属 Saussurea

篦苞风毛菊 *Saussurea pectinata* Bunge

篦苞风毛菊

| 植物别名 |

羽苞风毛菊。

| 药 材 名 |

篦苞风毛菊（药用部位：全草）。

| 形态特征 |

多年生草本，高 20 ~ 100cm。根茎斜升，颈部被褐色纤维状撕裂的叶柄残迹。茎直立，有棱，下部被稀疏蛛丝毛，上部被短糙毛。基生叶花期枯萎；下部和中部茎生叶有长柄，叶片卵形、卵状披针形或椭圆形，羽状深裂，少为羽状浅裂，侧裂片 5 ~ 8 对，宽卵形、长椭圆形或披针形，先端急尖或钝，边缘具深波状或缺刻状钝锯齿，上面及边缘有糙毛，绿色，下面淡绿色，有短柔毛及腺点；上部茎生叶有短柄，羽状浅裂或不裂而全缘。头状花序在茎枝先端排成伞房花序；总苞钟状，总苞片 5 层，上部被蛛丝毛，外层卵状披针形，先端草绿色，边缘栉齿状，通常反折，中层披针形至长椭圆状披针形，先端草绿色，内层线形，先端钝，粉紫色；小花紫色，细管部短，檐部短。瘦果圆柱状，无毛；冠毛 2 层，污白色，外层短，糙毛状，内层长，羽毛状。花期 8 ~ 9 月，果期 9 ~ 10 月。

| 生境分布 | 生于山坡、沙地、沟边、农舍附近、林下、林缘、路旁、草原、沟谷。分布于吉林通化（通化、柳河）等。 |

| 资源情况 | 野生资源较少。药材主要来源于野生。 |

| 采收加工 | 夏、秋季采收，鲜用或晒干。 |

| 药材性状 | 本品皱缩，呈灰绿色。茎棱形，下部被稀疏蛛丝毛，上部被短糙毛。叶破碎不全，完整者叶片卵形、卵状披针形或椭圆形，羽状深裂，少羽状浅裂，侧裂片宽卵形、长椭圆形或披针形，先端急尖或钝，边缘具深波状或缺刻状钝锯齿，上面及边缘有糙毛，绿色，下面淡绿色，有短柔毛及腺点；上部茎生叶有短柄，羽状浅裂或不裂而全缘。头状花序残留于枝端。气微，味淡。 |

| 功能主治 | 祛风湿，止痹痛。用于风湿痹痛。 |

菊科 Compositae 风毛菊属 Saussurea

美花风毛菊 *Saussurea pulchella* (Fisch.) Fisch.

美花风毛菊

| **植物别名** |

球花风毛菊。

| **药 材 名** |

美花风毛菊（药用部位：全草）。

| **形态特征** |

多年生草本，高 25 ～ 100cm。根茎纺锤状，黑褐色。茎直立，上部有伞房状分枝，被短硬毛和腺点或近无毛。基生叶有叶柄，叶片长圆形或椭圆形，羽状深裂或全裂，裂片线形或披针状线形，先端长渐尖，全缘或再分裂或有齿，两面被短糙毛或几无毛；下部与中部茎生叶与基生叶同形并等样分裂；上部茎生叶小，披针形或线形，无柄，羽状浅裂或不裂。头状花序多数，在茎、枝先端排成伞房花序或伞房圆锥花序；总苞球形或球状钟形，总苞片 6 ～ 7 层，全部总苞片外面被稀疏的长柔毛或几无毛，外层卵形，先端有扩大的红色圆形膜质附片，附片边缘有锯齿，中层与内层卵形、长圆形或线状披针形，先端有膜质、粉红色、扩大、边缘有锯齿的附片；小花淡紫色。瘦果倒圆锥状，黄褐色；冠毛 2 层，淡褐色，外层糙毛状，内层长，羽毛状。花期 8 ～ 9 月，果期 9 ～ 10 月。

| **生境分布** | 生于草原、林缘、灌丛、沟谷草甸。以长白山区为主要分布区域，分布于吉林延边、白山、通化、长春、吉林、辽源（东丰）、松原（前郭尔罗斯、扶余）、白城（洮南）等。 |

| **资源情况** | 野生资源较少。药材主要来源于野生。 |

| **采收加工** | 夏、秋季采收，鲜用或晒干。 |

| **药材性状** | 本品茎呈圆柱形，直径 4 ~ 10mm；表面灰绿色，被短硬毛和腺点或近无毛。叶片多数脱落，残留的叶灰绿色，多破碎皱缩，叶片长圆形或椭圆形，羽状深裂或全裂，裂片线形或披针状线形，先端长渐尖，全缘或再分裂或有齿，两面被短糙毛或几无毛，质脆而易脱落。头状花序残留。气微，味淡。 |

| **功能主治** | 解热，祛湿，止泻，止血，止痛。用于风湿性关节炎，腹泻，疼痛。 |

菊科 Compositae 风毛菊属 Saussurea

乌苏里风毛菊 *Saussurea ussuriensis* Maxim.

| **药 材 名** | 山牛蒡（药用部位：根）。

| **形态特征** | 多年生草本，高 30 ~ 100cm。根茎横走，具多数褐色的不定根。茎直立，有纵棱，被稀疏的短柔毛或几无毛。基生叶及下部茎生叶有长叶柄，叶片卵形、宽卵形、长圆状卵形、三角形或椭圆形，先端长或短渐尖，基部心形、戟形或截形，边缘有粗锯齿、细锯齿或羽状浅裂，上面密布黑色腺点，下面被稀疏短柔毛或无毛；中部与上部茎生叶渐变小，长圆状卵形或披针形至线形，基部截形或戟形，边缘有细锯齿，有短叶柄或无叶柄。头状花序在茎枝先端排列成伞房状花序，具短花梗，有线形苞叶；总苞狭钟状，总苞片 5 ~ 7 层，先端及边缘常带紫红色，被白色蛛丝毛，外层卵形，先端短渐尖，

乌苏里风毛菊

有短尖头，中层长圆形，先端短渐尖或钝，内层线形，先端急尖；小花紫红色。瘦果浅褐色，无毛；冠毛 2 层，白色，外层短，糙毛状，内层长，羽毛状。花期 7 ~ 8 月，果期 8 ~ 9 月。

| **生境分布** | 生于山坡草地、林下或河岸边等。分布于吉林白山（长白、抚松）、延边（安图、和龙、敦化、汪清）、通化（柳河）等。

| **资源情况** | 野生资源较少。药材主要来源于野生。

| **采收加工** | 秋季采挖，除去茎叶，洗净，晾干。

| **功能主治** | 辛，温。祛寒，散瘀，镇痛。用于感冒头痛，风寒湿痹，劳伤疼痛，关节痛。

| **用法用量** | 内服煎汤，6 ~ 15g；或浸酒。

菊科 Compositae 鸦葱属 Scorzonera

华北鸦葱
Scorzonera albicaulis Bunge

华北鸦葱

| 植物别名 |

笔管草、白茎鸦葱、细叶鸦葱。

| 药 材 名 |

华北鸦葱（药用部位：根）。

| 形态特征 |

多年生草本，高达 120cm。根圆柱状或倒圆锥状，较粗壮。茎单生或少数茎成簇生，上部伞房状或聚伞花序状分枝，全部茎、枝被白色绒毛，但在花序脱毛，茎基被棕色残鞘。基生叶与茎生叶同形、线形、宽线形或线状长椭圆形，全缘，两面光滑无毛，三出至五出脉，在两面明显，基生叶基部鞘状扩大，抱茎。头状花序在茎、枝先端排成伞房花序而花序分枝长，或排成聚伞花序而花序分枝短或长短不一；总苞圆柱状，果期直径增大，总苞片约 5 层，外层三角状卵形或卵状披针形，中内层椭圆状披针形、长椭圆形至宽线形，全部总苞片被薄柔毛，但果期稀毛或无毛，先端急尖或钝；舌状小花黄色。瘦果圆柱状，有多数高起的纵肋，无毛，无脊瘤，向先端渐细成喙状；冠毛污黄色，其中 3～5 超长，全部冠毛大部羽毛状，羽枝蛛丝毛状，上

部为细锯齿状，基部联合成环，整体脱落。花期 5 ~ 6 月，果期 8 ~ 9 月。

| 生境分布 |

生于山坡、干草地、沙丘、荒地、林缘或灌丛等。以长白山区为主要分布区域，分布于吉林延边、白山、通化、吉林、辽源（东丰）、白城（洮北）、松原（宁江）。

| 资源情况 |

野生资源较少。药材主要来源于野生。

| 采收加工 |

春、夏、秋季均可采挖，除去茎叶，洗净泥土，鲜用或晒干。

| 药材性状 |

本品呈圆柱状或倒圆锥状，较粗壮。表面棕黑色，上部具密集的横皱纹，全体具多数瘤状物。质较疏松，断面黄白色，有放射状裂隙。气微，味微苦、涩。

| 功能主治 |

甘、苦，寒。清热解毒，祛风除湿，活血消肿，通乳，理气平喘。用于感冒发热，哮喘，五劳七伤，乳汁不足，代偿性月经，跌打损伤，乳腺炎，疔疮痈肿，风寒湿痹，风湿关节痛，带状疱疹，扁平疣，蛇虫咬伤。

| 用法用量 |

内服煎汤，6 ~ 15g。外用适量，鲜品捣敷。

鸦葱

菊科 Compositae 鸦葱属 Scorzonera

鸦葱 *Scorzonera austriaca* Willd.

| 植物别名 |

羊奶菜、笔管草、巴多拉。

| 药 材 名 |

鸦葱（药用部位：根。别名：罗罗葱、谷罗葱、兔儿奶）。

| 形态特征 |

多年生草本，高 10 ~ 42cm。根垂直直伸，黑褐色。茎簇生，不分枝，直立，光滑无毛，茎基被稠密的棕褐色纤维状撕裂的鞘状残留物。基生叶线形、线状长椭圆形，先端渐尖或钝，向下部渐狭成具翼的长柄，柄基鞘状扩大或向基部直接形成扩大的叶鞘，三出至七出脉，侧脉不明显，边缘平或稍呈皱波状，两面无毛或仅沿基部边缘有蛛丝状柔毛；茎生叶少，鳞片状，披针形或钻状披针形，基部心形，半抱茎。头状花序单生茎端；总苞圆柱状，总苞片约 5 层，外层三角形或卵状三角形，中层偏斜披针形或长椭圆形，内层线状长椭圆形，全部总苞片外面光滑无毛，先端急尖、钝或圆形；舌状小花黄色。瘦果圆柱状，有多数纵肋，无毛，无脊瘤；冠毛淡黄色，与瘦果连接处有蛛丝状毛环，大部分为羽毛状，羽枝蛛丝毛状，上部为细锯齿状。花期 6 ~ 7 月，果期 7 ~ 8 月。

| **生境分布** | 生于山坡、沙地、草甸、林下、石砾质地、草滩或河滩地等。分布于吉林白城（通榆、镇赉、洮南、大安）、松原（长岭、前郭尔罗斯、乾安）、长春（九台）、四平（梨树）、辽源（东辽、东丰）、吉林（磐石）、通化（柳河、通化）、白山（长白）、延边（敦化、安图）等。

| **资源情况** | 野生资源较少。药材主要来源于野生。

| **采收加工** | 夏、秋季采收，洗净，鲜用或晒干。

| **药材性状** | 本品呈圆柱形，长可达 20cm，直径 0.6 ~ 1cm。表面棕褐色，顶部具密集的横皱纹，残留多数棕色毛须（叶基纤维束与维管束）。质较疏松，易折断，断面黄白色，有放射状裂隙。气微，味微苦、涩。

| **功能主治** | 苦，寒。归心经。清热解毒，活血消肿。用于感冒发热，跌打损伤，疔疮痈肿，风湿关节痛，带状疱疹，扁平疣。

| **用法用量** | 内服煎汤，9 ~ 15g。外用捣敷。

菊科 Compositae 鸦葱属 Scorzonera

东北鸦葱 *Scorzonera manshurica* Nakai

东北鸦葱

| 植物别名 |

笔管草、羊奶子。

| 药 材 名 |

东北鸦葱（药用部位：根）。

| 形态特征 |

多年生草本，高 12cm。根粗壮，倒圆锥状。茎多数，簇生于根茎先端，不分枝，光滑无毛，茎基被稠密、褐色、纤维状撕裂的鞘状残留物。基生叶线形，先端急尖或长渐尖，向基部渐狭，基部鞘状扩大，鞘内被稠密的绵毛，边缘平，基部边缘有绵毛，3 ~ 5 出脉，侧脉纤细；茎生叶少数，1 ~ 3，鳞片状，钻状三角形，褐色，边缘及内面有绵毛。头状花序单生茎顶；总苞钟状，总苞片约 5 层，外层三角形或卵状三角形，中层披针形或长椭圆形，内层长披针形，全部总苞片先端钝或急尖，仅先端被白色微毛；舌状小花背面带紫色，内面黄色。瘦果污黄色，圆柱状，有多数纵肋，无脊瘤，被稀疏或稠密长柔毛；冠毛污黄色，大部为羽毛状，羽枝纤细，蛛丝毛状，上部为细锯齿状。花期 4 ~ 5 月，果期 5 ~ 6 月。

| **生境分布** | 生于干草地、荒地、干燥山坡、砾石地、沙丘或干草原等。分布于吉林白城（通榆、大安、洮北、镇赉、洮南）、松原（长岭、前郭尔罗斯）、通化（通化、柳河）、延边（敦化、安图）等。 |

| **资源情况** | 野生资源较少。药材主要来源于野生。 |

| **采收加工** | 夏、秋季采收，洗净，鲜用或晒干。 |

| **功能主治** | 苦，寒。清热解毒，祛风除湿，活血消肿。用于感冒，发热，月经不调，跌打损伤，风湿关节痛，疔疮痈肿，带状疱疹。 |

菊科 | Compositae | 鸦葱属 | *Scorzonera*

毛梗鸦葱
Scorzonera radiata Fisch.

毛梗鸦葱

| 植物别名 |

狭叶鸦葱。

| 药 材 名 |

草防风（药用部位：根。别名：狭叶鸦葱）。

| 形态特征 |

多年生近莛状草本，高 15 ～ 30cm。根粗，有时分枝。茎直立，不分枝，单生或少数茎簇生，被污白色的蛛丝状短柔毛，茎基被残存的鞘状残迹。基生叶多数，线形或线状披针形，向下部渐狭成具翼的长或短柄，柄基鞘状扩大，半抱茎，先端渐尖，3 ～ 5 出脉，侧脉稍明显；茎生叶少数，2 ～ 3，线形或线状披针形，较基生叶短，无柄；最上部茎生叶披针形，有时呈鳞片状；全部叶平，全缘，两面光滑无毛。头状花序单生茎端；总苞圆柱状，总苞片约 5 层，外层卵状披针形，中层三角状披针形，内层披针状长椭圆形，全部苞片外面被稀疏蛛丝状短柔毛或脱毛至无毛；舌状小花黄色。瘦果圆柱状，纵肋多条，无毛，无脊瘤；冠毛污黄色，中下部羽毛状，羽枝蛛丝毛状，上部为锯齿状，其中 5 根超长。花期 5 ～ 6 月，果期 6 ～ 7 月。

| **生境分布** | 生于山坡、草原、沙丘、林缘、灌丛中等。分布于吉林通化（通化、集安、柳河、辉南）、白山（抚松、靖宇、长白）、延边（和龙、汪清）等。 |

| **资源情况** | 野生资源较少。药材主要来源于野生。 |

| **采收加工** | 夏、秋季采收，洗净，鲜用或晒干。 |

| **功能主治** | 甘、苦，温。发表散寒，祛风除湿，止痛。用于风湿痹痛，感冒，筋骨疼痛。 |

| **用法用量** | 内服煎汤，6 ~ 12g。 |

菊科 Compositae 风毛菊属 Saussurea

桃叶鸦葱
Scorzonera sinensis Lipsch. et Krasch. ex Lipsch.

| 药 材 名 | 桃叶鸦葱（药用部位：根）。

| 形态特征 | 多年生草本，高5～53cm。根垂直直伸，直径达1.5cm，褐色或黑褐色，通常不分枝。茎直立，簇生或单生，不分枝，光滑无毛，茎基被稠密的纤维状撕裂的鞘状残遗物。基生叶长短不一，叶片宽卵形、宽披针形、宽椭圆形、倒披针形、椭圆状披针形、线状长椭圆形或线形，先端急尖、渐尖、钝或圆形，向基部渐狭成长或短柄，柄基鞘状扩大，两面光滑无毛，离基三出脉至五出脉，侧脉纤细，边缘皱波状；茎生叶少数，鳞片状，披针形或钻状披针形，基部心形，半抱茎或贴茎。头状花序单生茎顶；总苞圆柱状，总苞片约5层，外层三角形或偏斜三角形，中层长披针形，内层长椭圆状披针形，全部总苞片外面

桃叶鸦葱

光滑无毛，先端钝或急尖；舌状小花黄色。瘦果圆柱状，有多数高起的纵肋，肉红色，无毛，无喙，无脊瘤；冠毛污黄色，羽毛状，与瘦果连接处有蛛丝状毛环。花果期 4 ~ 9 月。

| 生境分布 | 生于山坡草地、丘陵、沙丘、荒地或灌木林下。分布于吉林白山（抚松、靖宇、长白）等。

| 资源情况 | 野生资源较少。药材主要来源于野生。

| 采收加工 | 春、秋季采挖，除去茎叶，洗净泥土，鲜用或切片晒干。

| 功能主治 | 祛风除湿，理气活血，清热解毒，通乳消肿。用于风湿痹证，气滞血瘀，疼痛，乳痈。

菊科 Compositae 千里光属 Senecio

琥珀千里光 Senecio ambraceus Turcz. ex DC.

| **植物别名** | 大花千里光。

| **药 材 名** | 琥珀千里光（药用部位：全草。别名：大花千里光）。

| **形态特征** | 多年生草本。根茎短，木质，具多数纤维状根。茎单生，直立，高 45 ~ 100cm，疏被蛛丝状柔毛或近无毛，不分枝或上部有花序枝。 基生叶在花期枯萎，具柄，倒卵形，钝，具锯齿状齿，较下部通常 大头羽状细裂；下部茎生叶具柄，倒卵状长圆形，长 6 ~ 12cm，宽 达 4cm，先端钝，羽状深裂，顶生裂片不明显，侧生裂片 5 ~ 8 对， 长圆形，具不规则齿或细裂，上部无毛，下面被疏柔毛或无毛，纸 质；中部茎生叶无柄，羽状深裂或羽状全裂，侧生裂片长圆状线形， 钝至尖，开展或斜升，具齿至深细裂，基部通常有撕裂状耳；上部

琥珀千里光

茎生叶渐小，羽状裂或有粗齿，线形，近全缘。头状花序有舌状花，少数至多数，排列成通常较开展的顶生伞房花序；花序梗长 1.5 ~ 6cm，直立或斜上，有疏蛛丝状柔毛或变无毛，有苞片和数个线形或线状钻形、长 3 ~ 5mm 的小苞片；总苞宽钟状至半球形，长 7 ~ 8mm，宽 6 ~ 10mm，具外层苞片，苞片 2 ~ 6，线形，总苞片 13 ~ 15，狭长圆形，长 7 ~ 8mm，宽 1.5 ~ 2mm，渐尖，上端有髯毛，草质，边缘狭，干膜质，具明显 3 脉，背面无毛；舌状花 13 ~ 14，管部长 4.5mm，舌片黄色，长圆形，长 12mm，宽 3 ~ 3.5mm，先端钝，有 3 细齿，具 4 脉；管状花多数，花冠黄色，长 6mm，管部长 2.5mm，檐部漏斗状，裂片卵状三角形，长 0.7mm，尖，先端有乳头状毛；花药长 1.8mm，基部有耳，附片卵状披针形，花药颈部向基部明显膨大；花柱分枝长 1mm，先端截形，有乳头状毛。瘦果圆柱形，长 3mm，舌状花的瘦果无毛，管状花的瘦果被疏柔毛，稀全部无毛；冠毛长 6mm，淡白色，全部小花有冠毛。花期 8 ~ 9 月。

| **生境分布** | 生于河岸、湿草地、草原、荒坡。分布于吉林白城（洮北、大安）、松原（前郭尔罗斯、长岭）、四平（双辽、梨树）、通化（柳河、通化、集安）等。

| **资源情况** | 野生资源较丰富。药材主要来源于野生。

| **采收加工** | 夏、秋季采收，洗净，鲜用或晒干。

| **药材性状** | 本品根茎短，木质，具多数纤维状根。茎疏被蛛丝状柔毛或近无毛，不分枝。叶具柄，倒卵形、长圆形，纸质。头状花序，总苞宽钟状至半球形。瘦果圆柱形，长 3mm，舌状花的瘦果无毛，管状花的瘦果被疏柔毛，稀全部无毛；冠毛长 6mm，淡白色，全部小花有冠毛。气微，味微苦。

| **功能主治** | 祛风除湿。用于风湿病。

菊科 Compositae 千里光属 Senecio

额河千里光 *Senecio argunensis* Turcz.

额河千里光

| 植物别名 |

羽叶千里光、大蓬蒿、山菊。

| 药 材 名 |

额河千里光（药用部位：全草。别名：羽叶千里光）。

| 形态特征 |

多年生草本，高 30 ～ 80cm。根茎斜升，具多数纤维状根。茎单生，直立，被蛛丝状柔毛。基生叶和下部茎生叶在花期枯萎，通常凋落；中部茎生叶较密集，无柄，羽状全裂至羽状深裂，裂片狭披针形或线形，全缘或有齿，上面无毛，下面有疏蛛丝状毛，基部具狭耳或撕裂状耳；上部茎生叶渐小，羽状分裂。头状花序多数，顶生，排成复伞房花序；花序梗细，短，有疏至密蛛丝状毛，有苞片和数个线状钻形小苞片；总苞近钟状，具外层苞片，苞片约 10，线形，总苞片约 13，长圆状披针形，草质，边缘宽，干膜质，绿色或有时变紫色，背面被疏蛛丝毛；舌状花10 ～ 13，舌片黄色，长圆状线形，先端钝，有 3 细齿，具 4 脉；管状花多数，花冠黄色，檐部漏斗状；花药线形；花柱有分枝，先端截形，有乳头状毛。瘦果圆柱形，无毛；

冠毛淡白色。花期 8 ～ 9 月，果期 9 ～ 10 月。

| **生境分布** | 生于山坡、草地、林缘、灌丛。以长白山区为主要分布区域，分布于吉林延边、白山、通化、长春、吉林、辽源（东丰）等。

| **资源情况** | 野生资源较少。药材主要来源于野生。

| **采收加工** | 夏、秋季采收，洗净，鲜用或晒干。

| **药材性状** | 本品根数条，细小，圆锥形；表面黄棕色；质硬脆，易折断，断面黄白色。茎呈圆柱形，长短不一；表面黄绿色或紫褐色，具纵条棱，常被蛛丝状毛；质稍韧而脆，易折断，断面皮部和木部黄绿色，中央髓部白色。叶多皱缩，破碎，完整叶片展平后呈卵形或椭圆形，羽状深裂，裂片条形或狭条形，上、下表面均呈黄绿色或灰绿色；叶下延成柄或无柄。可见多数头状花序，总苞钟形，花冠黄色，冠毛白色。气微，味微苦。

| **功能主治** | 微苦，寒；有毒。清热解毒。用于痢疾，瘰疬，急性结膜炎，咽喉炎，痈肿疮疖，湿疹，皮炎，毒虫咬伤，目赤肿痛，腹痛下痢。

| **用法用量** | 内服煎汤，9 ～ 15g。外用适量，鲜品捣敷；或煎汤熏洗。

菊科 Compositae 千里光属 Senecio

林荫千里光 *Senecio nemorensis* L.

林荫千里光

| 植物别名 |

黄菀、森林千里光。

| 药材名 |

林荫千里光（药用部位：全草。别名：黄菀）。

| 形态特征 |

多年生草本，高 100cm。根茎短粗，具多数被绒毛的纤维状根。茎单生或数个，直立，花序下不分枝，被疏柔毛或近无毛。单叶互生，叶柄短，叶基无叶耳；基生叶和下部茎生叶在花期凋落；中部茎生叶多数，近无柄，披针形或长圆状披针形，边缘具齿，纸质，两面被疏短柔毛或近无毛，羽状脉；上部茎生叶渐小，线状披针形至线形，无柄。头状花序多数，在茎、枝先端排成复伞房花序；花序梗细，具线形小苞片，被疏柔毛；总苞近圆柱形，具外层苞片，苞片 4 ~ 5，线形，短于总苞，总苞片多数，长圆形，被褐色短柔毛，草质，边缘宽，干膜质；舌状花数朵，舌片黄色，具 4 脉；管状花数朵，花冠黄色，檐部漏斗状，上端具乳头状毛；花柱有分枝，截形，被乳头状毛。瘦果圆柱形，无毛；冠毛白色。花期 8 ~ 9 月，果期 9 ~ 10 月。

| 生境分布 | 生于山谷、林间草地、林下阴湿地、森林草甸、高山岩石缝间或溪流边等，常成片生长。分布于吉林白山（长白、抚松、临江、靖宇）、延边（安图、和龙、敦化）、通化（柳河）等。 |

| 资源情况 | 野生资源较丰富。药材主要来源于野生。 |

| 采收加工 | 夏、秋季采收，洗净，鲜用或晒干。 |

| 药材性状 | 本品根茎短粗，具多数被绒毛的纤维状根。茎不分枝，被疏柔毛或近无毛。叶近无柄，披针形或长圆状披针形，边缘具齿，两面被疏短柔毛或近无毛，纸质。头状花序，花序梗细，具线形小苞片，被疏柔毛；总苞片多数，长圆形，被褐色短柔毛。瘦果圆柱形，无毛；冠毛白色。气微，味微苦。 |

| 功能主治 | 苦、辛，寒。清热解毒。用于热痢，目赤红肿，痈疖肿毒。 |

| 用法用量 | 内服煎汤，6 ~ 12g。 |

菊科 Compositae 千里光属 Senecio

欧洲千里光 *Senecio vulgaris* L.

欧洲千里光

| 植物别名 |

普通千里光。

| 药 材 名 |

欧洲千里光（药用部位：全草）。

| 形态特征 |

一年生草本，高 12 ~ 45cm。茎单生，直立，自基部或中部分枝，疏被蛛丝状毛至无毛。叶无柄，叶片羽状浅裂至深裂，侧生裂片 3 ~ 4 对，长圆形或长圆状披针形，通常具不规则齿；下部叶基部渐狭成柄状；中部叶基部扩大且半抱茎，两面尤其下面多少被蛛丝状毛至无毛；上部叶较小，线形，具齿。头状花序无舌状花，在茎枝先端排成密集伞房花序；花序梗有疏柔毛或无毛，具数个线状钻形小苞片；总苞钟状，具外层苞片，苞片 7 ~ 11，线状钻形，通常具黑色长尖头，总苞片 18 ~ 22，线形，尖，上端变黑色，草质，边缘狭膜质，背面无毛；管状花多数，花冠黄色，檐部漏斗状，略短于管部，裂片卵形，钝；花药基部具短钝耳，附片卵形，花药颈部细，向基部膨大；花柱有分枝。瘦果圆柱形，沿肋有柔毛；冠毛白色。花期 6 ~ 8 月，果期 7 ~ 9 月。

| 生境分布 | 生于耕地、山坡、草地、林缘、路旁、田野或村屯附近，常成片生长。以长白山区为主要分布区域，分布于吉林延边、白山、通化、吉林、辽源（东丰）等。

| 资源情况 | 野生资源较丰富。药材主要来源于野生。

| 采收加工 | 夏、秋季采收，洗净，鲜用或晒干。

| 药材性状 | 本品茎有分枝，疏被蛛丝状毛至无毛。叶无柄，长圆形或长圆状披针形。头状花序无舌状花，花序梗有疏柔毛或无毛，具数个线状钻形小苞片；总苞钟状，黑色，草质，边缘狭膜质，背面无毛。瘦果圆柱形，沿肋有柔毛；冠毛白色。气微，味微苦。

| 功能主治 | 苦，平。清热解毒，祛瘀消肿。用于口腔破溃，湿疹，小儿顿咳，无名毒疮，肿瘤。

菊科 Compositae 麻花头属 *Serratula*

麻花头 *Serratula centauroides* L.

麻花头

| 植物别名 |

草地麻花头。

| 药 材 名 |

麻花头（药用部位：全草。别名：草地麻
花头）。

| 形态特征 |

多年生草本，高 40 ~ 100cm。根茎横走，
黑褐色。茎直立，基部被残存的纤维状撕裂
的叶柄。基生叶及下部茎生叶有长柄，叶片
羽状深裂，侧裂片 5 ~ 8 对，全缘、有锯齿
或少锯齿，先端急尖；中部茎生叶与基生叶
及下部茎生叶同形，但无柄或有极短的柄；
上部茎生叶更小，羽状全缘或不裂；全部叶
两面粗糙，被长或短节毛。头状花序少数，
单生茎枝先端，不形成明显的伞房花序式排
列；总苞卵形或长卵形，总苞片 10 ~ 12 层，
覆瓦状排列，向内层渐长，外层与中层三角
形、三角状卵形至卵状披针形，先端急尖，
有短针刺或刺尖，内层及最内层椭圆形、披
针形或长椭圆形至线形，最内层最长，上部
淡黄白色，硬膜质；全部小花红色、红紫色
或白色，花冠较长。瘦果楔状长椭圆形，褐
色，有 4 高起的肋棱；冠毛褐色或略带土红

色；冠毛刚毛糙毛状，分散脱落。花期 7 ~ 8 月，果期 8 ~ 9 月。

| 生境分布 | 生于灌丛、干燥草原、沙石地、山坡、林缘、草甸、路旁或沙丘等。分布于吉林白城（洮北、洮南、通榆）、松原（长岭、扶余、前郭尔罗斯）、四平（梨树）、长春（农安、榆树、德惠、九台）等。

| 资源情况 | 野生资源较丰富。药材主要来源于野生。

| 采收加工 | 夏、秋季采收，洗净，晒干或焙干。

| 药材性状 | 本品根茎呈黑褐色。茎基部被残存的纤维状撕裂的叶柄。叶有长柄，两面粗糙，被长或短节毛。头状花序，总苞卵形或长卵形，膜质；全部小花红色、红紫色或白色，花冠较长。瘦果楔状长椭圆形，褐色，有 4 高起的肋棱；冠毛褐色或略带土红色。气微，味微苦。

| 功能主治 | 清热解毒，止血，止泻。用于痈肿，疔疮，邪热壅肺，发热，咳喘，痘疹。

| 附　注 | 在 FOC 中，本种的拉丁学名被修订为 *Klasea centauroides* (Linnaeus) Cassini。

菊科 Compositae 麻花头属 Serratula

伪泥胡菜 *Serratula coronata* L.

伪泥胡菜

| 植物别名 |

假泥胡菜、麻头花。

| 药 材 名 |

伪泥胡菜（药用部位：全草）。

| 形态特征 |

多年生草本，高 70 ~ 150cm。根茎粗厚，横走。茎直立，无毛。基生叶与下部茎生叶羽状全裂，侧裂片 8 对；中上部茎生叶与基生叶及下部茎生叶同形并等样分裂，但无柄，接头状花序下部的叶有时大头羽状全裂，侧裂片 1 ~ 2 对；全部叶裂片边缘有锯齿或大锯齿，两面绿色，有短糙毛或脱毛。头状花序异型，少数在茎枝先端排成伞房花序，少有植株仅含 1 头状花序而单生茎顶；总苞碗状或钟状，无毛，总苞片约 7 层，覆瓦状排列，向内层渐长，外层三角形或卵形，先端急尖，中层及内层椭圆形、长椭圆形至披针形，先端渐尖或急尖，最内层线形，全部苞片外面紫红色；边花雌性，雄蕊发育不全；中央盘花两性，有发育的雌蕊和雄蕊；全部小花紫色，雌花花冠长，两性小花花冠短。瘦果倒披针状长椭圆形，有细条纹；冠毛黄褐色，刚毛糙毛状。花期 8 ~ 9 月，果期 9 ~ 10 月。

| **生境分布** | 生于山坡、林缘、草地、草甸、荒地、路旁等。以长白山区为主要分布区域，分布于吉林延边、白山、通化、长春、吉林、辽源（东丰）、白城（洮南、镇赉）等。

| **资源情况** | 野生资源较丰富。药材主要来源于野生。

| **采收加工** | 夏、秋季采收，洗净，晒干。

| **功能主治** | 清热解毒，祛风止痛，利尿通淋。用于咽喉痛，呕吐，淋证，疝气，肿瘤。

菊科 Compositae 豨莶属 Siegesbeckia

毛梗豨莶
Siegesbeckia glabrescens Makino

| **植物别名** | 光豨莶、粘苍子、粘不沾。

| **药 材 名** | 豨莶草（药用部位：地上部分。别名：火莶、猪膏莓、虎膏）。

| **形态特征** | 一年生草本，高 30～80cm。茎直立，较细弱，通常上部分枝，被平伏短柔毛，有时上部毛较密。基部叶花期枯萎；中部叶卵圆形、三角状卵圆形或卵状披针形，基部宽楔形或钝圆形，有时下延成具翼的柄，先端渐尖，边缘有规则的齿；上部叶渐小，卵状披针形，全缘或有疏齿，有短柄或无柄；全部叶两面被柔毛，基出脉 3，叶脉在叶下面稍凸起。头状花序在枝端排列成疏散的圆锥花序；花梗纤细，疏生平伏短柔毛；总苞钟状，总苞片 2 层，叶质，背面密被紫褐色头状具柄腺毛，外层苞片 5，线状匙形，内层苞片倒卵状长

毛梗豨莶

圆形；托片倒卵状长圆形，背面疏被头状具柄腺毛；雌花花冠管部短，两性花花冠上部钟状，先端 4～5 齿裂。瘦果倒卵形，具 4 棱，有灰褐色环状突起。花期 8～9 月，果期 9～10 月。

| **生境分布** | 生于山坡、灌丛、草原、田埂、路旁、旷野、荒草地、房舍周边。分布于吉林吉林（蛟河）、通化（通化、辉南）、松原（扶余）等。

| **资源情况** | 野生资源丰富。药材主要来源于野生。

| **采收加工** | 夏、秋季花开前及花期均可采割，除去杂质，晒干。

| **药材性状** | 本品茎略呈方柱形，多分枝，直径 0.3～1cm；表面灰绿色、黄棕色或紫棕色，有纵沟和细纵纹，被灰色柔毛，节明显，略膨大；质脆，易折断，断面黄白色或带绿色，髓部宽广，类白色，中空。叶对生，叶片多皱缩、卷曲，展平后呈卵圆形，灰绿色，边缘有钝锯齿，两面皆有白色柔毛，主脉三出。可见黄色头状花序，总苞片匙形。气微，味微苦。

| **功能主治** | 辛、苦，寒。归肝、肾经。祛风湿，利关节，解毒。用于风湿痹痛，筋骨无力，腰膝酸软，四肢麻痹，半身不遂，风疹湿疮。

| **用法用量** | 内服煎汤，9～12g。

菊科 Compositae 豨莶属 Siegesbeckia

腺梗豨莶
Siegesbeckia pubescens Makino

| 植物别名 | 豨莶草、豨莶、粘苍子。

| 药 材 名 | 豨莶草（药用部位：地上部分。别名：毛豨莶、肥猪草、粘糊菜）。

| 形态特征 | 一年生草本，高 30 ~ 110cm。茎直立，粗壮，上部多分枝，被开展的灰白色长柔毛和糙毛。基部叶卵状披针形，花期枯萎；中部叶卵圆形或卵形，开展，基部宽楔形，下延成具翼的柄，先端渐尖，边缘有尖头状规则或不规则的粗齿；上部叶渐小，披针形或卵状披针形；全部叶上面深绿色，下面淡绿色，基出脉 3，侧脉和网脉明显，两面被平伏短柔毛，沿脉有长柔毛。头状花序生于茎、枝先端，并排列成圆锥花序；花梗较长，密生紫褐色头状具柄腺毛和长柔毛；总苞宽钟状，总苞片 2 层，叶质，背面密生紫褐色头状具柄腺毛，

腺梗豨莶

外层线状匙形或宽线形，内层卵状长圆形；舌状花花冠管部长 1 ~ 1.2mm，舌片先端 2 ~ 3 齿裂，有时 5 齿裂；两性管状花短，冠檐钟状，先端 4 ~ 5 裂。瘦果倒卵圆形，具 4 棱，先端有灰褐色环状突起。花期 8 ~ 9 月，果期 9 ~ 10 月。

| 生境分布 | 生于荒地、林缘、路边、山坡、房前屋后，属于田间杂草，常成片生长。以长白山区为主要分布区域，分布于吉林延边、白山、通化、吉林、辽源（东丰）、长春（德惠）、松原（扶余）等。

| 资源情况 | 野生资源丰富。药材主要来源于野生。

| 采收加工 | 同"毛梗豨莶"。

| 药材性状 | 同"毛梗豨莶"。

| 功能主治 | 同"毛梗豨莶"。

| 用法用量 | 同"毛梗豨莶"。

菊科 Compositae 松香草属 Silphium

串叶松香草 *Silphium perfoliatum* L.

串叶松香草

| 药 材 名 |

串叶松香草（药用部位：根）。

| 形态特征 |

多年生草本，高 1 ~ 3m。根块状。茎粗壮，四棱形，单一或上部分枝，无毛，稀有毛。叶对生，质薄，卵形或三角状卵形；茎下部叶基部骤然收缩成柄，边缘具粗齿，两面被糙毛或背面被柔毛；茎中部及上部叶基部合生成杯状，抱茎，全缘或具齿。头状花序腋生，花序梗长；总苞半球形，总苞片数层，覆瓦状排列，近等长或外部较长，卵形或近椭圆形，开展或直立；边花 20 ~ 30，雌性，花冠舌状，结实；中央花多数，两性，花冠管状，先端 5 齿裂，花柱不分枝，不结实。瘦果倒卵形，具 2 齿，边缘有翼。花期 7 ~ 8 月，果期 8 ~ 9 月。

| 生境分布 |

生于林缘、路旁、田间、荒地或住宅附近。分布于吉林通化（通化、集安）、白山（临江、长白）等。

| 资源情况 |

野生资源较丰富。药材主要来源于野生。

| **采收加工** | 春、秋季采挖，剪去茎叶及须根，晒干。

| **功能主治** | 解表。用于感冒。

水飞蓟

菊科 Compositae 水飞蓟属 Silybum

水飞蓟 *Silybum marianum* (L.) Gaertn.

植物别名

老鼠筋、奶蓟、水飞雉。

药材名

水飞蓟（药用部位：果实。别名：水飞雉、奶蓟、老鼠筋）。

形态特征

一年生或二年生草本，高 120cm。茎直立，分枝，有条棱，全部茎枝有白色粉质覆被物，被稀疏的蛛丝毛或脱毛。莲座状基生叶与下部茎生叶大型，有叶柄，叶片羽状浅裂至全裂；中部与上部茎生叶渐小，羽状浅裂或边缘浅波状圆齿裂，基部心形，半抱茎；最上部茎生叶更小，不分裂，披针形，基部心形，抱茎；全部叶两面同色，绿色，具大型白色花斑，无毛，质地薄，边缘或裂片边缘及先端有坚硬的黄色针刺。头状花序较大，生于枝端；总苞球形或卵球形，总苞片 6 层，中外层苞片先端及边缘有针刺，基部边缘无针刺，上部有坚硬的叶质附属物，附属物边缘或基部有坚硬的针刺，内层苞片边缘无针刺，上部无叶质附属物，先端渐尖，全部苞片无毛，中外层苞片质地坚硬，革质；小花红紫色。瘦果压扁，褐色，有线状长椭圆形的深褐色色斑，果缘无锯齿；冠毛多层，刚毛状，白色，不等长。花期 7 ~ 8 月，果期 8 ~ 9 月。

| **生境分布** | 生于田野、荒地、路旁或河岸附近。分布于吉林松原（长岭）、长春（农安、德惠、榆树、九台）、吉林（舒兰、蛟河、桦甸、磐石）、延边（敦化、汪清）等。

| **资源情况** | 野生资源较丰富。药材主要来源于野生。

| **采收加工** | 秋季果实成熟时采收果序，晒干，打下果实，除去杂质，晒干。

| **药材性状** | 本品呈长倒卵形或椭圆形，长 5 ~ 7mm，宽 2 ~ 3mm。表面淡灰棕色至黑褐色，光滑，有细纵花纹，先端钝圆，稍宽，有 1 圆环，中间具点状花柱残迹，基部略窄。质坚硬。破开后可见子叶 2，浅黄白色，富油性。气微，味淡。以粒大、饱满、色黑者为佳。

| **功能主治** | 苦，凉。清热解毒，疏肝利胆。用于肝胆湿热，胁痛，黄疸。

| **用法用量** | 内服煎汤，6 ~ 15g；或制成散剂、颗粒剂、胶囊剂、丸剂。

| **附　　注** | 水飞蓟作为药用植物，1972 年从德国引进并试种成功后，正式成为我国中药材家族中的一个新成员。近 50 年来，水飞蓟的市场价格随着种植面积的变化波动，供求关系紧张。吉林水飞蓟的产量也随着市场价格的变化而增减，高多低少，发展很不稳定。但不管如何，业内人士普遍认为水飞蓟是一个具有潜力和后劲的"朝阳"品种，蕴藏商机。

菊科 Compositae 一枝黄花属 Solidago

钝苞一枝黄花 *Solidago pacifica* Juz.

| **植物别名** | 兴安一枝黄花、朝鲜一枝黄花。

| **药 材 名** | 朝鲜一枝黄花（药用部位：全草。别名：朝鲜一枝蒿、一枝黄花）。

| **形态特征** | 多年生草本，高达 100cm 或更高。根茎粗厚。茎直立，不分枝。叶长椭圆形或披针形，下部茎生叶有具狭翅的长叶柄；上部茎生叶渐小；全部叶两面无毛，光滑，或有稀疏的缘毛。头状花序较小，多数在茎上部的短花序分枝上排成伞房状花序，多数的伞房花序沿茎排成长总状花序；总苞片 3 ~ 4 层，长椭圆形或倒长披针形，先端圆形或圆钝；舌状花黄色。瘦果无毛。花期 8 ~ 9 月，果期 9 ~ 10 月。

钝苞一枝黄花

| **生境分布** | 生于林缘、林下、山坡、草甸。以长白山区为主要分布区域，分布于吉林延边、白山、通化、吉林、辽源（东丰）等。 |

| **资源情况** | 野生资源较丰富。药材主要来源于野生。 |

| **采收加工** | 夏、秋季采收，鲜用或切段晒干。 |

| **药材性状** | 本品茎呈圆柱形，有纵棱和条纹，直径 0.2 ~ 0.5cm；黄绿色或灰棕色，有绒毛；质脆，易折断，断面纤维性，中间有髓。叶片多皱缩、破碎，完整叶展平后呈卵状披针形或披针形，长 2 ~ 9cm，绿色或灰绿色，基部下延成柄，柄具翼，叶缘稍有不规则疏锯齿。头花状序直径 0.7 ~ 1.3cm，总苞片 3 ~ 4 层，膜质；边缘花多卷缩干枯，展平后呈舌状。有的花序可见白色或黄白色冠毛及瘦果。气微香，味微苦、稍辛。 |

| **功能主治** | 辛、苦，凉。疏风清热，解毒消肿，化痰平喘，止血。用于风热感冒，咽喉肿痛，肾炎，膀胱炎，痈肿疔毒，跌打损伤。 |

| **用法用量** | 内服煎汤，10 ~ 30g。外用适量，鲜品捣敷；或煎浓汁浸洗。 |

毛果一枝黄花 *Solidago virgaurea* L.

毛果一枝黄花

| 植物别名 |

兴安一枝黄花。

| 药 材 名 |

毛果一枝黄花（药用部位：根）。

| 形态特征 |

多年生草本，高 15 ～ 100cm。根茎平卧或斜升。茎直立，不分枝或上部有花序分枝，通常上部被稀疏的短柔毛，中下部无毛。中部茎生叶椭圆形、长椭圆形或披针形；下部茎生叶与中部茎生叶同形，少为卵形；自中部向上叶渐变小；全部叶两面无毛或沿叶脉有稀疏短柔毛，下部渐狭，沿叶柄下延成翅，下部茎生叶叶柄通常与叶片等长，边缘具粗或细锯齿。头状花序多数在茎上部的分枝上排成紧密或疏松的长圆锥状花序；总苞钟状，总苞片 4 ～ 6 层，披针形或长披针形，边缘狭膜质，先端长渐尖或急尖；边缘舌状花黄色；两性花多数。瘦果有纵棱，全部被稀疏短柔毛；冠毛白色。花果期 6 ～ 9 月。

| 生境分布 |

生于林下、林缘或灌丛中。以长白山区为主要分布区域，分布于吉林延边、白山、通化、

吉林、辽源（东丰）等。

| **资源情况** | 野生资源较少。药材主要来源于野生。

| **采收加工** | 秋季采挖，除去杂质及泥土，晒干。

| **功能主治** | 清热解毒，活血止痛，利小便。用于小便涩痛，咽喉肿痛，感冒，蛇咬伤，疮疖，肠炎，疳积，跌打损伤，慢性胃炎，口腔炎，肺炎，带下，真菌性阴道炎。

菊科 Compositae 苦苣菜属 Sonchus

花叶滇苦菜 *Sonchus asper* (L.) Hill

| **植物别名** | 续断菊、刺菜、恶鸡婆。

| **药 材 名** | 续断菊（药用部位：全草）。

| **形态特征** | 一年生草本，高 20 ~ 50cm。根倒圆锥状，褐色。茎单生或簇生，有纵棱，上部有各式花序分枝，全部茎枝光滑无毛或上部及花梗被腺毛。基生叶与茎生叶同型，但较小；中、下部茎生叶有渐狭的翼柄，叶片长椭圆形、倒卵形、匙状或匙状椭圆形，先端渐尖、急尖或钝，柄基耳状抱茎或基部无柄；上部茎生叶披针形，不裂，基部扩大，圆耳状抱茎；或下部茎生叶或全部茎生叶羽状浅裂、半裂或深裂；全部叶及裂片与抱茎的圆耳边缘有尖齿刺，两面光滑无毛，质薄。头状花序在茎枝先端排成稠密的伞房花序；总苞宽钟状，总

花叶滇苦菜

苞片 3 ~ 4 层，向内层渐长，覆瓦状排列，绿色，草质，外层长披针形或长三角形，中内层长椭圆状披针形至宽线形，全部苞片先端急尖，外面光滑无毛；舌状小花黄色。瘦果倒披针状，褐色，压扁，两面各有 3 细纵肋，肋间无横皱纹；冠毛白色，柔软，彼此纠缠，基部联合成环。花期 7 ~ 8 月，果期 8 ~ 9 月。

| **生境分布** | 生于田间、地头、荒地、杂草地、林间、草地、山坡、耕地、河边、路旁或住宅附近。分布于吉林延边、白山、通化、长春、吉林、辽源等。

| **资源情况** | 野生资源较丰富。药材主要来源于野生。

| **采收加工** | 春、夏季采收，鲜用或晒干。

| **药材性状** | 本品根呈倒圆锥状，褐色。茎具纵棱，有分枝，光滑无毛或上部及花梗被腺毛。叶片长椭圆形、倒卵形、匙状或匙状椭圆形，两面光滑无毛，质薄。头状花序；总苞宽钟状，总苞片覆瓦状排列。瘦果倒披针状，褐色；冠毛白色。气微，味苦。

| **功能主治** | 清热解毒，消炎止血，消肿止痛，祛瘀。用于带下，痈肿，痢疾，肠痈，目赤红肿，产后瘀血腹痛，肺痨咯血，咳嗽，小儿气喘。

| **用法用量** | 内服煎汤，9 ~ 15g，鲜品加倍。外用适量，鲜品捣敷。

菊科 Compositae 苦苣菜属 Sonchus

长裂苦苣菜 *Sonchus brachyotus* DC.

长裂苦苣菜

| 植物别名 |

苣荬菜、苦菜、苣麻菜。

| 药 材 名 |

北败酱（药用部位：全草。别名：苣荬菜）。

| 形态特征 |

一年生草本，高 50 ～ 100cm。根直伸，生多数须根。茎直立，有纵条纹，上部有分枝，分枝长或短或极短，全部茎枝光滑无毛。基生叶与下部茎生叶卵形、长椭圆形或倒披针形，羽状深裂、半裂或浅裂，极少不裂，向下渐狭，无柄或有短翼柄，基部圆耳状扩大，半抱茎，侧裂片 3 ～ 5 对或奇数，对生或部分互生或偏斜互生，全部裂片全缘，有缘毛或无缘毛或具缘毛状微齿；中上部茎生叶与基生叶和下部茎生叶同形，但较小；最上部茎生叶宽线形或宽线状披针形；接花序下部的叶常钻形；全部叶两面光滑无毛。头状花序少数在茎枝先端排成伞房状花序；总苞钟状，总苞片 4 ～ 5 层，最外层卵形，中层长三角形至披针形，内层长披针形，全部总苞片先端急尖，外面光滑无毛；舌状小花多数，黄色。瘦果长椭圆状，褐色，稍压扁，每面有 5 高起的纵肋，肋间有横皱纹；冠毛白色，

纤细，柔软，纠缠，单毛状。花期 8 ～ 9 月，果期 9 ～ 10 月。

| 生境分布 | 生于路旁、荒地、林缘、田间地头。吉林各地均有分布。

| 资源情况 | 野生资源丰富。药材主要来源于野生。

| 采收加工 | 夏、秋季采收，洗净，鲜用或晒干。

| 药材性状 | 本品根呈圆柱形，下部渐细；表面淡黄棕色，先端具基生叶痕和茎。茎圆柱形，表面淡黄棕色。叶皱缩或破碎，上面深绿色，下面灰绿色，完整叶片展平后呈宽披针形或长圆状披针形，长 8 ～ 16cm，宽 1.5 ～ 2.5cm，先端有小尖刺，基部呈耳状抱茎。有时带残存的头状花序。质脆，易碎。气微，味淡、微咸。

| 功能主治 | 清热解毒，消炎止痛，消肿化瘀，凉血止血。用于肠痈，痢疾，口腔炎，鼻衄，风火牙痛，痔疮，遗精，白浊，乳腺炎，乳痈，疮疖肿毒，烫火伤。

| 附 注 | 本种的幼苗可食，为我国各地传统的山野菜。

| 菊科 | Compositae | 苦苣菜属 | Sonchus |

苦苣菜 *Sonchus oleraceus* L.

苦苣菜

| 植物别名 |

苦菜、尖叶苦菜、败酱草。

| 药 材 名 |

苦菜（药用部位：地上部分。别名：苦苣、苦荬、天香菜）、苦菜根（药用部位：根）、苦菜花子（药用部位：花、种子）。

| 形态特征 |

一年生或二年生草本，高 40 ～ 150cm。根圆锥状，垂直直伸，有多数纤维状须根。茎直立，单生，有纵条棱，全部茎枝光滑无毛，仅花序梗被腺毛。基生叶有翼柄，叶片羽状深裂或大头羽状深裂或不裂；中下部茎生叶与基生叶同形，但柄基逐渐加宽，圆耳状抱茎；接花序分枝下方的叶先端长渐尖，下部宽大，基部半抱茎；全部叶或裂片及抱茎小耳边缘有锯齿，或上部及接花序分枝处的叶大部全缘或上半部全缘，先端急尖或渐尖，两面光滑无毛，质薄。头状花序少数，单生茎枝先端或在茎、枝先端排列成紧密的伞房花序或总状花序；总苞宽钟状，总苞片3 ～ 4层，覆瓦状排列，向内层渐长，全部总苞片先端长急尖；舌状小花多数，黄色。瘦果褐色，长椭圆形或长椭圆状倒披针形，

压扁，每面各有 3 细肋，肋间有横皱纹，先端狭，无喙；冠毛白色，单毛状，彼此纠缠。花期 6 ~ 8 月，果期 7 ~ 9 月。

| **生境分布** | 生于田间、地头、山野、荒地、路旁或村屯附近。吉林各地均有分布。

| **资源情况** | 野生资源较丰富。药材主要来源于野生。

| **采收加工** | 苦菜：夏、秋季采收，用剪刀剪或用刀割取，除去杂质，晒干。
苦菜根：秋季采挖，除去杂质及泥沙，晒干。
苦菜花子：夏、秋季花盛开时采摘花，秋季采收成熟种子，除去杂质，阴干。

| **药材性状** | 苦菜：本品茎呈圆柱形，上部呈压扁状，长 45 ~ 95cm，直径 4 ~ 8mm；表面黄绿色，基部略带淡紫色，具纵棱，上部有暗褐色腺毛；质脆，易折断，断面中空。叶互生，皱缩破碎，完整叶展平后呈椭圆状广披针形，琴状羽裂，裂片边缘有不整齐的短刺状齿。有的在茎顶可见头状花序，舌状花淡黄色。气微，味微苦。
苦菜根：本品呈纺锤形，灰褐色，有多数须根。质硬，不易折断，皮部黄白色，木部类白色，断面具放射状纹理。气微，味微咸。

| **功能主治** | 苦菜：苦，寒。归心、脾、胃、大肠经。清热解毒，凉血止血，祛风湿。用于急性黄疸，肠痈，乳痈，无名肿毒，咽喉痛，乳蛾，吐血，衄血，咯血，便血，崩漏，泄泻，痢疾，痔瘘，蛇咬伤。
苦菜根：利小便。用于血淋。
苦菜花子：去中热，安心神。用于心神不宁。

| **用法用量** | 苦菜：内服煎汤，15 ~ 30g。外用适量，鲜品捣敷；或煎汤熏洗；或取汁涂搽。
苦菜根：内服煎汤，10 ~ 15g。
苦菜花子：研末冲服，6 ~ 9g。

菊科 Compositae 漏芦属 Stemmacantha

漏芦

Stemmacantha uniflora (L.) Dittrich

| **植物别名** | 祁州漏芦、大花蓟、大脑袋花。

| **药 材 名** | 漏芦（药用部位：根。别名：祁漏芦、禹漏芦、龙葱根）。

| **形态特征** | 多年生草本，高 30 ~ 100cm，全株被蛛丝状绵毛。根茎粗厚；根直伸。茎直立，不分枝，簇生或单生，被褐色残存的叶柄。基生叶及下部茎生叶有长柄，叶片椭圆形、倒披针形，羽状深裂或几全裂，侧裂片 5 ~ 12 对，边缘有锯齿或锯齿稍大而使叶呈 2 回羽状分裂状态，或边缘少锯齿或无锯齿，中部侧裂片稍大，最下部侧裂片小耳状，顶裂片长椭圆形或几匙形，边缘有锯齿；中上部茎生叶渐小，与基生叶及下部茎生叶同形并等样分裂，无柄或有短柄；全部叶质柔软。头状花序单生茎顶，花序梗粗壮；总苞半球形，总苞片约 9 层，覆

漏芦

瓦状排列，向内层渐长，全部苞片先端有膜质附属物，附属物宽卵形或几圆形，浅褐色；全部小花两性，管状，花冠紫红色。瘦果具 3 ~ 4 棱，楔状，先端有果缘，果缘边缘具细尖齿；冠毛褐色，多层，不等长，向内层渐长，基部联合成环，整体脱落，刚毛糙毛状。花期 5 ~ 6 月，果期 8 ~ 9 月。

| 生境分布 | 生于荒地、草甸、林下、林缘、山坡砾质地等。以长白山区为主要分布区域，分布于吉林延边、白山、通化、吉林、辽源（东丰）等。

| 资源情况 | 野生资源较少。药材主要来源于野生。

| 采收加工 | 春、秋季采挖，除去须根和泥沙，晒干。

| 药材性状 | 本品呈圆锥形或扁片块状，多扭曲，长短不一，直径 1 ~ 2.5cm。表面暗棕色、灰褐色或黑褐色，粗糙，具纵沟及菱形的网状裂隙，外层易剥落。根头部膨大，有残茎及鳞片状叶基，先端有灰白色绒毛。体轻，质脆，易折断，断面不整齐，灰黄色，有裂隙，中心有的呈星状裂隙，灰黑色或棕黑色。气特异，味微苦。

| 功能主治 | 苦，寒。归胃经。清热解毒，消痈下乳，舒筋通脉。用于乳痈肿痛，痈疽发背，瘰疬疮毒，乳汁不通，湿痹拘挛。

| 附 注 | （1）漏芦在吉林药用历史较久。在《长白汇征录》（1910）、《抚松县志》（1930）、《永吉县志》（1931）等多部地方志中均有关于"漏芦"的记载。（2）2020 年版《中国药典》记载本种为祁州漏芦 *Rhaponticum uniflorum* (L.) DC.。

菊科 Compositae 兔儿伞属 *Syneilesis*

兔儿伞
Syneilesis aconitifolia (Bge.) Maxim.

| 植物别名 | 雨伞菜、帽头菜、一把伞。

| 药 材 名 | 兔儿伞（药用部位：根及根茎。别名：雨伞菜、一把伞、水鹅掌）。

| 形态特征 | 多年生草本，高 70 ~ 120cm。根茎短，横走，具多数须根。茎直立，紫褐色，无毛，具纵肋，不分枝。叶通常 2，疏生；下部叶具长柄，叶片盾状圆形，掌状深裂，裂片 7 ~ 9，每裂片再 2 ~ 3 浅裂，线状披针形，边缘具不等长的锐齿，先端渐尖，初时反折成闭伞状，被密蛛丝状绒毛，后开展成伞状，变无毛，上面淡绿色，下面灰色，叶柄很长，无翅，无毛，基部抱茎；中部叶较下部叶小，裂片通常 4 ~ 5，叶柄较下部叶叶柄短；其余的叶呈苞片状，披针形，向上渐小，无柄或具短柄。头状花序多数，在茎端密集成复伞房状；花序

兔儿伞

梗具数枚线形小苞片；总苞筒状，基部有 3 ～ 4 小苞片，总苞片 1 层，5，长圆形，先端钝，边缘膜质，外面无毛；小花 8 ～ 10，花冠淡粉白色，管部窄，檐部窄钟状，5 裂；花药变紫色，基部短箭形；花柱分枝伸长，扁，先端钝，被笔状微毛。瘦果圆柱形，无毛，具肋；冠毛污白色或变红色，糙毛状。花期 7 ～ 8 月，果期 8 ～ 9 月。

| **生境分布** | 生于林缘、灌丛、草甸、山坡、草原等，常成片生长。吉林各地均有分布。

| **资源情况** | 野生资源较丰富。药材主要来源于野生。

| **采收加工** | 夏、秋季采收，除去杂质，鲜用或晒干。

| **药材性状** | 本品根茎呈扁圆柱形，多弯曲，长 1 ～ 4cm，直径 0.3 ～ 0.8cm；表面棕褐色，粗糙，具不规则的环节和纵皱纹，两侧向下生多条根。根呈类圆柱状，弯曲，长 5 ～ 15cm，直径 0.1 ～ 0.3cm；表面灰棕色或淡棕黄色，密被灰白色根毛，具细纵皱纹；质脆，易折断，折断面略平坦，皮部白色，木部棕黄色。气微特异，味辛、凉。以干燥、无杂质者为佳。

| **功能主治** | 辛，微温；有毒。祛风除湿，舒筋活血，消肿止痛。用于风湿肢体麻木，风湿关节痛，腰腿痛，骨折，月经不调，痛经。

| **用法用量** | 内服煎汤，10 ～ 15g；或浸酒。外用适量，鲜品捣敷；或煎汤洗；或取汁涂。

菊科 Compositae 山牛蒡属 Synurus

山牛蒡 *Synurus deltoides* (Ait.) Nakai

山牛蒡

| 植物别名 |

老鼠愁、裂叶山牛蒡。

| 药 材 名 |

山牛蒡（药用部位：根、种子）。

| 形态特征 |

多年生草本，高70～150cm。根茎粗。茎直立，单生，粗壮，上部分枝或不分枝，有条棱，灰白色，密被厚绒毛或下部脱毛而至无毛。基部与下部茎生叶有长叶柄，长柄上有狭翼，叶片心形、卵形、宽卵形，不分裂，基部心形，叶缘有粗大锯齿；向上的叶渐小，边缘有锯齿或针刺，有短叶柄至无柄；全部叶两面异色，粗糙，密被厚绒毛。头状花序大，下垂，生于枝先端；总苞球形，被稠密而蓬松的蛛丝毛，总苞片通常13～15层，向内层渐长，有时变紫红色，外层与中层披针形，内层绒状披针形，全部苞片上部长渐尖，中外层平展或下弯，内层上部外面有稠密短糙毛；小花全部为两性，管状，花冠紫红色。瘦果长椭圆形，浅褐色，有果缘，果缘边缘具细锯齿；冠毛褐色，多层，不等长，向内层渐长，整体脱落，刚毛糙毛状。花期8～9月，果期9～10月。

| **生境分布** | 生于林缘、路边、沟边、灌丛、草甸、山坡、林下等，常成单优势的大面积群落。以长白山区为主要分布区域，分布于吉林延边、白山、通化、吉林、辽源（东丰）等。

| **资源情况** | 野生资源较丰富。药材主要来源于野生。

| **采收加工** | 秋季采挖根，除去茎叶，洗净，晒干。秋季果实成熟时采割植株，晒干，打下种子，除去杂质，再晒干。

| **功能主治** | 根，辛、苦，凉；有小毒。清热解毒，消肿散结。用于顿咳，妇科炎症，带下。种子，清热解毒，消肿。用于瘰疬。

菊科 Compositae 万寿菊属 Tagetes

万寿菊 *Tagetes erecta* L.

| 植物别名 | 孔雀菊、缎子花、臭菊花。

| 药 材 名 | 万寿菊（药用部位：根、叶、花序）。

| 形态特征 | 一年生草本，高 50 ~ 150cm。茎直立，粗壮，具纵细条棱，分枝向上平展。叶羽状分裂，裂片长椭圆形或披针形，边缘具锐锯齿，上部叶裂片的齿端有长细芒，沿叶缘有少数腺体。头状花序单生，花序梗先端棍棒状膨大；总苞杯状，先端具齿尖；舌状花黄色或暗橙色，舌片倒卵形，基部收缩成长爪，先端微弯缺；管状花花冠黄色，先端 5 齿裂。瘦果线形，基部缩小，黑色或褐色，被短微毛；冠毛有 1 ~ 2 长芒和 2 ~ 3 短而钝的鳞片。花期 7 ~ 8 月，果期 8 ~ 9 月。

万寿菊

| **生境分布** | 生于农田、路旁、沟边等。吉林各地均有分布。吉林各地均有栽培，用于园林和街道美化、花海景观建设。

| **资源情况** | 野生资源较丰富。吉林广泛栽培。药材主要来源于栽培。

| **采收加工** | 秋季采挖根，除去茎叶，洗净，晒干。夏、秋季采摘叶，除去杂质，晒干。夏、秋季花盛开时采摘花序，除去杂质，阴干。

| **药材性状** | 本品花呈类球形，直径 5 ~ 8cm，花序梗先端棍棒状膨大。总苞长 1.8 ~ 2cm，宽 1 ~ 1.5cm，杯状，先端具齿尖。舌状花黄色或暗橙色，长 2.9cm，舌片倒卵形，长达 1.4cm，宽达 1.2cm，基部收缩成长爪，先端微弯缺。管状花花冠黄色，长约 9mm，先端 5 齿裂。体轻，易散碎。气微香，味微苦。

| **功能主治** | 根，苦，凉。解毒消肿。用于上呼吸道感染，百日咳，支气管炎，角膜炎，咽炎，口腔炎，牙痛；外用于腮腺炎，乳腺炎，痈疮肿毒。叶，清热解毒，消肿止痛。用于痈，疮，疖，疔，无名肿毒。花序，清热解毒，止咳化痰，祛风除湿，补血。用于头晕目弦，风火眼痛，小儿惊风，感冒咳嗽，百日咳，乳痈，疟腮。

| **用法用量** | 内服煎汤，9 ~ 15g。外用适量，花序研粉，醋调匀，搽患处；鲜根捣敷。

菊科 Compositae 菊蒿属 Tanacetum

菊蒿
Tanacetum vulgare L.

菊蒿

| 植物别名 |

艾菊。

| 药 材 名 |

菊蒿（药用部位：花序）。

| 形态特征 |

多年生草本，高 30 ～ 150cm。茎直立，单生或少数茎成簇生，仅上部有分枝，通常光滑无毛。茎生叶多数，叶片椭圆形或椭圆状卵形，2 回羽状分裂，一回为全裂，侧裂片达 12 对，二回为深裂，二回裂片卵形、线状披针形、斜三角形或长椭圆形，全缘或有浅齿或为半裂而呈 3 回羽状分裂，羽轴有节齿；下部茎生叶有长柄，中上部茎生叶无柄；全部叶绿色或淡绿色，有极稀疏的毛或几无毛。头状花序多数，在茎枝先端排成稠密的伞房或复伞房花序；总苞片 3 层，草质，外层卵状披针形，中内层披针形或长椭圆形，全部苞片边缘白色或浅褐色，狭膜质，先端膜质扩大；全部小花管状，边缘雌花比两性花小。瘦果；冠毛冠状，冠缘浅齿裂。花期 6 ～ 7 月，果期 7 ～ 8 月。

| **生境分布** | 生于山坡、河滩、草地、丘陵或桦木林林下。分布于吉林延边（敦化）等。

| **资源情况** | 野生资源较少。药材主要来源于野生。

| **采收加工** | 夏、秋季花盛开时采摘花序，阴干。

| **药材性状** | 本品为头状花序。总苞片 3 层，草质；外层卵状披针形，中内层披针形或长椭圆形；全部苞片边缘白色或浅褐色，狭膜质，先端膜质扩大。全部小花管状，边缘雌花比两性花小。体轻，易散碎。气微香，味微酸。

| **功能主治** | 酸，平。驱虫，利胆退黄。用于肠道寄生虫，黄疸，胆汁瘀积。

菊科 Compositae 蒲公英属 *Taraxacum*

亚洲蒲公英
Taraxacum asiaticum Dahlst.

| **植物别名** | 戟片蒲公英、戟叶蒲公英。

| **药材名** | 亚洲蒲公英（药用部位：全草。别名：戟片蒲公英、戟叶蒲公英）。

| **形态特征** | 多年生草本，高10～30cm，全株含有乳汁。根颈部有暗褐色残存叶基。叶线形或狭披针形，具波状齿，羽状浅裂至羽状深裂，顶裂片较大，戟形或狭戟形，两侧的小裂片狭尖，侧裂片三角状披针形至线形，裂片间常有缺刻或小裂片，无毛或被疏柔毛。花葶数个，与叶等长或长于叶，先端光滑或被蛛丝状柔毛；头状花序；总苞基部卵形，外层总苞片宽卵形、卵形或卵状披针形，有明显的宽膜质边缘，先端有紫红色突起或较短的小角，内层总苞片线形或披针形，较外层

亚洲蒲公英

总苞片长 2 ~ 2.5 倍，先端有紫色略钝的突起或不明显的小角；舌状花黄色，稀白色，边缘花舌片背面有暗紫色条纹，柱头淡黄色或暗绿色。瘦果倒卵状披针形，麦秆黄色或褐色，上部有短刺状小瘤，下部近光滑，先端逐渐收缩为圆柱形的喙基，喙稍长；冠毛污白色。花期 4 ~ 8 月，果期 5 ~ 9 月。

| **生境分布** | 生于田间、地头、荒地、林缘、山坡、草甸、河滩等。分布于吉林长春（农安、榆树、德惠、九台）、松原（长岭）、白城（镇赉、洮北、通榆）、四平（双辽）、延边（安图、珲春）、白山（抚松、长白、临江、靖宇）等。

| **资源情况** | 野生资源丰富。药材主要来源于野生。

| **采收加工** | 春、夏季花初开时采收，除去杂质，洗净，晒干。

| **药材性状** | 本品为皱缩卷曲的团块。根呈圆锥形，多弯曲，长 3 ~ 7cm；表面棕褐色，抽皱；根头部有棕褐色或黄白色茸毛，有的已脱落。叶基生，多皱缩破碎，完整叶片呈条形或狭披针形，羽状浅裂至深裂，裂片稍倒向，顶裂片较大，戟形或狭戟形，无毛或疏被柔毛。花茎 1 至数条，每条顶生头状花序，总苞片多层，内面一层较长，花冠黄褐色或淡黄白色。有的可见多数具白色冠毛的长椭圆形瘦果。气微，味微苦。

| **功能主治** | 清热解毒，消肿散结，利尿通淋。用于小便不利，水肿，淋证。

| **用法用量** | 内服煎汤，10 ~ 30g，大剂量可用 60g。外用适量，捣敷。

菊科 Compositae 蒲公英属 Taraxacum

华蒲公英 *Taraxacum borealisinense* Kitam.

| **植物别名** | 碱地蒲公英。

| **药材名** | 华蒲公英（药用部位：全草）。

| **形态特征** | 多年生草本，高5～20cm，全株含有乳汁。根茎有褐色残存叶基。叶倒卵状披针形或狭披针形，稀线状披针形，边缘叶羽状浅裂或全缘，具波状齿，内层叶倒向羽状深裂，顶裂片较大，长三角形或戟状三角形，每侧裂片3～7，狭披针形或线状披针形，全缘或具小齿，平展或倒向，两面无毛，叶柄和下面叶脉常紫色。花葶1至数个，长于叶，先端被蛛丝状毛或近无毛；头状花序；总苞小，淡绿色，总苞片3层，先端淡紫色，无增厚，亦无角状突起，或有时有轻微

华蒲公英

增厚，外层总苞片卵状披针形，有窄或宽的白色膜质边缘，内层总苞片披针形，长于外层总苞片 2 倍；舌状花黄色，稀白色，边缘花舌片背面有紫色条纹。瘦果倒卵状披针形，淡褐色，上部有刺状突起，下部有稀疏的钝小瘤，先端逐渐收缩为圆锥形至圆柱形的喙基，喙极短；冠毛白色。花期 5 ~ 7 月，果期 7 ~ 9 月。

| 生境分布 | 生于草原、海边湿地、河边砂质地或山坡路旁等。分布于吉林松原（乾安、前郭尔罗斯、长岭）、白城（洮北）、通化（通化）、白山（临江、长白、靖宇、抚松）、延边（和龙、珲春、汪清）等。

| 资源情况 | 野生资源丰富。药材主要来源于野生。

| 采收加工 | 开花前或刚开花时连根挖取，除去杂质，洗净，晒干。

| 功能主治 | 清热解毒，消肿散结，利尿催乳。用于急性乳痈，目赤，胃炎，胃溃疡，肝炎，胆囊炎，淋巴结炎，扁桃体炎，支气管炎，感冒发热，便秘，尿路感染，肾盂肾炎，阑尾炎，小便淋痛，瘰疬，疔疮，疖疮，蛇虫咬伤。

菊科 Compositae 蒲公英属 *Taraxacum*

朝鲜蒲公英
Taraxacum coreanum Nakai

| **植物别名** | 白花蒲公英。

| **药 材 名** | 朝鲜蒲公英（药用部位：全草）。

| **形态特征** | 多年生草本，高 10 ~ 15cm，全株含有乳汁。根圆锥形，褐色或深褐色。叶倒披针形或线状披针形，先端锐尖，基部渐狭成柄，羽状浅裂至深裂，先端裂片三角状戟形、宽菱形或正三角形，先端尖，侧裂片狭三角形或线形，平展或倒向，全缘或常在裂片间夹有小裂片或齿，叶面无毛，背面疏被毛。花葶数个，先端幼时密被白色绵毛，后光滑；头状花序；总苞宽钟状，外层总苞片卵形或卵状披针形，先端具明显角状突起，带红紫色，边缘疏生缘毛，内层总苞片

朝鲜蒲公英

线状披针形，先端暗紫色，增厚或具小角状突起；舌状花白色，稀淡黄色，边缘花舌片背面有紫色条纹。瘦果褐色，上部具刺状突起，中部以下具瘤状突起，先端逐渐收缩为圆锥形至圆柱形的喙基，喙纤细；冠毛白色。花期 4 ~ 5 月，果期 5 ~ 6 月。

| **生境分布** | 生于草地、山坡、林缘或向阳地等。分布于吉林白山（白山、抚松、靖宇、长白）、通化（柳河、辉南、通化、梅河口、集安）、延边（安图）、吉林（永吉、舒兰）等。

| **资源情况** | 野生资源较少。药材主要来源于野生。

| **采收加工** | 开花前或刚开花时连根挖取，除去杂质，洗净，晒干。

| **功能主治** | 清热解毒，消痈散结，利尿通淋，催乳。用于热毒痈肿疮疡，乳痈，肺痈，肠痈，湿热黄疸，小便淋漓涩痛，产后乳少。

菊科 Compositae 蒲公英属 Taraxacum

东北蒲公英
Taraxacum ohwianum Kitam.

| **植物别名** | 婆婆丁。

| **药 材 名** | 东北蒲公英（药用部位：全草）。

| **形态特征** | 多年生草本，高 10 ~ 20cm，全株含有乳汁。叶倒披针形，先端尖
或钝，不规则羽状浅裂至深裂，先端裂片菱状三角形或三角形，每
侧裂片 4 ~ 5，稍向后，裂片三角形或长三角形，全缘或疏生齿，
两面疏生短柔毛或无毛。花葶多数，花期超过叶或与叶近等长，微
被疏柔毛，近先端处密被白色蛛丝状毛；头状花序大；外层总苞片
花期伏贴，宽卵形，先端锐尖或稍钝，无或有不明显的增厚，暗紫
色，具狭窄的白色膜质边缘，边缘疏生缘毛，内层总苞片线状披针

东北蒲公英

形，长于外层总苞片 2 ～ 2.5 倍，先端钝，无角状突起；舌状花黄色，边缘花舌片背面有紫色条纹。瘦果长椭圆形，麦秆黄色，上部有刺状突起，向下近平滑，先端略突然缢缩成圆锥形至圆柱形的喙基，喙稍长，纤细；冠毛污白色。花期 4 ～ 5 月，果期 5 ～ 6 月。

| **生境分布** | 生于河边、林缘、山坡、路边、田间、山野、撂荒地等，常成片生长。以长白山区为主要分布区域，分布于吉林延边、白山、通化、吉林、辽源（东丰）、长春（德惠）、白城（洮南、大安）等。

| **资源情况** | 野生资源丰富。药材主要来源于野生。

| **采收加工** | 春季至秋季采挖，除去泥土、杂质，晒干。

| **药材性状** | 本品为皱缩卷曲的团块。根呈圆锥状，多弯曲；表面棕褐色，抽皱；根头部有棕褐色或黄白色茸毛，有的已脱落。叶多皱缩破碎，完整叶片呈长圆状倒披针形，长 9 ～ 20cm，宽 2 ～ 5cm，大头羽裂或羽状深裂，裂片稍倒向，三角状或窄三角状，先端裂片大，扁菱形或三角形，全缘，两面被疏柔毛。外层总苞片无或有不明显的小角，内层总苞片长于外层 2 ～ 2.5 倍，无小角；花冠黄褐色或淡黄白色。气微，味微苦。

| **功能主治** | 苦、甘，寒。归肝、胃经。清热解毒，利尿通淋，消肿散结。用于乳痈，肺痈，肠痈，痄腮，疔毒疮肿，目赤肿痛，感冒发热，咳嗽，咽喉肿痛，胃火，肠炎，痢疾，肝炎，胆囊炎，尿路感染，蛇虫咬伤。

| **用法用量** | 内服煎汤，10 ～ 30g，大剂量可用至 60g；或捣汁；或入散剂。外用适量，捣敷。

| **附　注** | 本种的幼苗可食，为著名的传统山野菜。本属植物种类多，属内植物区别小，不易鉴别，通常将本属植物统作为"蒲公英"采集入药或食用，《中国药典》也将同属植物作"蒲公英"入药。

菊科 Compositae 蒲公英属 Taraxacum

斑叶蒲公英 *Taraxacum variegatum* Kitag.

| 药 材 名 | 蒲公英（药用部位：全草）。

| 形态特征 | 多年生草本，高 5 ~ 15cm，全株含有乳汁。根粗壮，深褐色，圆柱状。叶倒披针形或长圆状披针形，近全缘，不分裂或具倒向羽状深裂，先端裂片三角状戟形，先端稍尖或稍钝，每侧裂片 4 ~ 5，裂片三角形或长三角形，全缘或具小尖齿或为缺刻状齿，两面多少被蛛丝状毛或无毛，叶面有暗紫色斑点，基部渐狭成柄。花葶上端疏被蛛丝状毛；头状花序；总苞钟状，外层总苞片卵形或卵状披针形，先端具轻微的短角状突起，内层总苞片线状披针形，先端增厚或具极短的小角，边缘白色，膜质；舌状花黄色，边缘花舌片背面具暗绿

斑叶蒲公英

色宽带。瘦果倒披针形或矩圆状披针形,淡褐色,上部有刺状突起,下部有小钝瘤,先端略突然缢缩为圆锥形至圆柱形的喙基,喙较长;冠毛白色。花期 4 ~ 5 月,果期 5 ~ 6 月。

| 生境分布 | 生于林缘、山沟、路边、山地、草甸。分布于吉林吉林(蛟河、磐石)、延边(安图、汪清、龙井)、白山(抚松)等。

| 资源情况 | 野生资源较丰富。药材主要来源于野生。

| 采收加工 | 春季至秋季采挖,除去泥土、杂质,晒干。

| 功能主治 | 微苦,寒。清热解毒,通乳益精,消肿散结,利尿通淋。用于疔疮肿毒,乳痈瘰疬,肺痈,咽痛,目赤,湿热黄疸,热淋涩痛。

菊科 Compositae 狗舌草属 Tephroseris

红轮狗舌草
Tephroseris flammea (Turcz. ex DC.) Holub

红轮狗舌草

| 植物别名 |

红轮千里光。

| 药材名 |

红轮狗舌草（药用部位：全草或花）。

| 形态特征 |

多年生草本，高达 60cm。根茎短细，具多数纤维状根，茎单生，直立，不分枝，被白色蛛丝状绒毛及柔毛。基生叶数个，在花期凋落，椭圆状长圆形，先端钝至尖，基部楔状狭，具长柄；下部茎生叶倒披针状长圆形，先端钝至略尖，具小尖，基部楔状狭成具翅、半抱茎且稍下延的叶柄，边缘中部以上具不规则尖齿，厚纸质，两面疏被蛛丝状绒毛；中部茎生叶无柄，椭圆形或长圆状披针形，先端尖至钝，具小尖；上部茎生叶渐小，线状披针形至线形。头状花序排列成近伞房花序，花序梗被黄褐色柔毛及疏白色蛛丝状绒毛，基部具 2 ~ 3 小苞片；总苞钟状，总苞片数枚，披针形，草质，深紫色，外面疏被蛛丝状毛；舌状花 13 ~ 15，舌片深橙色或橙红色，具 4 脉；管状花多数，花冠黄色或紫黄色。瘦果圆柱形，被柔毛；冠毛淡白色。花期 7 ~ 8 月，果期 8 ~ 9 月。

| **生境分布** | 生于山坡、林缘、草地、灌丛、湿草甸等。分布于吉林延边（安图、珲春、延吉、汪清）、通化（通化）、吉林（蛟河）等。

| **资源情况** | 野生资源较少。药材主要来源于野生。

| **采收加工** | 夏、秋季采收全草，除去杂质，洗净，晒干。夏季花开时采摘花，除去杂质，阴干。

| **药材性状** | 本品根茎短细，具多数纤维状根。茎不分枝，被白色蛛丝状绒毛及柔毛。叶倒披针状长圆形，先端钝至略尖，具小尖，厚纸质，两面疏被蛛丝状绒毛。头状花序，花序梗被黄褐色柔毛及疏白色蛛丝状绒毛，具小苞片；总苞钟状，总苞片数枚，披针形，草质，深紫色，外面疏被蛛丝状毛。瘦果圆柱形，被柔毛；冠毛淡白色。气微，味微苦。

| **功能主治** | 全草，苦，寒。清热解毒。用于疔毒痈肿。花，苦，寒。活血调经。用于月经不调。

菊科 Compositae 狗舌草属 Tephroseris

狗舌草
Tephroseris kirilowii (Turcz. ex DC.) Holub

| **植物别名** | 丘狗舌草、狗舌头草。

| **药 材 名** | 狗舌草（药用部位：全草。别名：狗舌头草、白火丹草、铜交杯）。

| **形态特征** | 多年生草本，高 20 ~ 60cm。根茎斜升，具褐色宿存叶柄，纤维状根多数。茎单生，近葶状，直立，不分枝，密被白色蛛丝状毛。基生叶数个，莲座状，在花期生存，叶片长圆形或卵状长圆形，先端钝，具小尖，基部楔状至渐狭成具狭至宽翅的叶柄，两面被密或疏的白色蛛丝状绒毛；茎生叶向上部渐小，下部茎生叶倒披针形，无柄，基部半抱茎；上部茎生叶小，披针形，苞片状，先端尖。头状花序排列成顶生伞房花序，花序梗被密蛛丝状绒毛及黄褐色腺毛，基部具苞片，上部无小苞片；总苞近圆柱状钟形，无外层苞片，总苞片

狗舌草

18 ～ 20，披针形，先端渐尖或急尖，绿色或紫色，草质，具狭膜质边缘，外面被密或有时疏的蛛丝状毛；舌状花 13 ～ 15，舌片黄色，具 3 细齿，具 4 脉；管状花多数，花冠黄色；花柱有分枝。瘦果圆柱形，密被硬毛；冠毛白色。花期 5 ～ 6 月，果期 6 ～ 7 月。

| **生境分布** | 生于山坡、路边、草地、灌丛、丘陵、山野、向阳地等。吉林各地均有分布。

| **资源情况** | 野生资源较丰富。药材主要来源于野生。

| **采收加工** | 夏、秋季采收，除去杂质，洗净，晒干。

| **药材性状** | 本品根茎具褐色宿存叶柄，纤维状根多数。茎近葶状，不分枝，被密白色蛛丝状毛。叶片长圆形或卵状长圆形，两面被密或疏的白色蛛丝状绒毛。头状花序，花序梗密被蛛丝状绒毛；总苞近圆柱状钟形，无外层苞片，总苞片披针形，先端渐尖或急尖，绿色或紫色，草质，具狭膜质边缘，外面被密或有时疏的蛛丝状毛。瘦果圆柱形，密被硬毛；冠毛白色。气微，味微苦。

| **功能主治** | 清热解毒，利水杀虫。用于肺脓疡，肾炎水肿，小便淋漓，白血病，口腔溃疡，疥疮疖肿。

| **用法用量** | 内服煎汤，9 ～ 15g，鲜品加倍；或入丸、散。外用适量，鲜品捣敷。

菊科 Compositae 狗舌草属 Tephroseris

湿生狗舌草 *Tephroseris palustris* (L.) Four.

| 植物别名 |　湿生千里光。

| 药 材 名 |　湿生狗舌草（药用部位：全草）。

| 形态特征 |　一年生或二年生草本，高 20 ~ 60cm，具多数纤维状根。茎单生，
直立，中空，不分枝或上部有分枝，下部被腺状柔毛。基生叶数枚，
具柄，在花期枯萎；下部茎生叶具柄，中部茎生叶无柄，长圆形、
长圆状披针形或披针状线形，先端钝，基部半抱茎，边缘疏具深波
状至浅波状齿，稀全缘，纸质，两面被腺状柔毛，稀无毛。头状花
序少数至多数排列成密至疏的顶生伞房花序，花序梗被密腺状柔毛；
总苞钟状，无外层苞片，总苞片 18 ~ 20，披针形，先端渐尖，草质，
具膜质边缘，绿色，外面被疏腺毛；舌状花多数，管部短，舌片浅

湿生狗舌草

黄色，椭圆状长圆形，先端钝，全缘或具 2 ～ 3 细齿；管状花多数，花冠黄色，檐部漏斗状，裂片卵状披针形，先端尖，具乳头状毛；花药线状长圆形，基部钝；附片卵状披针形；花柱分枝直立，先端截形，被乳头状毛。瘦果圆柱形，无毛；冠毛丰富，白色。花期 6 ～ 7 月，果期 7 ～ 8 月。

| **生境分布** | 生于沼泽、潮湿地或水池边等。以长白山区为主要分布区域，分布于吉林延边、白山、通化、吉林、辽源（东丰）等。

| **资源情况** | 野生资源较少。药材主要来源于野生。

| **采收加工** | 夏、秋季采收，洗净，鲜用或晒干。

| **功能主治** | 解毒消肿，杀菌灭虫。用于肺脓疡，疥疮疖肿。

菊科 Compositae 狗舌草属 Tephroseris

长白狗舌草

Tephroseris phaeantha (Nakai) C. Jeffrey et Y. L. Chen

| **植物别名** | 长白千里光。

| **药 材 名** | 长白狗舌草（药用部位：全草）。

| **形态特征** | 多年生草本，高 13 ~ 45cm。根茎短，具多数纤维状根。茎单生，近葶状，直立，全株疏被蛛丝状柔毛。基生叶莲座状，具柄，在花期生存，卵状长圆形或椭圆形，纸质，叶柄较长，无翅，基部稍扩大；茎生叶少数，向上部渐小，下部和中部茎生叶长圆形、具有翅的柄，或披针形、无柄。头状花序 2 ~ 6 排成顶生伞房状花序，花序梗稍长，基部具苞片；总苞钟状，无外层苞片，总苞片 18 ~ 20，披针形，先端渐尖，紫色，上部边缘具腺状缘毛，草质，边缘狭，干膜质；舌状花约 13，管部短，舌片黄色，长圆形，先端具 3 细齿，具

长白狗舌草

4脉；管状花多数，花冠黄色，檐部漏斗状，裂片褐紫色，卵状披针形，先端尖，被乳头状毛；花药线形，基部钝，附片卵状披针形；花柱分枝，先端头状截形，被乳头状微毛。瘦果圆柱形，被疏柔毛至近无毛；冠毛白色。花期7～8月，果期8～9月。

| **生境分布** | 生于高山冻原带、高山草地。分布于吉林白山（抚松、长白）、延边（安图）等。

| **资源情况** | 野生资源较少。药材主要来源于野生。

| **采收加工** | 夏、秋季采收，除去杂质，晒干。

| **功能主治** | 苦，寒。清热利水，活血消肿，杀虫。用于水肿尿少，瘀血肿痛。

菊科 Compositae 三肋果属 *Tripleurospermum*

三肋果 *Tripleurospermum limosum* (Maxim.) Pobed.

| **植物别名** | 幼母菊。

| **药 材 名** | 三肋果（药用部位：全草）。

| **形态特征** | 一年生或二年生草本，高 10 ~ 35cm。茎直立，不分枝或自基部分枝，有条纹，无毛。基部叶花期枯萎；茎下部和中部叶倒披针状矩圆形或矩圆形，3 回羽状全裂，基部抱茎，裂片狭条形，两面无毛；上部叶渐小。头状花序异型，少数或多数单生茎枝先端，花序梗先端膨大且常疏生柔毛；总苞半球形，总苞片 2 ~ 3 层，近等长，外层宽披针形，内层矩圆形，先端圆形，淡绿色或苍白色，光滑，有宽而亮的白色或稍带褐色的膜质边缘；花托卵状圆锥形；舌状花舌片白色，短而宽，管部短；管状花黄色，冠檐 5 裂，裂片先端有红

三肋果

色腺点。瘦果褐色，有 3 淡白色宽肋，有皱纹，背面顶部有 2 大的红色腺体；冠状冠毛膜质，有 3 三角状裂齿。花期 6 ~ 7 月，果期 7 ~ 8 月。

| **生境分布** | 生于盐碱地、江河湖岸、沙地、草甸或干旱砂质山坡等，常成单优势的大面积群落。以长白山区为主要分布区域，分布于吉林延边、白山、通化、吉林、辽源（东丰）等。

| **资源情况** | 野生资源较丰富。药材主要来源于野生。

| **采收加工** | 夏、秋季采收，除去杂质，阴干或晒干。

| **药材性状** | 本品茎有分枝，有条纹，无毛。叶呈倒披针状矩圆形或矩圆形，3 回羽状全裂，基部抱茎，裂片狭条形，两面无毛，上部叶渐小。头状花序异型，少数或多数单生茎枝先端，花序梗先端膨大且常疏生柔毛；总苞半球形，总苞片近等长。瘦果褐色，有 3 淡白色宽肋，有皱纹；冠毛膜质，有 3 三角状裂齿。气微，味微苦。

| **功能主治** | 祛风除湿，消炎止痛。用于风湿痹证，胃痛。

菊科 Compositae 三肋果属 Tripleurospermum

东北三肋果 *Tripleurospermum tetragonospermum* (F. Schmidt) Pobed.

| 药 材 名 | 东北三肋果（药用部位：全草）。

| 形态特征 | 一年生草本，高 40 ~ 50cm。主根直或弯，有须根。茎直立，具条纹，上部疏生短柔毛，下部无毛，通常由基部分枝。下部和中部叶倒披针状矩圆形或矩圆形，2 ~ 3 回羽状全裂，无叶柄，基部宽，抱茎，末回裂片全为条状丝形，两面无毛；上部叶向上渐变小。头状花序数个，单生茎枝先端；总苞半球形，总苞片约 4 层，覆瓦状排列，无毛，外层卵状矩圆形，先端钝，中层狭矩圆形，先端圆形，内层披针状矩圆形，先端钝，全为膜质，背部具 1 脉，有狭的淡褐色边缘；花托球状圆锥形，蜂窝状；舌状花舌片白色，先端具 3 钝齿；管状花多数，花冠黄色，上半部突然膨大；花丝顶部膨大；瘦果矩圆状三

东北三肋果

棱形，先端截形，基部收狭，淡褐色，多皱纹状瘤状突起，腹面有 3 肋，背面近顶部有 2 对生的圆形腺体，有时具 1 纵条纹；冠状冠毛白色，膜质，先端截形，近全缘。花期 6～8 月，果期 8～9 月。

| 生境分布 | 生于河岸沙地、沟边、沼泽草甸、路旁空地。以长白山区为主要分布区域，分布于吉林延边、白山、通化、吉林、辽源（东丰）等。

| 资源情况 | 野生资源较丰富。药材主要来源于野生。

| 采收加工 | 夏、秋季采收，除去杂质，阴干或晒干。

| 功能主治 | 祛风除湿。用于风湿痹证。

菊科 Compositae 女菀属 *Turczaninowia*

女菀 *Turczaninowia fastigiata* (Fisch.) DC.

| **药 材 名** | 女菀（药用部位：地上部分。别名：白菀、织女菀、女宛）。

| **形态特征** | 多年生直立草本，高 30 ~ 100cm。根茎粗壮。茎直立，被短柔毛，下部常脱毛，上部有伞房状细枝。叶互生，下部叶在花期枯萎，条状披针形，基部渐狭成短柄，先端渐尖，全缘；中部以上叶渐小，披针形或条形，下面灰绿色，被密短毛及腺点，上面无毛，边缘有糙毛，稍反卷，中脉及三出脉在下面凸起。头状花序小，多数，在茎、枝先端密集成复伞房状，花序梗纤细，有苞叶；总苞片 3 ~ 4 层，草质，边缘膜质，先端钝，密被短毛，外层矩圆形，内层倒披针状矩圆形，上端及中脉绿色；花 10 或更多；舌状花白色；中央多数管状花，两性；冠毛 1 层，污白色或稍红色，与管状花花冠等长。瘦果矩圆形，

女菀

基部尖，密被柔毛或后稍脱毛。花期 8 ～ 9 月，果期 9 ～ 10 月。

| **生境分布** | 生于水边、湿地、山坡、草甸、林缘、河岸、灌丛及盐碱地等。分布于吉林白城（通榆、镇赉、洮南、洮北）、松原（长岭、前郭尔罗斯、乾安、扶余）、四平（双辽）、长春（农安）、吉林（舒兰、蛟河、桦甸）、白山（抚松）、延边（安图、汪清、珲春）等。

| **资源情况** | 野生资源较少。药材主要来源于野生。

| **采收加工** | 春、夏季采收，晒干。

| **药材性状** | 本品茎被短柔毛，细。叶呈条状披针形，下面灰绿色，密被短毛及腺点，上面无毛，边缘有糙毛，稍反卷。头状花序小，花序梗纤细，有苞叶；总苞片草质，边缘膜质，密被短毛。瘦果矩圆形，基部尖，密被柔毛。气微，味微苦。

| **功能主治** | 苦、甘，微温。温肺化痰，止咳，和中，利尿。用于咳嗽气喘，肠鸣腹泻，痢疾，小便短涩，霍乱，惊痫。

| **用法用量** | 内服煎汤，9 ～ 15g。

菊科 Compositae 款冬属 Tussilago

款冬
Tussilago farfara L.

| **植物别名** | 款冬花、冬花。

| **药 材 名** | 款冬花（药用部位：花蕾。别名：冬花、款花、看灯花）。

| **形态特征** | 多年生草本，高 10 ~ 25cm。根茎褐色，横生地下，常有成片生长的群落。基生叶有长柄，密生褐毛，叶片心形或肾形，掌状网脉，叶基心形，叶缘有波状疏齿，两面异色，上面暗绿色，下面色浅，密被灰白色绒毛。早春 4 月初，花先叶开放，抽出数个密被白色绒毛的花葶，花葶上有鳞片状互生的苞叶，苞叶淡紫色。头状花序生于花葶先端，初时直立，花后下垂；总苞钟状，总苞片 1 ~ 2 层，苞片 20 ~ 30，总苞片线形，先端钝，常带紫色，被白色柔毛，有时具黑色腺毛；边缘有多层雌花，雌蕊 1，花冠舌状，黄色，子房

款冬

下位，柱头 2 裂；中央为管状花，花冠管状，雄性，先端 5 裂；聚药雄蕊，花药基部尾状；柱头头状，通常不结实。瘦果圆柱形，有纵棱；冠毛白色。花期 4 ~ 5 月，果期 5 ~ 6 月。

| **生境分布** | 生于荒地、砂石地、山谷湿地、林下、林缘及路旁等，常成片生长。分布于吉林通化（柳河、辉南、集安）、白山（临江、长白、抚松）、延边（安图、和龙）等。

| **资源情况** | 野生资源稀少。药材主要来源于野生。

| **采收加工** | 11 ~ 12 月或地冻前采收，当花蕾尚未出土、呈紫红色时挖出花蕾（过早，因花蕾还在土内或贴近地面生长，不易寻找；过迟则花蕾已出土开放，质量降低）。采挖时从茎基上将花蕾连花梗一起摘下，放入筐内，不能重压。采收后将新鲜花蕾散放在竹席上，置通风处阴干。如花蕾带有泥土，经 3 ~ 4 天晾至半干时用木板轻轻搓压，筛去泥沙，剔除花梗等杂质，然后再置通风干燥处晾干。采收后的花蕾忌露、霜及雨淋，切勿水洗、搓擦。在晾晒过程中也不能用手直接翻动，否则花蕾颜色易变黑。鲜花蕾不宜烈日曝晒，经日晒后会吐絮、露蕊，影响质量。也可置 40℃ ~ 50℃烘干。

| **药材性状** | 本品呈长圆棒状。单生或 2 ~ 3 基部连生，长 1 ~ 2.5cm，直径 0.5 ~ 1cm。上端较粗，下端渐细或带有短梗，外面被有多数鱼鳞状苞片。苞片外表面紫红色或淡红色，内表面密被白色絮状茸毛。体轻，撕开后可见白色茸毛。气香，味微苦而辛。以个大、肥壮、色紫红、花梗短者为佳。

| **功能主治** | 辛、微苦，温。归肺经。润肺下气，止咳化痰。用于新久咳嗽，咳喘痰多，劳嗽咯血。

| **用法用量** | 内服煎汤，3 ~ 10g；或熬膏；或入丸、散。外用适量，研末调敷。

| **附　注** | 本种为吉林省 Ⅱ 级重点保护野生植物。

菊科 Compositae 苍耳属 Xanthium

苍耳

Xanthium sibiricum Patrin ex Widder

苍耳

| 植物别名 |

苍耳子、老苍子、胡苍子。

| 药 材 名 |

苍耳子（药用部位：带总苞的果实。别名：苍子棵、青棘子、菜耳）。

| 形态特征 |

一年生草本，高 20 ~ 90cm。根纺锤状。茎直立，下部圆柱形，上部有纵沟，被灰白色糙伏毛。叶互生，有叶柄，叶片三角状卵形或心形，近全缘或有 3 ~ 5 不明显浅裂，基部稍心形或截形，与叶柄连接处成相等的楔形，边缘有不规则的粗锯齿，有基出脉 3，脉上密被糙伏毛，上面绿色，下面苍白色，被糙伏毛。雄性的头状花序球形，有花序梗或无，总苞片长圆状披针形，被短柔毛，花托柱状，托片倒披针形，有多数雄花，花冠钟形，管部上端有 5 宽裂片；雌性的头状花序椭圆形，外层总苞片小，披针形，被短柔毛、内层总苞片结合成囊状，宽卵形或椭圆形，绿色，淡黄绿色或有时带红褐色，瘦果成熟时变坚硬，具喙，外面有疏生的具钩状的刺，刺极细而直，基部被柔毛，常有腺点，或全部无毛；喙坚硬，锥形，上端略呈

镰状，常不等长。瘦果 2，倒卵形。花期 8 ～ 9 月，果期 9 ～ 10 月。

| **生境分布** | 生于田间、林缘、路旁、荒地、山坡及村旁、房前屋后，属于田间杂草。吉林各地均有分布。

| **资源情况** | 野生资源丰富。药材主要来源于野生。

| **采收加工** | 秋季果实成熟时采收，干燥，除去梗、叶等杂质。

| **药材性状** | 本品呈纺锤形或卵圆形，长 1 ～ 1.5cm，直径 0.4 ～ 0.7cm。表面黄棕色或黄绿色，全体有钩刺，先端有 2 较粗的刺，分离或相连，基部有果梗痕。质硬而韧，横切面中央有纵隔膜，2 室，各有 1 瘦果。瘦果略呈纺锤形，一面较平坦，先端具 1 凸起的花柱基，果皮薄，灰黑色，具纵纹。种皮膜质，浅灰色，子叶 2，有油性。气微，味微苦。

| **功能主治** | 辛、苦，温；有毒。归肺、脾、肝经。散风寒，通鼻窍，祛风湿。用于风寒头痛，鼻塞流涕，鼻衄，鼻渊，风疹瘙痒，湿痹拘挛。

| **用法用量** | 内服煎汤，6 ～ 12g，大剂量可用 30 ～ 60g；或捣汁；或熬膏；或入丸、散。外用适量，捣敷；或烧存性研末调敷；或煎汤洗；或熬膏敷。

| **附　注** | 吉林野生苍耳资源十分丰富，药材商品年产量近百吨，分布区主要集中在吉林西北部平原地区。

菊科 Compositae 百日菊属 Zinnia

百日菊
Zinnia elegans Jacq.

| **植物别名** | 步步登高、节节高、鱼尾菊。

| **药 材 名** | 百日草（药用部位：全草。别名：十姊妹、火毡花、对叶菊）。

| **形态特征** | 一年生草本，高 30 ~ 100cm。茎直立，被糙毛或长硬毛。叶宽卵圆形或长圆状椭圆形，基部稍心形抱茎，两面粗糙，下面被密的短糙毛，基出脉 3。头状花序单生枝端，无中空肥厚的花序梗；总苞宽钟状，总苞片多层，宽卵形或卵状椭圆形，边缘黑色；托片上端有延伸的附片，附片紫红色，流苏状三角形；舌状花深红色、玫瑰色、紫堇色或白色，舌片倒卵圆形，先端 2 ~ 3 齿裂或全缘，上面被短毛，下面被长柔毛；管状花黄色或橙色，先端裂片卵状披针形，上面被黄褐色密茸毛。雌花瘦果倒卵圆形，扁平，腹面正中和两侧边缘各

百日菊

有1棱，先端截形，基部狭窄，被密毛；管状花瘦果倒卵状楔形，极扁，被疏毛，先端有短齿。花期6～9月，果期7～10月。

| **生境分布** | 生于路旁、田间地埂等。吉林各地均有分布。吉林各地均有栽培，用于园林、街道、花海美化。

| **资源情况** | 吉林广泛栽培。药材主要来源于栽培。

| **采收加工** | 春、夏季采收，鲜用或晒干。

| **药材性状** | 本品茎被糙毛或长硬毛。叶呈宽卵圆形或长圆状椭圆形，基部稍心形抱茎，两面粗糙，下面被密的短糙毛，基出脉3。头状花序，总苞宽钟状，总苞片多层，宽卵形或卵状椭圆形，边缘黑色。瘦果倒卵状楔形，极扁，被疏毛，先端有短齿。气微，味微苦。

| **功能主治** | 苦、辛，凉。清热利湿，止痢，利尿通淋。用于痢疾，小便淋痛，乳痈，乳头痛。

| **用法用量** | 内服煎汤，15～30g。外用适量，鲜品捣敷。